D1299594

•DICTIONNAIRE•
LE VISUEL
JUNIOR

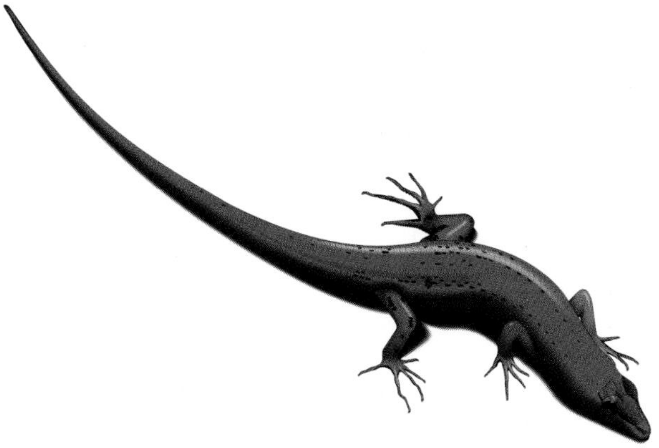

lis

stigmate

anthère

filet

style

pétale

sépale

télescope

chercheur

oculaire

support

bouton de mise
au point

tube

contrepoids

rossignol

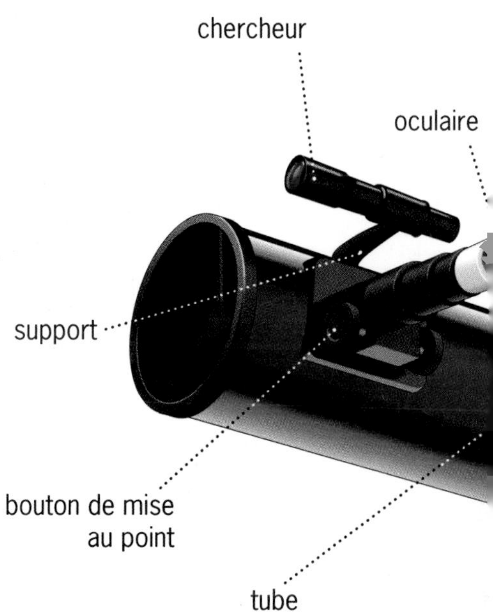

Données de catalogage avant publication (Canada)

Corbeil, Jean-Claude

Dictionnaire Le visuel junior

(Collection Langue et culture)
Comprend un index.
Publ. antérieurement sous le titre : Le visuel junior.

ISBN: 2-89037-760-1

1. Dictionnaires illustrés pour la jeunesse français.
2. Français (Langue) - Dictionnaires pour la jeunesse.
I. Archambault, Ariane. II. Titre. III. Titre : Le visuel junior. IV. Collection.

PC2625C65 1994   j443' .1   C94-940917-0

Édition originale : Copyright © 1994 Éditions Québec/Amérique inc.
425, rue Saint-Jean-Baptiste, Montréal, Québec H2Y 2Z7
Téléphone : (514) 393-1450 - Télécopieur : (514) 866-2430

Conçu et créé par Québec/Amérique International, une division de Québec/Amérique inc.

Imprimé et relié au Canada

JEAN-CLAUDE CORBEIL • ARIANE ARCHAMBAULT

•DICTIONNAIRE•
LE VISUEL
JUNIOR

AUTEURS
Jean-Claude Corbeil
Ariane Archambault

DIRECTION INFOGRAPHIQUE
François Fortin

DIRECTION ARTISTIQUE
Jean-Louis Martin
François Fortin

CONCEPTION GRAPHIQUE
Anne Tremblay

ILLUSTRATIONS
Marc Lalumière
Jean-Yves Ahern
Rielle Lévesque
Anne Tremblay

Jacques Perrault
Jocelyn Gardner
Christiane Beauregard
Michel Blais
Stéphane Roy
Alice Comtois
Benoît Bourdeau

PROGRAMMATION
Yves Ferland

**DOCUMENTATION
GESTION DES DONNÉES**
Serge D'Amico

MONTAGE
Lucie Mc Brearty
Pascal Goyette

SOUTIEN TECHNIQUE
Gilles Archambault

FABRICATION
Tony O'Riley

ÉDITIONS QUÉBEC/AMÉRIQUE

LE CIEL

LA TERRE

LE RÈGNE VÉGÉTAL

LES FRUITS ET LÉGUMES

LE JARDINAGE

LE RÈGNE ANIMAL

LE CORPS HUMAIN

L'ARCHITECTURE

LA MAISON

LE BRICOLAGE

LES VÊTEMENTS

LES OBJETS PERSONNELS

LES COMMUNICATIONS

5

LE CIEL

LE SYSTÈME^M SOLAIRE

planètes^F et satellites^M

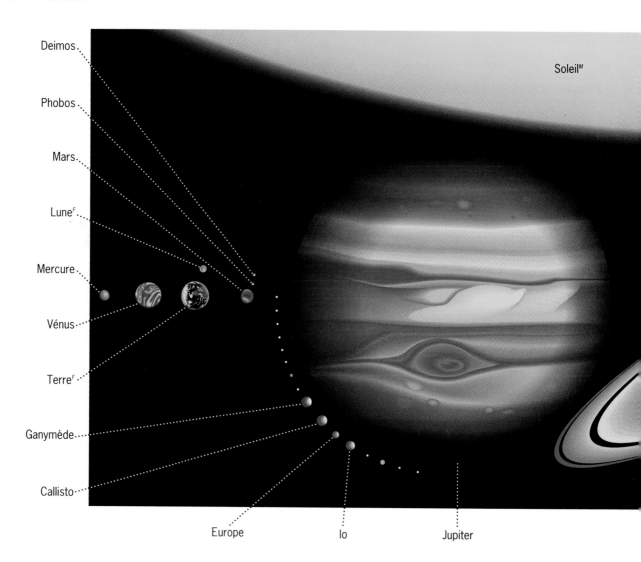

Deimos

Phobos

Mars

Lune^F

Mercure

Vénus

Terre^F

Ganymède

Callisto

Europe

Io

Jupiter

Soleil^M

orbites^F des planètes^F

astéroïdes^M

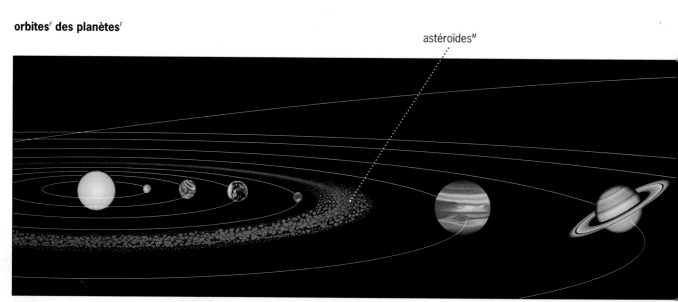

LE SYSTÈME^M SOLAIRE

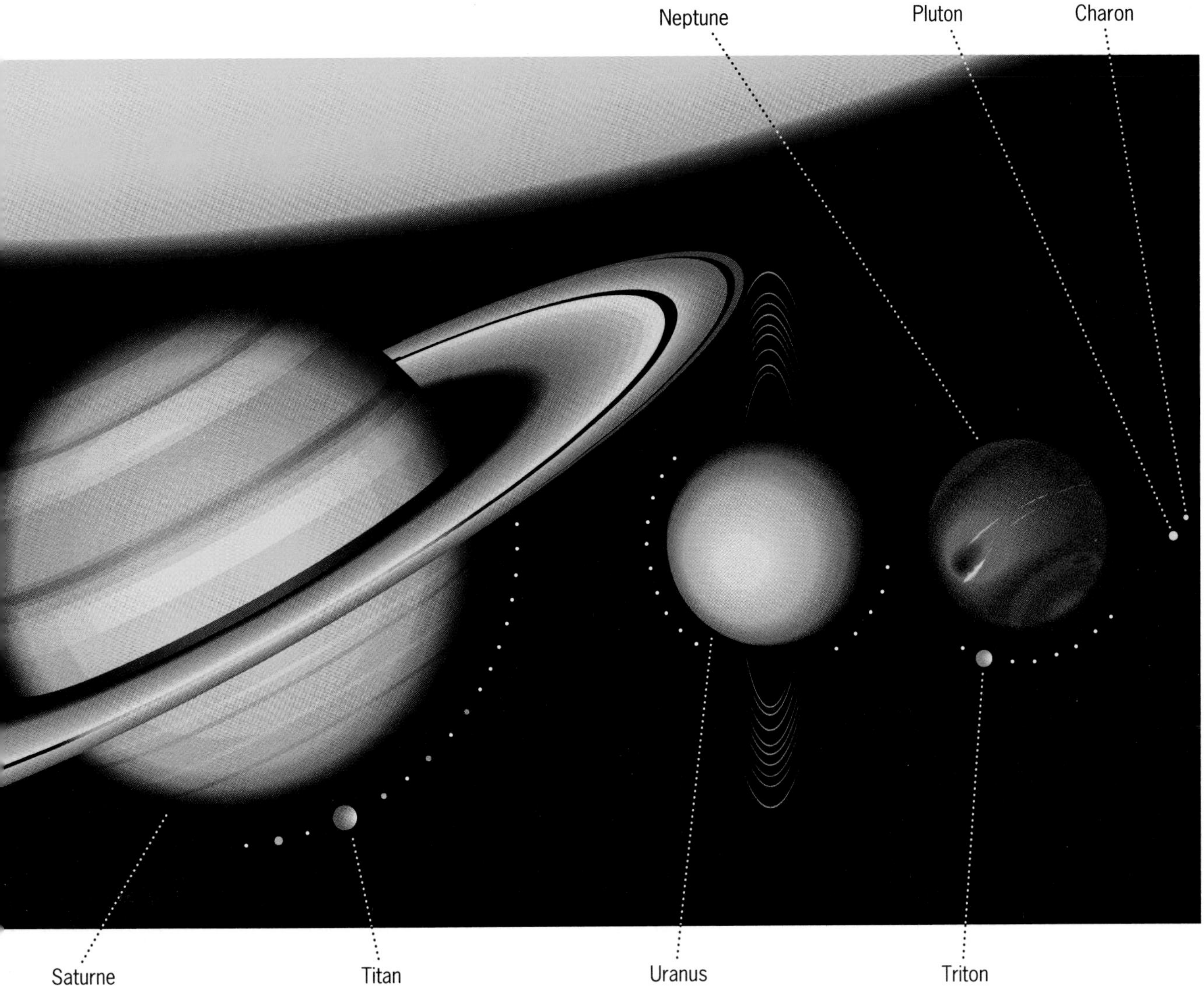

Neptune   Pluton   Charon

Saturne   Titan   Uranus   Triton

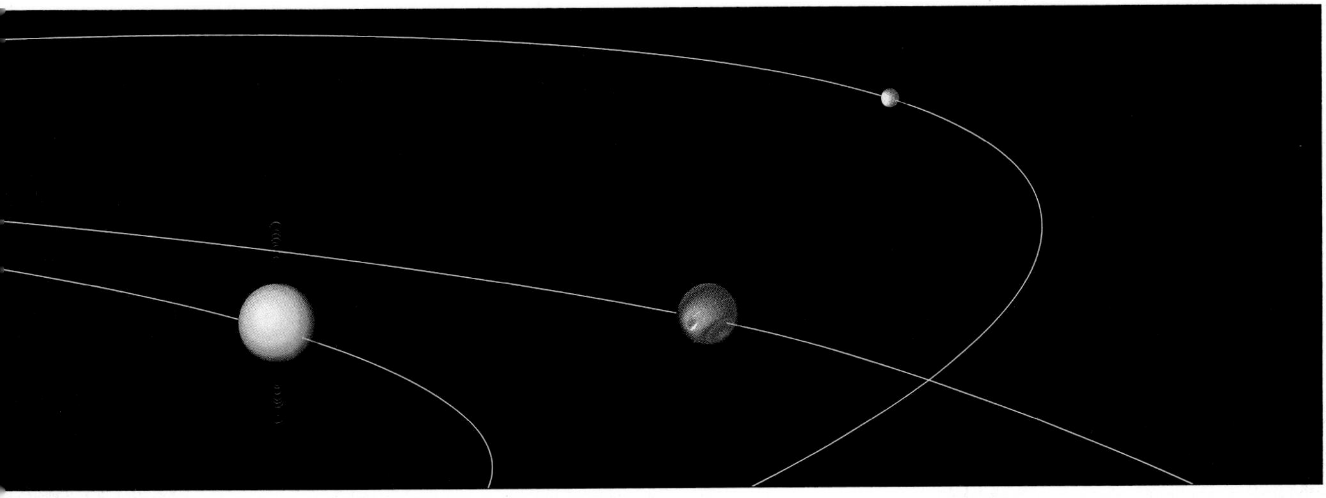

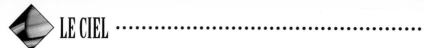

LE CIEL

LE SOLEILM

structureF **du Soleil**M

zoneF de radiationF   zoneF de convectionF   surfaceF solaire   couronneF

8

protubéranceF   tacheF   noyauM   éruptionF

LE SOLEILM

LA LUNE^F

relief^M lunaire

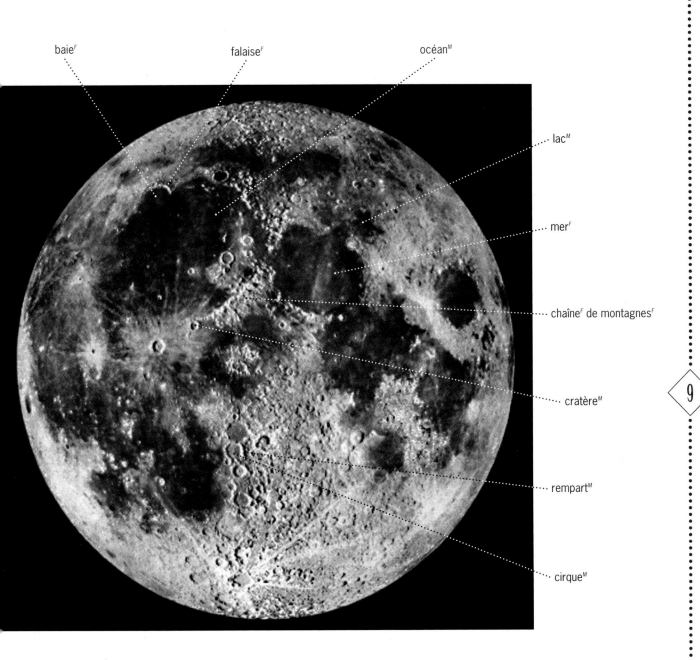

baie^F

falaise^F

océan^M

lac^M

mer^F

chaîne^F de montagnes^F

cratère^M

rempart^M

cirque^M

PHASES^F DE LA LUNE^F

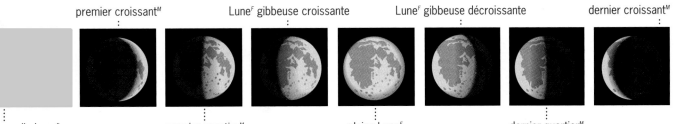

premier croissant^M

Lune^F gibbeuse croissante

Lune^F gibbeuse décroissante

dernier croissant^M

ouvelle Lune^F

premier quartier^M

pleine Lune^F

dernier quartier^M

LA COMÈTE^F

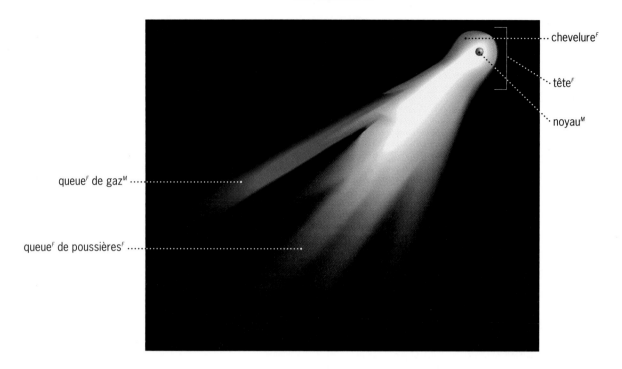

chevelure^F

tête^F

noyau^M

queue^F de gaz^M

queue^F de poussières^F

L'ÉCLIPSE^F DE SOLEIL^M

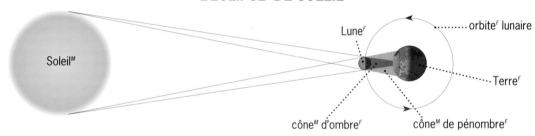

Lune^F   orbite^F lunaire

Soleil^M

Terre^F

cône^M d'ombre^F   cône^M de pénombre^F

TYPES^M D'ÉCLIPSES^F DE SOLEIL^M

 éclipse^F totale   **éclipse^F annulaire**   **éclipse^F partielle**

L'ÉCLIPSE^F DE LUNE^F

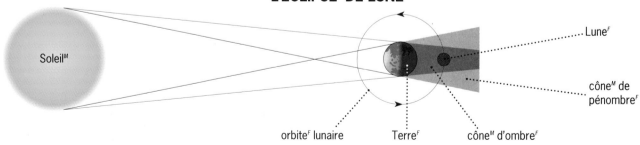

Lune^F

Soleil^M

cône^M de pénombre^F

orbite^F lunaire   Terre^F   cône^M d'ombre^F

TYPES^M D'ÉCLIPSES^F DE LUNE^F

éclipse^F partielle   **éclipse^F totale**

LE TÉLESCOPE^M

chercheur^M

oculaire^M

tube^M

bouton^M de mise^F au point^M

cercle^M de déclinaison^F

vis^F de blocage^M (azimut^M)

cercle^M d'ascension^F droite

vis^F de blocage^M (latitude^F)

réglage^M micrométrique (azimut^M)

réglage^M micrométrique (latitude^F)

coupe^F d'un télescope^M

oculaire^M

tube^M

miroir^M primaire parabolique

miroir^M plan

lumière^F

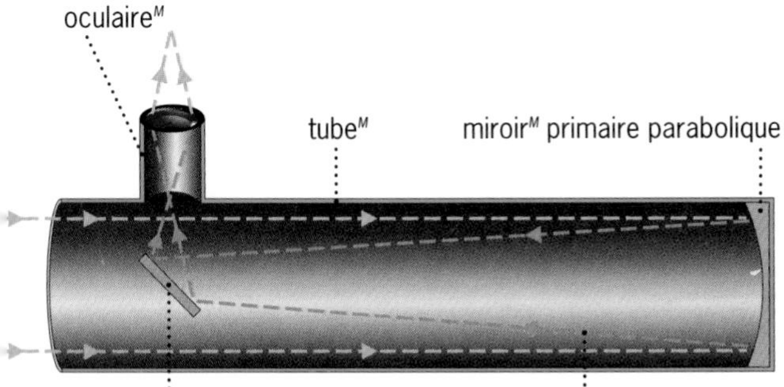

LA LUNETTE^F ASTRONOMIQUE

support^M

lentille^F objectif^M

tube^M porte-oculaire^M

pare-soleil^M

oculaire^M coudé

bride^F de fixation^F

fourche^F

contrepoids^M

coupe^F d'une lunette^F astronomique

trépied^M

lentille^F objectif^M

oculaire^M

plateau^M pour accessoires^M

tube^M

lumière^F

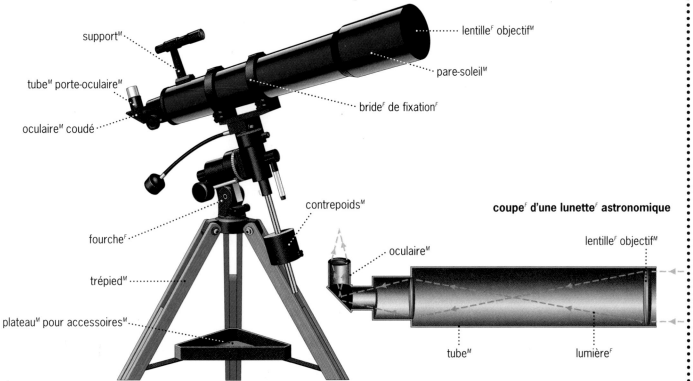

11

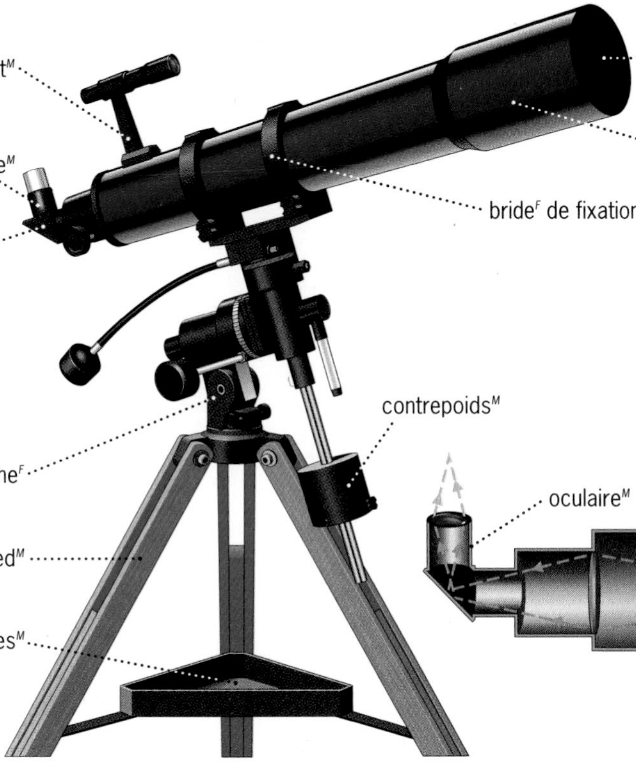

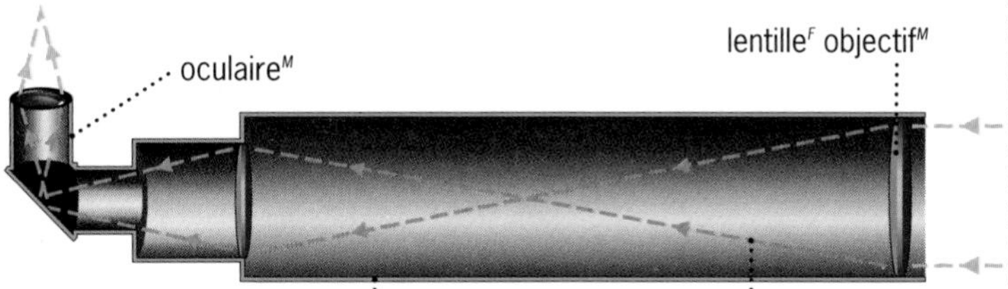

LES COORDONNÉES^F TERRESTRES

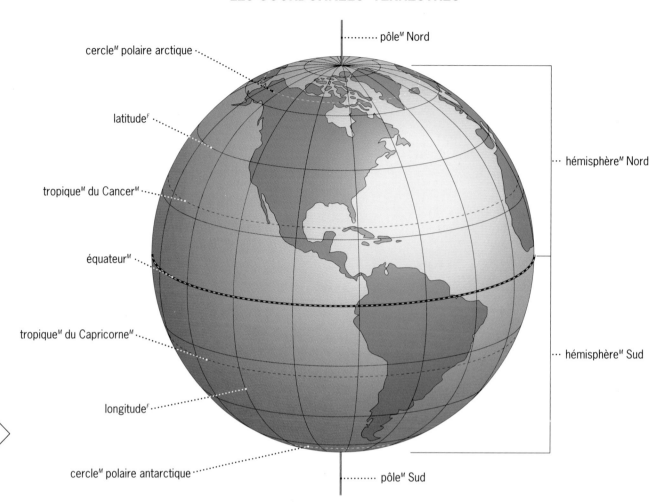

cercle^M polaire arctique

latitude^F

tropique^M du Cancer^M

équateur^M

tropique^M du Capricorne^M

longitude^F

cercle^M polaire antarctique

pôle^M Nord

hémisphère^M Nord

hémisphère^M Sud

pôle^M Sud

LA STRUCTURE^F DE LA TERRE^F

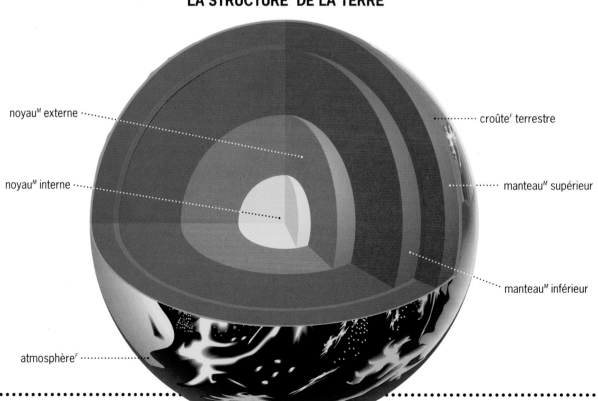

noyau^M externe

noyau^M interne

atmosphère^F

croûte^F terrestre

manteau^M supérieur

manteau^M inférieur

LE SÉISME^M

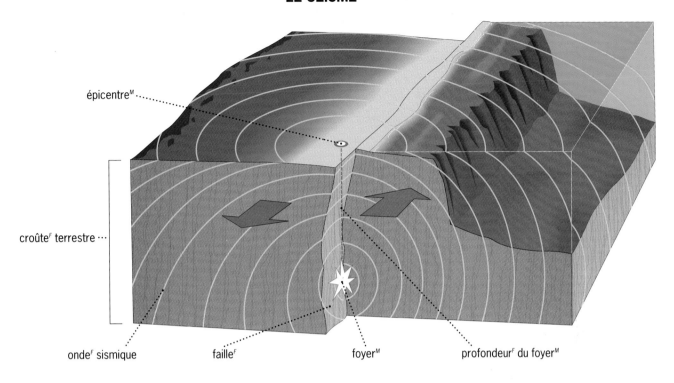

épicentre^M

croûte^F terrestre

onde^F sismique

faille^F

foyer^M

profondeur^F du foyer^M

LA GROTTE^F

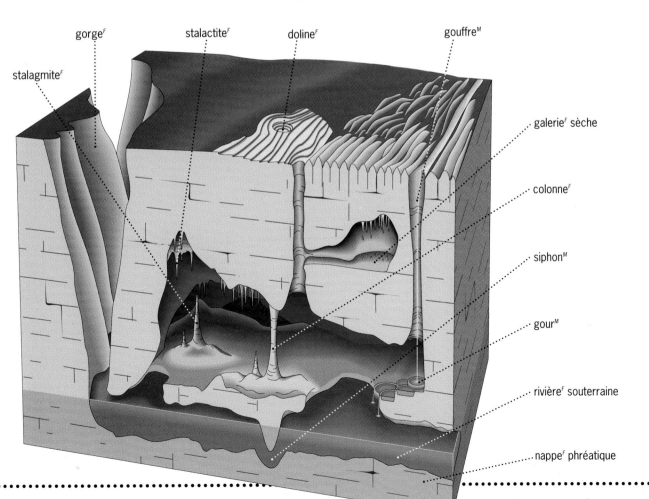

gorge^F

stalactite^F

doline^F

gouffre^M

stalagmite^F

galerie^F sèche

colonne^F

siphon^M

gour^M

rivière^F souterraine

nappe^F phréatique

LA CONFIGURATION^F DU LITTORAL^M

pointe^F

falaise^F

plage^F

marais^M salant

lagune^F

dune^F

estuaire^M

aiguille^F

arche^F naturelle

grotte^F

îlot^M rocheux

île^F de sable^M

flèche^F littorale

14

volcan^M au repos^M

cône^M

fumerolle^F

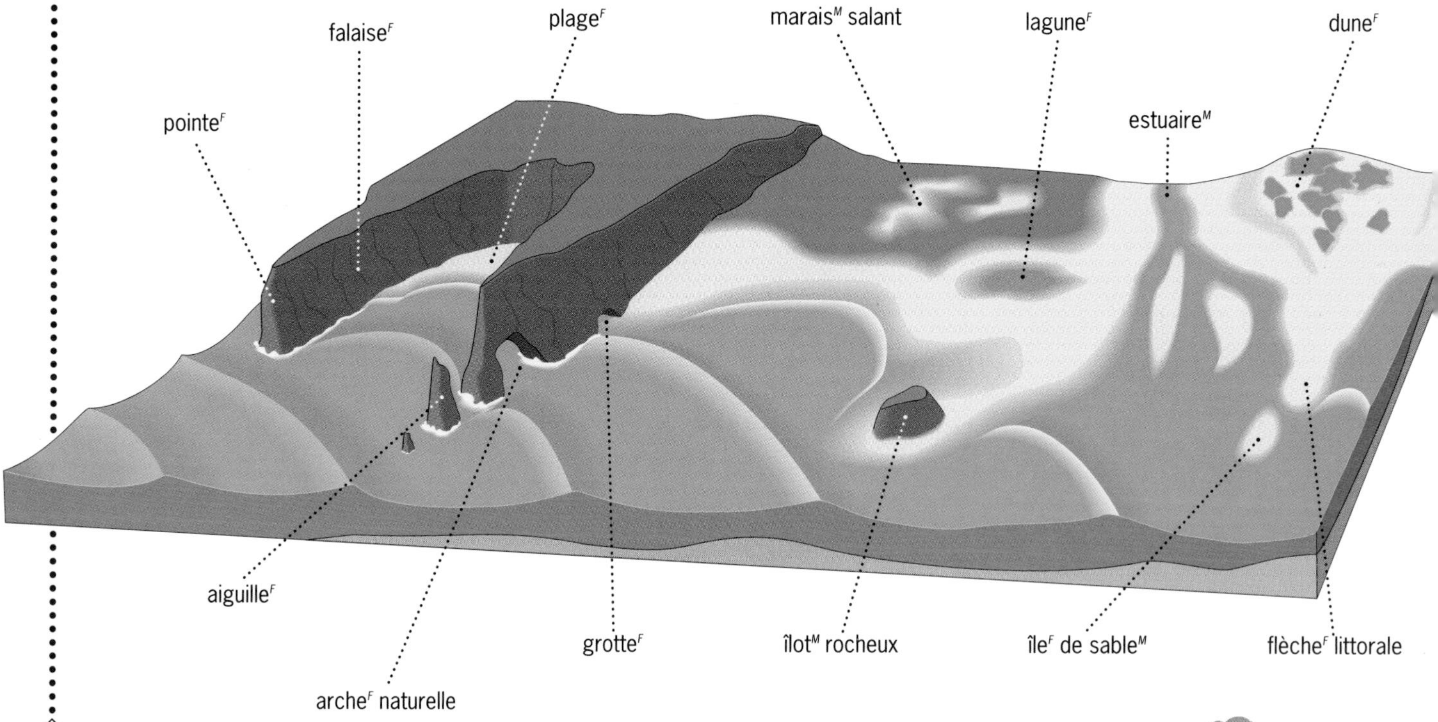

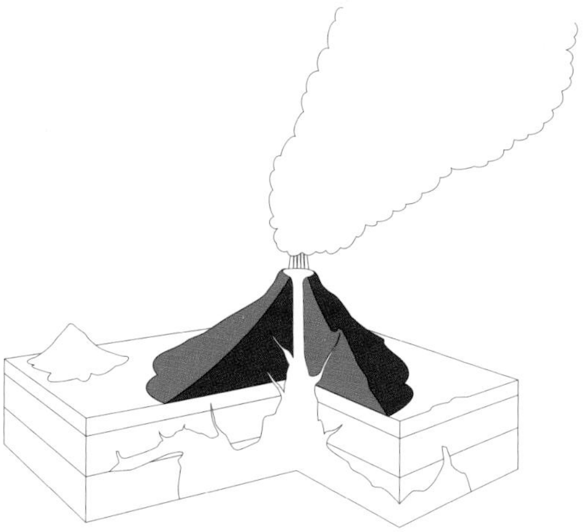

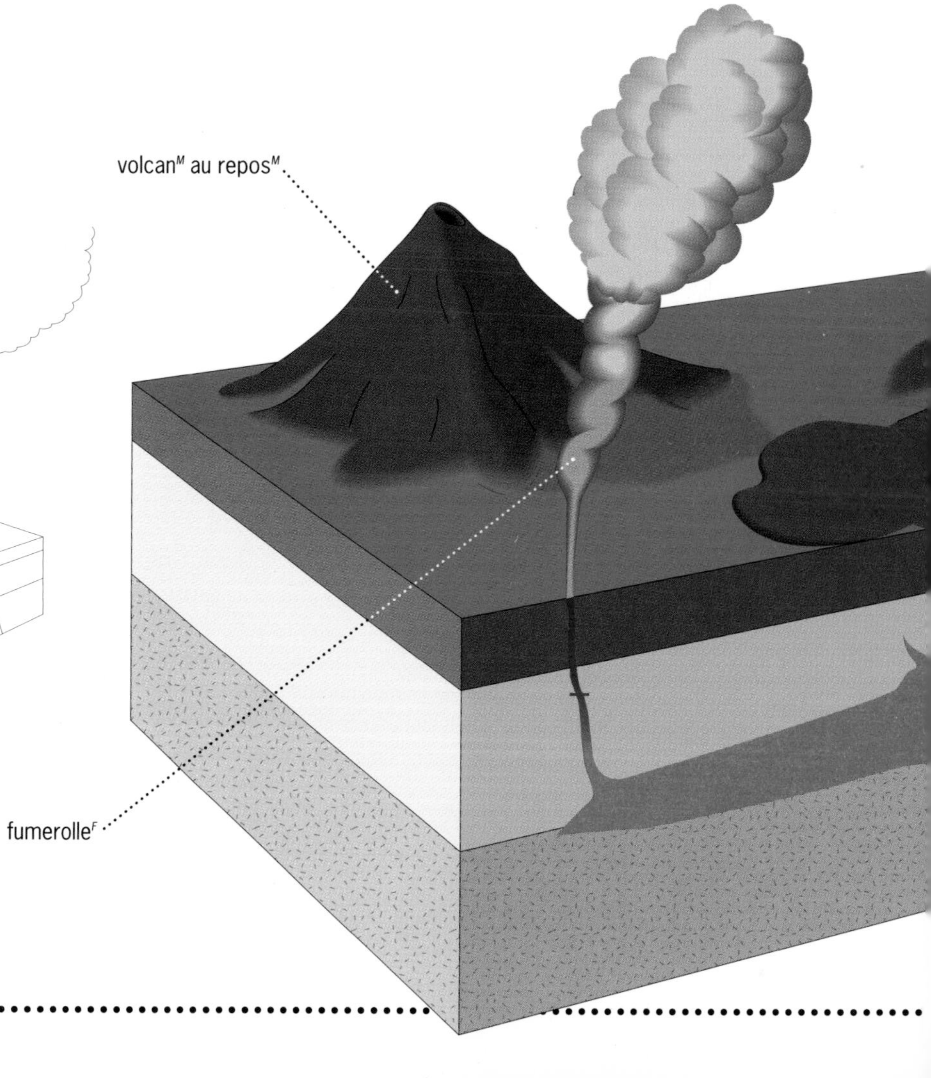

LE VOLCAN^M

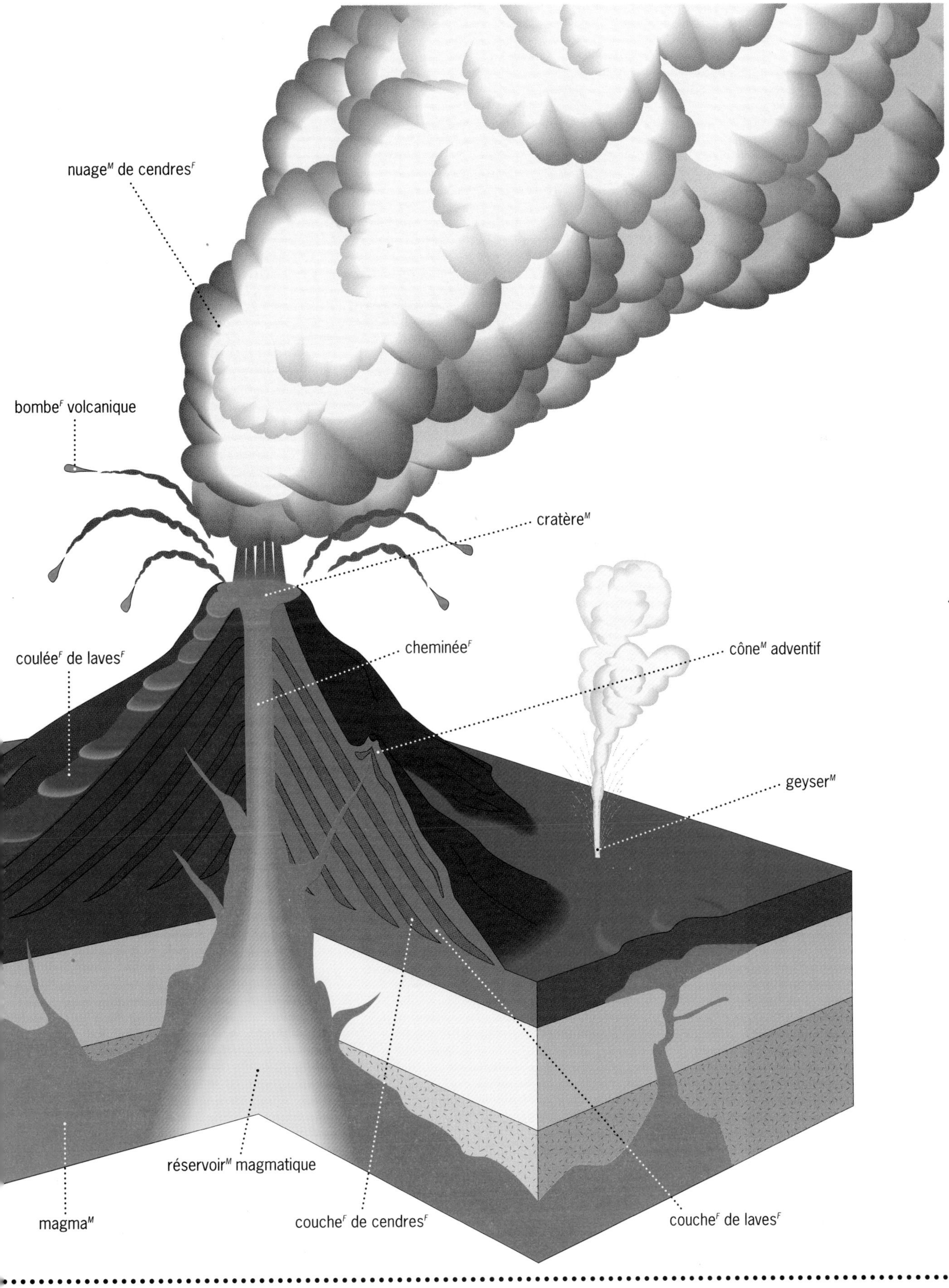

nuage^M de cendres^F

bombe^F volcanique

cratère^M

coulée^F de laves^F

cheminée^F

cône^M adventif

geyser^M

réservoir^M magmatique

magma^M

couche^F de cendres^F

couche^F de laves^F

LE VOLCAN^M

LE GLACIER[M]

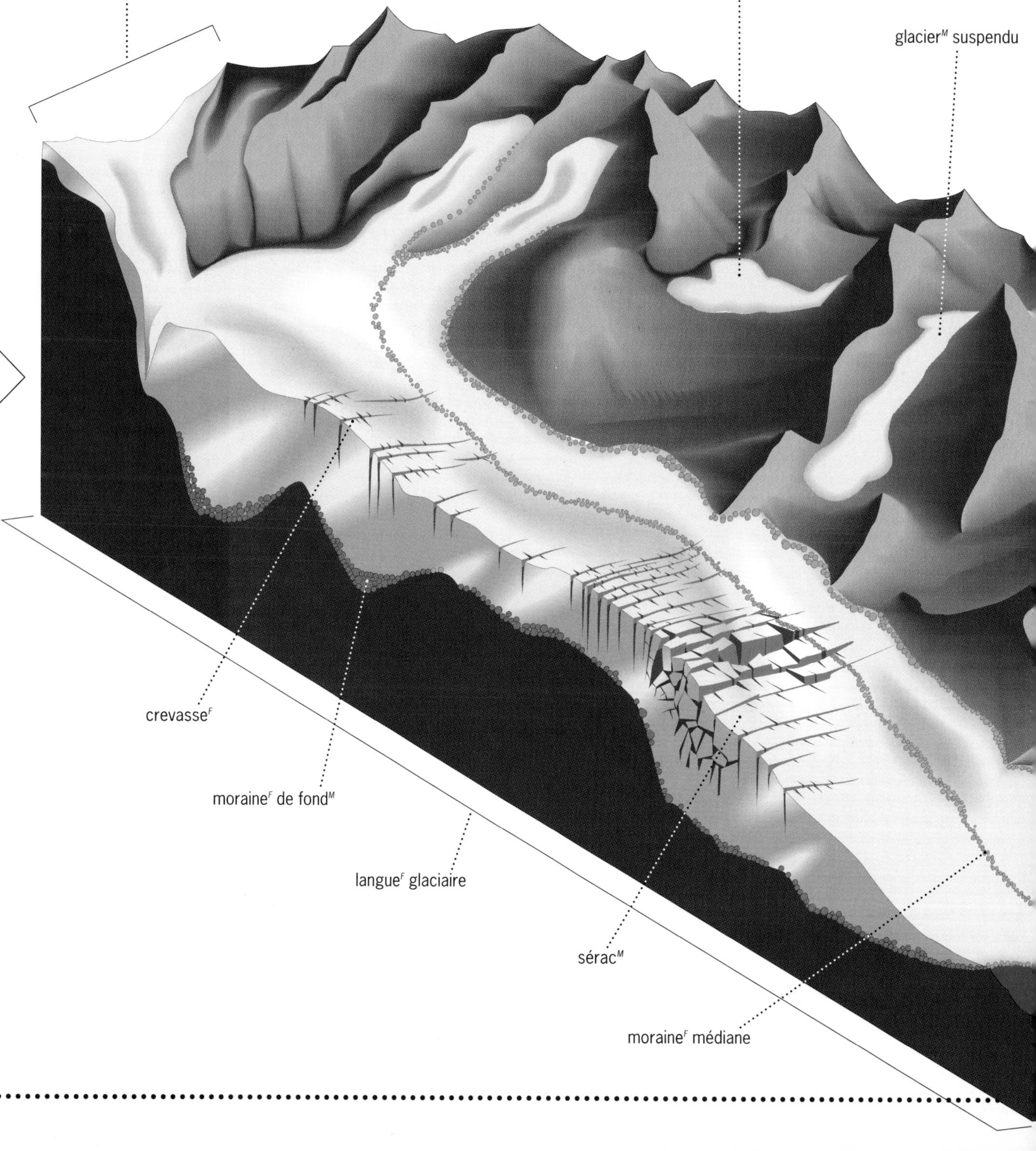

névé[M]

cirque[M] glaciaire

glacier[M] suspendu

crevasse[F]

moraine[F] de fond[M]

langue[F] glaciaire

sérac[M]

moraine[F] médiane

LA MONTAGNE^F

sommet^M

neiges^F éternelles

col^M

contrefort^M

torrent^M

chute^F

colline^F

crête^F

arête^F

pic^M

versant^M

falaise^F

plateau^M

forêt^F

vallée^F

lac^M

moraine^F latérale

moraine^F frontale

eau^F de fonte^F

plaine^F fluvio-glaciaire

17

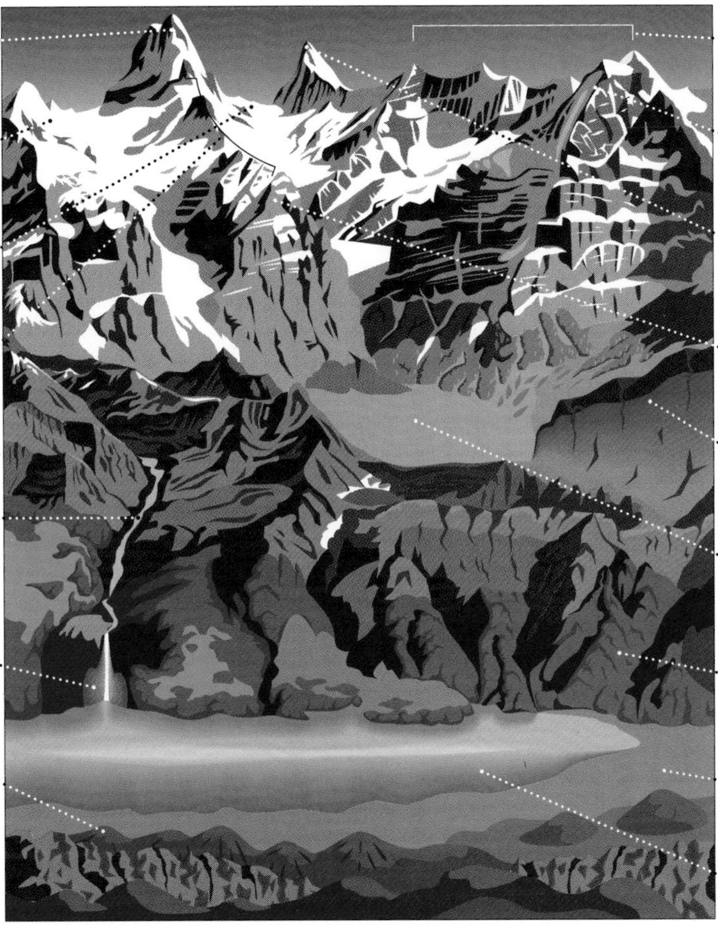

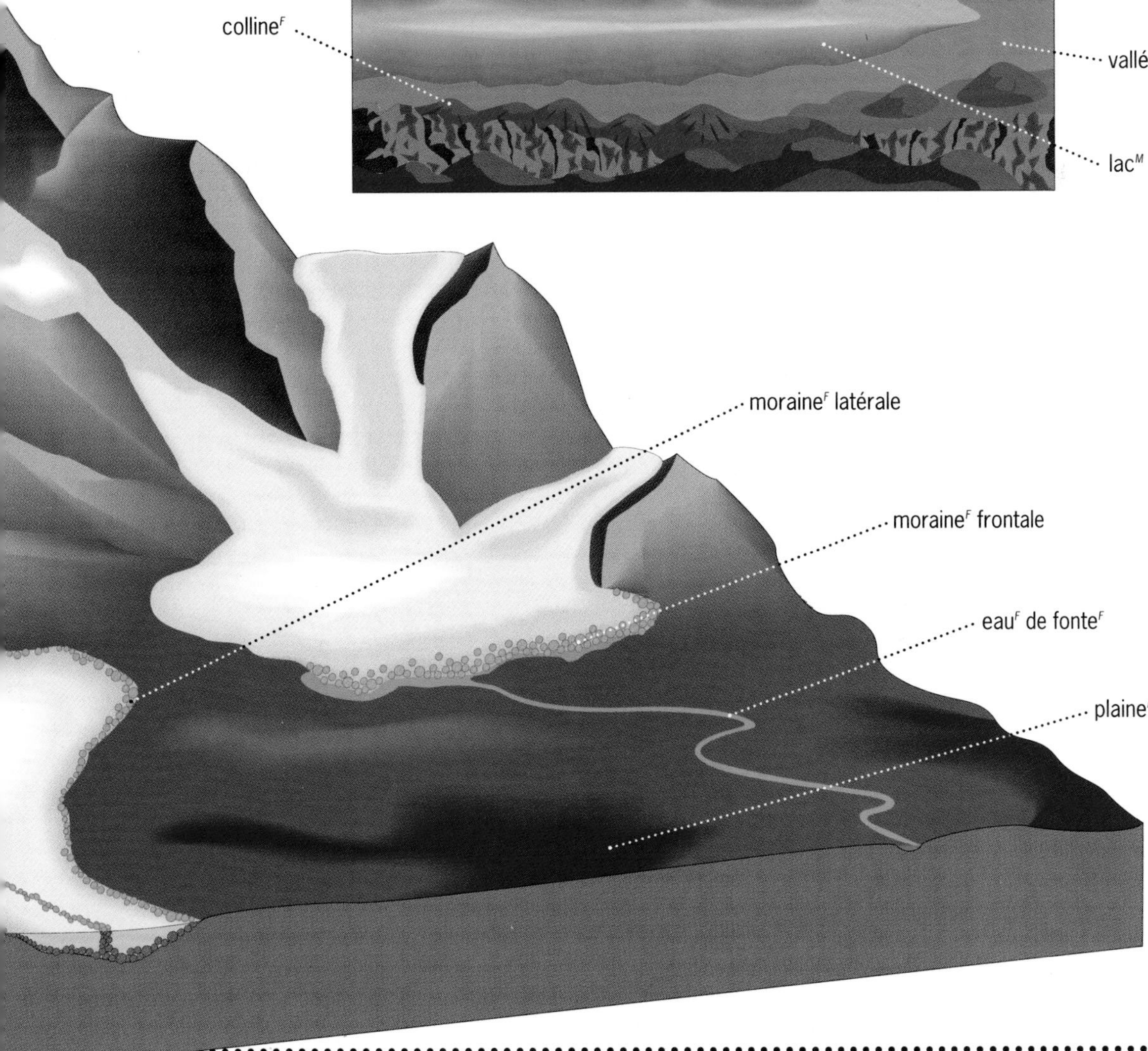

LA CONFIGURATION^F DES CONTINENTS^M

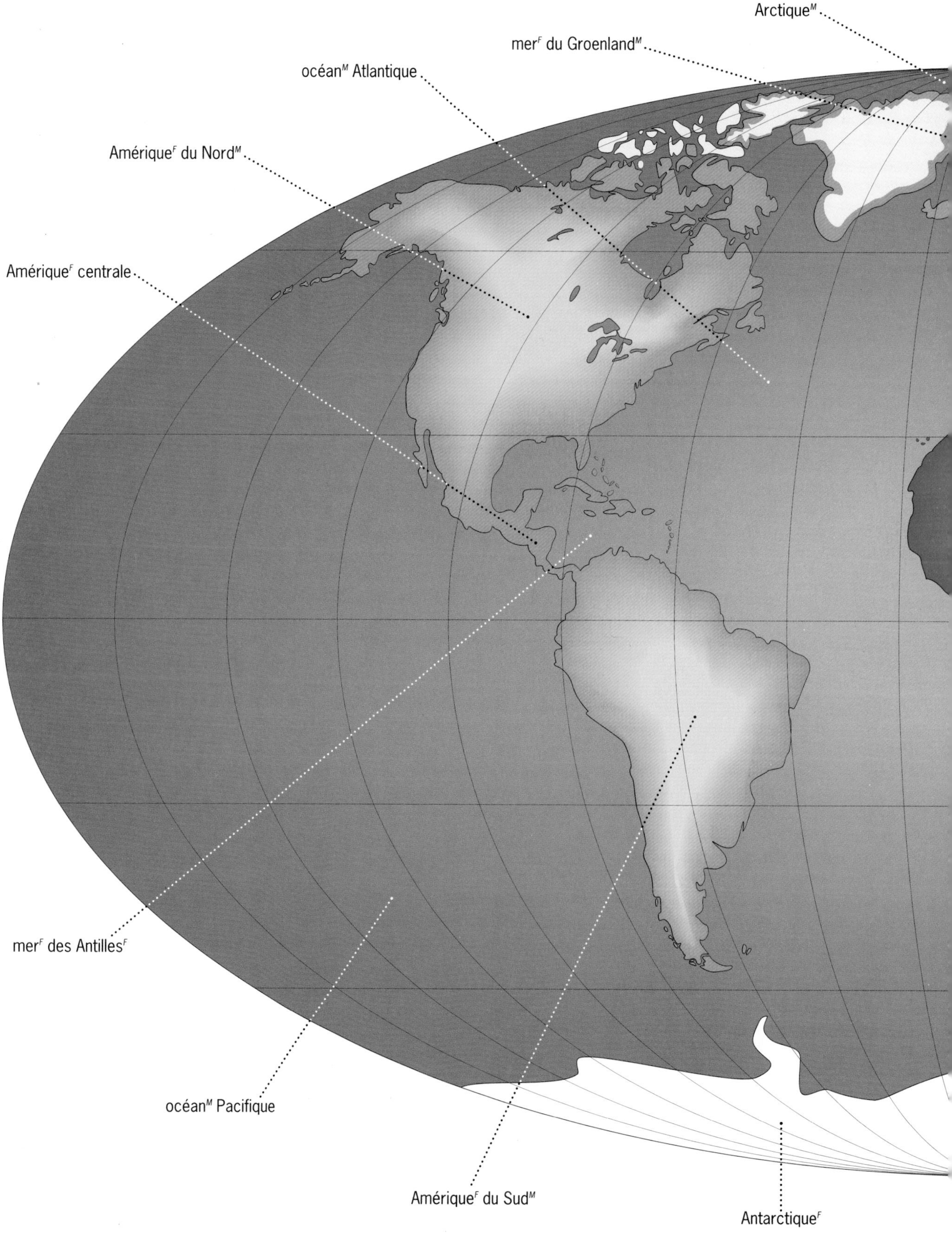

Arctique^M

mer^F du Groenland^M

océan^M Atlantique

Amérique^F du Nord^M

Amérique^F centrale

18

mer^F des Antilles^F

océan^M Pacifique

Amérique^F du Sud^M

Antarctique^F

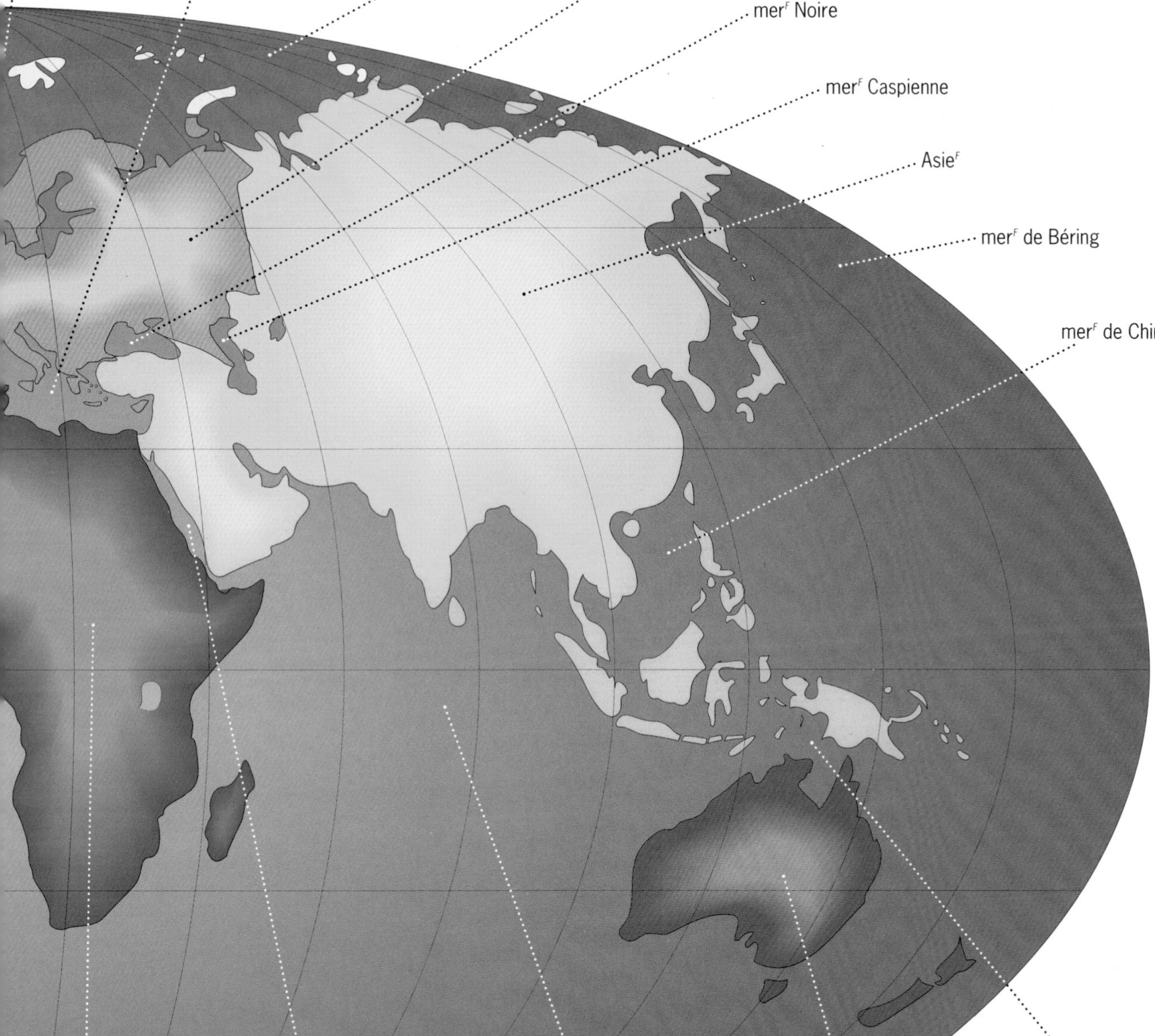

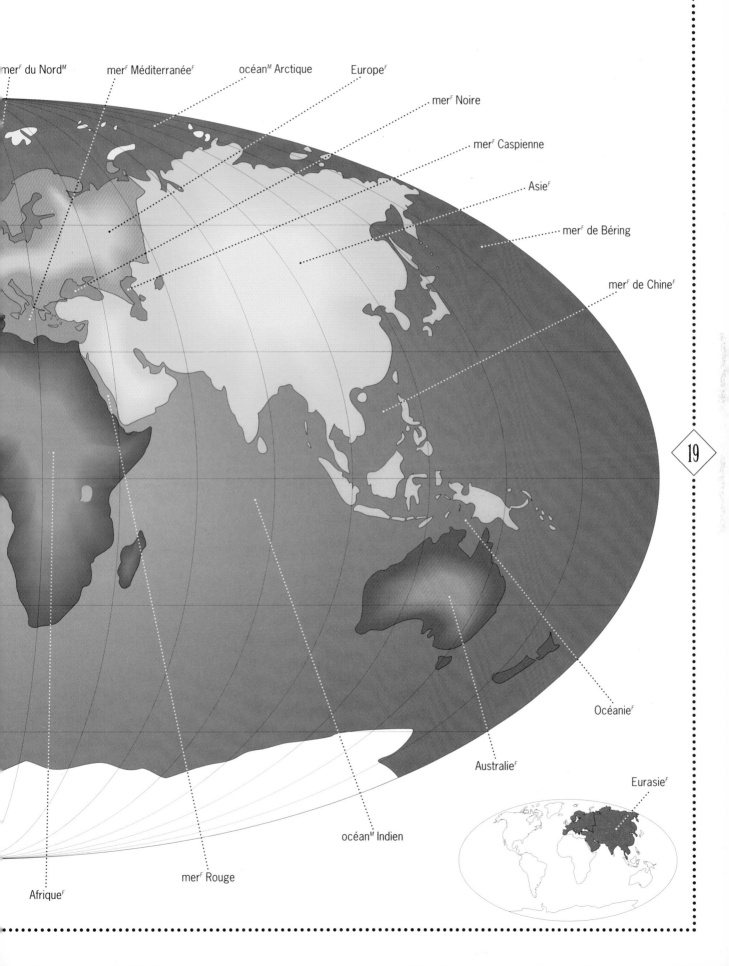

mer^F du Nord^M

mer^F Méditerranée^F

océan^M Arctique

Europe^F

mer^F Noire

mer^F Caspienne

Asie^F

mer^F de Béring

mer^F de Chine^F

19

Océanie^F

Australie^F

Eurasie^F

océan^M Indien

mer^F Rouge

Afrique^F

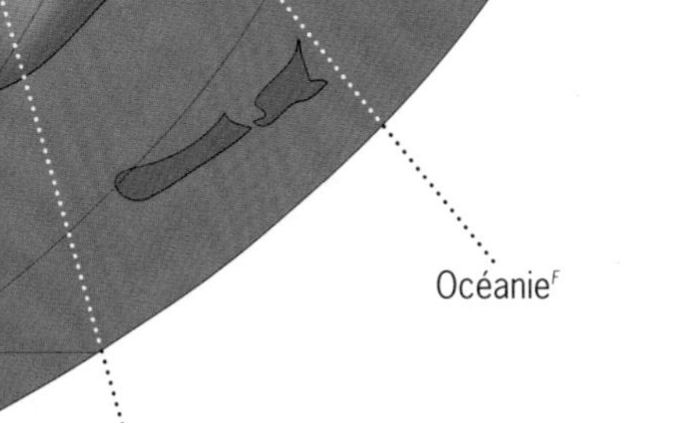

 ···

LE CYCLE^M DES SAISONS^F

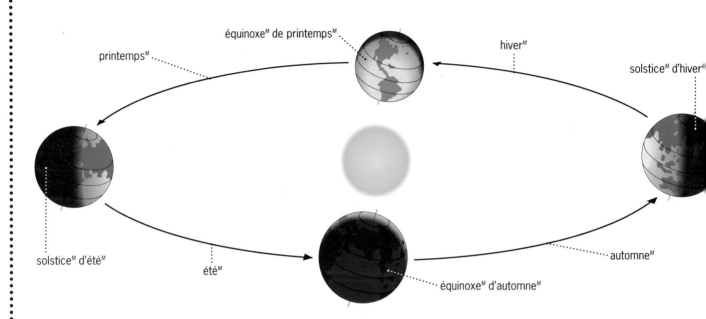

équinoxe^M de printemps^M

printemps^M

hiver^M

solstice^M d'hiver^M

solstice^M d'été^M

été^M

équinoxe^M d'automne^M

automne^M

LA STRUCTURE^F DE LA BIOSPHÈRE^F

LE PAYSAGE^M VÉGÉTAL SELON L'ALTITUDE^F

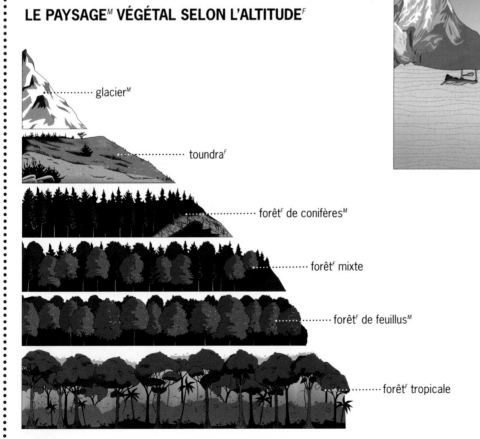

glacier^M

toundra^F

forêt^F de conifères^M

forêt^F mixte

forêt^F de feuillus^M

forêt^F tropicale

atmosphère^F

hydrosphère^F

lithosphère^F

LES CLIMATS[M] DU MONDE[M]

climats[M] tropicaux

forêt[F] tropicale

savane[F]

steppe[F]

désert[M]

climats[M] tempérés

humide, à été[M] long

humide, à été[M] court

océanique

climats[M] polaires

toundra[F]

calotte[F] glaciaire

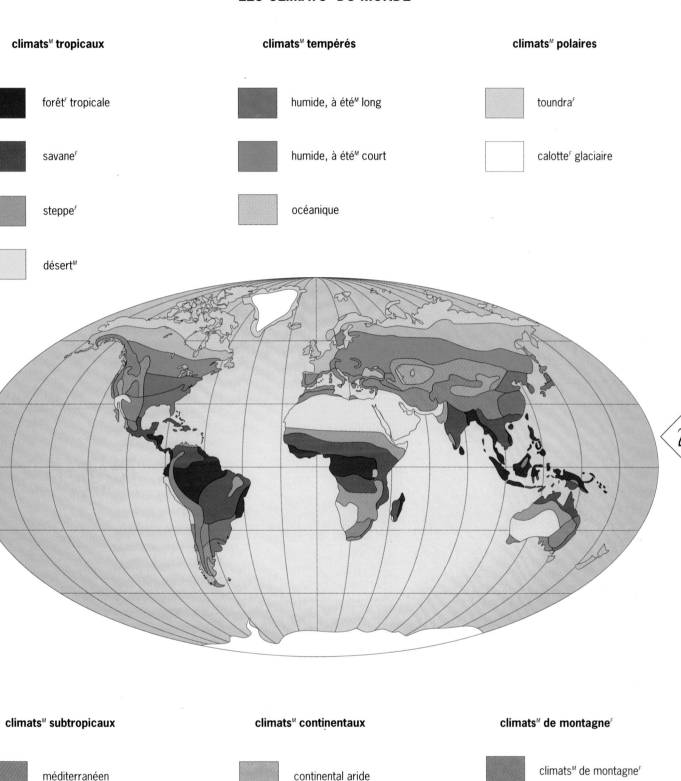

climats[M] subtropicaux

méditerranéen

subtropical humide

subtropical sec

climats[M] continentaux

continental aride

continental semi-aride

climats[M] de montagne[F]

climats[M] de montagne[F]

climats[M] subarctiques

climats[M] subarctiques

LE TEMPS^M

brume^F

brouillard^M

rosée^F

verglas^M

ciel^M d'orage^M

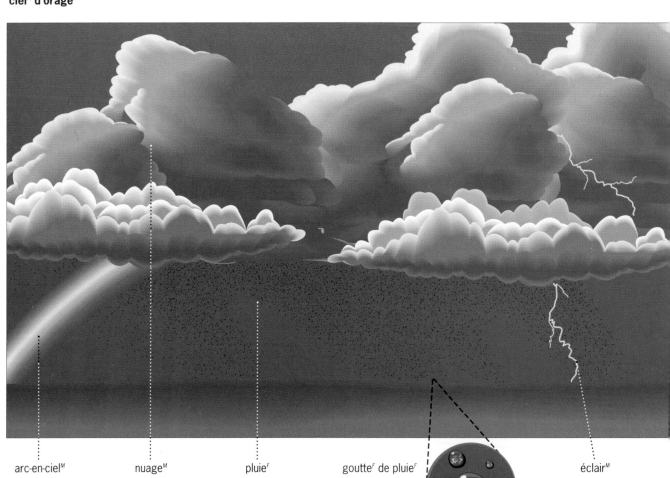

arc-en-ciel^M   nuage^M   pluie^F   goutte^F de pluie^F   éclair^M

LES INSTRUMENTS^M DE MESURE^F MÉTÉOROLOGIQUE

MESURE^F DE LA DIRECTION^F DU VENT^M

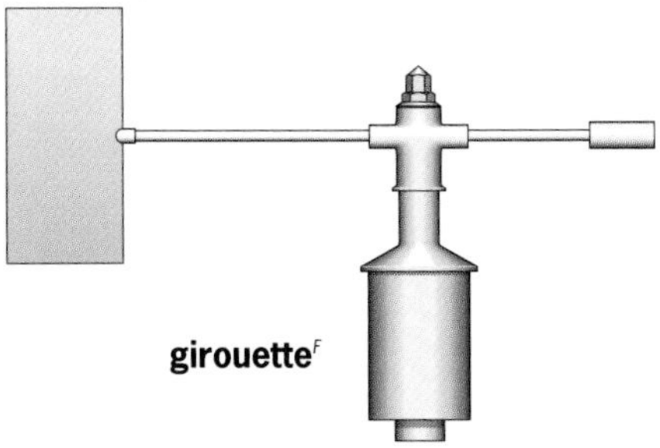

MESURE^F DE LA VITESSE^F DU VENT^M

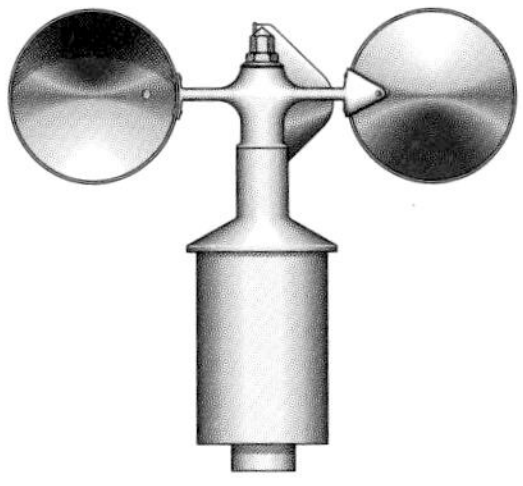

MESURE^F DE L'HUMIDITÉ^F

girouette^F

anémomètre^M

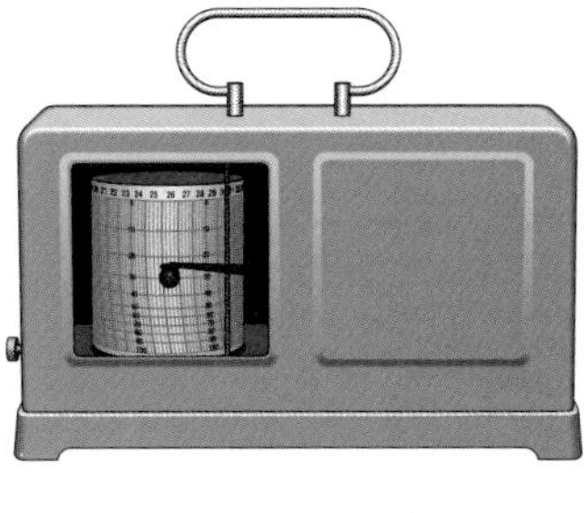

hygromètre^M **enregistreur**

MESURE^F DE LA PLUVIOSITÉ^F

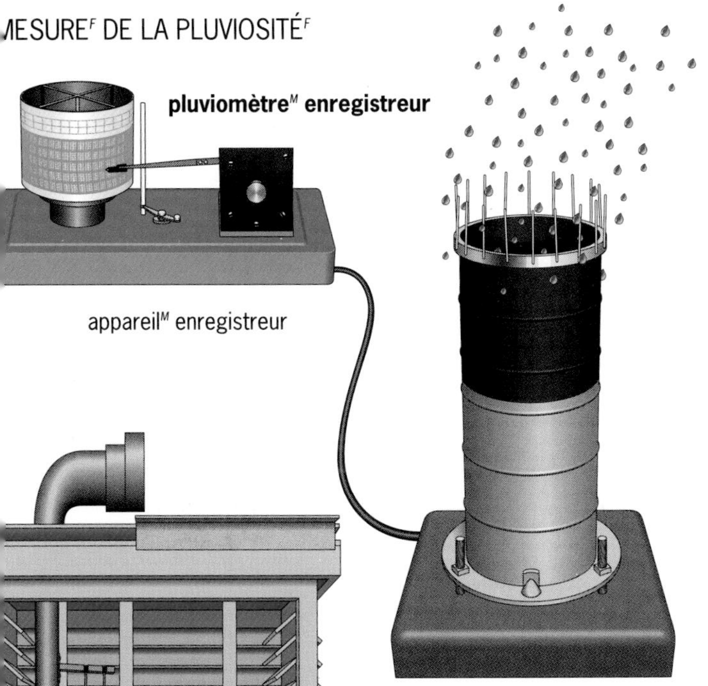

pluviomètre^M **enregistreur**

appareil^M enregistreur

pluviomètre^M **à lecture**^F **directe**

entonnoir^M collecteur

éprouvette^F graduée

support^M

collier^M de serrage^M

récipient^M

récipient^M collecteur

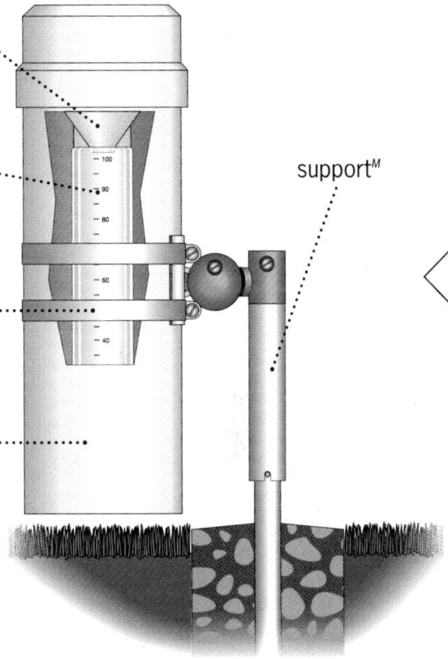

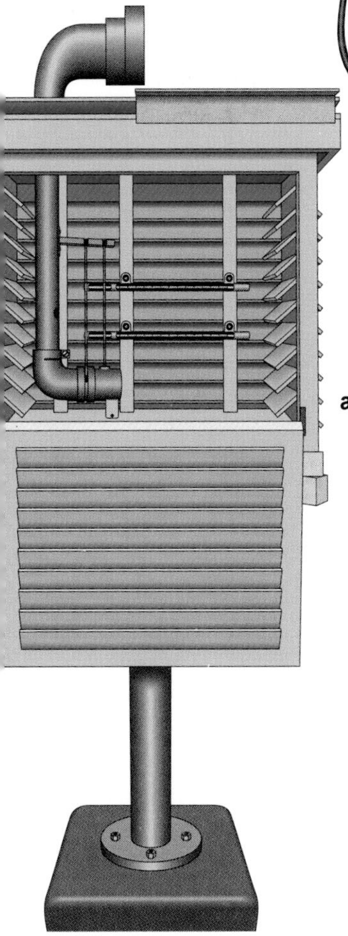

abri^M **météorologique**

MESURE^F DE LA TEMPÉRATURE^F

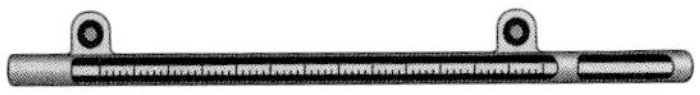

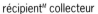

thermomètre^M **à minima**^M

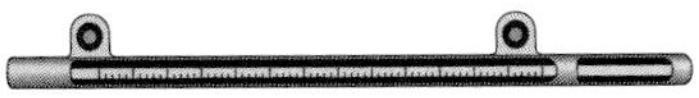

thermomètre^M **à maxima**^M

MESURE^F DE LA PRESSION^F

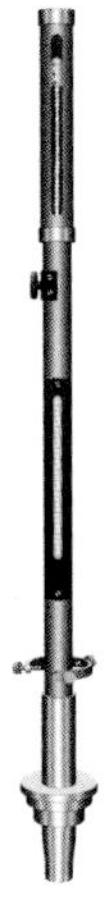

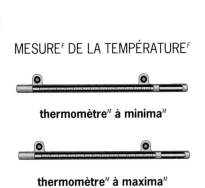

baromètre^M **à mercure**^M

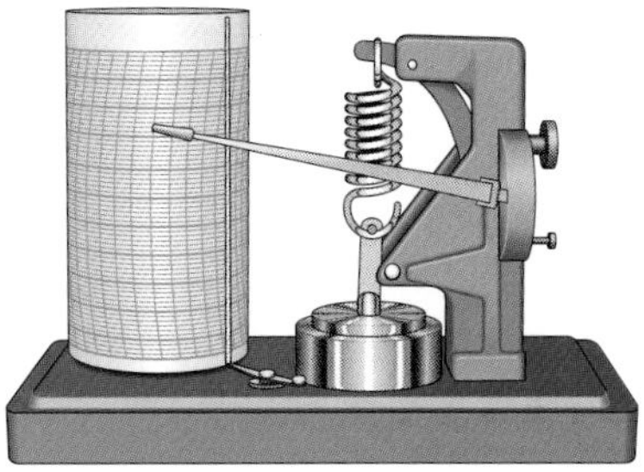

baromètre^M **enregistreur**

LA CARTOGRAPHIE[F]

hémisphères[M]

hémisphère[M] Ouest

hémisphère[M] Est

hémisphère[M] Nord

hémisphère[M] Sud

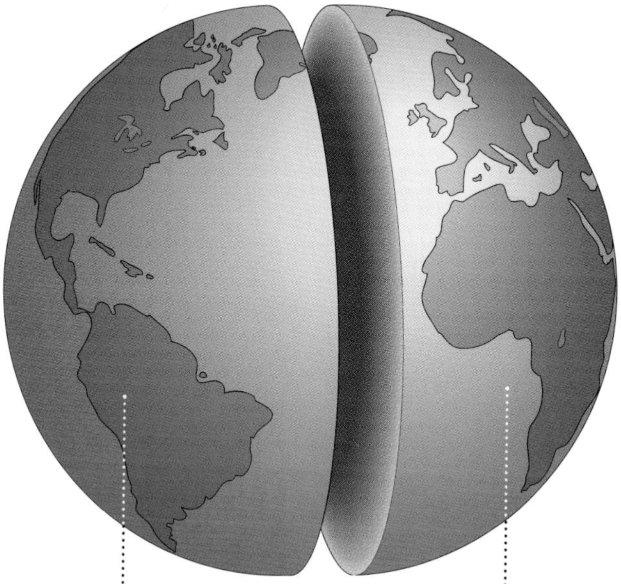

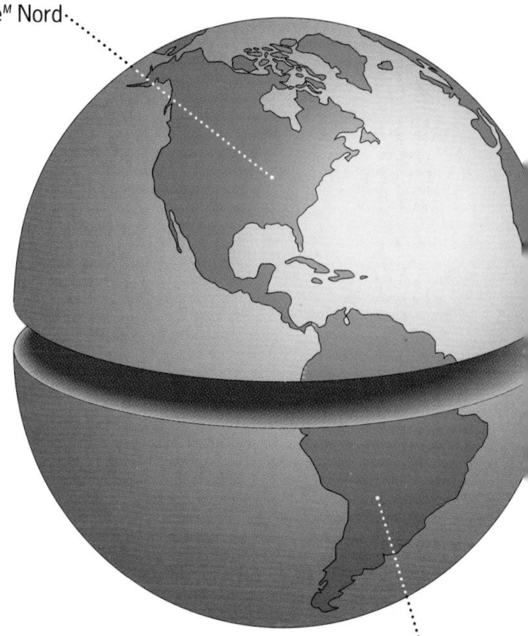

DIVISIONS[F] CARTOGRAPHIQUES

latitude[F]

cercle[M] polaire arctique

tropique[M] du Cancer[M]

équateur[M]

tropique[M] du Capricorne[M]

parallèle[M]

longitude[F]

méridien[M] Ouest

méridien[M] Est

méridien[M] de Greenwich

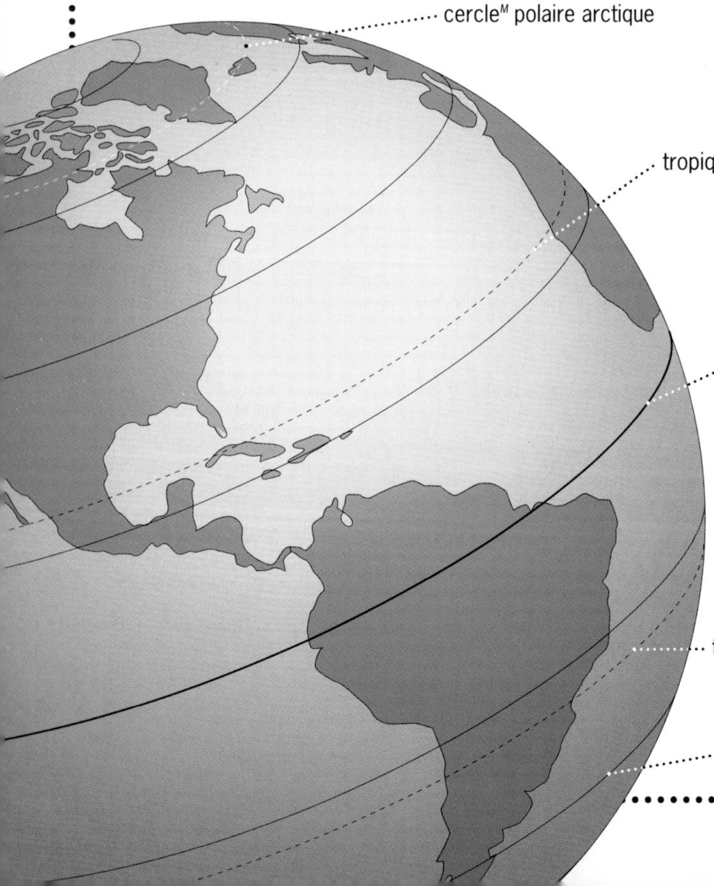

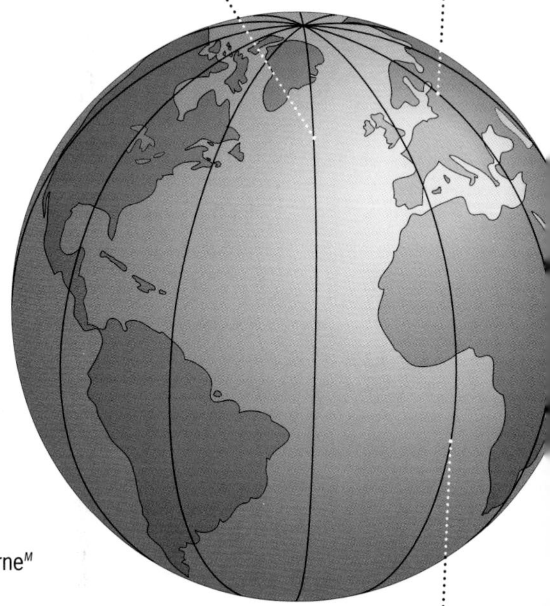

PROJECTIONS^F CARTOGRAPHIQUES

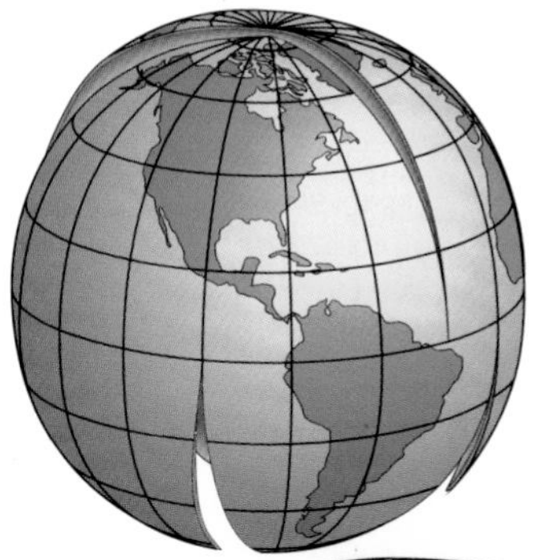

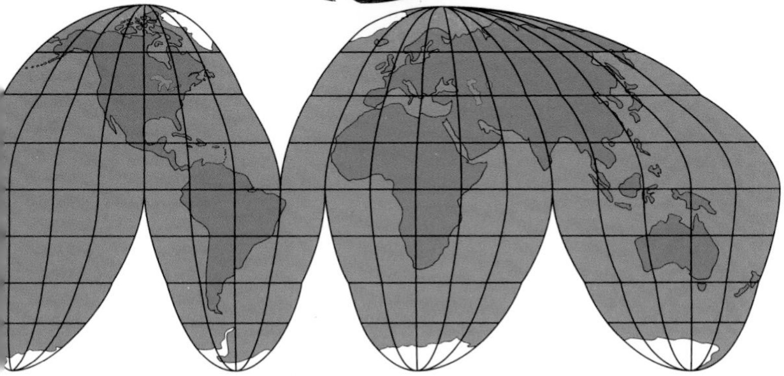

projection^F horizontale

projection^F interrompue

projection^F conique

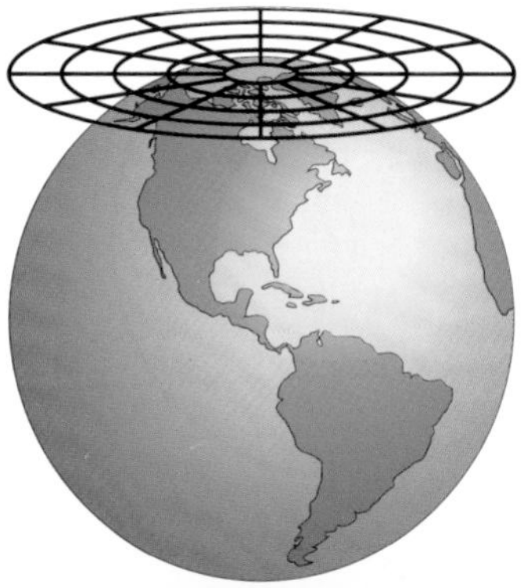

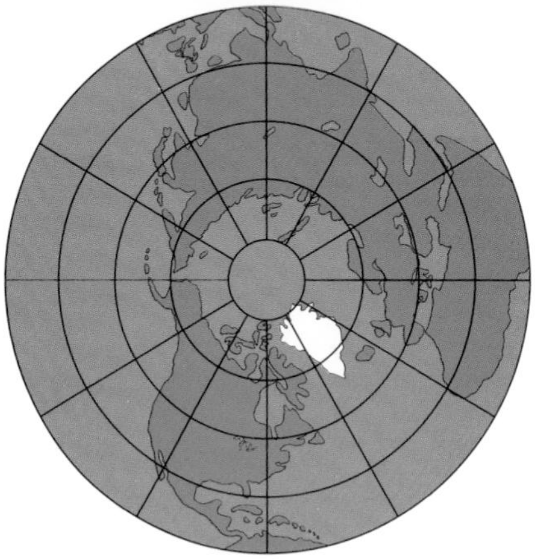

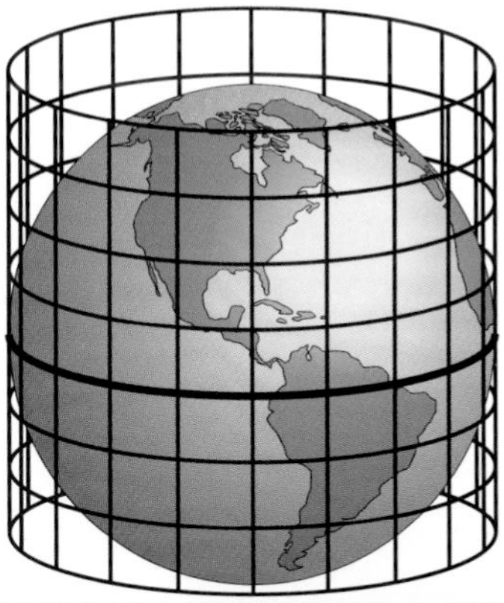

projection^F cylindrique

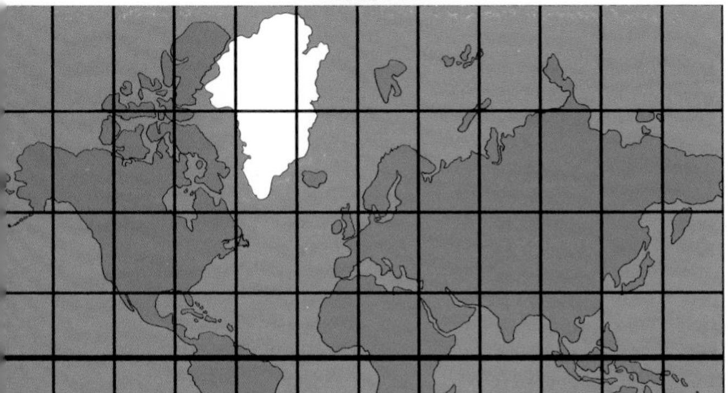

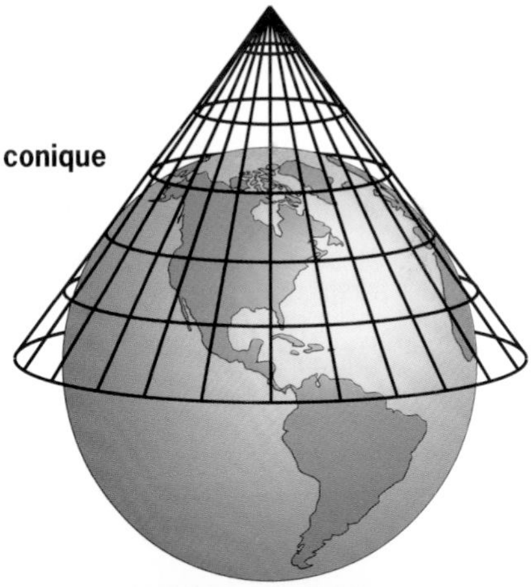

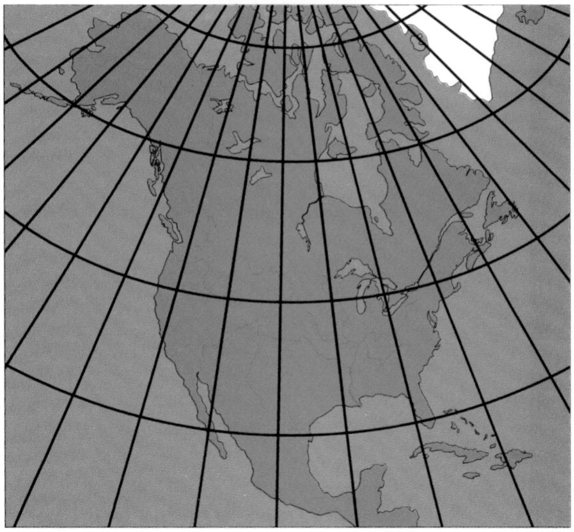

LA CARTOGRAPHIE^F

carte^F politique

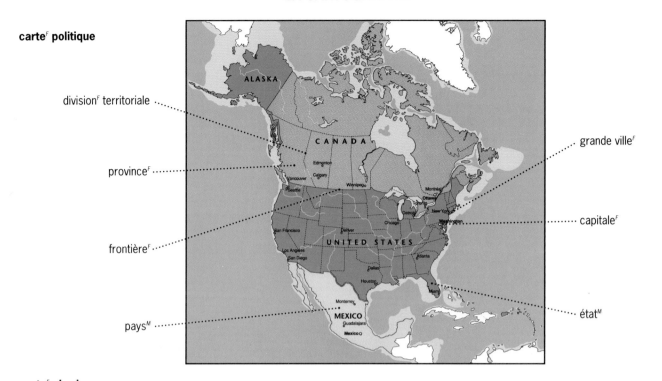

division^F territoriale

province^F

frontière^F

pays^M

grande ville^F

capitale^F

état^M

carte^F physique

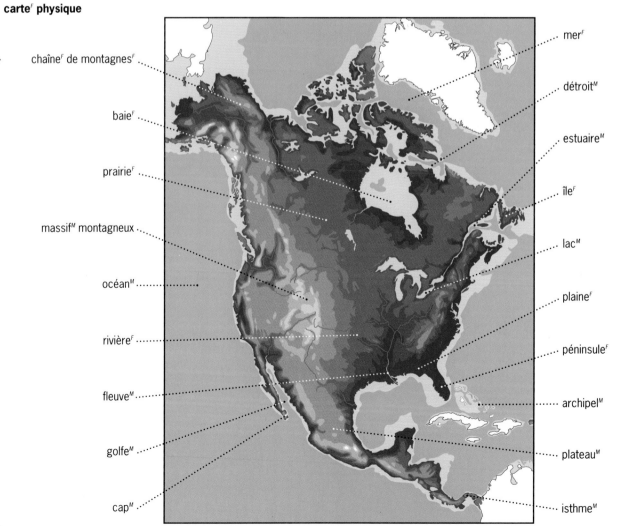

chaîne^F de montagnes^F

baie^F

prairie^F

massif^M montagneux

océan^M

rivière^F

fleuve^M

golfe^M

cap^M

mer^F

détroit^M

estuaire^M

île^F

lac^M

plaine^F

péninsule^F

archipel^M

plateau^M

isthme^M

LA CARTOGRAPHIE^F

carte^F routière

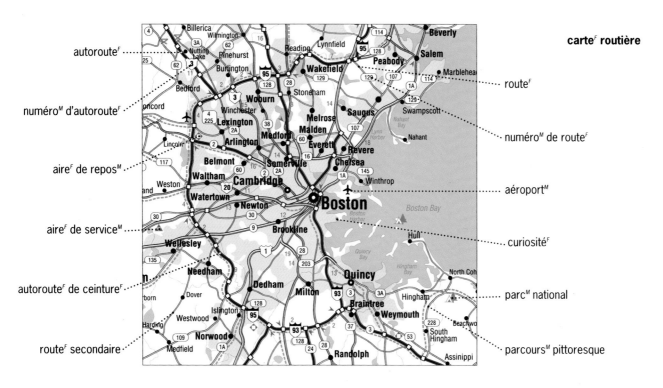

autoroute^F

numéro^M d'autoroute^F

aire^F de repos^M

aire^F de service^M

autoroute^F de ceinture^F

route^F secondaire

route^F

numéro^M de route^F

aéroport^M

curiosité^F

parc^M national

parcours^M pittoresque

LA ROSE^F DES VENTS^M

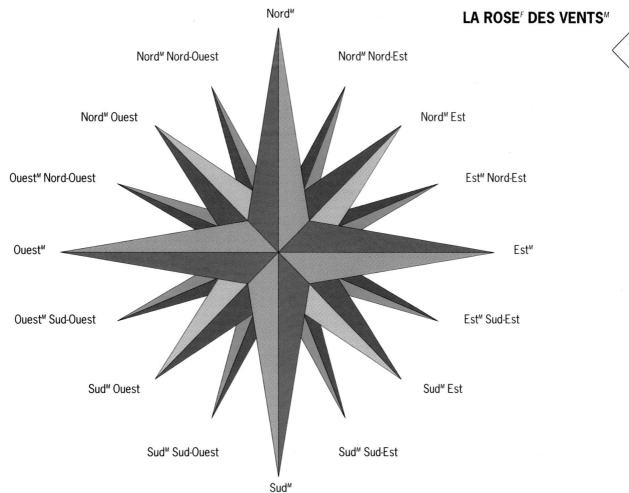

Nord^M

Nord^M Nord-Ouest

Nord^M Nord-Est

Nord^M Ouest

Nord^M Est

Ouest^M Nord-Ouest

Est^M Nord-Est

Ouest^M

Est^M

Ouest^M Sud-Ouest

Est^M Sud-Est

Sud^M Ouest

Sud^M Est

Sud^M Sud-Ouest

Sud^M Sud-Est

Sud^M

L'ÉCOLOGIE^F

effet^M de serre^F

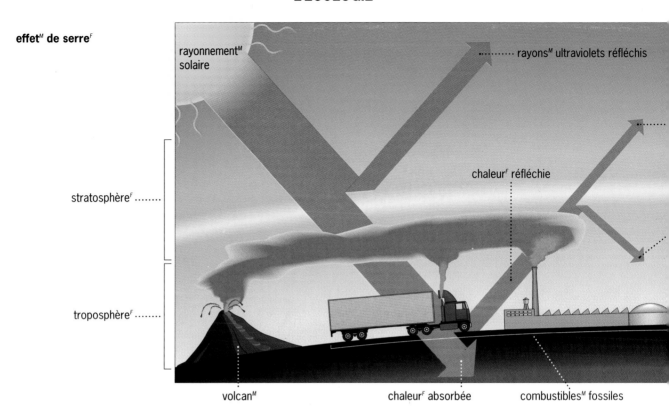

stratosphère^F ....

troposphère^F ....

rayonnement^M solaire

rayons^M ultraviolets réfléchis

chaleur^F réfléchie

volcan^M

chaleur^F absorbée

combustibles^M fossiles

28

chaîne^F alimentaire

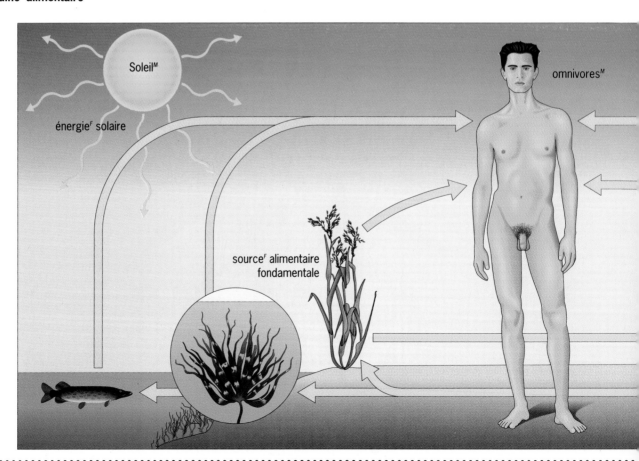

Soleil^M

omnivores^M

énergie^F solaire

source^F alimentaire fondamentale

L'ÉCOLOGIE^F

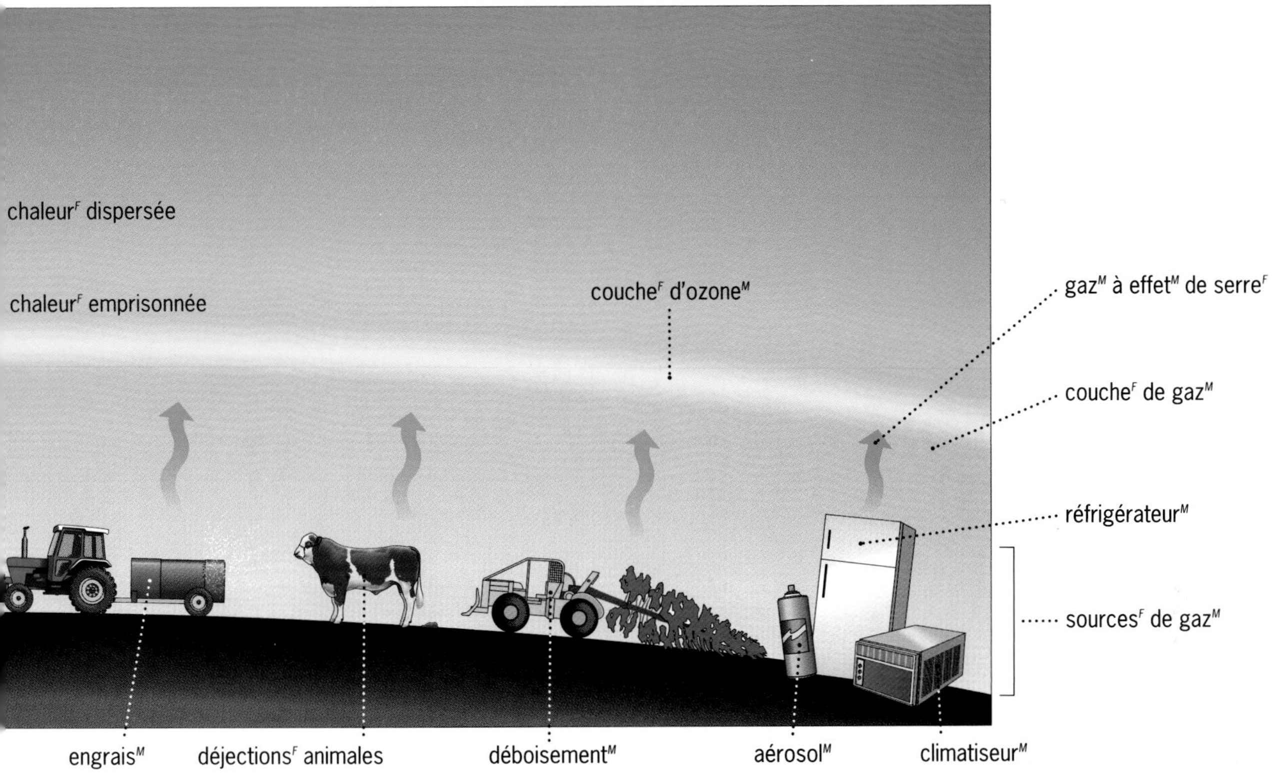

chaleur^F dispersée

chaleur^F emprisonnée

couche^F d'ozone^M

gaz^M à effet^M de serre^F

couche^F de gaz^M

réfrigérateur^M

sources^F de gaz^M

engrais^M

déjections^F animales

déboisement^M

aérosol^M

climatiseur^M

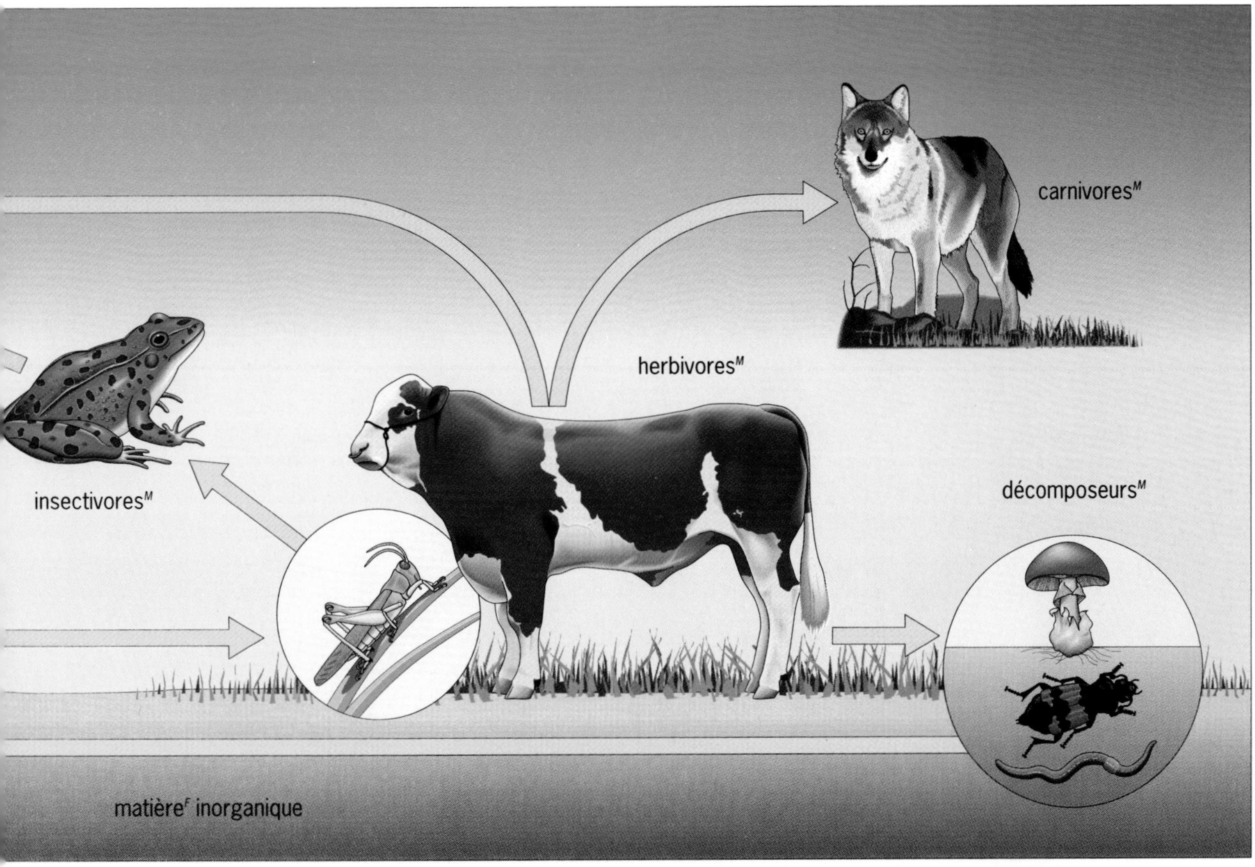

carnivores^M

herbivores^M

décomposeurs^M

insectivores^M

matière^F inorganique

L'ÉCOLOGIE[F]

pollution[F] de l'air[M]

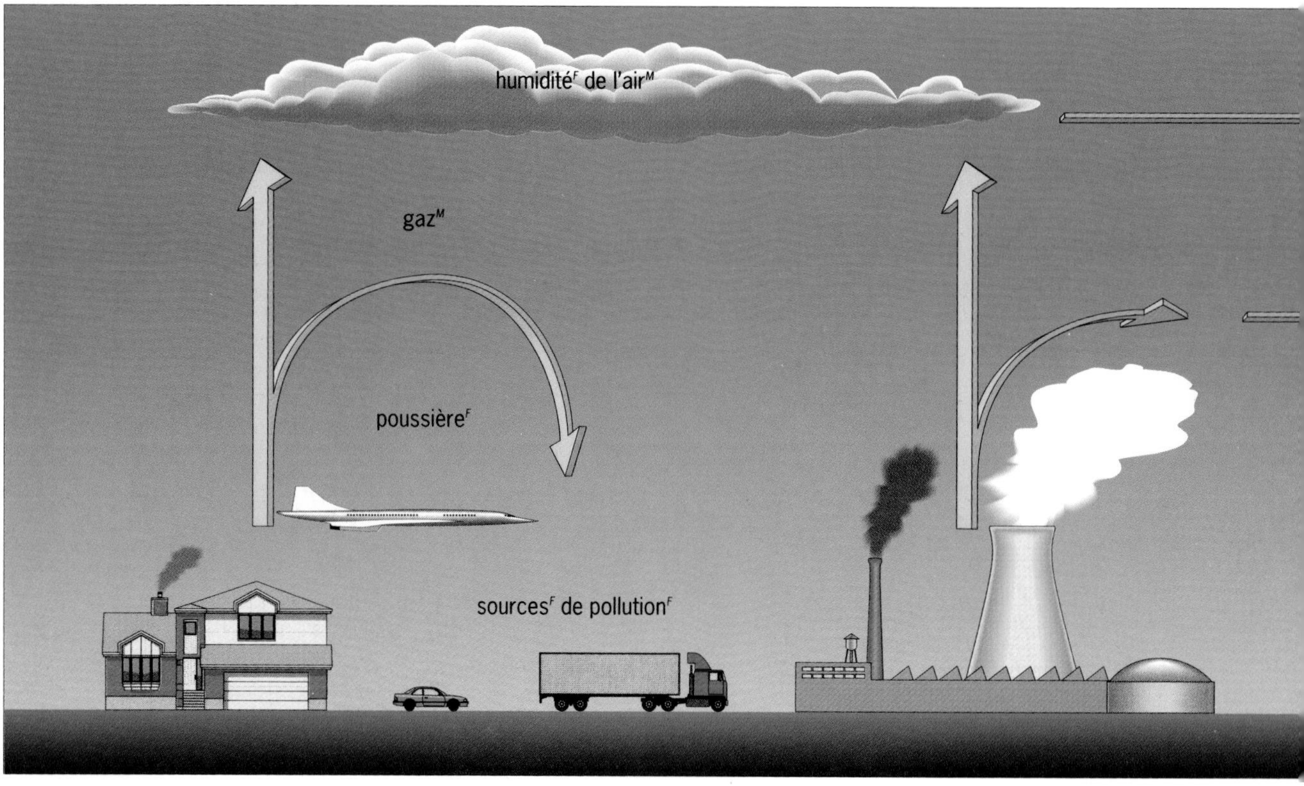

humidité[F] de l'air[M]

gaz[M]

poussière[F]

sources[F] de pollution[F]

cycle[M] de l'eau[F]

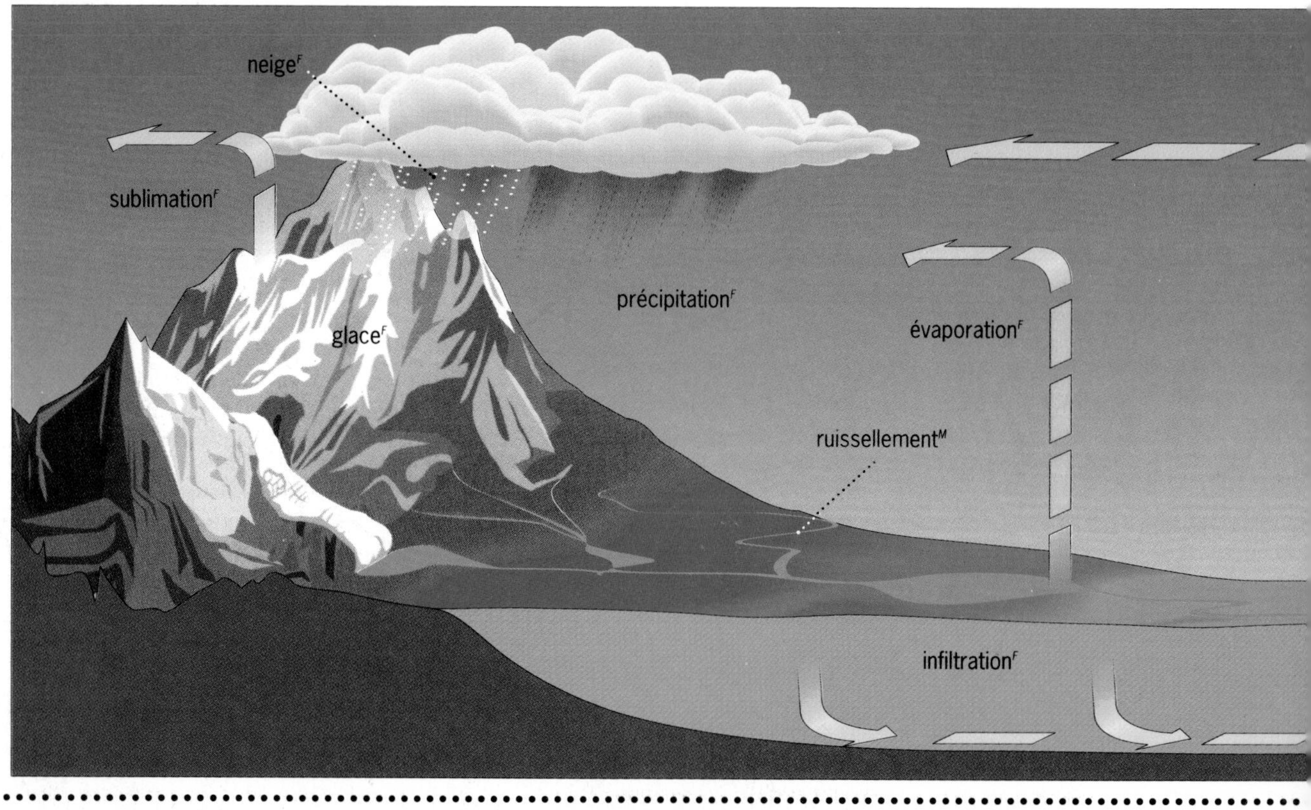

neige[F]

sublimation[F]

glace[F]

précipitation[F]

évaporation[F]

ruissellement[M]

infiltration[F]

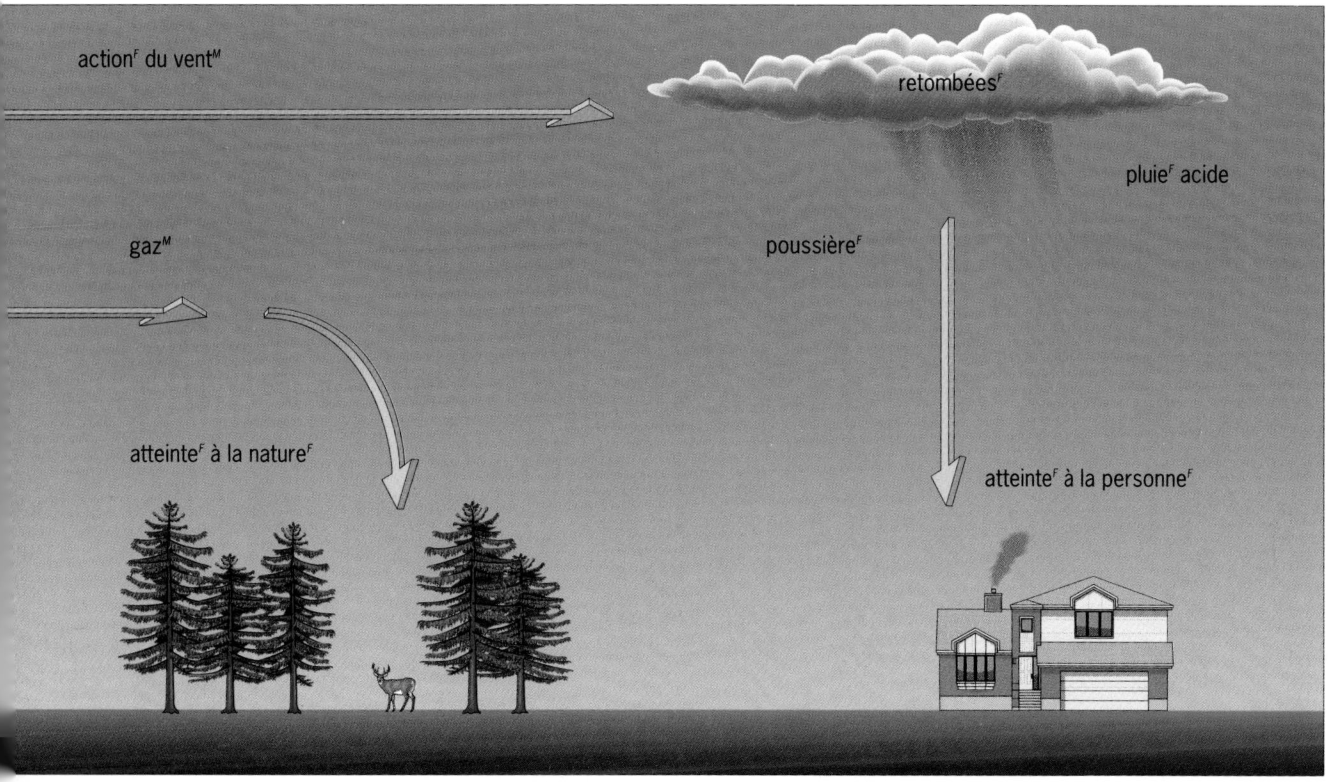

action^F du vent^M

retombées^F

pluie^F acide

gaz^M

poussière^F

atteinte^F à la nature^F

atteinte^F à la personne^F

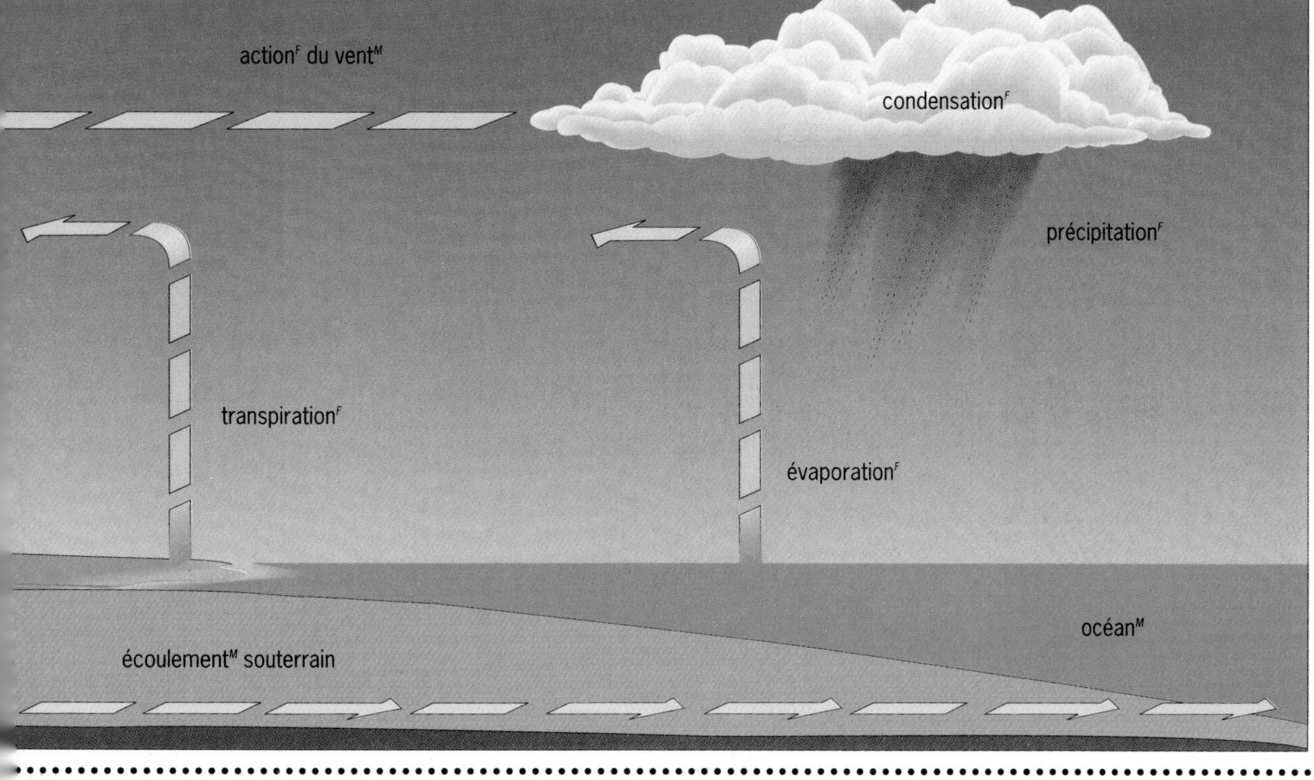

action^F du vent^M

condensation^F

précipitation^F

transpiration^F

évaporation^F

écoulement^M souterrain

océan^M

L'ÉCOLOGIE^F

pollution^F des aliments^M au sol^M

pluie^F acide

pollution^F agricole

pollution^F industrielle

pollution^F des aliments^M dans l'eau^F

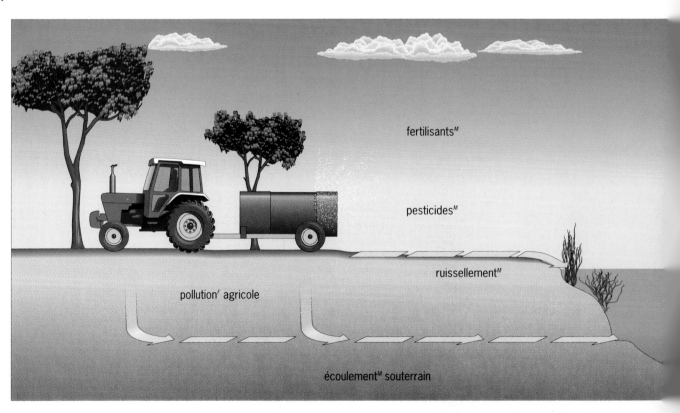

fertilisants^M

pesticides^M

ruissellement^M

pollution^F agricole

écoulement^M souterrain

32

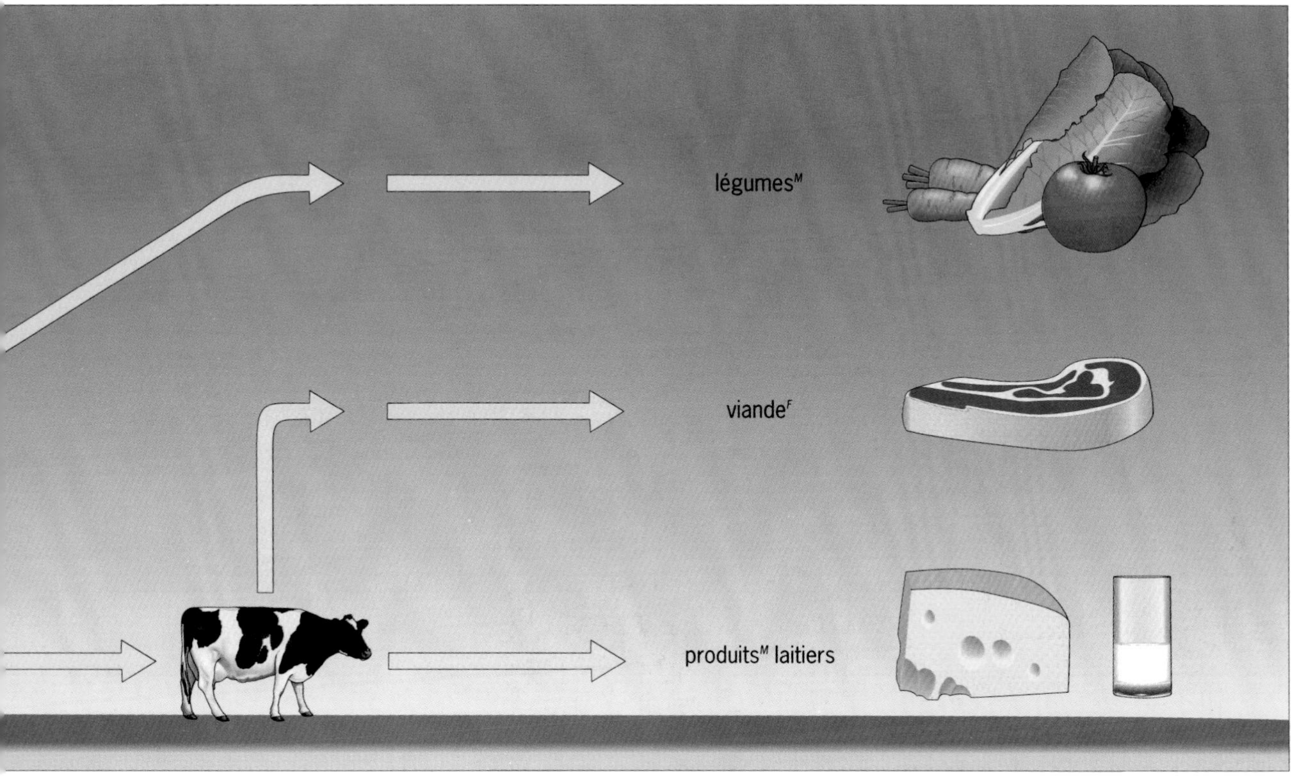

légumes^M

viande^F

produits^M laitiers

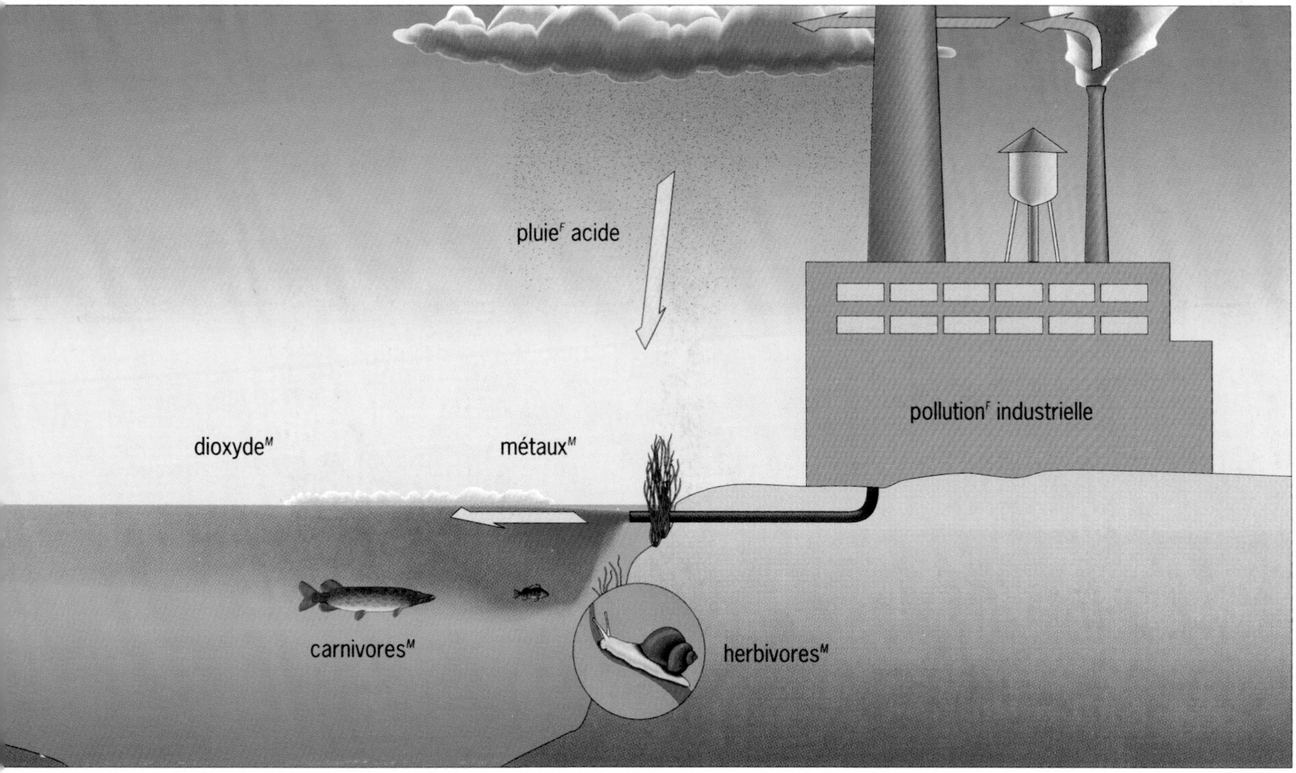

pluie^F acide

pollution^F industrielle

dioxyde^M

métaux^M

carnivores^M

herbivores^M

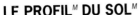

LA PLANTE^F ET SON MILIEU^M

LE PROFIL^M DU SOL^M

LA GERMINATION^F

34

litière^F

··· couche^F arable

··· sous-sol^M

··· roche^F mère^F

feuille^F

bourgeon^M terminal

premières feuilles^F

cotylédons^M

germe^M

graine^F

racine^F principale

radicule^F

racine^F secondaire

poils^M absorbants

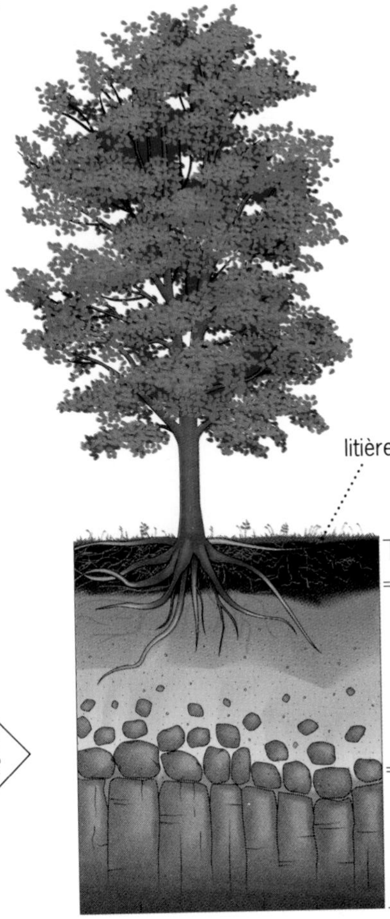

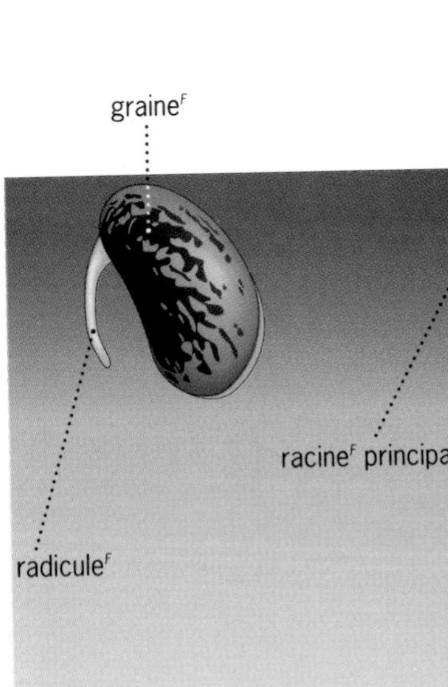

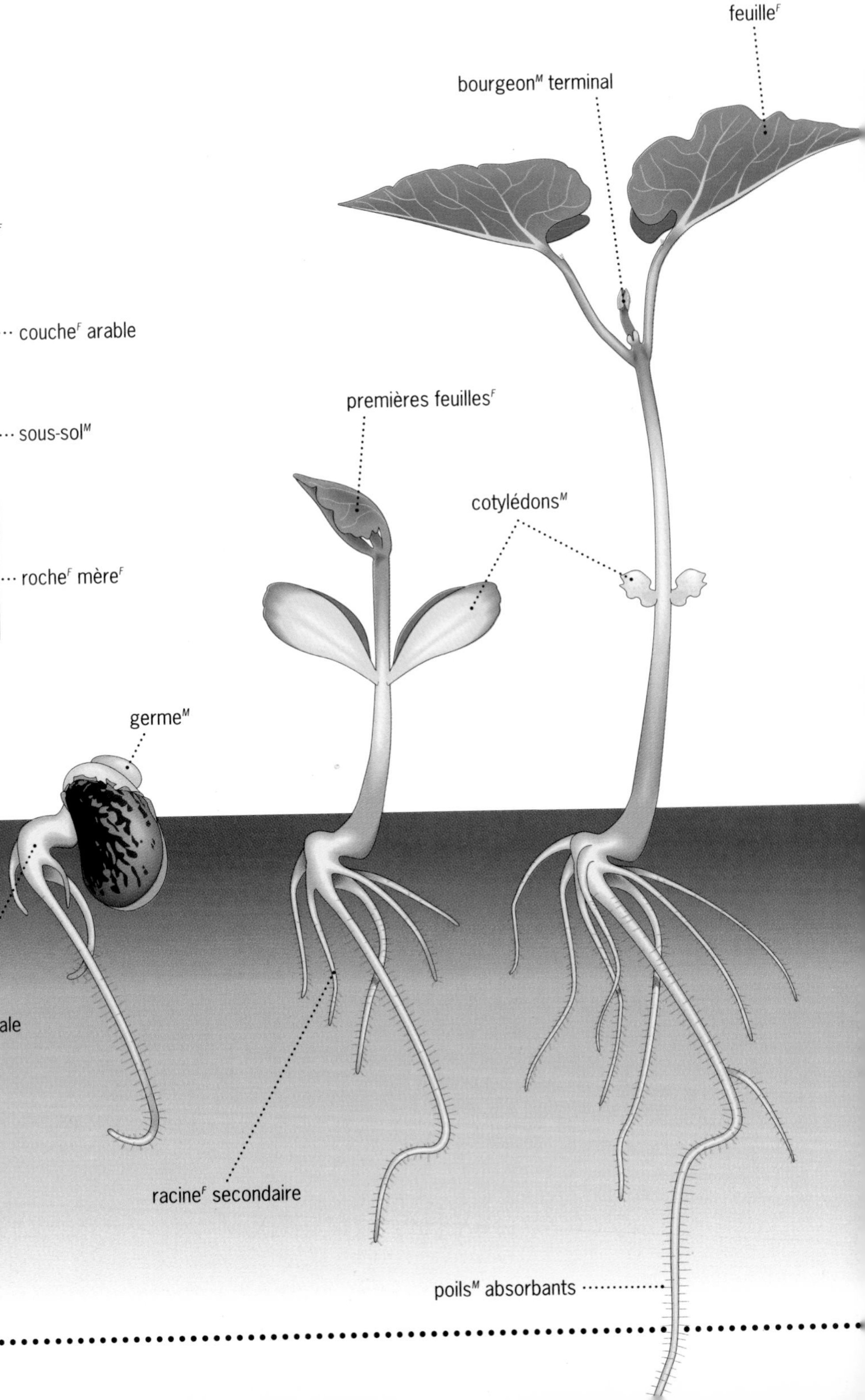

LE CHAMPIGNON^M

structure^F d'un champignon^M

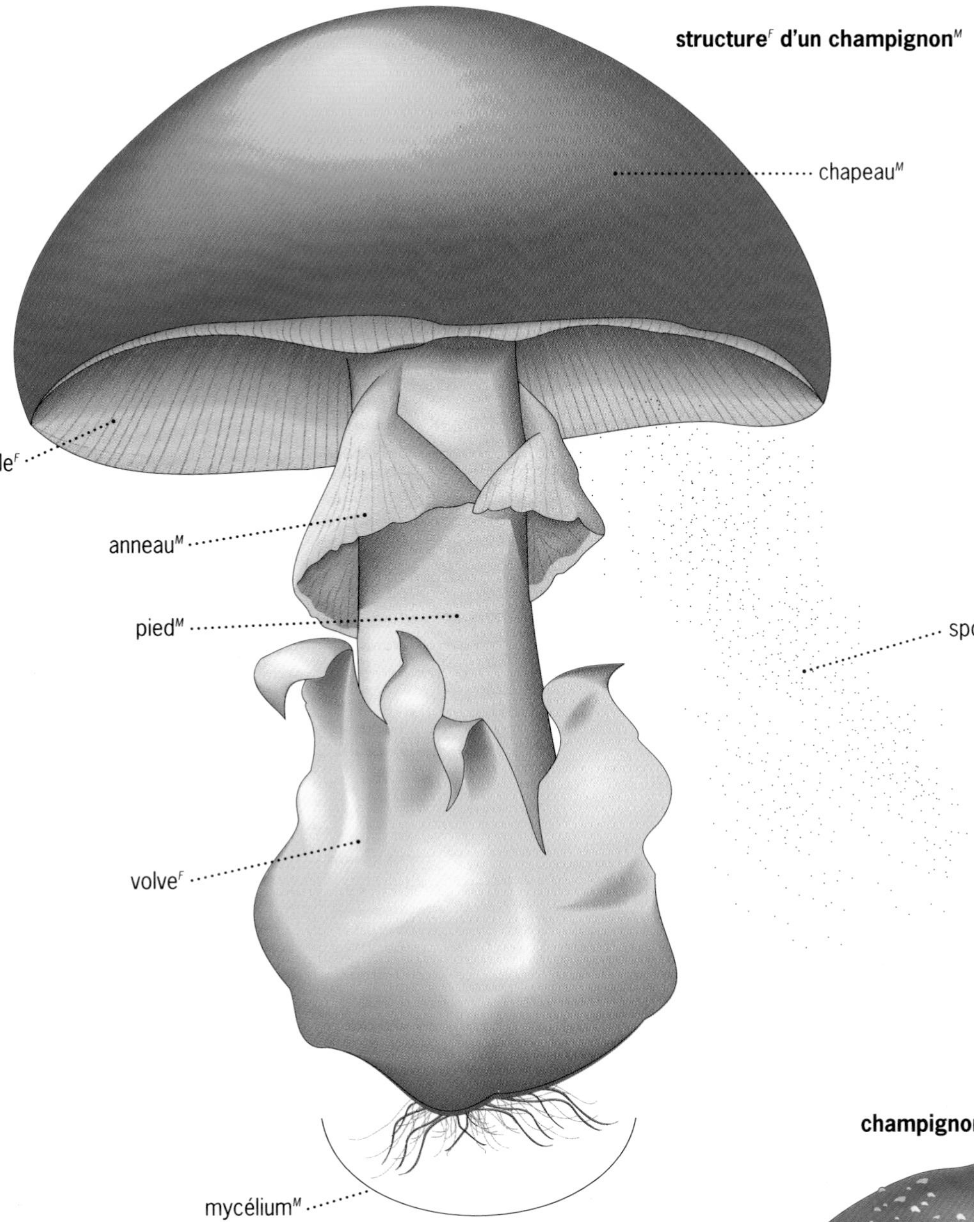

chapeau^M

lamelle^F

anneau^M

pied^M

spores^F

volve^F

mycélium^M

champignon^M vénéneux

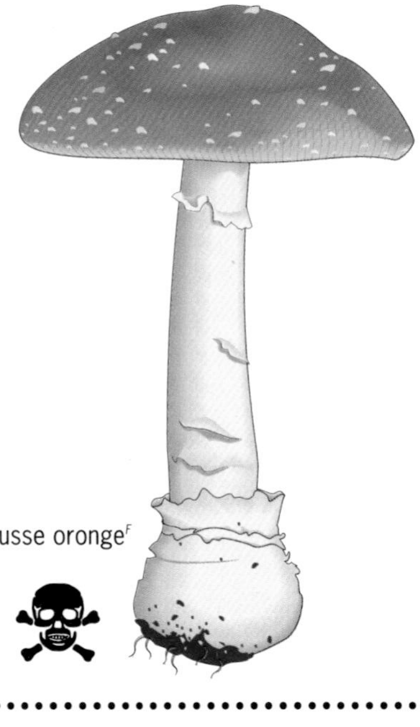

fausse oronge^F

champignon^M comestible

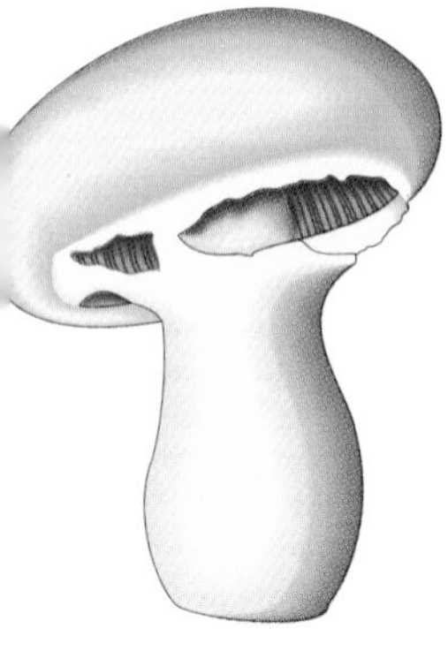

champignon^M de couche^F

champignon^M mortel

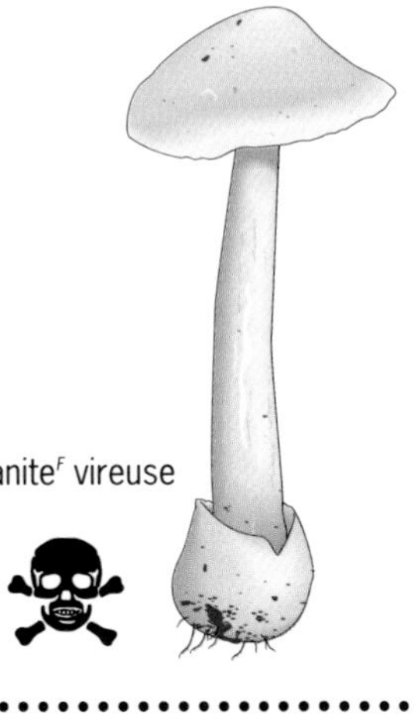

amanite^F vireuse

LA STRUCTURE^F D'UNE PLANTE^F

FEUILLES^F COMPOSÉES

bourgeon^M terminal

bouton^M floral

bourgeon^M axillaire

fleur^F

trifoliée

pousse^F

rameau^M

pennée

feuille^F

entre-nœud^M

nœud^M

palmée

tige^F

cotylédon^M

collet^M

racine^F secondaire

système^M racinaire

racine^F principale

limbe^M

bord^M

pointe^F

coiffe^F

radicelle^F

poils^M absorbants

36

LA STRUCTURE^F D'UNE PLANTE^F

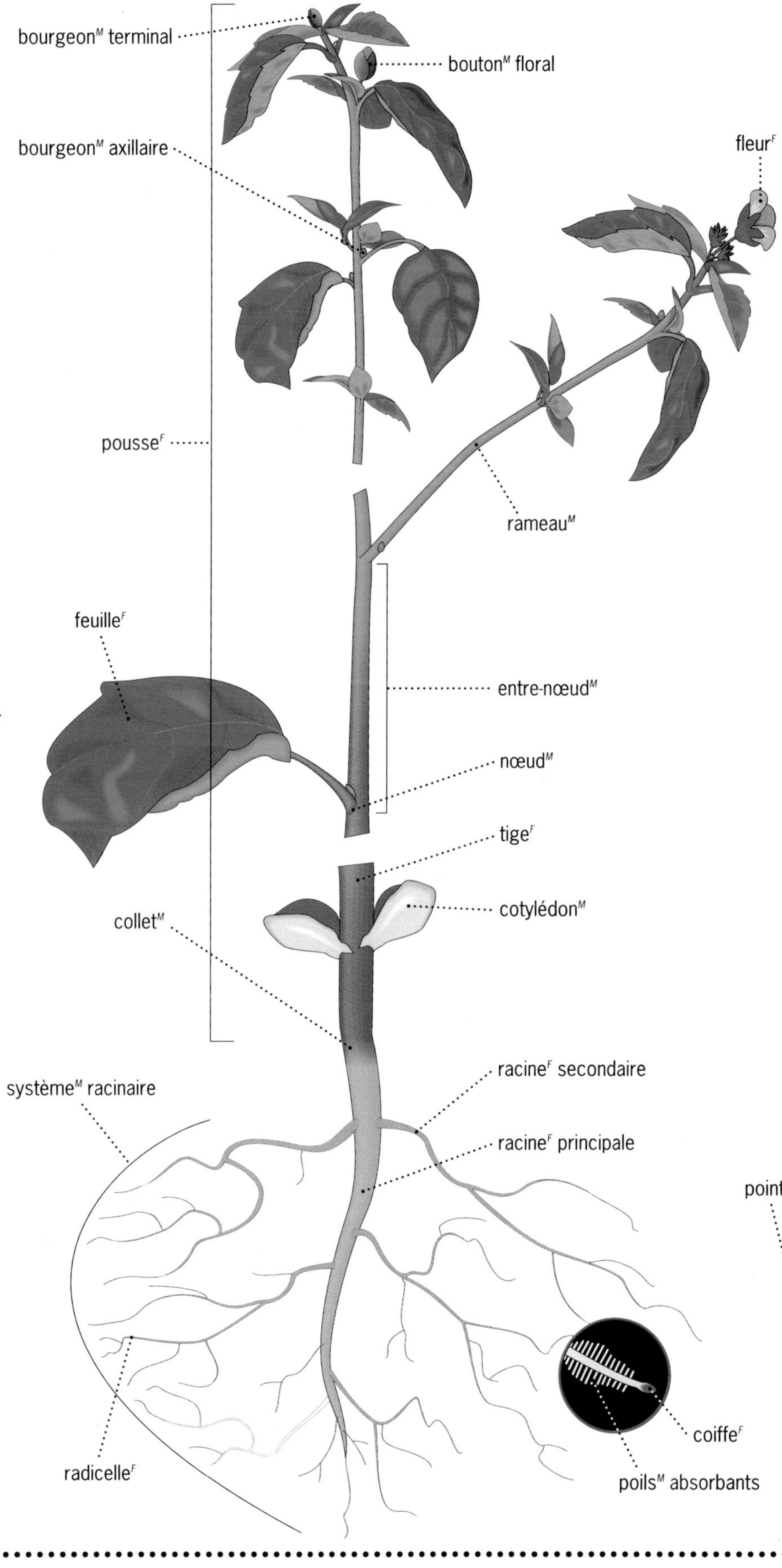

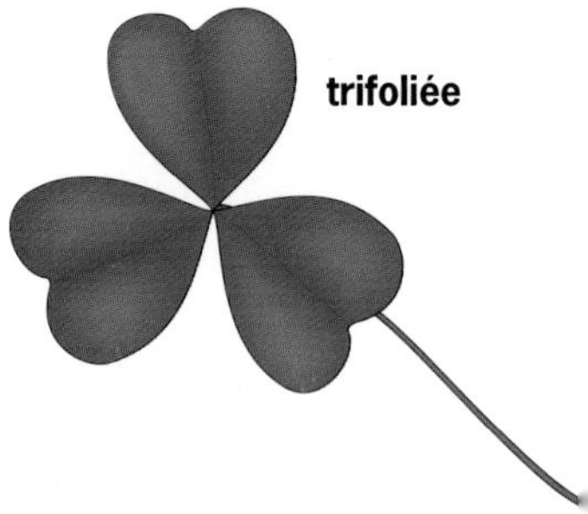

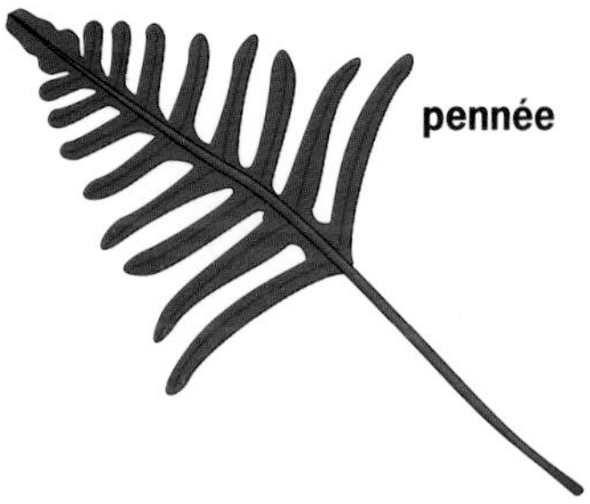

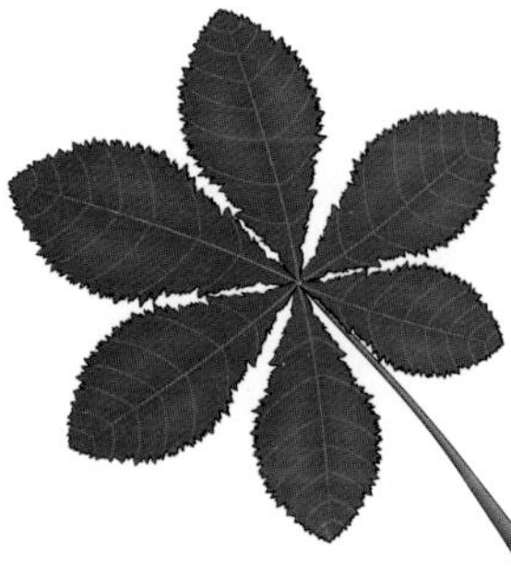

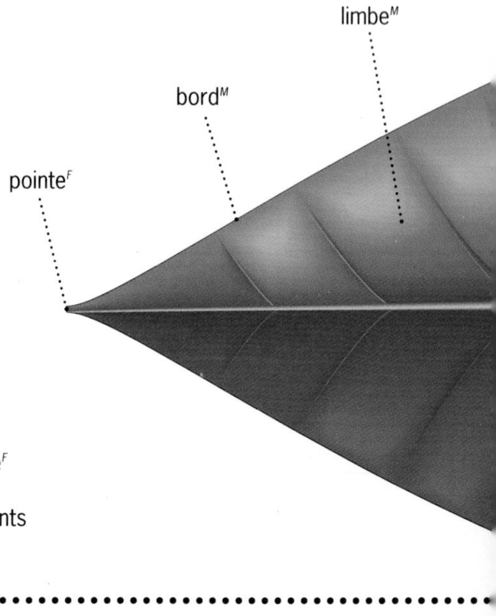

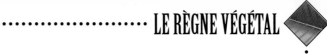

FEUILLES^F SIMPLES

BORD^M D'UNE FEUILLE^F

linéaire

cilié

entier

lancéolée

lobé

arrondie

crénelé

denté

nervure^F secondaire

nervure^F principale

feuille^F

pétiole^M

gaine^F

stipule^F

point^M d'attache^F

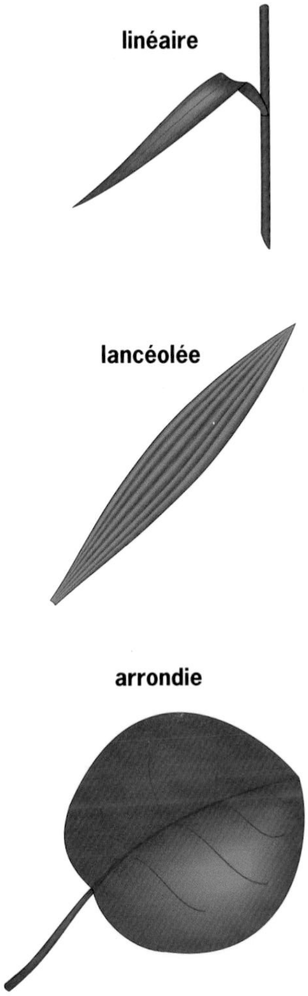

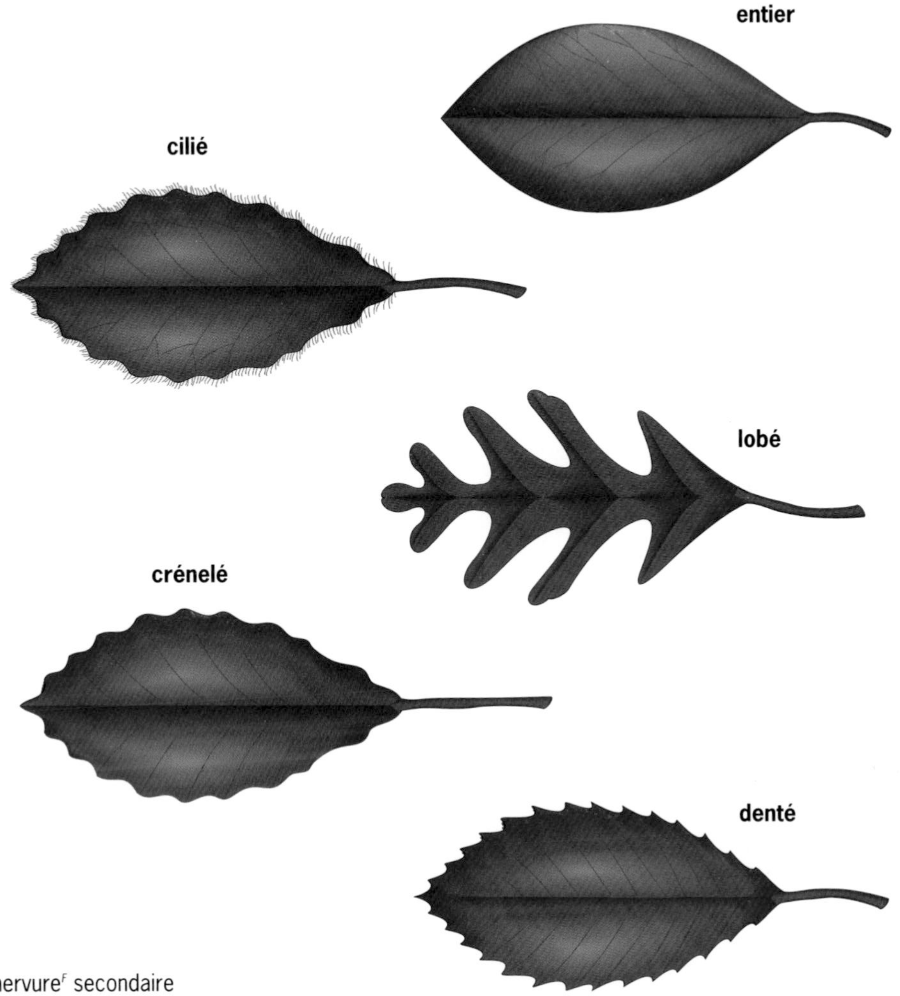

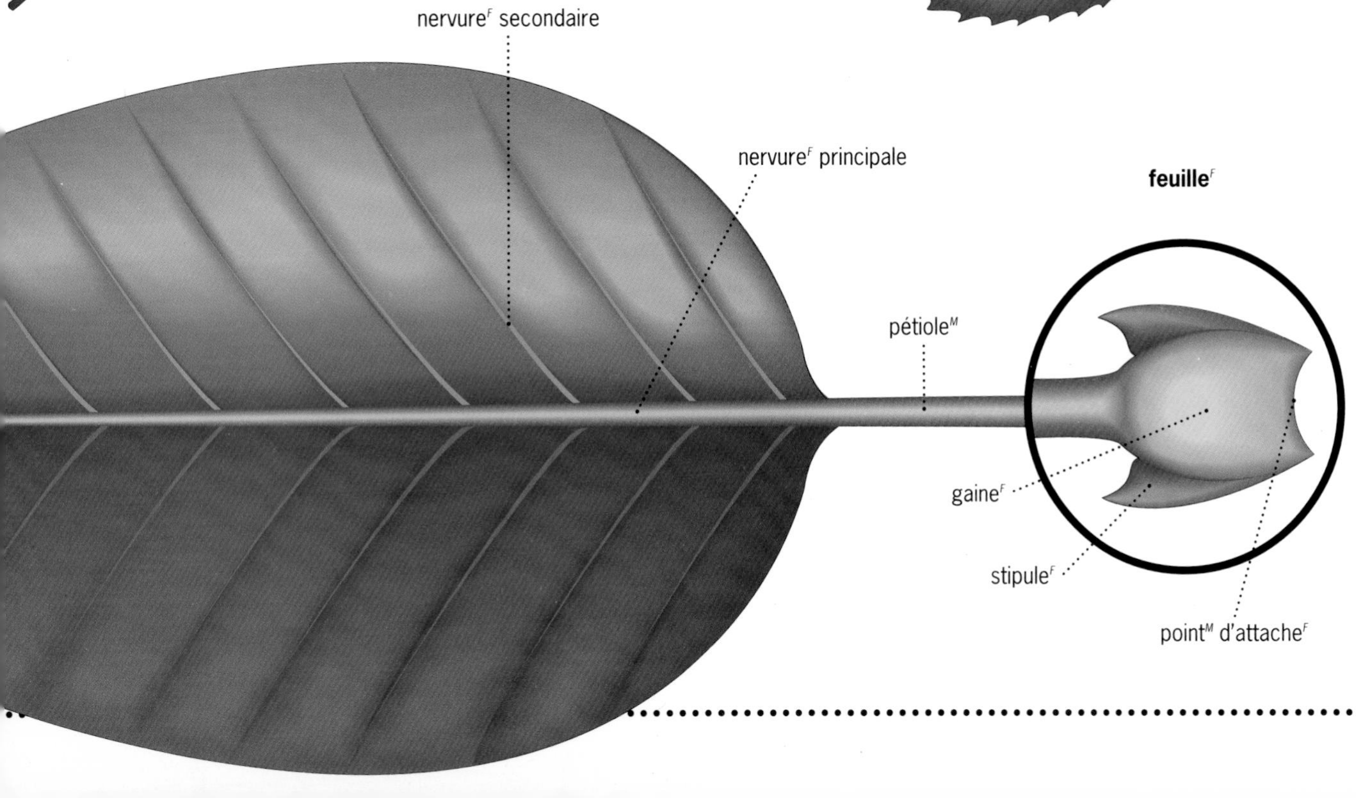

LES FLEURS[F]

structure[F] d'une fleur[F]

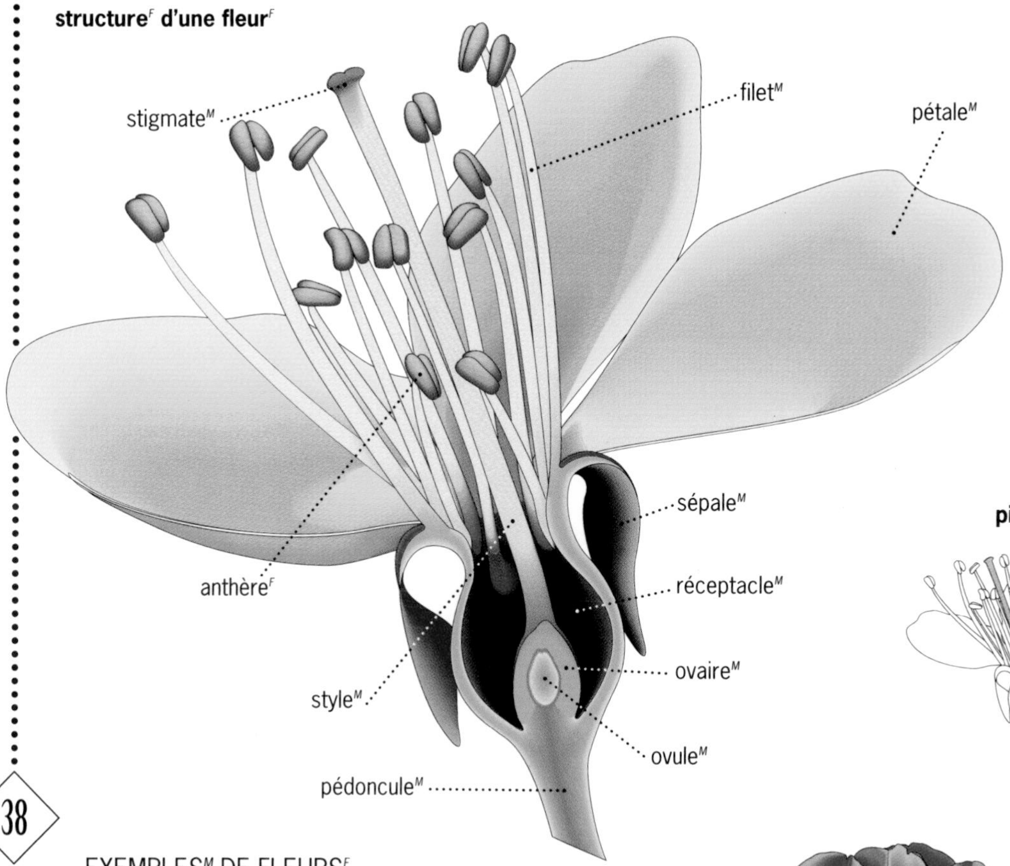

corolle[F]

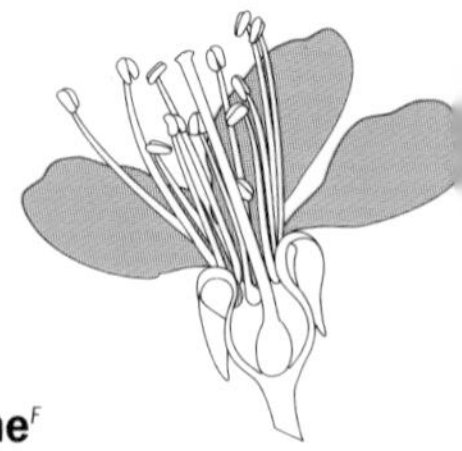

stigmate[M]

filet[M]

pétale[M]

étamine[F]

sépale[M]

anthère[F]

réceptacle[M]

pistil[M]

calice[M]

style[M]

ovaire[M]

ovule[M]

pédoncule[M]

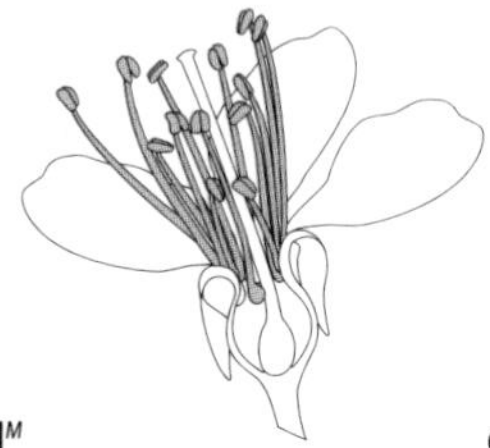

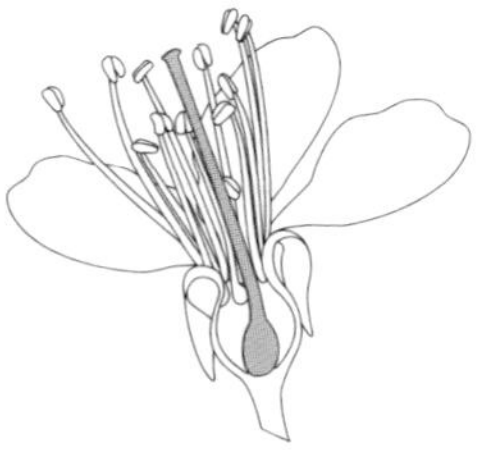

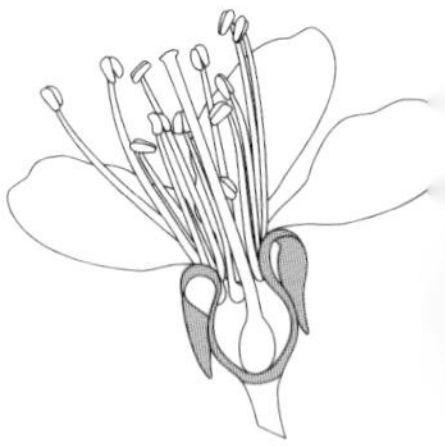

EXEMPLES[M] DE FLEURS[F]

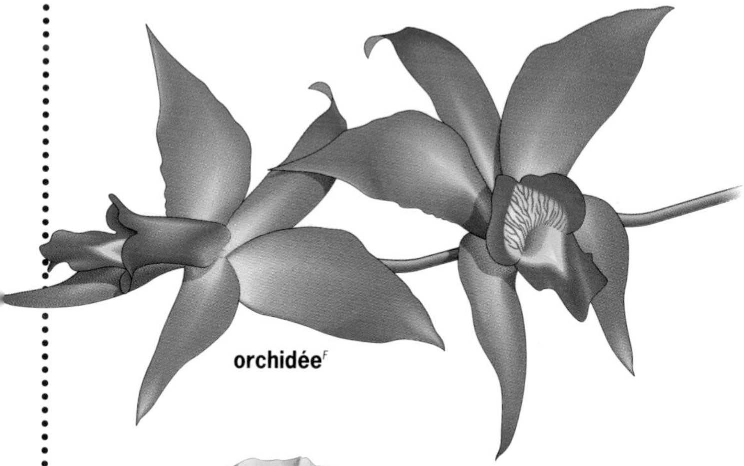

violette[F]

tulipe[F]

orchidée[F]

coquelicot[M]

rose[F]

bégonia[M]

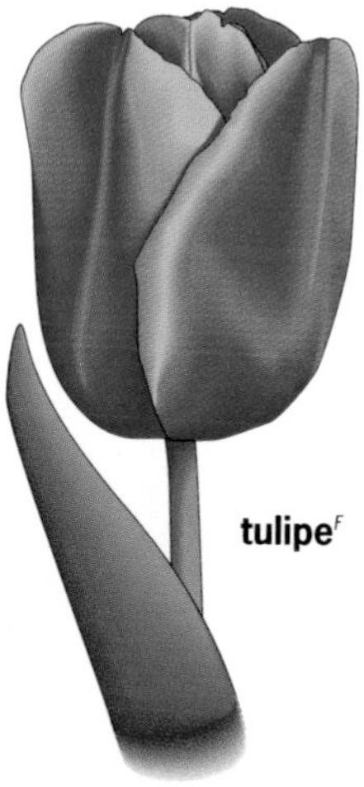

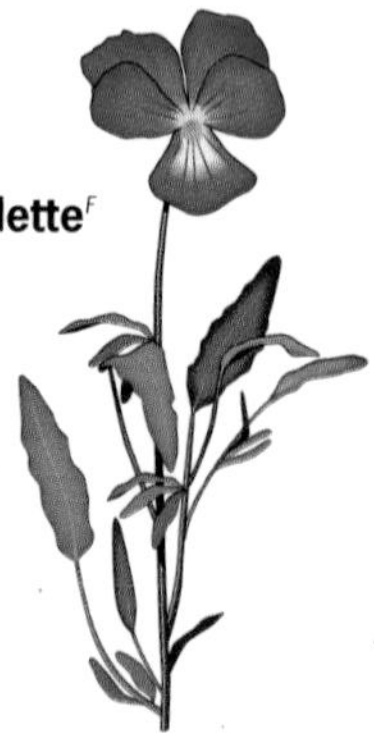

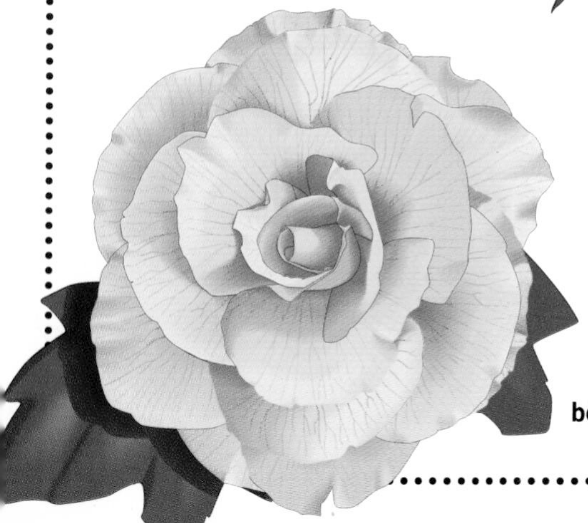

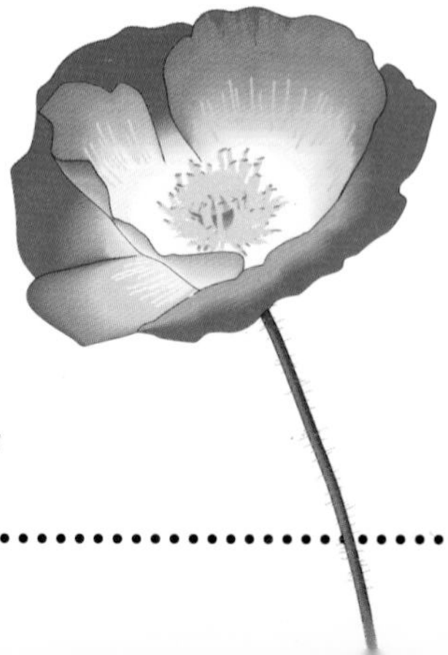

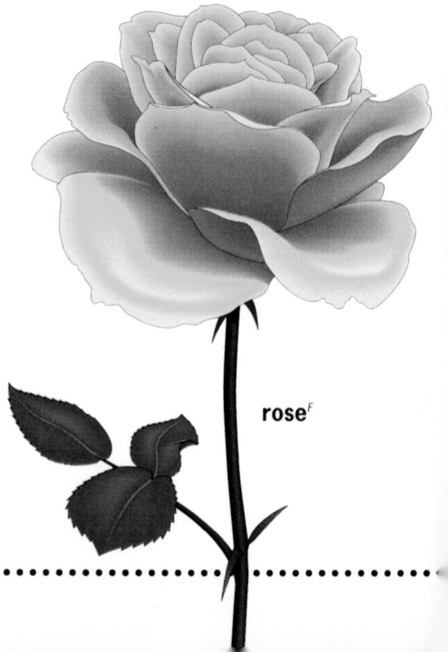

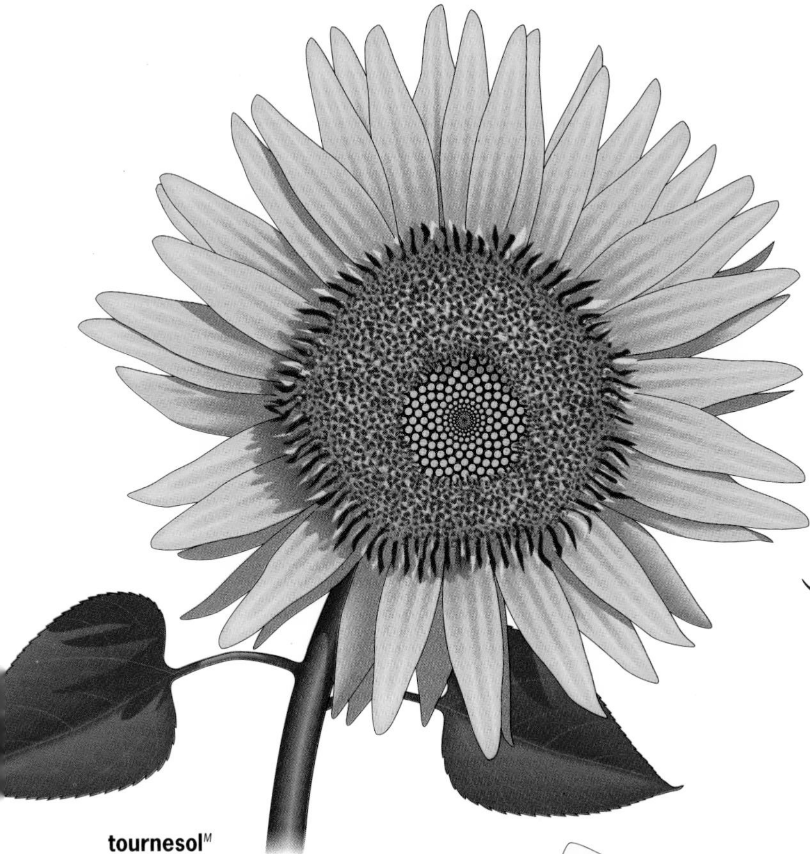

lis[M]

tournesol[M]

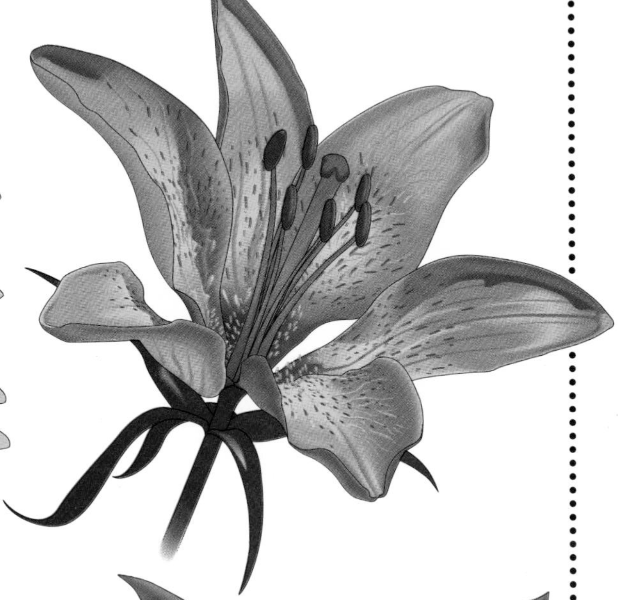

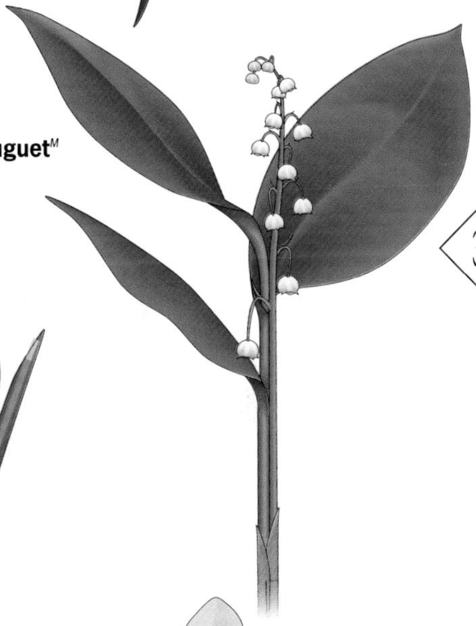

muguet[M]

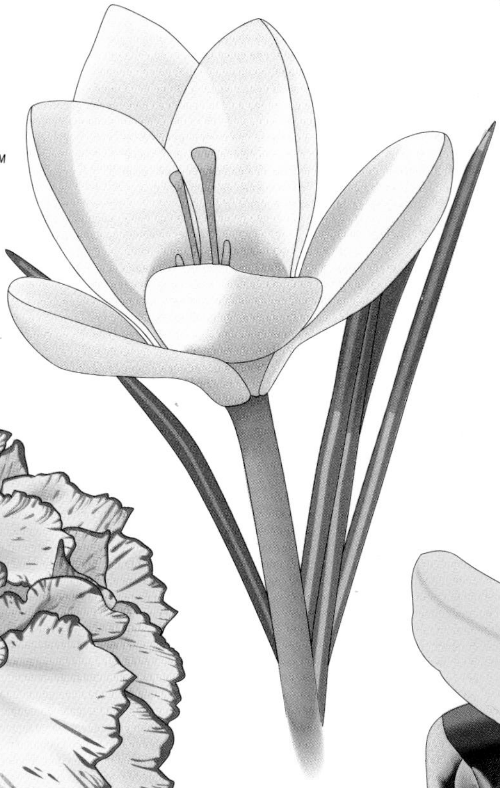

crocus[M]

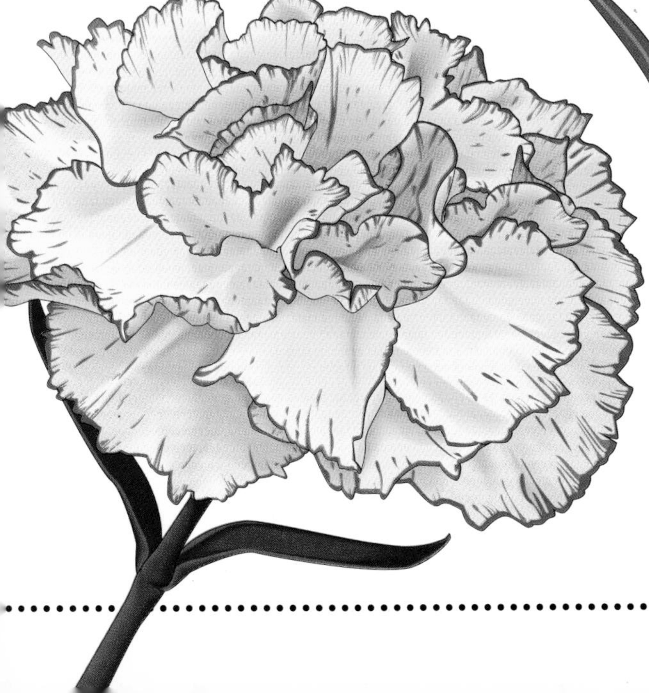

illet[M]

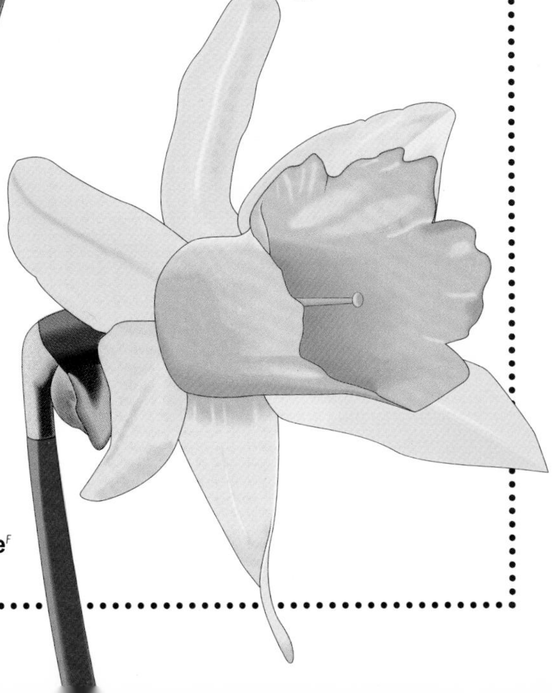

jonquille[F]

L'ARBRE^M

structure^F d'un arbre^M

ramure^F

feuillage^M

cime^F

houppier^M

rameau^M

ramille^F

branche^F maîtresse

40

racine^F pivotante

tronc^M

racine^F traçante

chevelu^M

radicelle^F

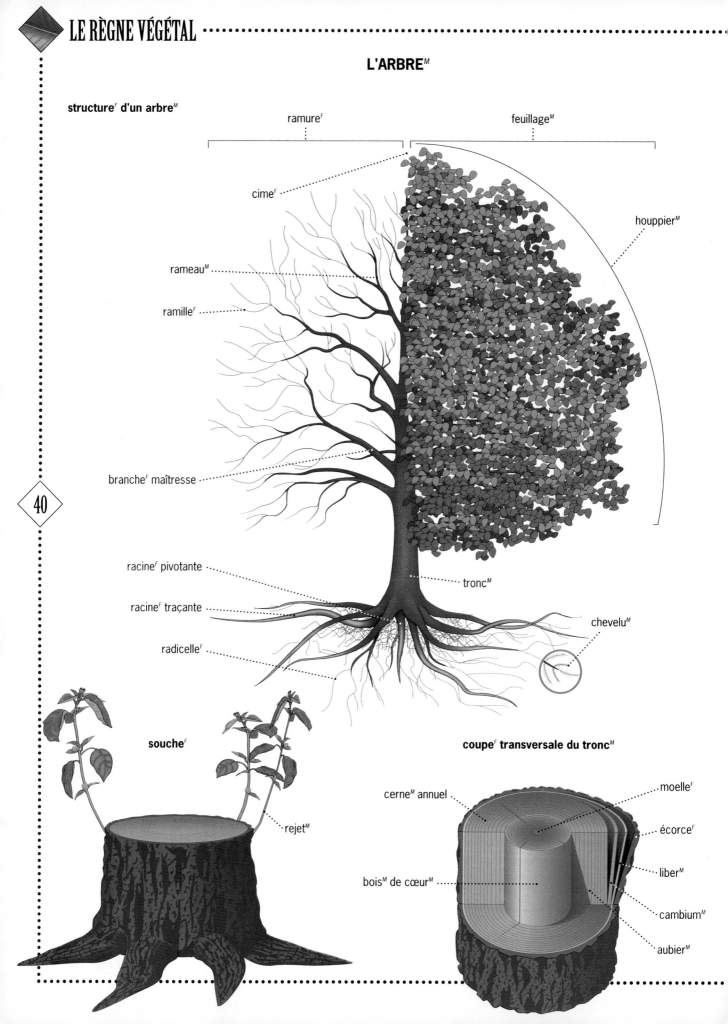

souche^F

coupe^F transversale du tronc^M

rejet^M

cerne^M annuel

moelle^F

écorce^F

liber^M

bois^M de cœur^M

cambium^M

aubier^M

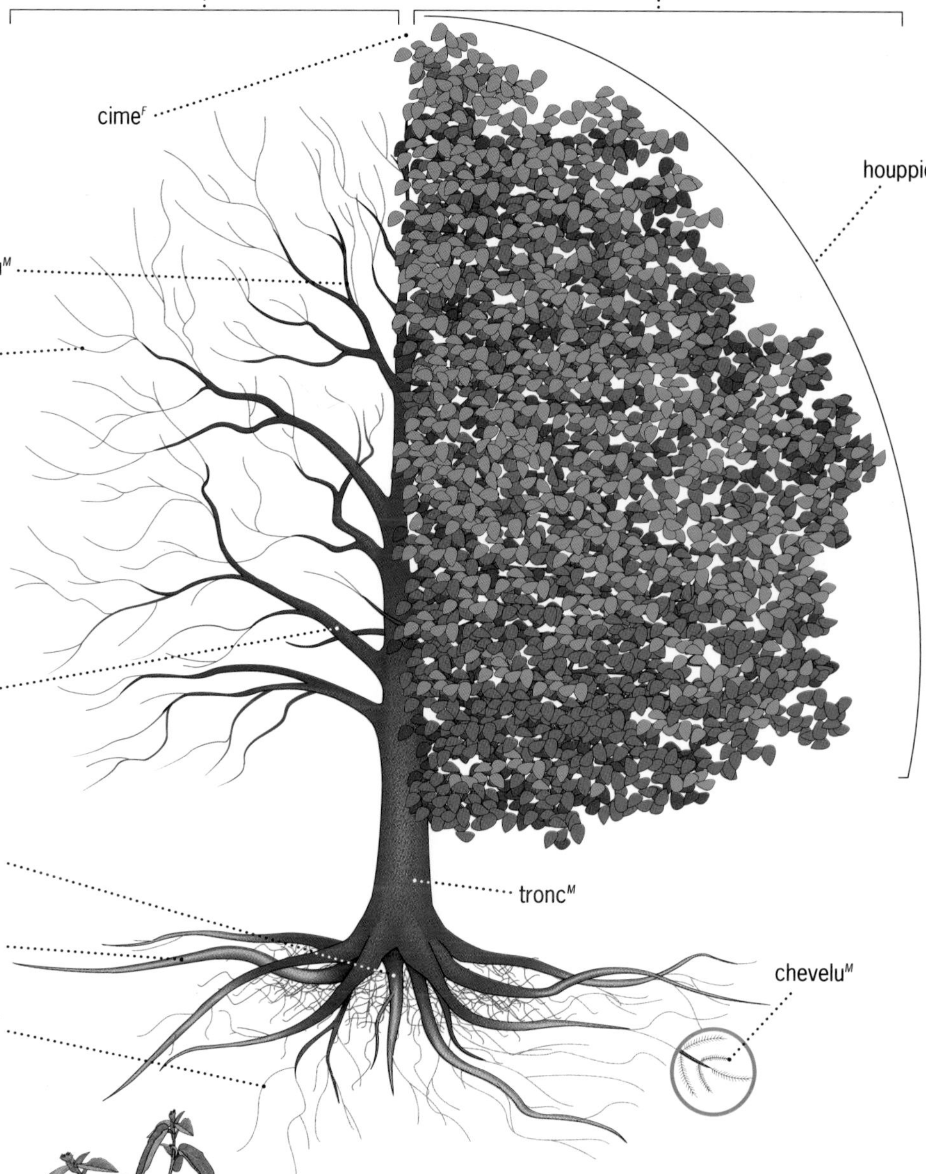

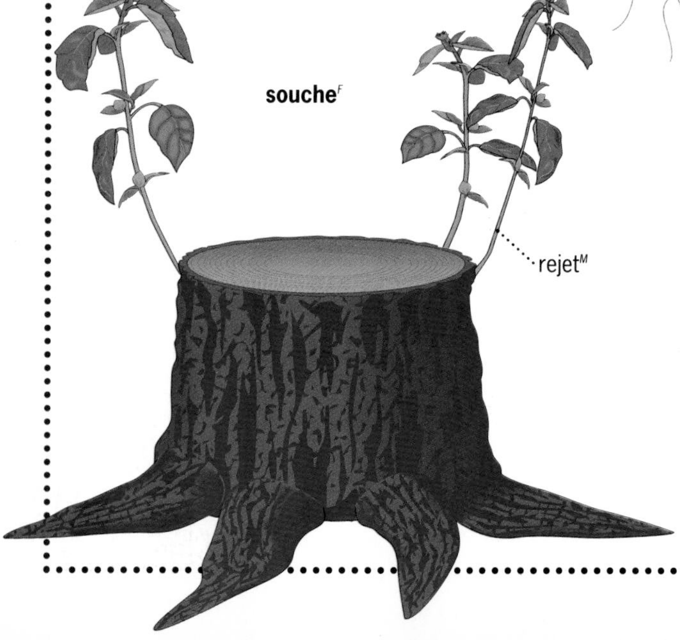

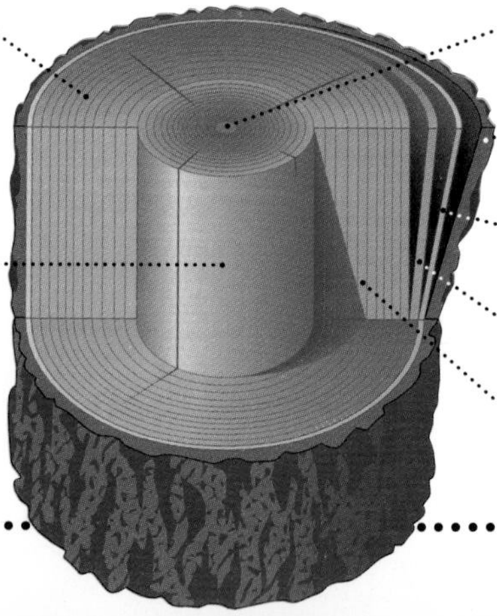

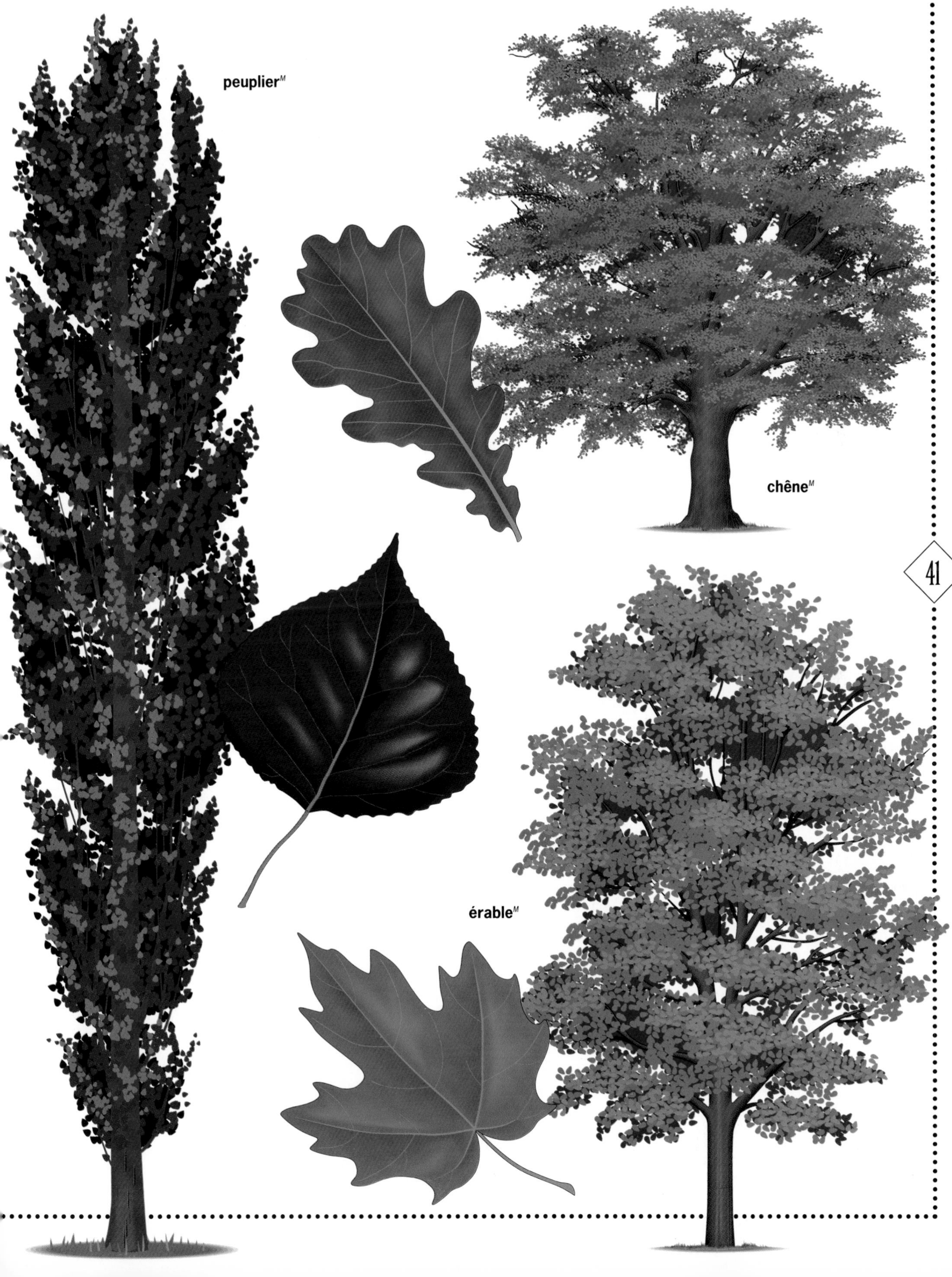

XEMPLES^M D'ARBRES^M

peuplier^M

chêne^M

41

érable^M

palmier^M

saule^M pleureur

42

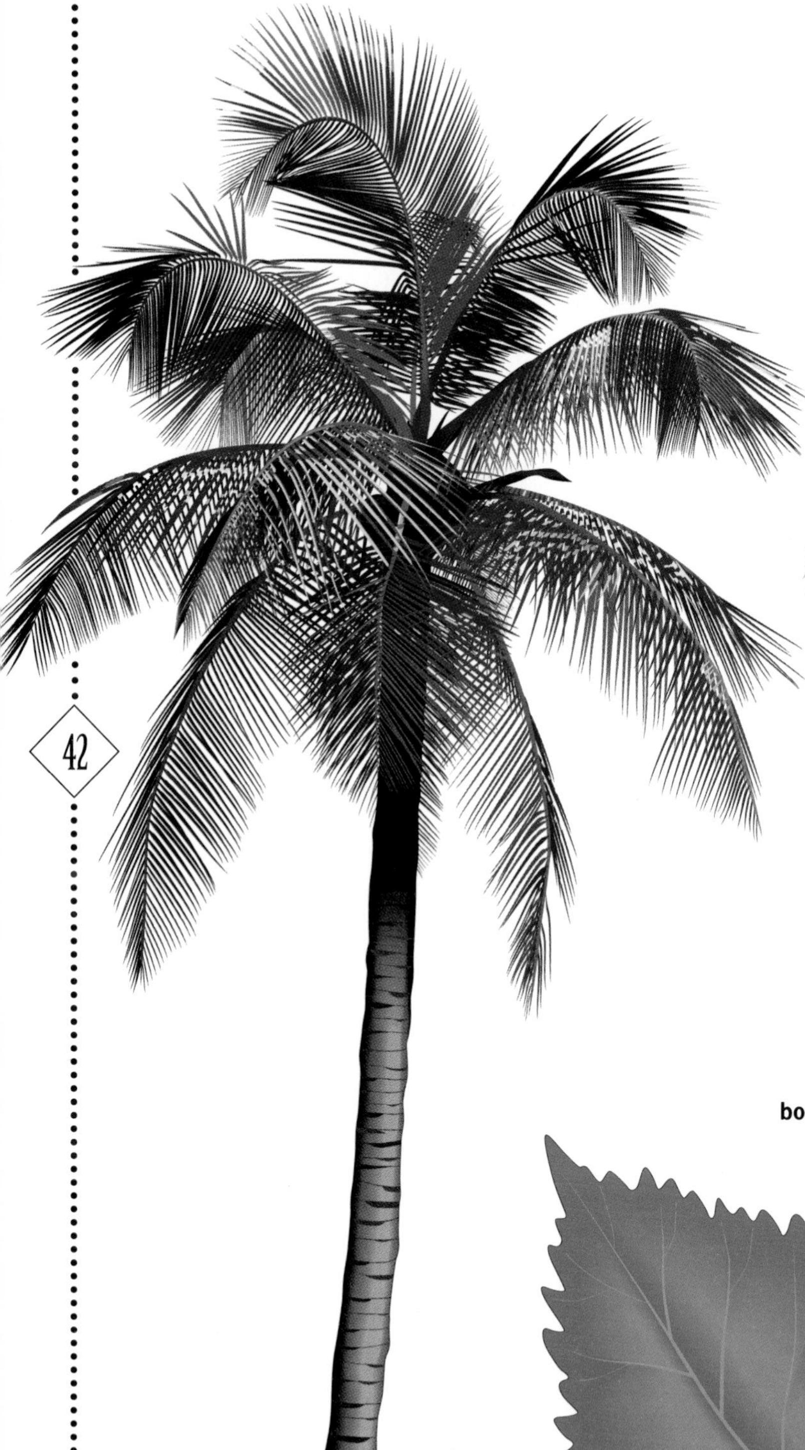

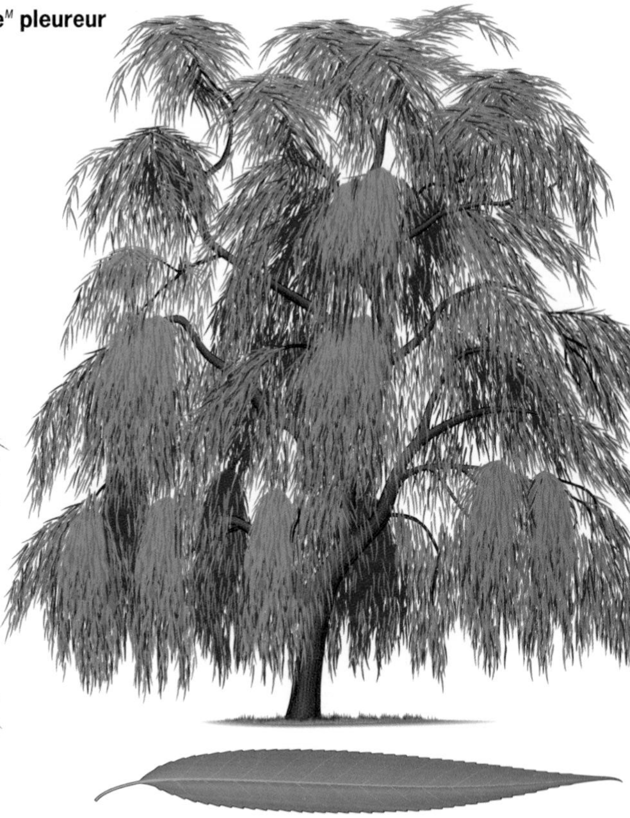

bouleau^M

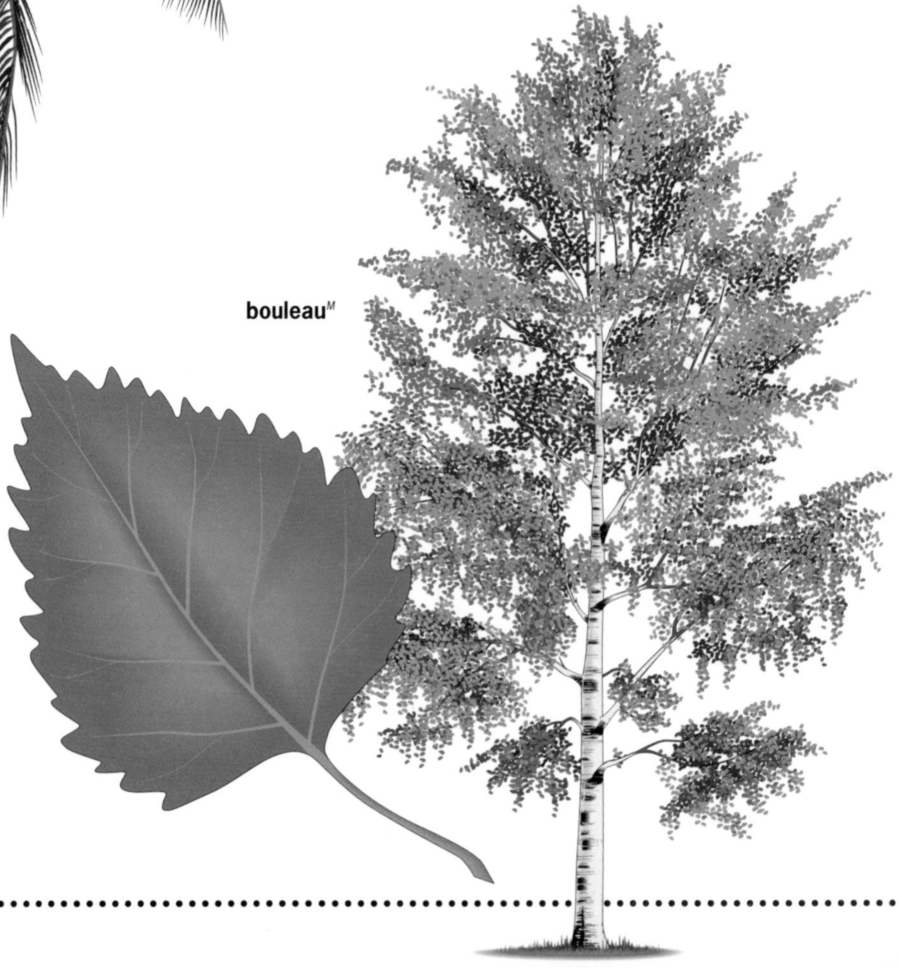

LE CONIFÈRE^M

mélèze^M

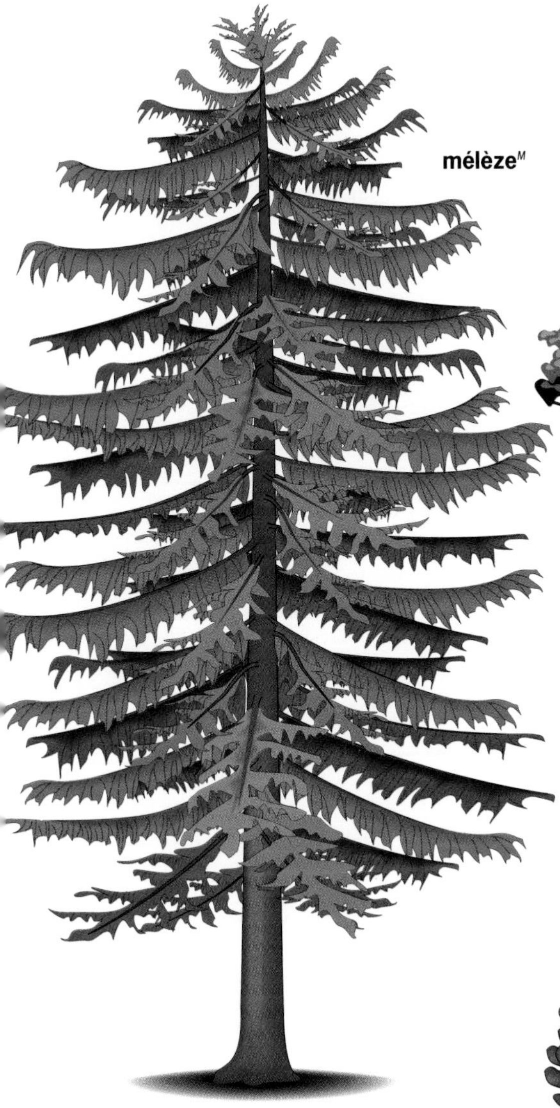

pin^M parasol^M

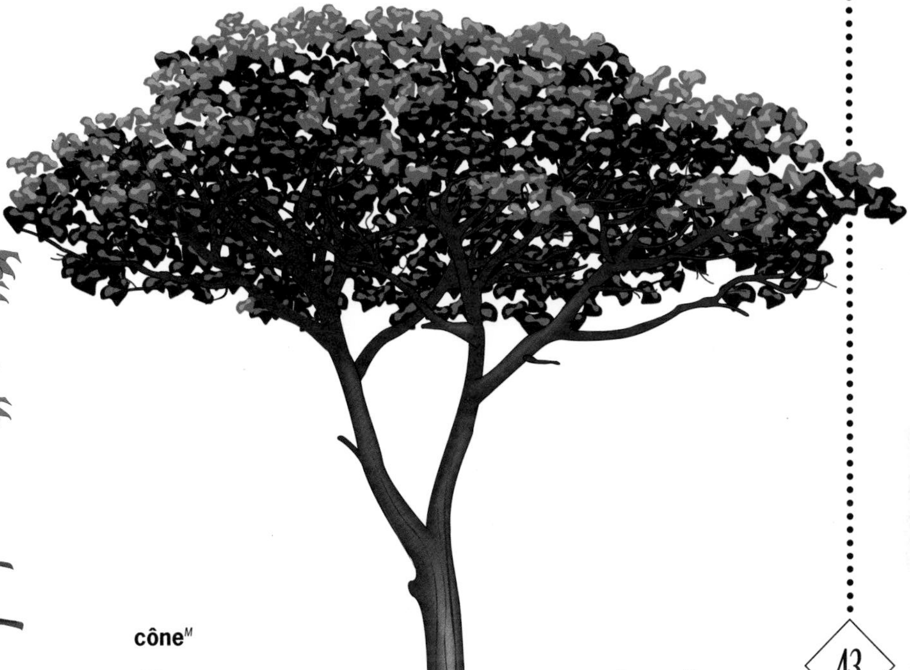

cône^M

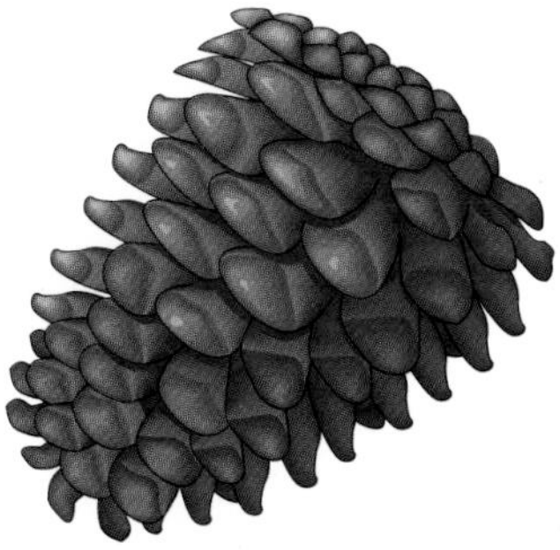

pignons^M

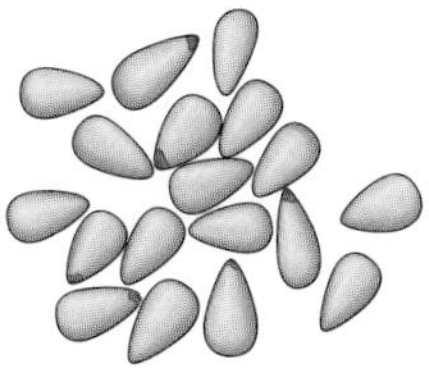

TYPES^M DE FEUILLES^F

aiguilles^F de sapin^M

rameau^M

cône^M femelle

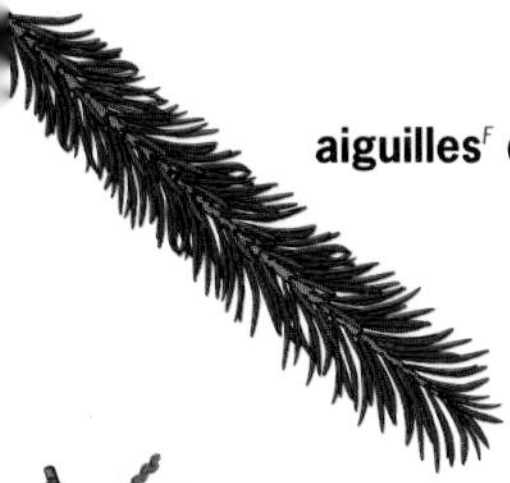

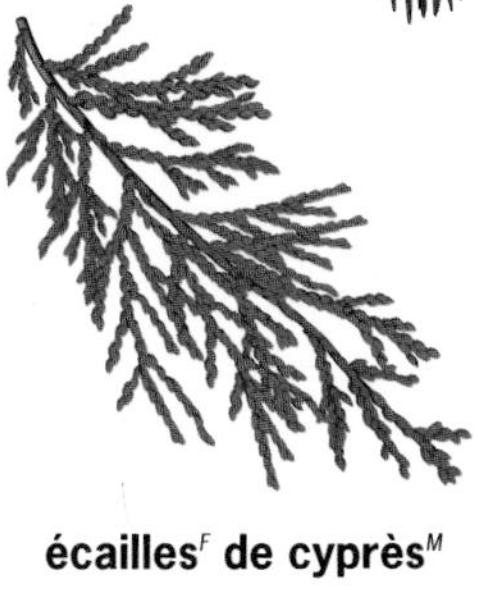

écailles^F de cyprès^M

aiguilles^F de pin^M

cône^M mâle

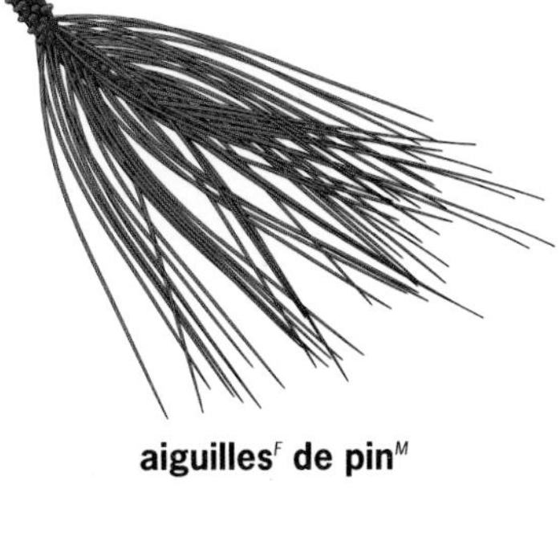

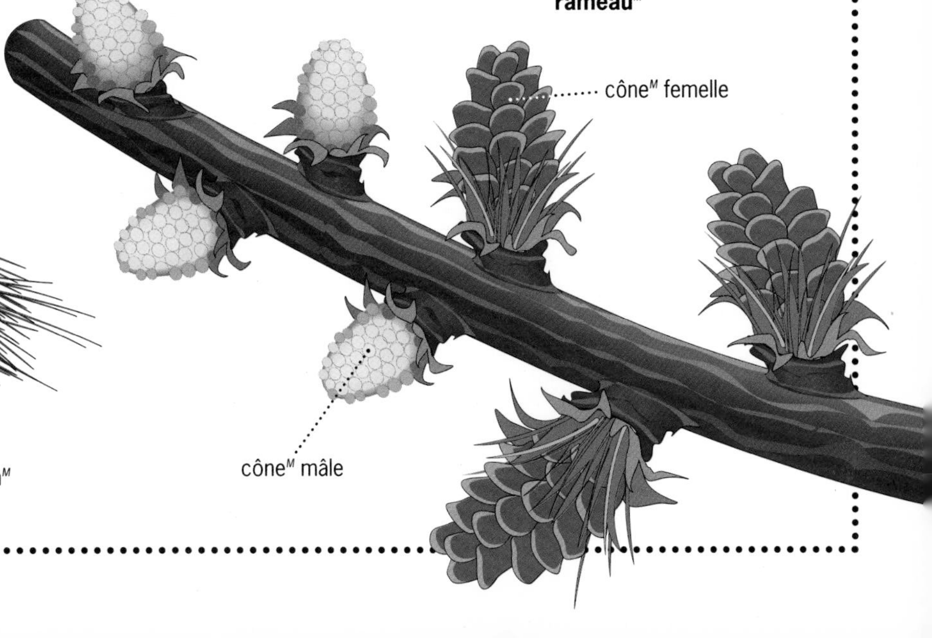

LES FRUITS^M CHARNUS: LES BAIES^F

coupe^F d'une baie^F

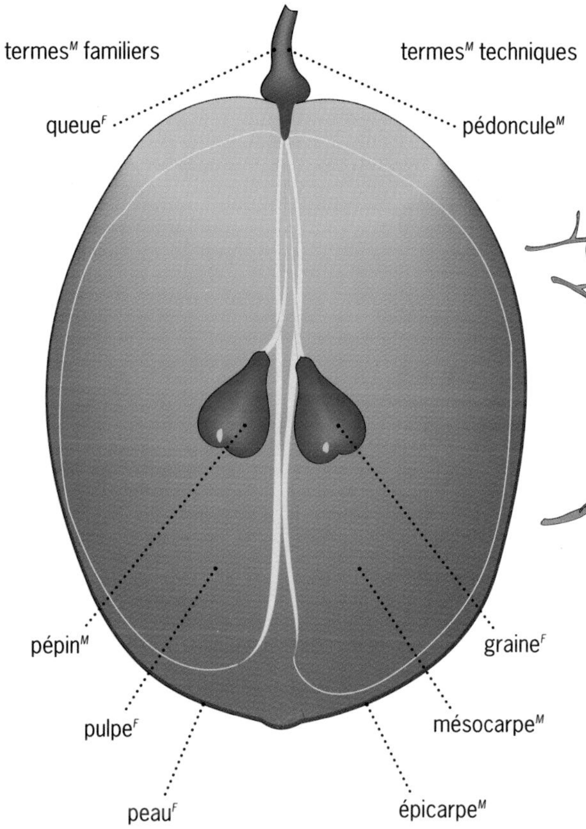

PRINCIPALES VARIÉTÉS^F DE BAIE

raisin^M

termes^M familiers   termes^M techniques

queue^F pédoncule^M

pépin^M graine^F

pulpe^F mésocarpe^M

peau^F épicarpe^M

canneberge^F   **bleuet^M**

groseille^F à grappes^F

cassis^M

raisin^M

groseille^F à maquereau^M   **airelle^F**

coupe^F d'une fraise^F

pulpe^F

coupe^F d'une framboise

réceptacle^M

graine^F

akène^M drupéole^F sépale

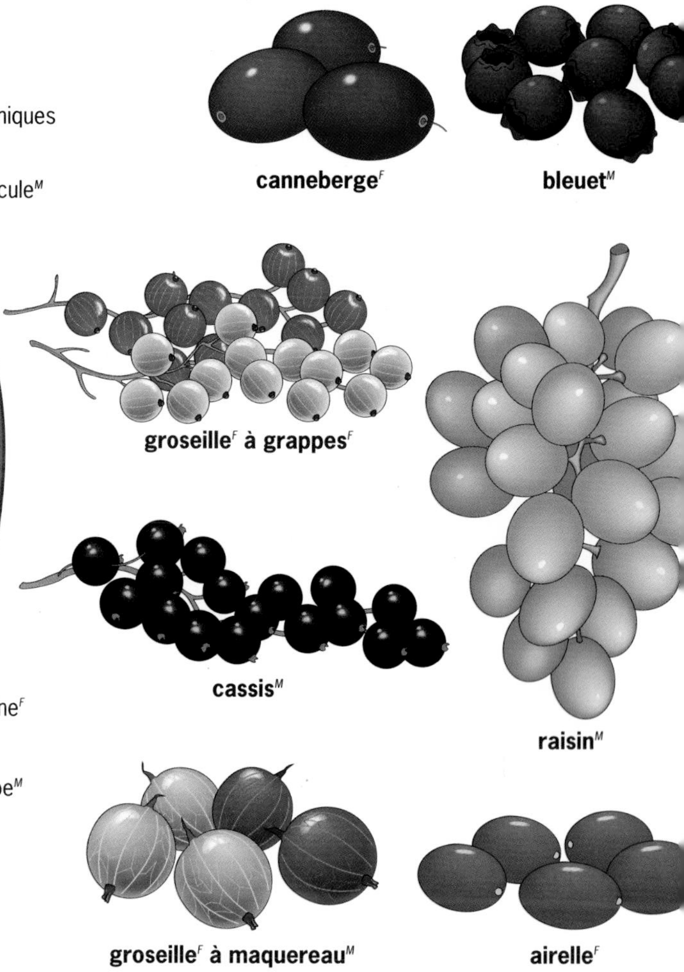

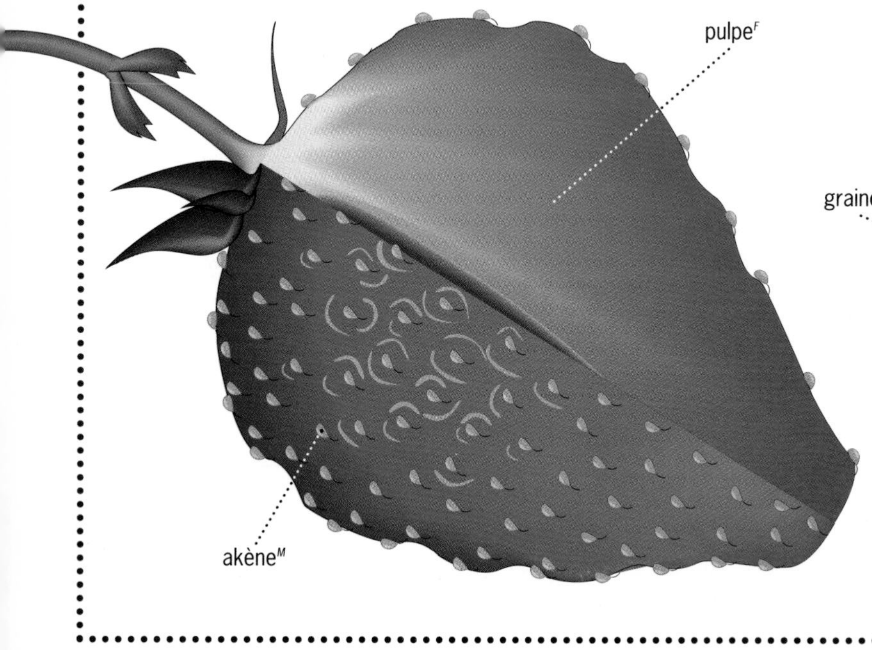

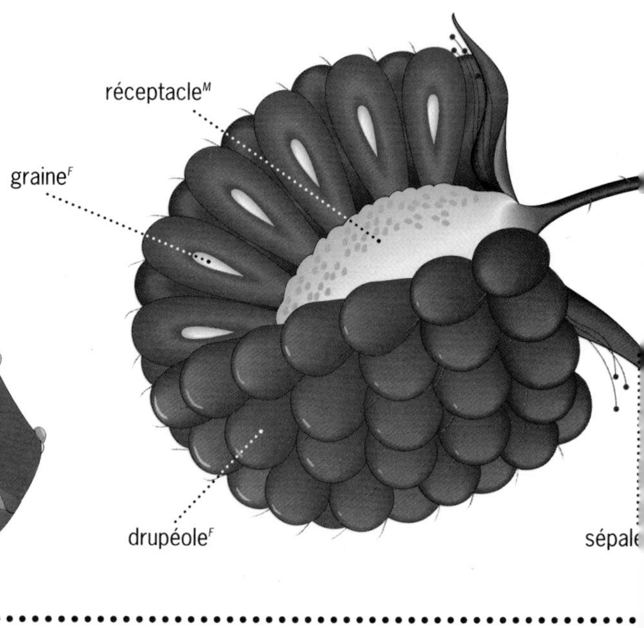

LES FRUITS^M CHARNUS À NOYAU^M

coupe^F d'un fruit^M à noyau^M

pêche^F

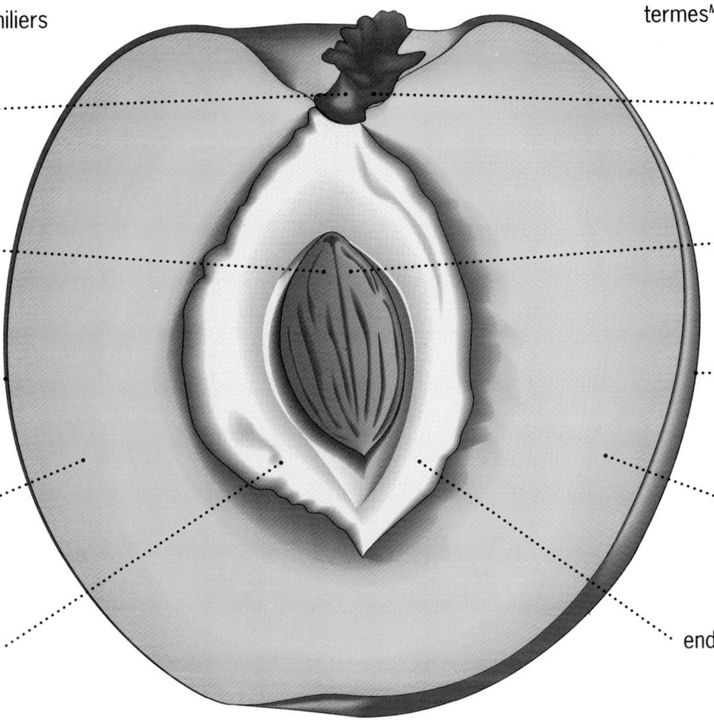

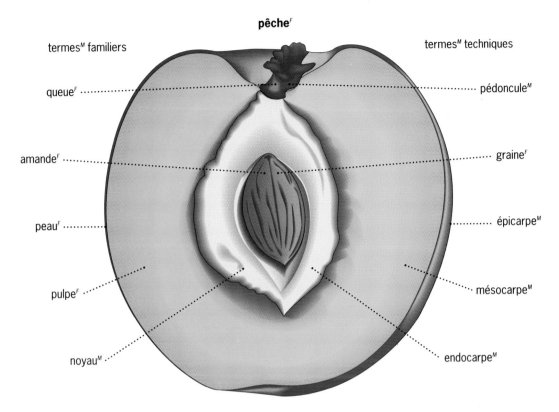

termes^M familiers

termes^M techniques

queue^F .... pédoncule^M

amande^F .... graine^F

peau^F .... épicarpe^M

pulpe^F .... mésocarpe^M

noyau^M .... endocarpe^M

PRINCIPALES VARIÉTÉS^F DE FRUITS^M À NOYAU^M

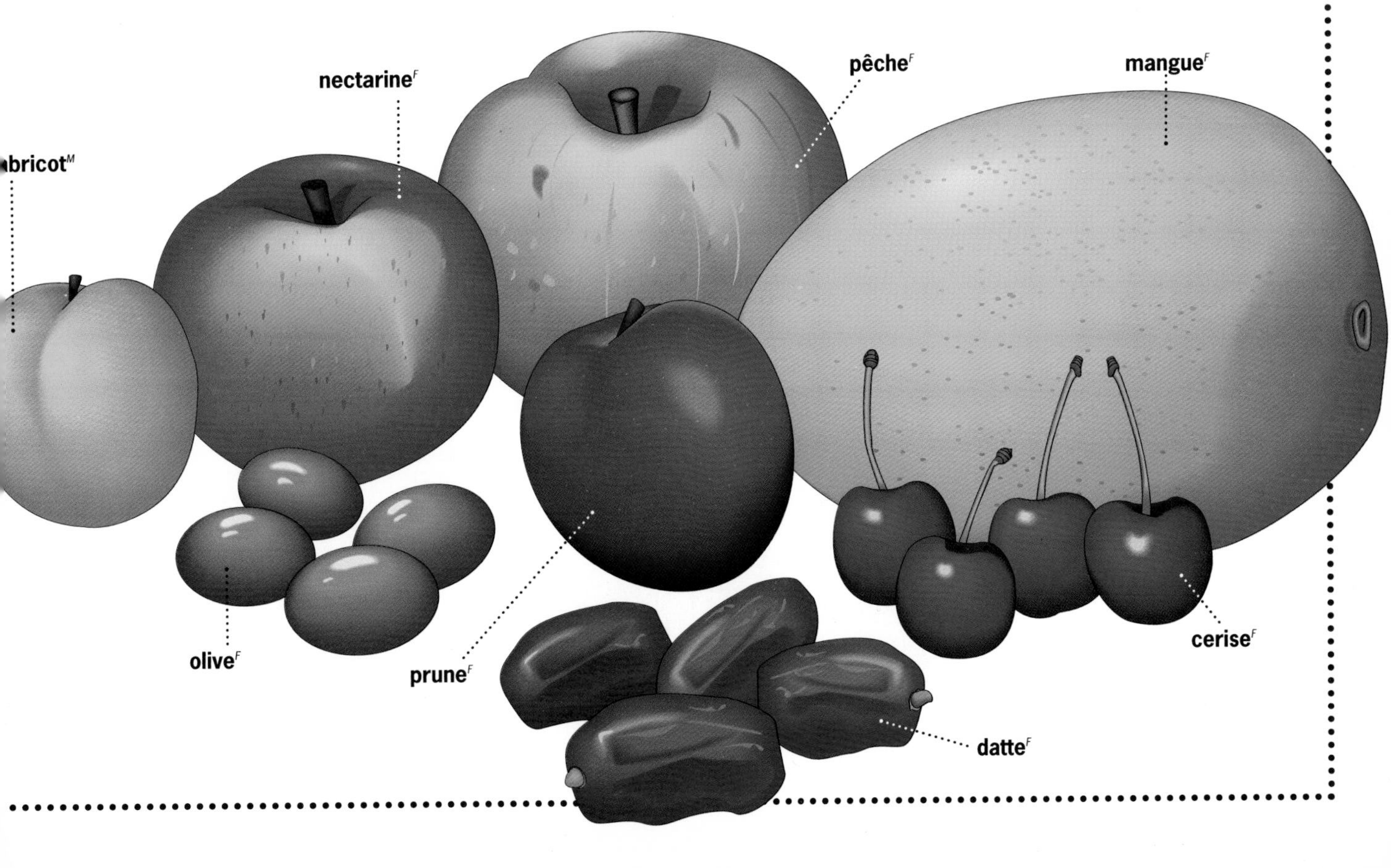

nectarine^F

pêche^F

mangue^F

abricot^M

olive^F

prune^F

cerise^F

datte^F

LES FRUITS^M CHARNUS À PÉPINS^M

coupe^F **d'un fruit**^M **à pépins**^M

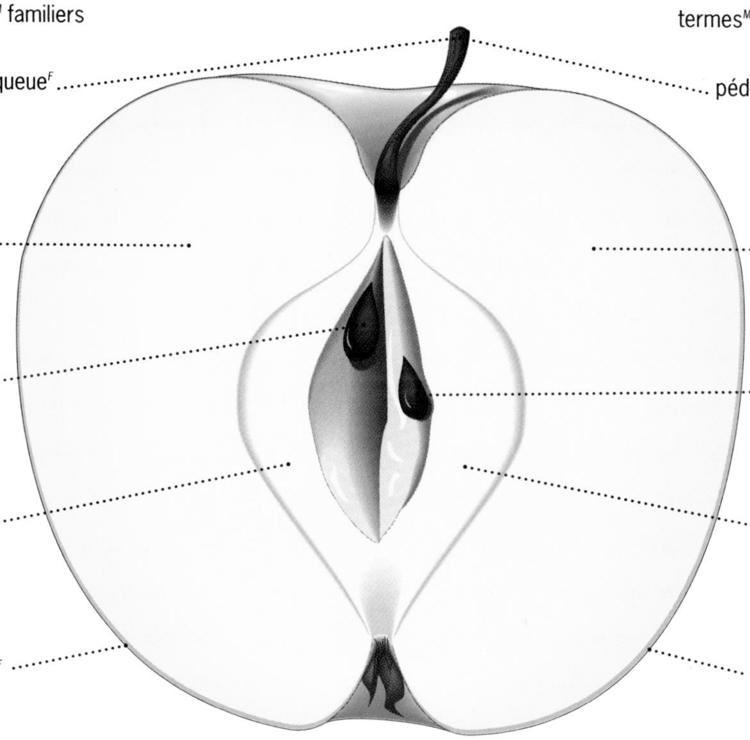

pomme^F

termes^M familiers

queue^F

pulpe^F

pépin^M

cœur^M

peau^F

termes^M techniques

pédoncule^M

mésocarpe^M

graine^F

endocarpe^M

épicarpe^M

PRINCIPALES VARIÉTÉS^F DE FRUITS^M À PÉPINS^M

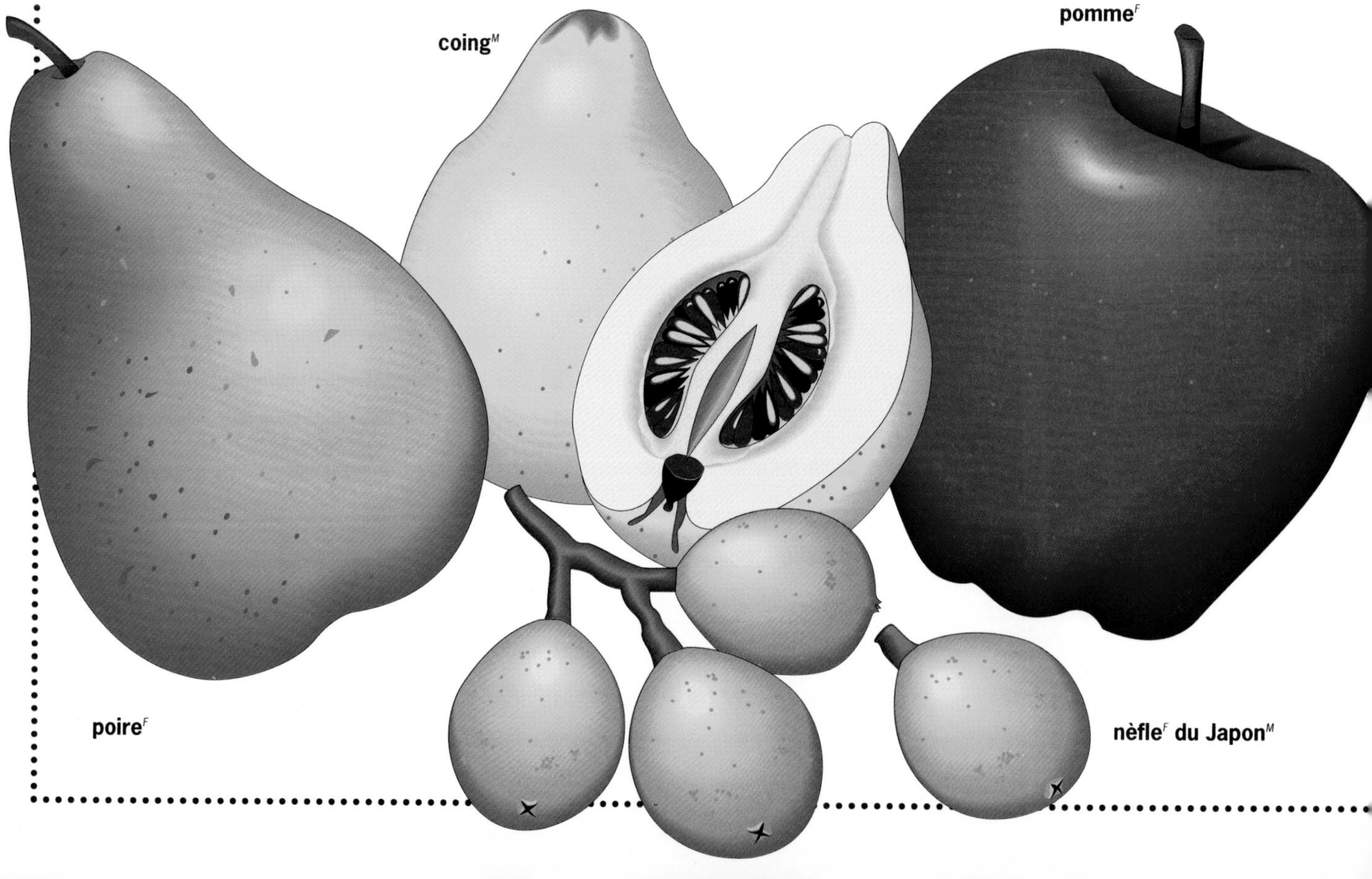

coing^M

pomme^F

poire^F

nèfle^F **du Japon**^M

LES FRUITS^M CHARNUS: LES AGRUMES^M

coupe^F d'un agrume^M

orange^F

termes^M familiers

termes^M techniques

zeste^M

cloison^F

quartier^M

graine^F

pépin^M

pulpe^F

mésocarpe^M

écorce^F

péricarpe^M

PRINCIPALES VARIÉTÉS^F D'AGRUMES^M

citron^M

lime^F

mandarine^F

orange^F

pamplemousse^M

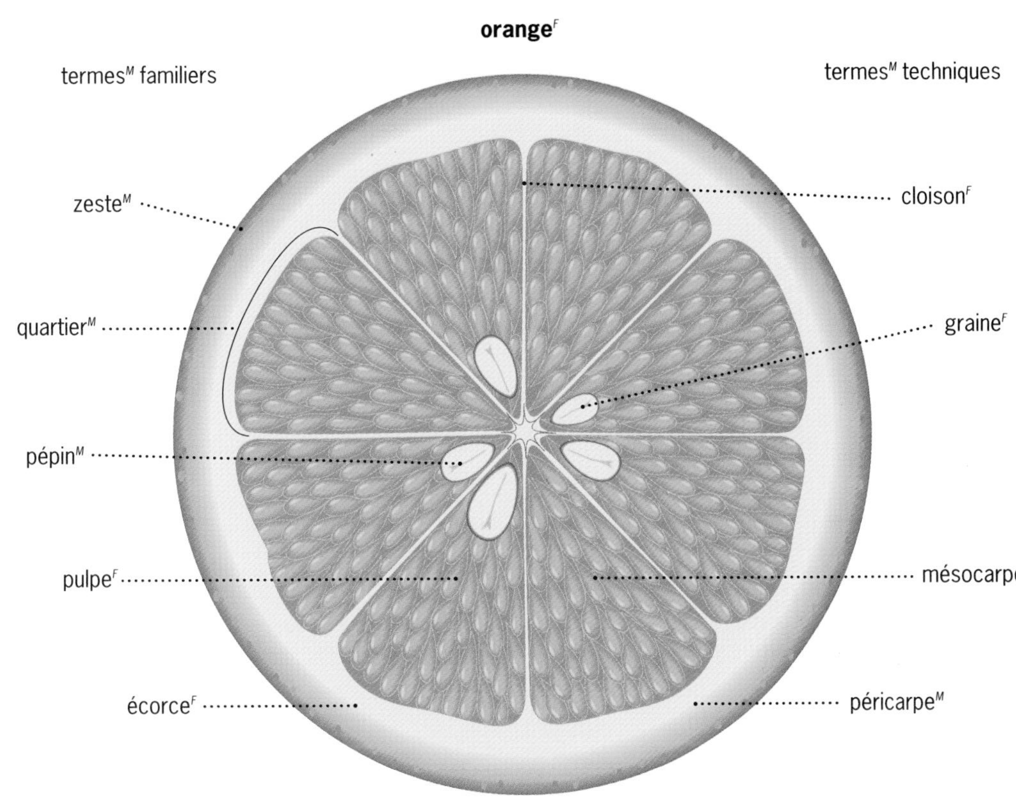

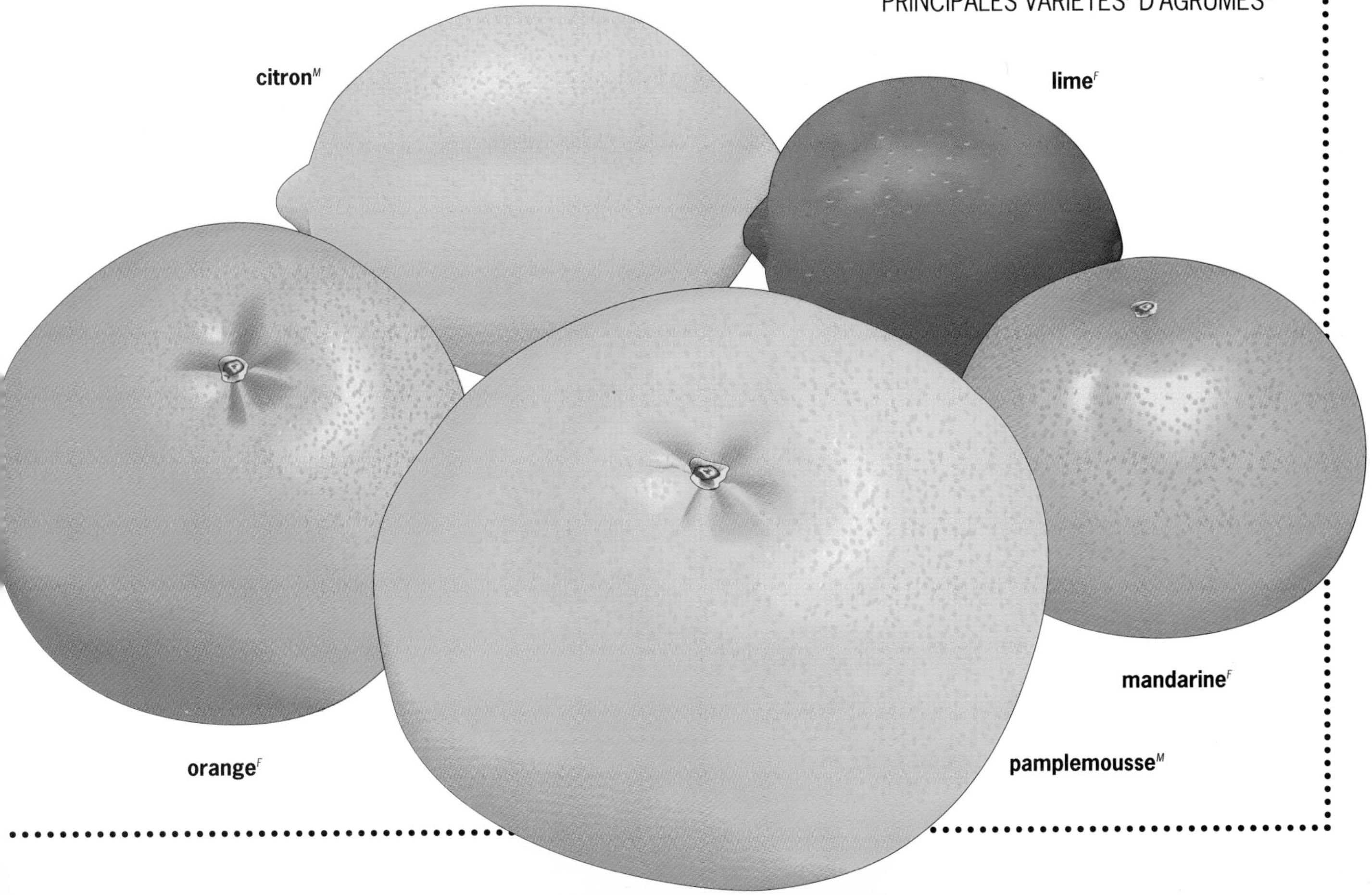

LES FRUITS^M TROPICAUX

PRINCIPAUX FRUITS^M TROPICAUX

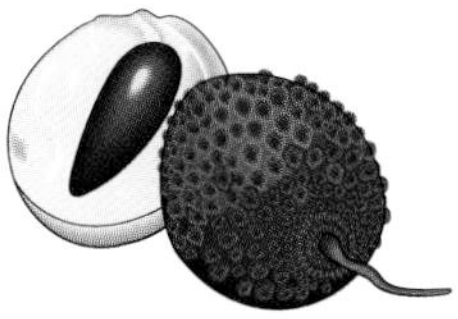

litchi^M

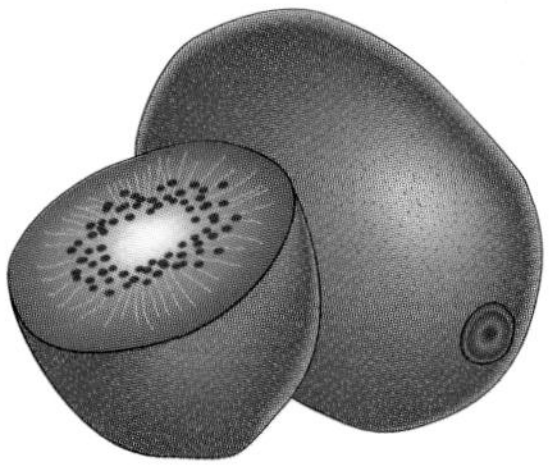

kiwi^M

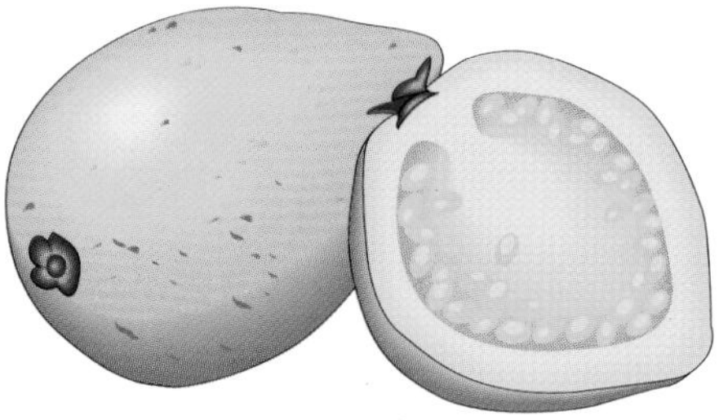

goyave^F

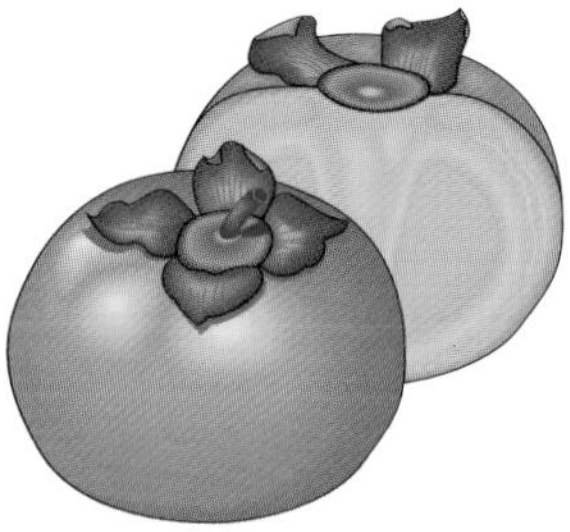

kaki^M

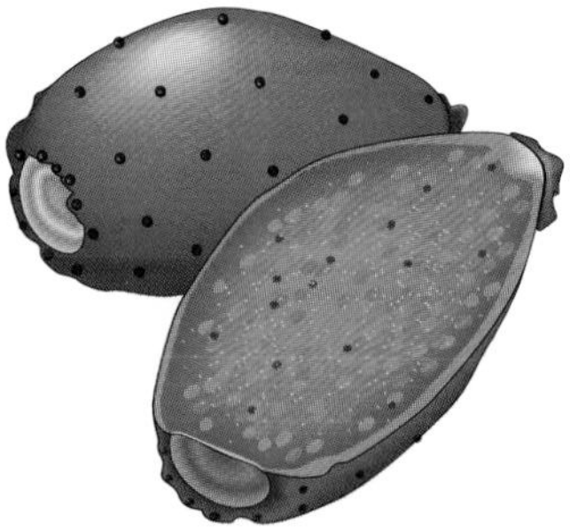

figue^F de Barbarie

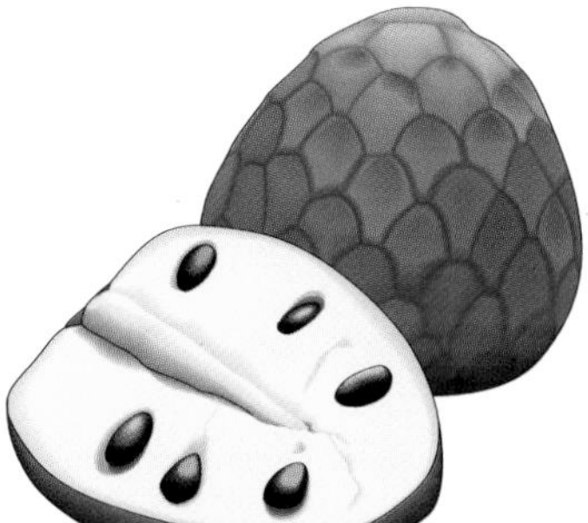

chérimole^F

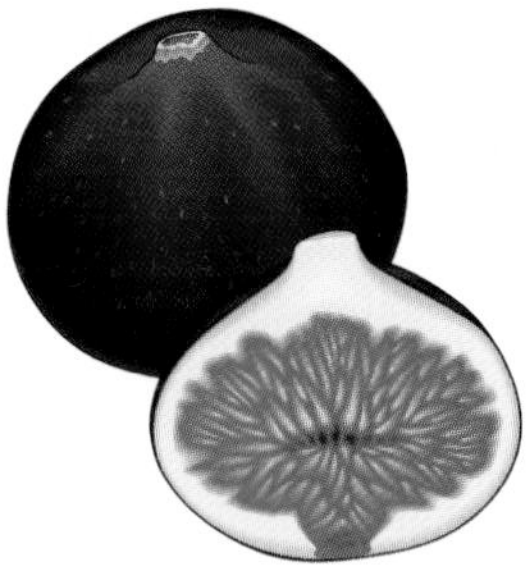

figue^F

48

papaye^F

grenade^F

banane^F

avocat^M

ananas^M

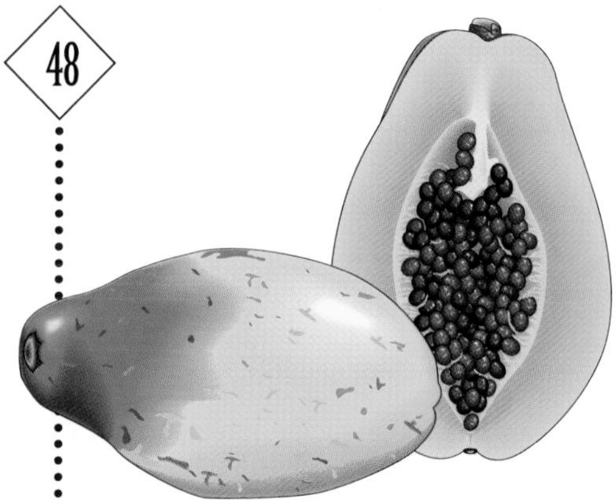

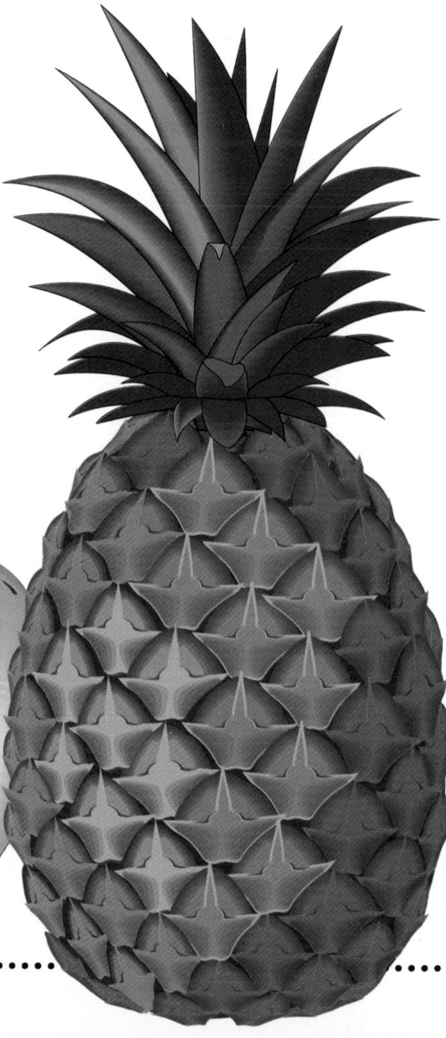

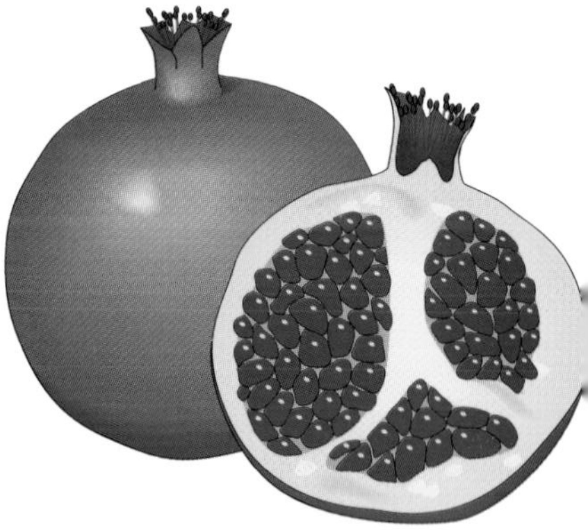

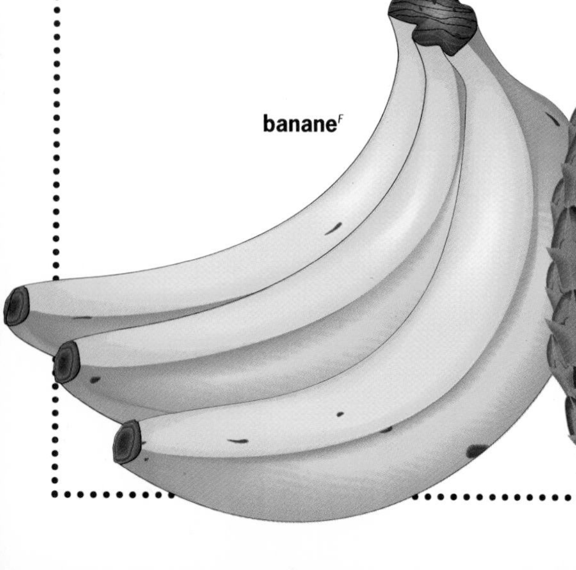

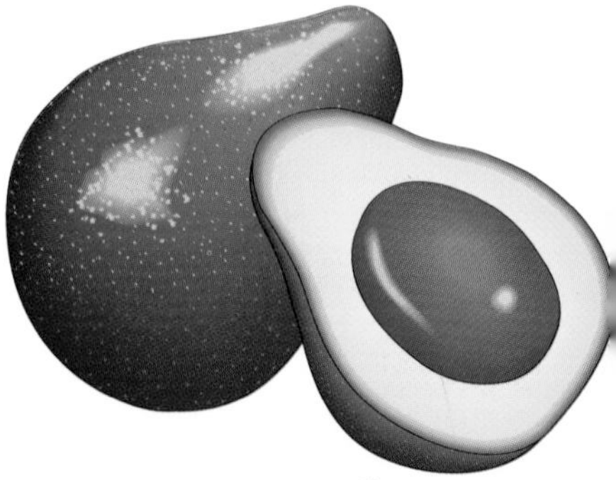

LES LÉGUMES^M

LÉGUMES^M FLEURS^F

chou^M-fleur^F

brocoli^M

artichaut^M

LÉGUMES^M FRUITS^M

pastèque^F

potiron^M

citrouille^F

cantaloup^M

melon^M brodé

aubergine^F

courge^F

concombre^M

courgette^F

gombo^M

haricot^M vert

poivron^M

tomate^F

piment^M

49

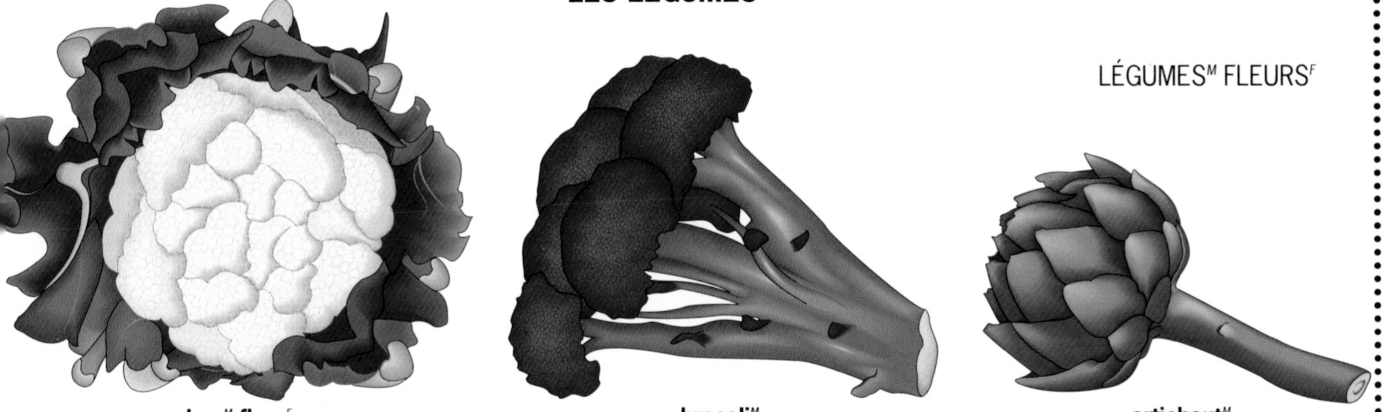

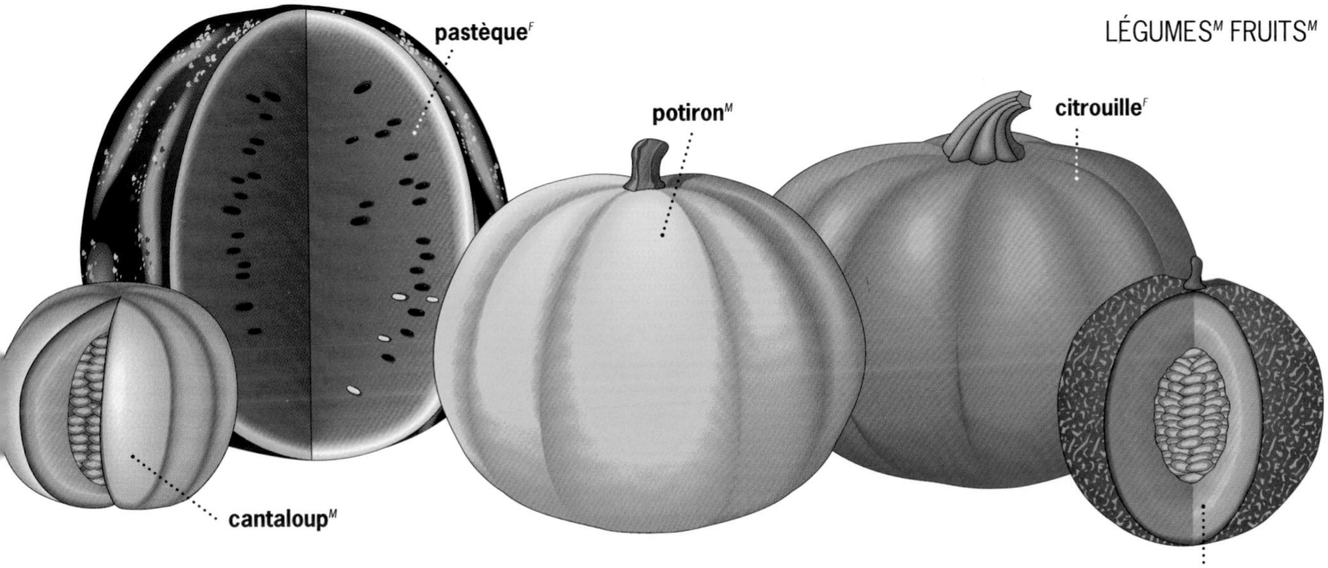

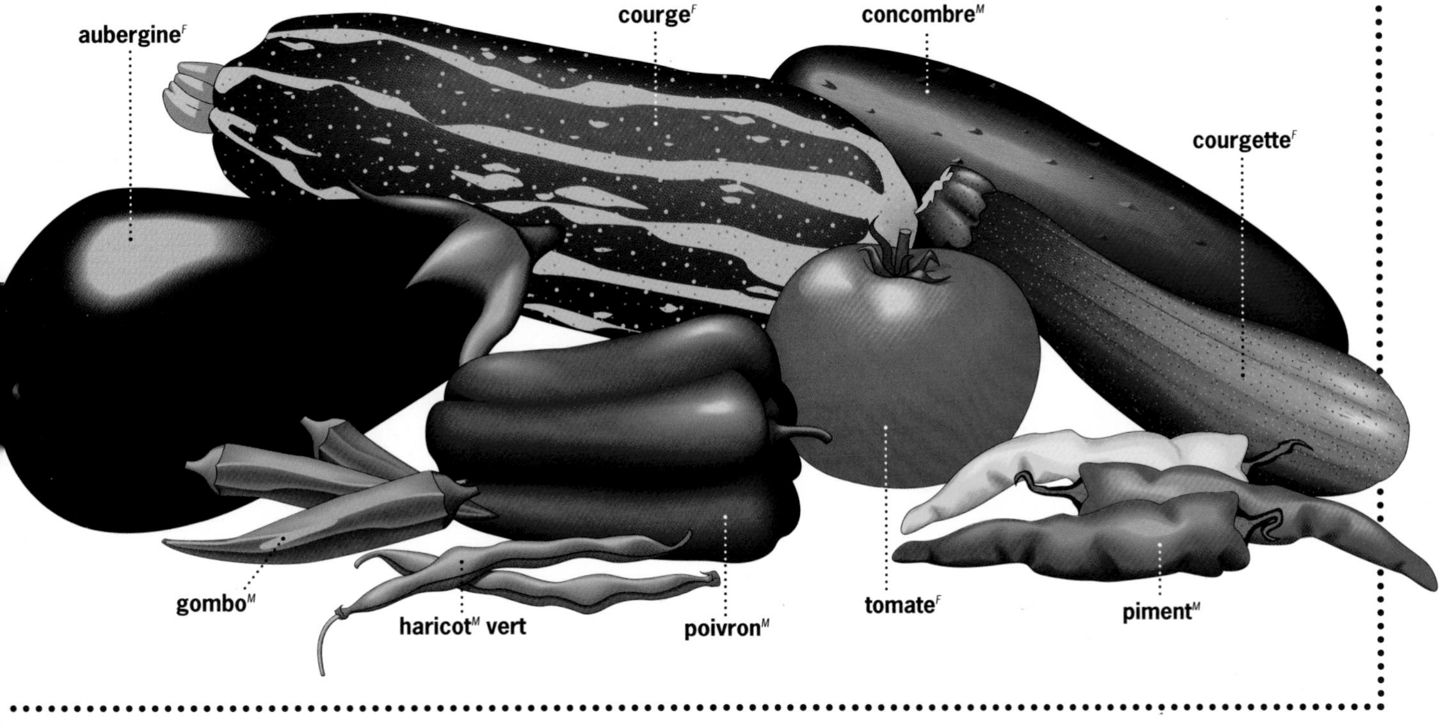

LES LÉGUMES[M]

coupe[F] d'un bulbe[M]

bourgeon[M]

caïeu[M]

tunique[F]

écaille[F]

tige[F]

racine[F]

LÉGUMES[M] BULBES[M]

ail[M]

poireau[M]

échalote[F]

oignon[M] jaune

oignon[M]

échalote[F] nouvelle

ciboulette[F]

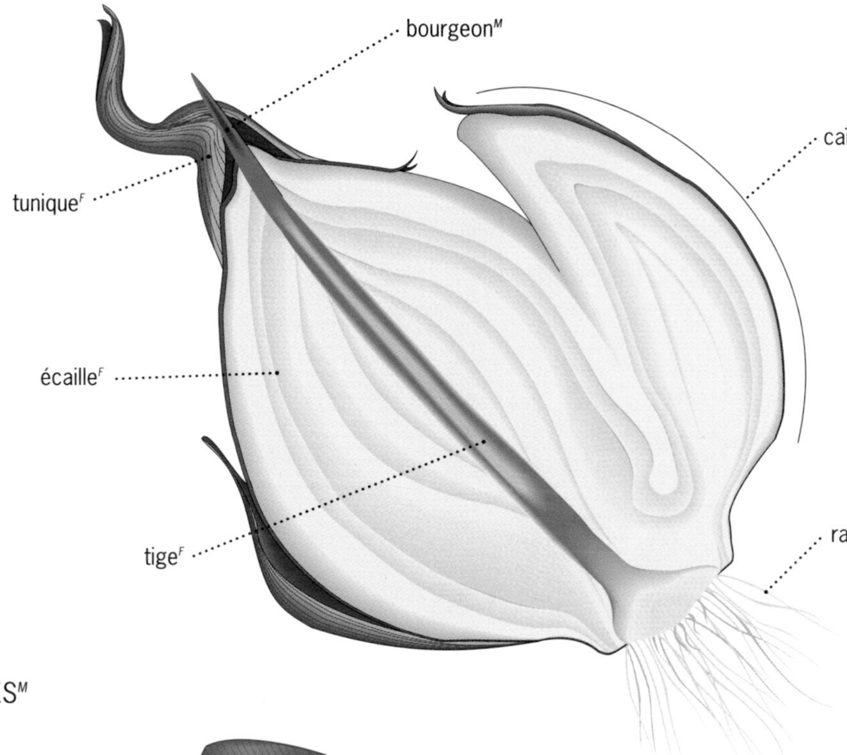

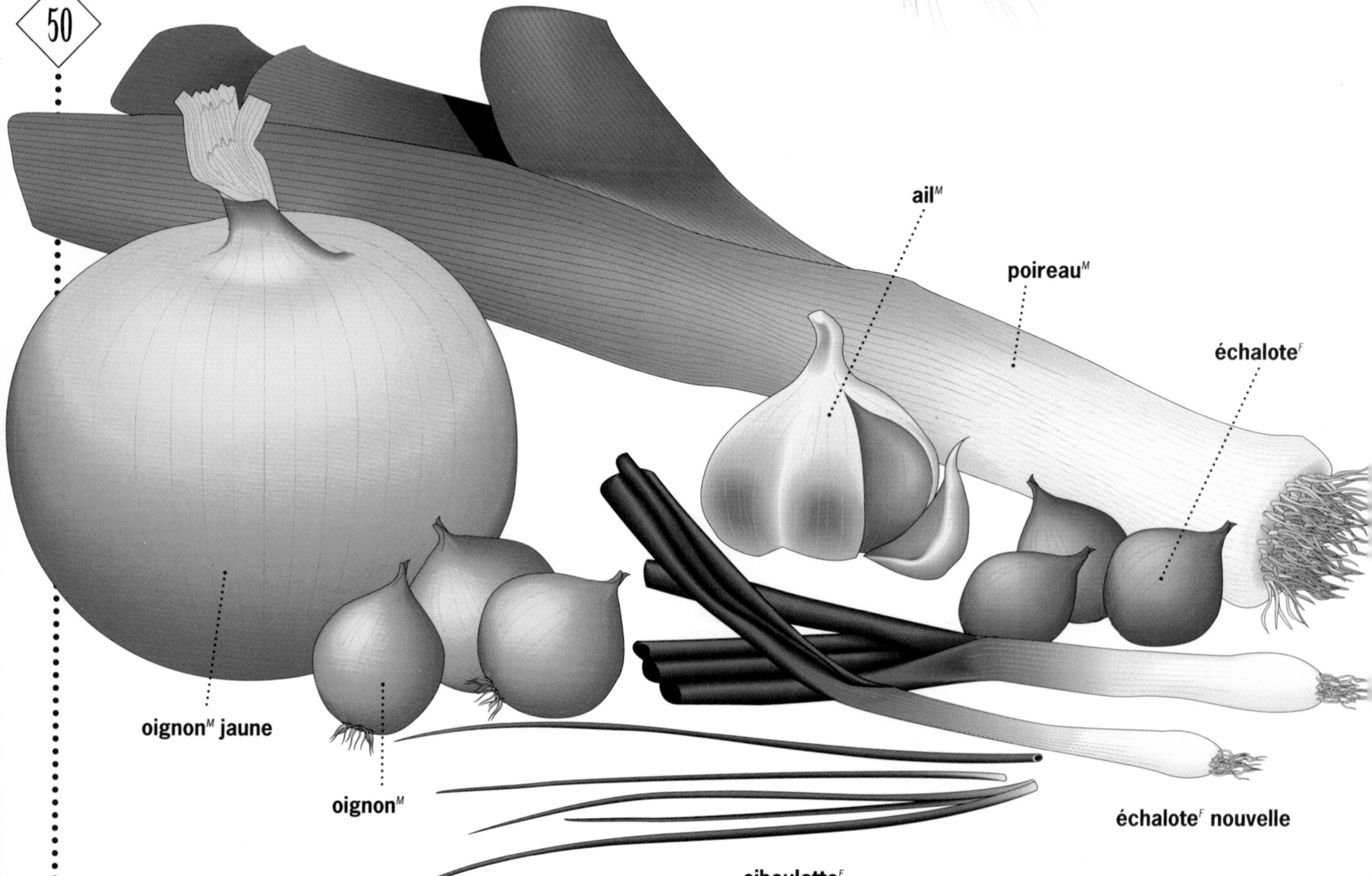

LÉGUMES^M TUBERCULES^M

pomme^F de terre^F

topinambour^M

patate^F

LÉGUMES^M RACINES^F

chou^M-rave^F

céleri^M-rave^F

rutabaga^M

betterave^F

navet^M

51

raifort^M

panais^M

carotte^F

radis^M

salsifis^M

LÉGUMES[M] TUBERCULES[M]

pomme[F] de terre[F]

topinambour[M]

patate[F]

LÉGUMES[M] RACINES[F]

chou[M]-rave[F]

céleri[M]-rave[F]

rutabaga[M]

betterave[F]

navet[M]

51

raifort[M]

panais[M]

carotte[F]

radis[M]

salsifis[M]

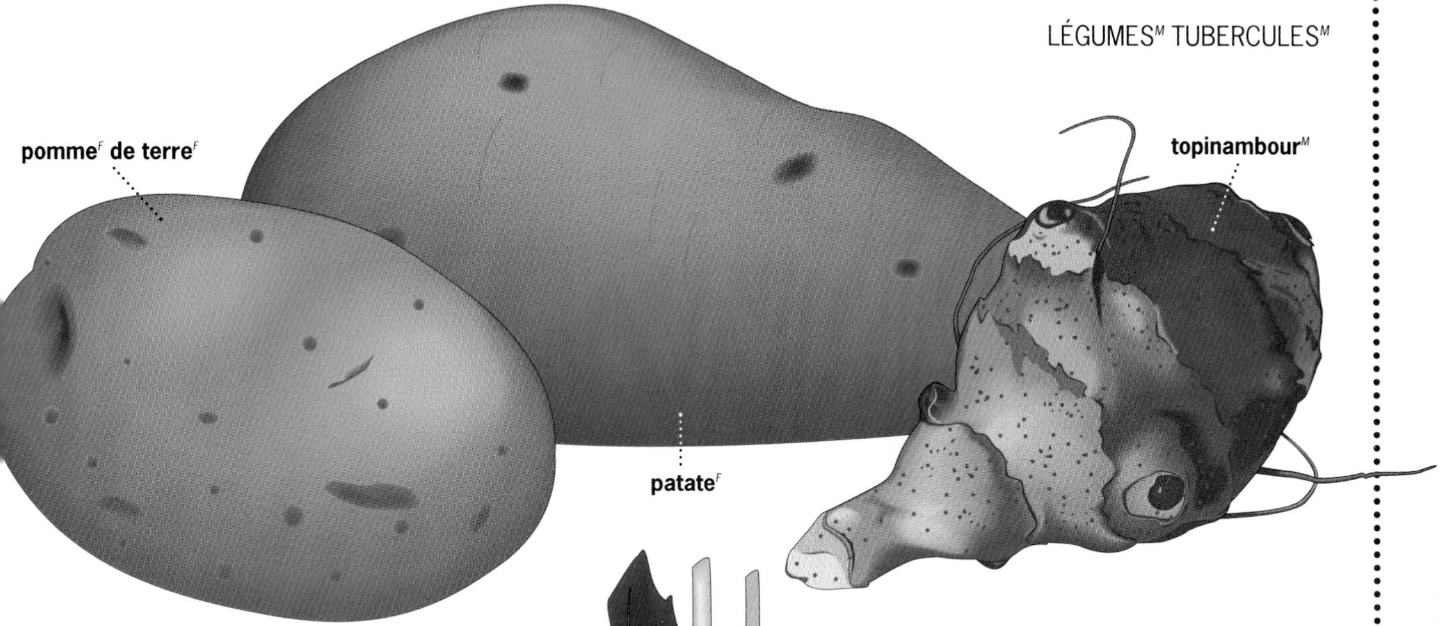

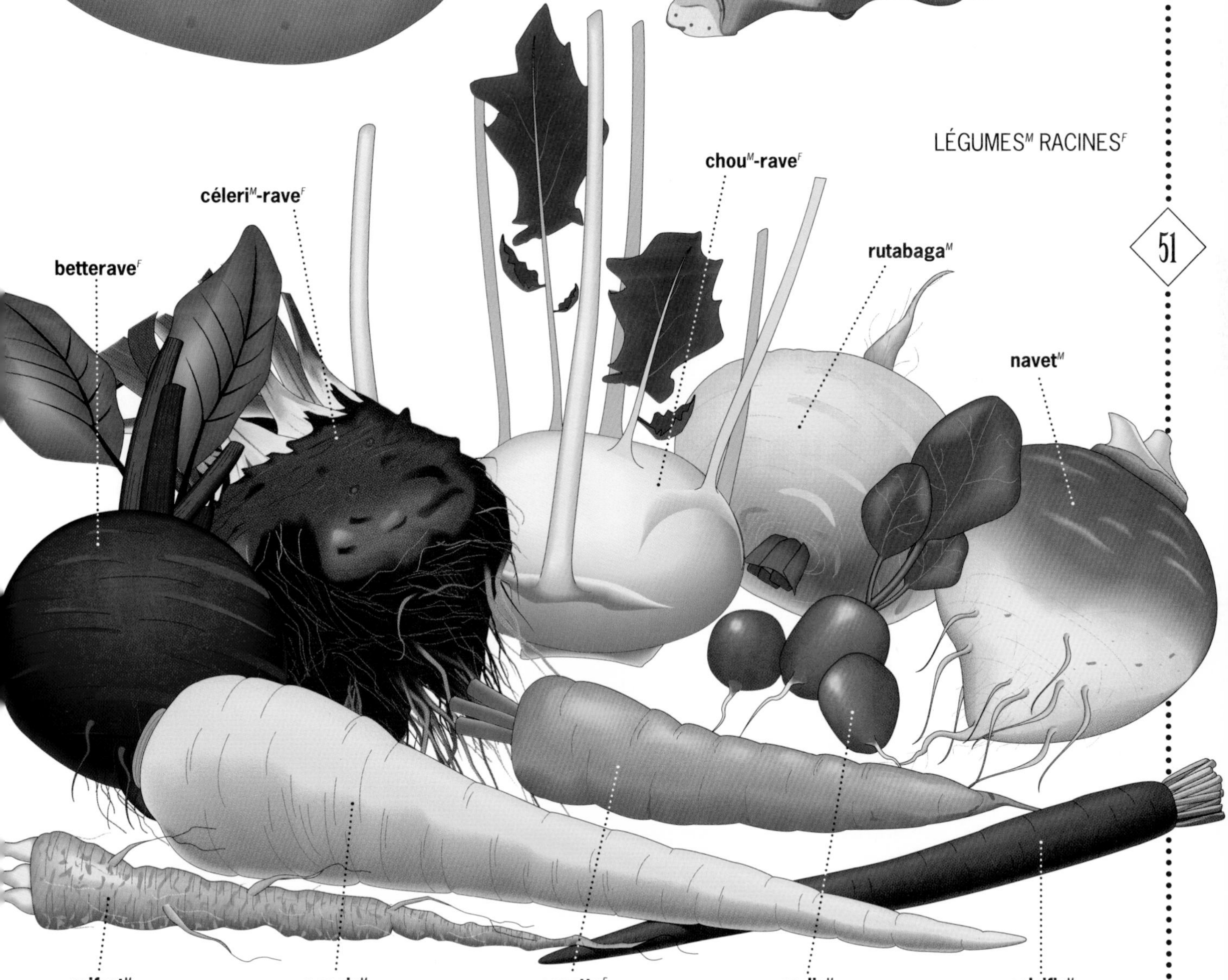

LES LÉGUMES^M

LÉGUMES^M TIGES^F

cardon^M

bette^F à carde^F

rhubarbe^F

fenouil^M

céleri^M

asperge^F

52

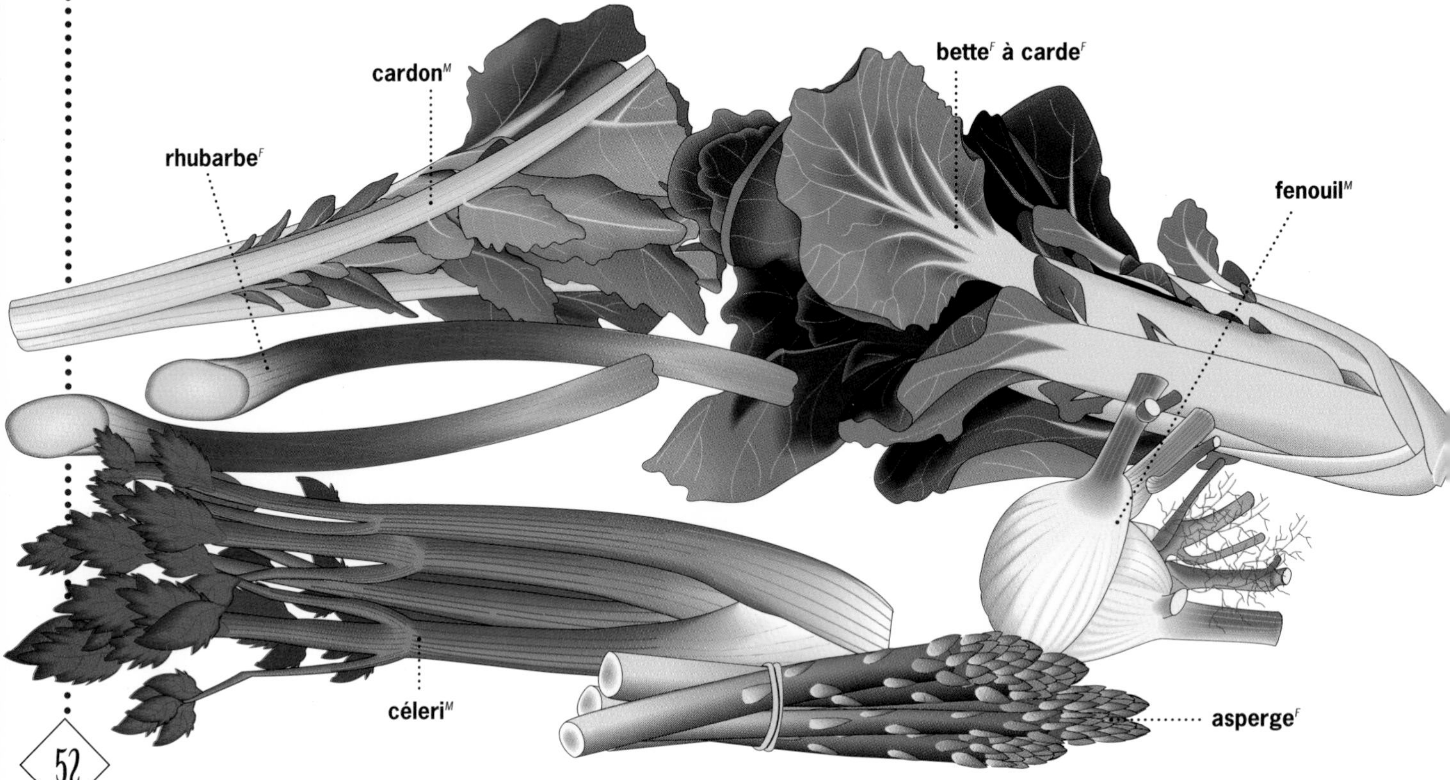

LÉGUMES^M GRAINES^F

maïs^M

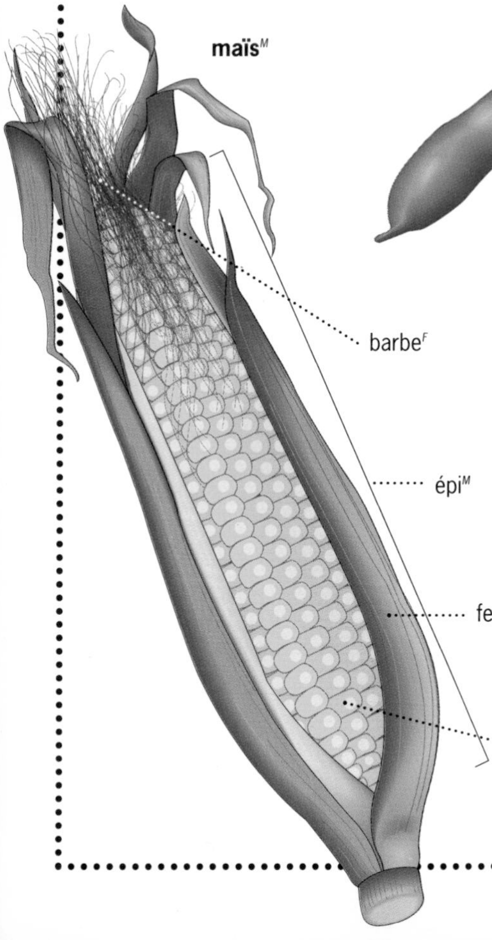

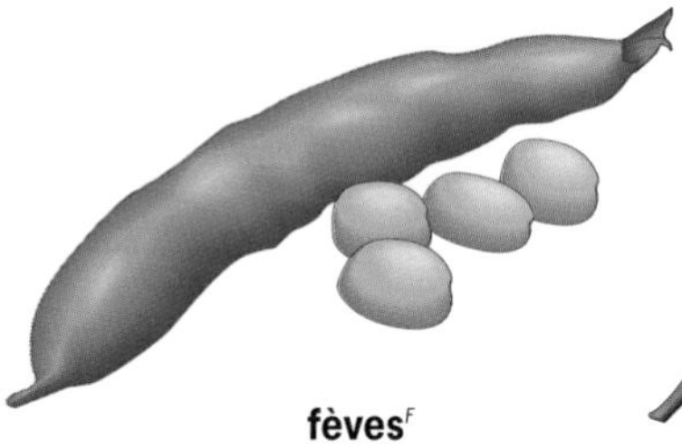

fèves^F

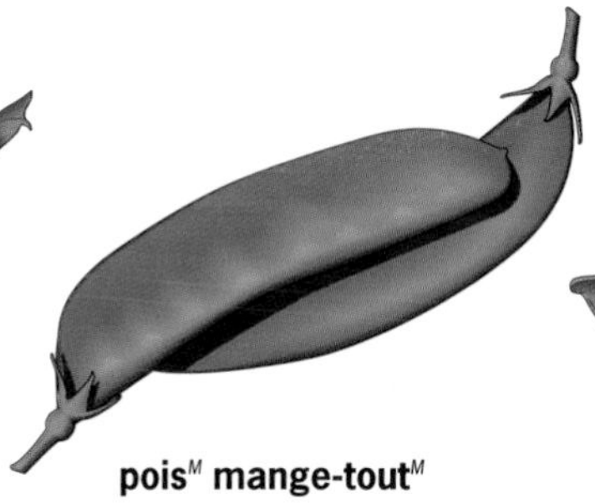

pois^M mange-tout^M

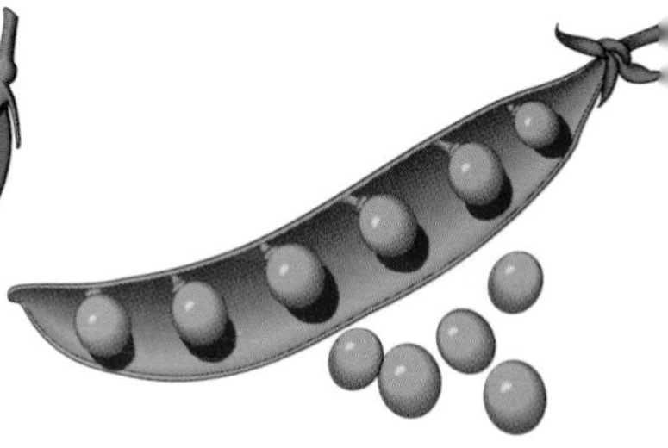

petits pois^M

barbe^F

épi^M

feuille^F

grain^M

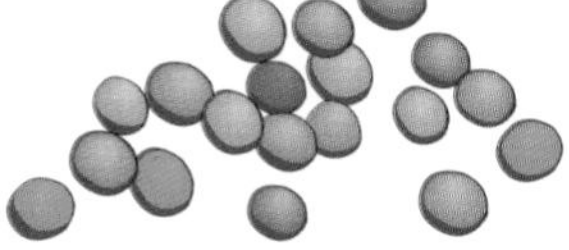

lentilles^F

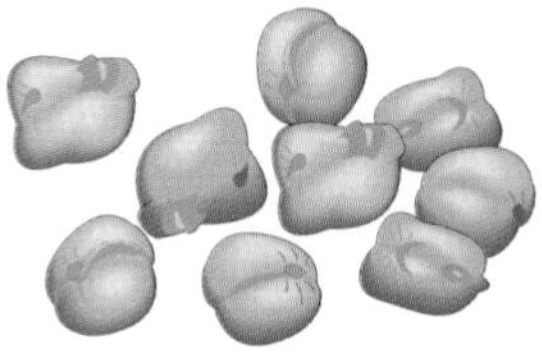

pois^M chiches

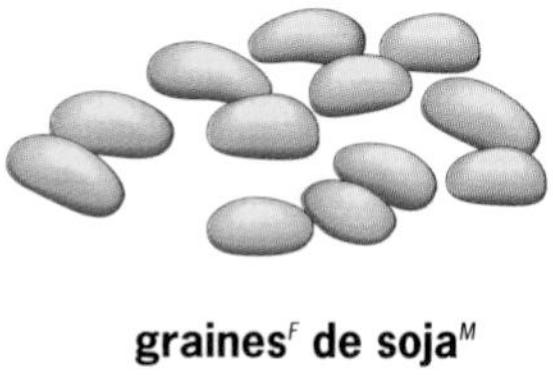

graines^F de soja^M

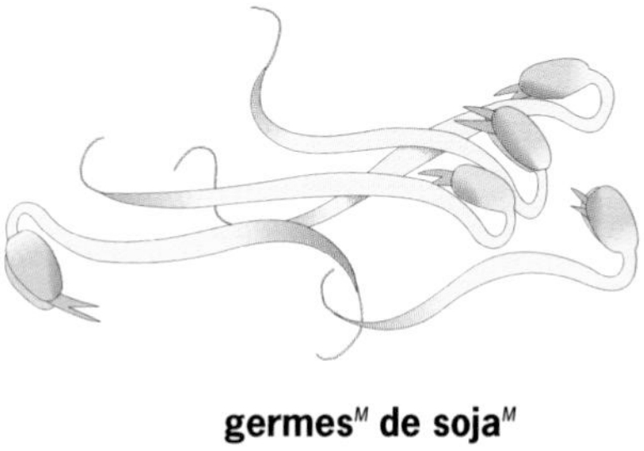

germes^M de soja^M

LÉGUMES[M] FEUILLES[F]

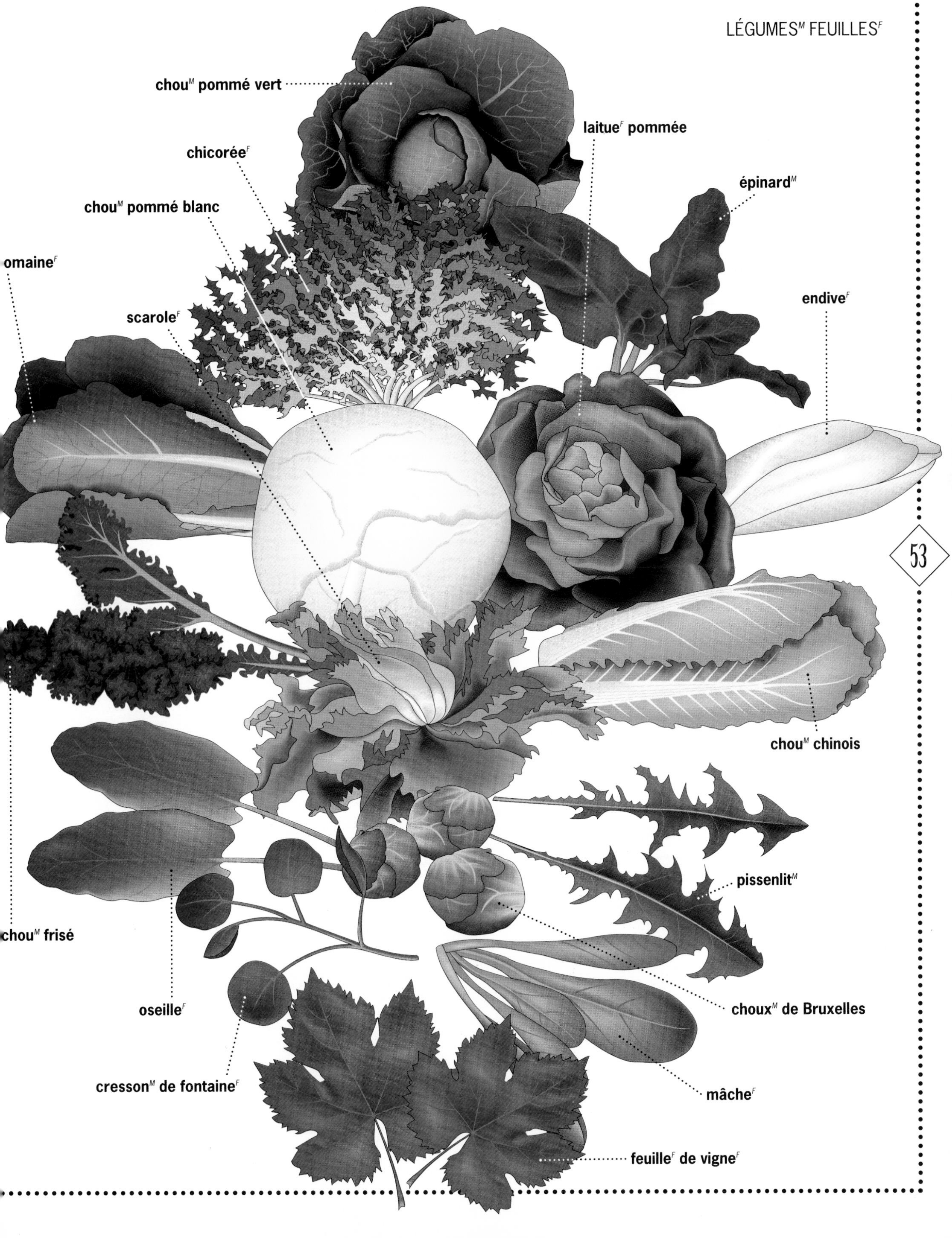

chou[M] pommé vert

laitue[F] pommée

chicorée[F]

épinard[M]

chou[M] pommé blanc

omaine[F]

endive[F]

scarole[F]

53

chou[M] chinois

chou[M] frisé

pissenlit[M]

oseille[F]

choux[M] de Bruxelles

cresson[M] de fontaine[F]

mâche[F]

feuille[F] de vigne[F]

LE JARDINAGE^F

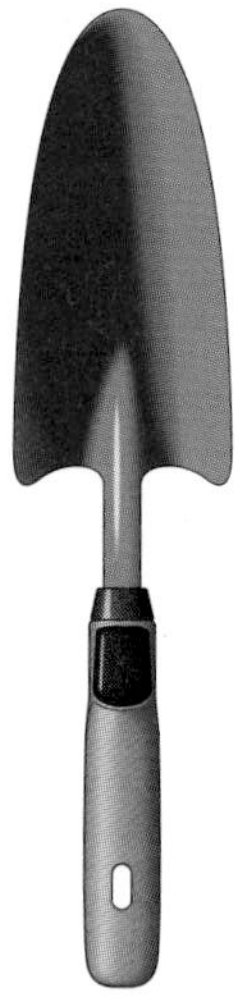

transplantoir^M

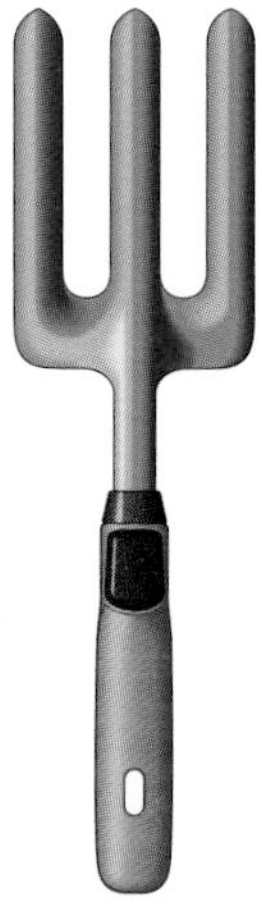

fourche^F à fleurs^F

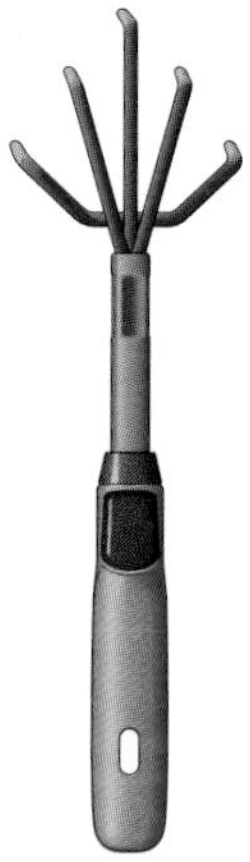

griffe^F à fleurs^F

sécateur^M

arrosoir

tondeuse^F à gazon^M

sélecteur^M de régime^M

clé^F de contact^M

guidon^M

poignée^F de sécurité^F

bac^M de ramassage^M

démarreur^M manuel

moteur^M

déflecteur^M

carter^M

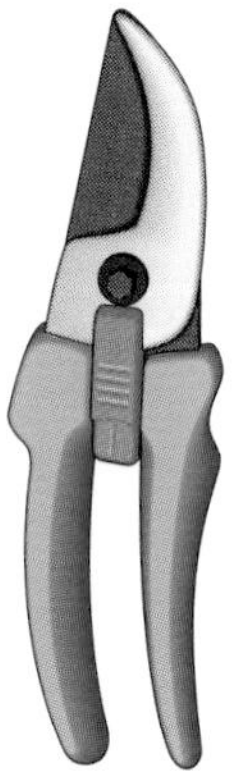

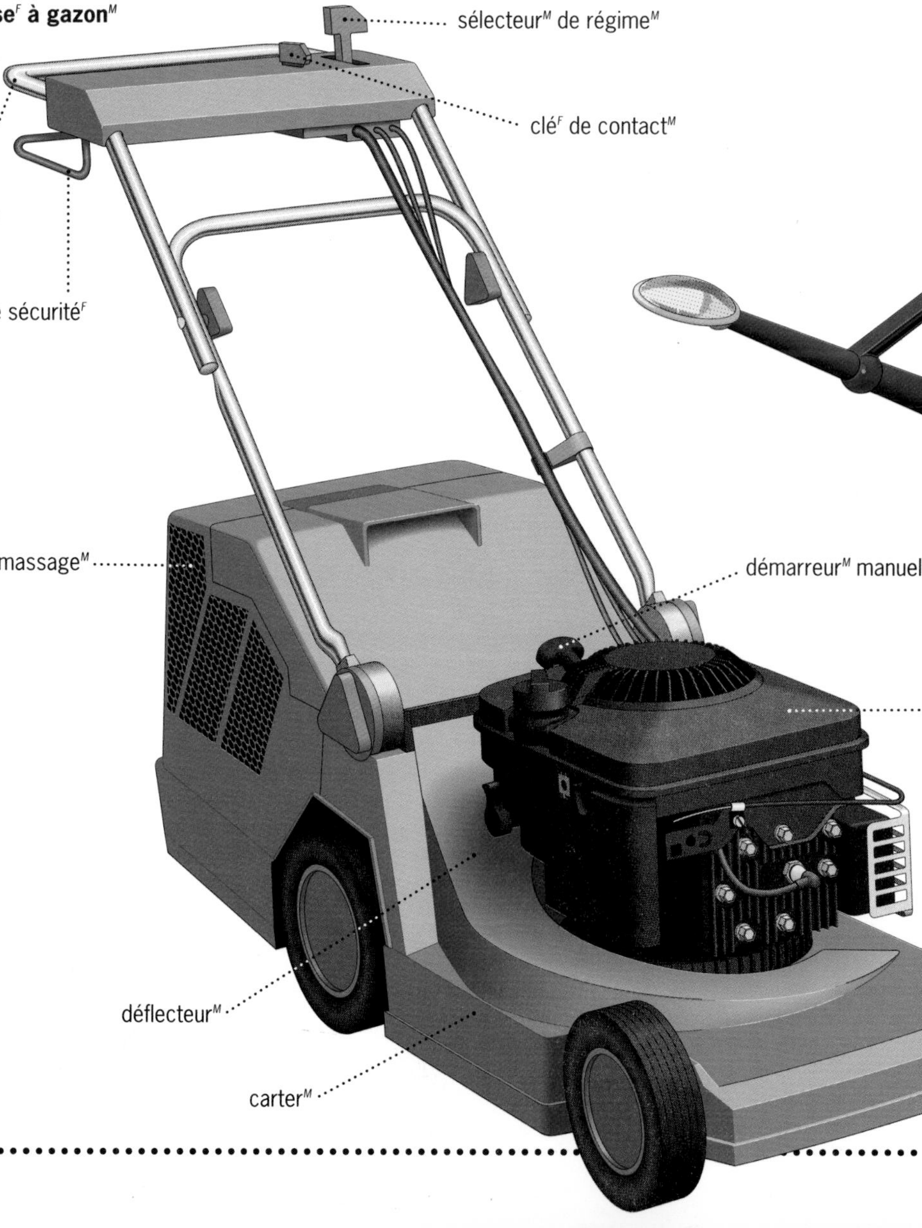

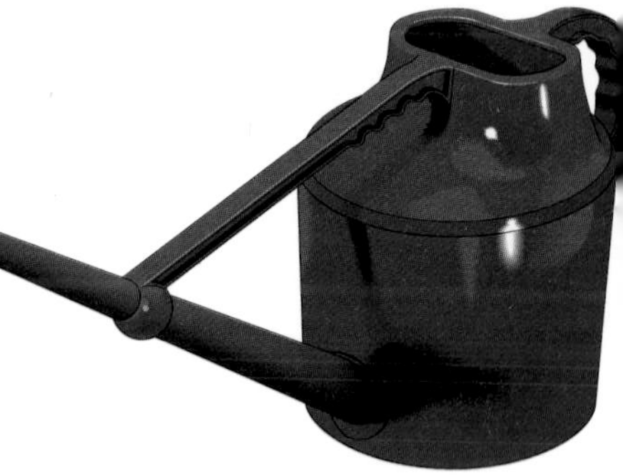

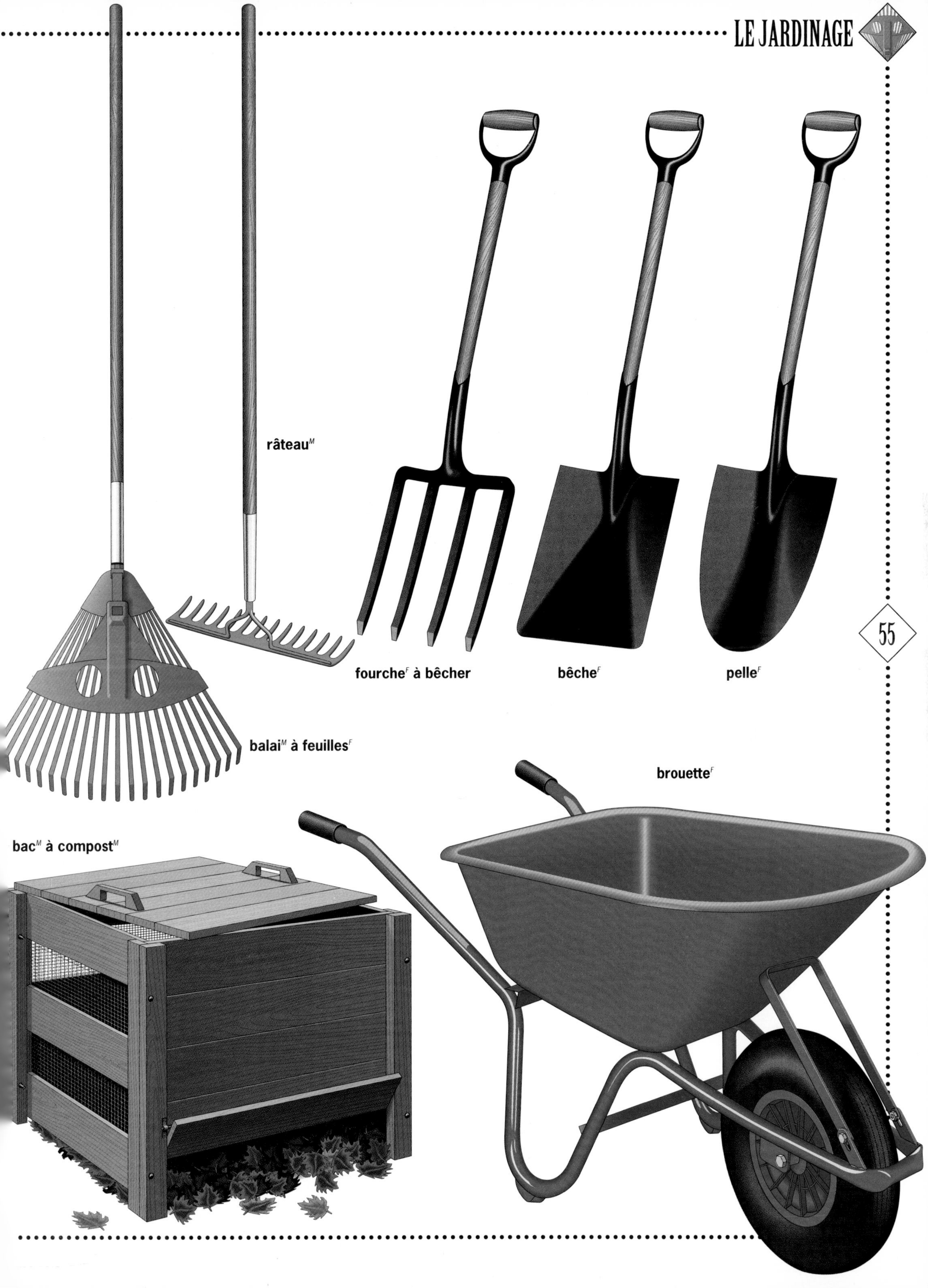

râteau^M

fourche^F à bêcher

bêche^F

pelle^F

balai^M à feuilles^F

brouette^F

bac^M à compost^M

LES INSECTES^M ET L'ARAIGNÉE^F

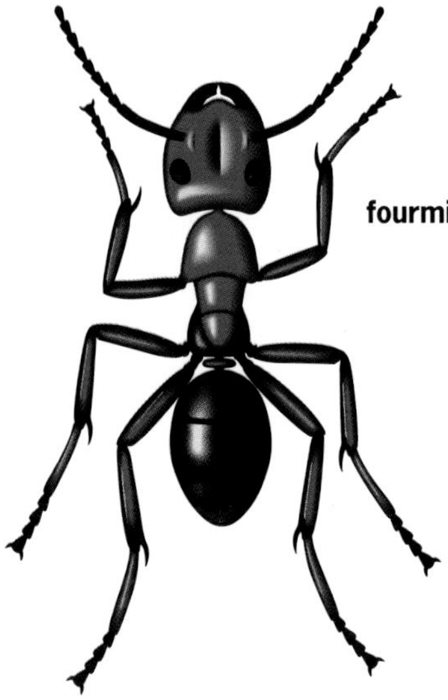

fourmi^F

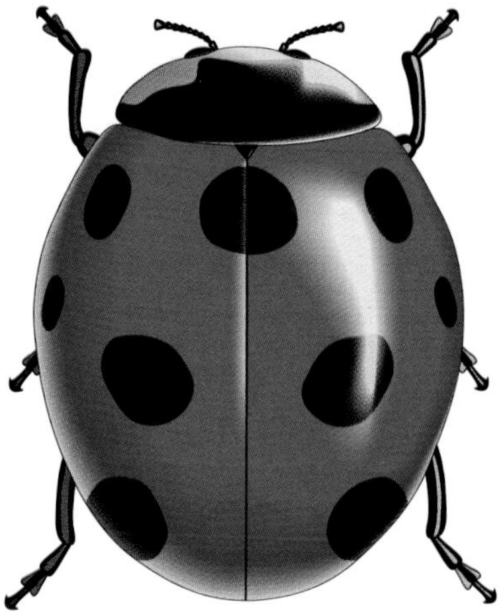

coccinelle^F

mouche^F

araignée^F

sauterelle^F

libellule^F

56

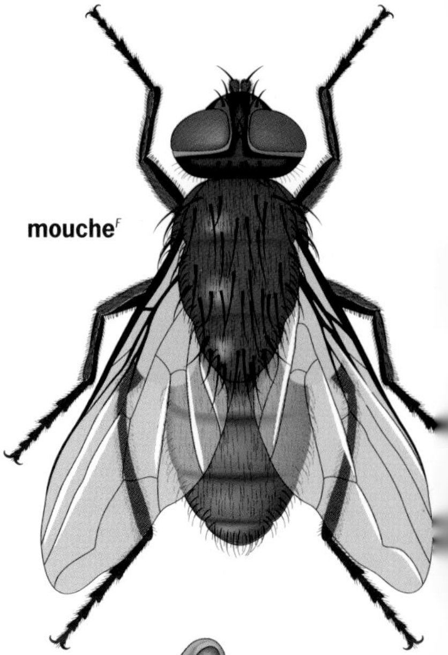

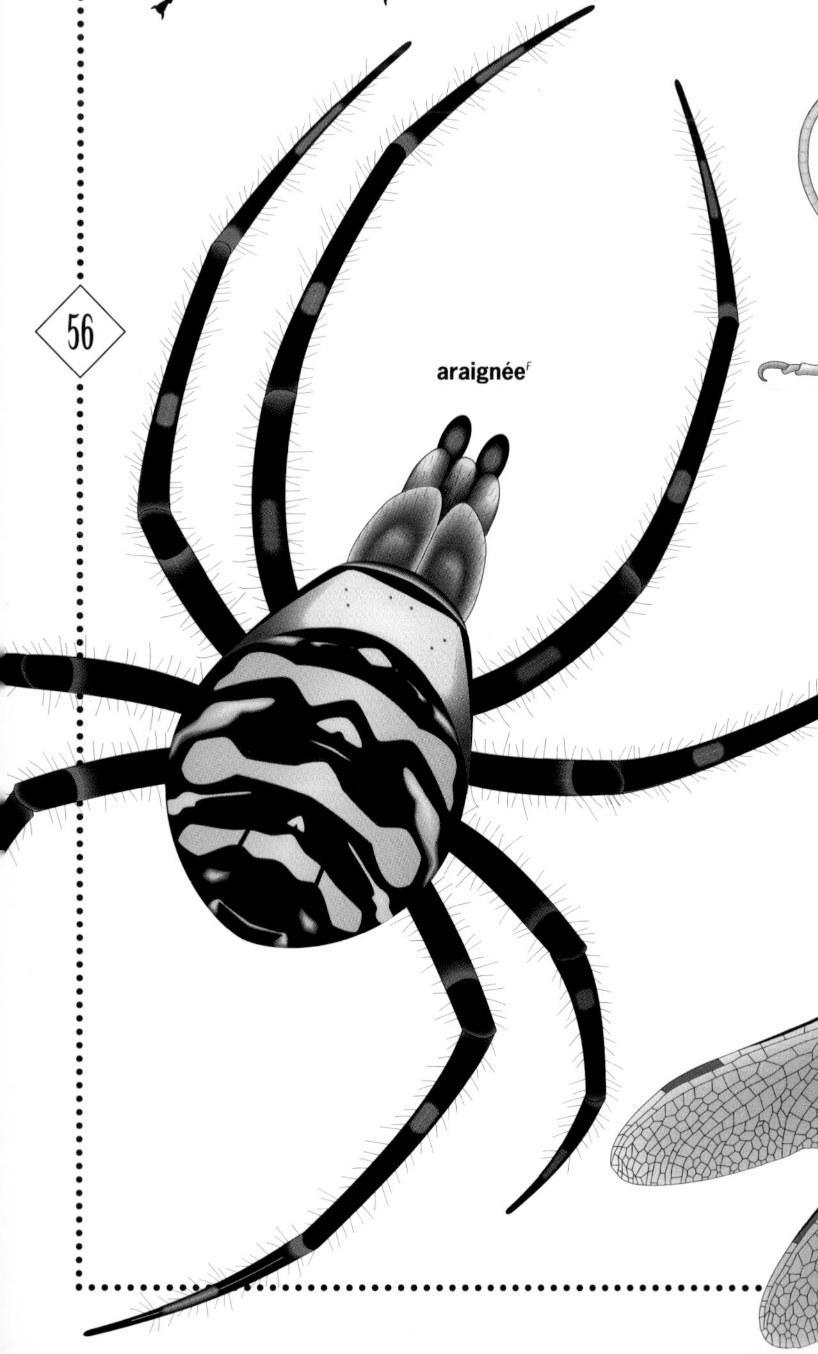

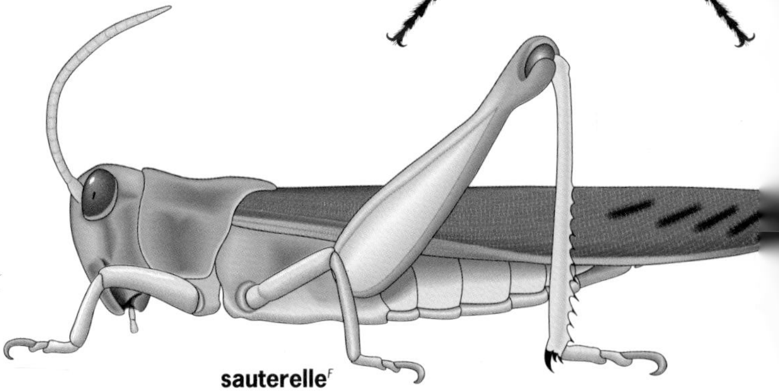

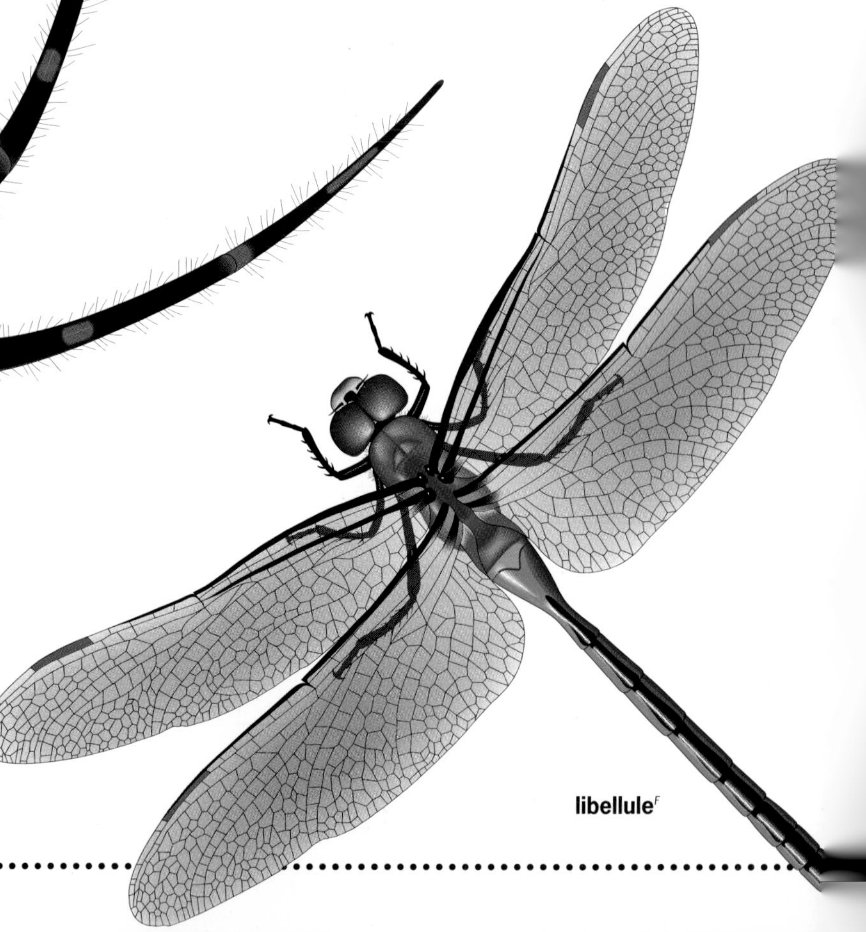

LE PAPILLON^M

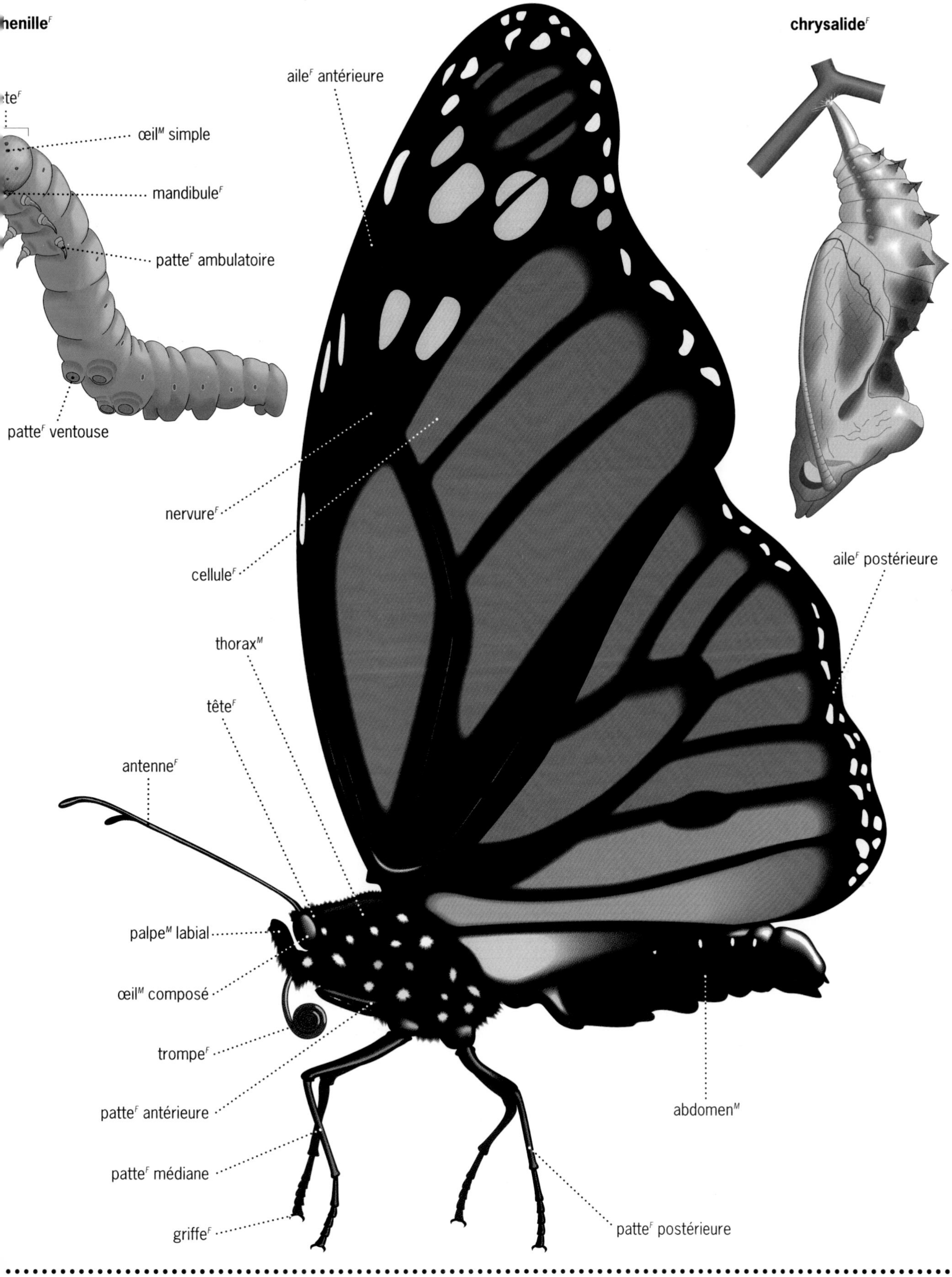

henille^F

te^F

œil^M simple

mandibule^F

patte^F ambulatoire

patte^F ventouse

aile^F antérieure

chrysalide^F

nervure^F

cellule^F

aile^F postérieure

thorax^M

tête^F

antenne^F

palpe^M labial

œil^M composé

trompe^F

patte^F antérieure

patte^F médiane

griffe^F

abdomen^M

patte^F postérieure

57

L'ABEILLE^F

ouvrière^F

œil^M simple

tête^F

thorax^M

œil^M composé

antenne^F

mandibule^F

58

patte^F antérieure

patte^F médiane

corbeille^F à pollen^M

reine^F

faux bourdon^M

ouvrière^F

L'ABEILLE^F

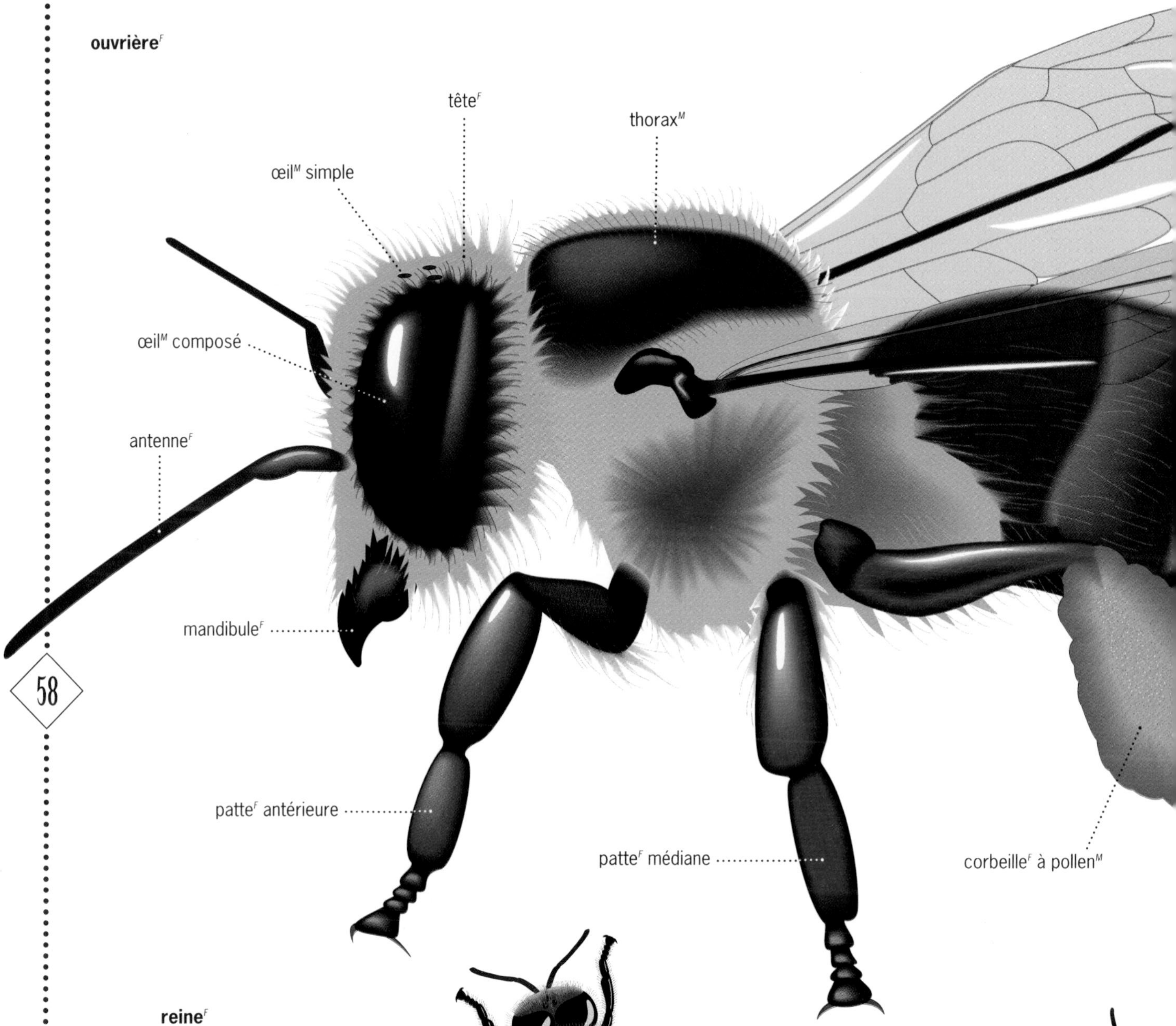

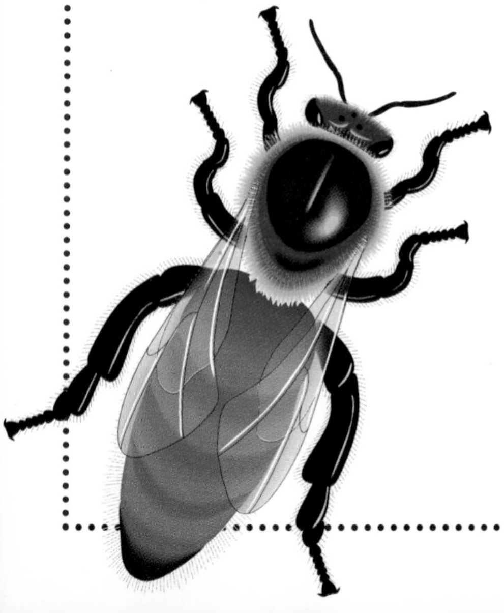

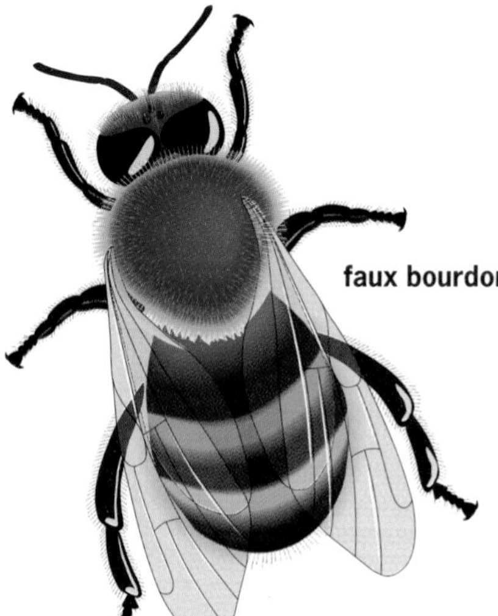

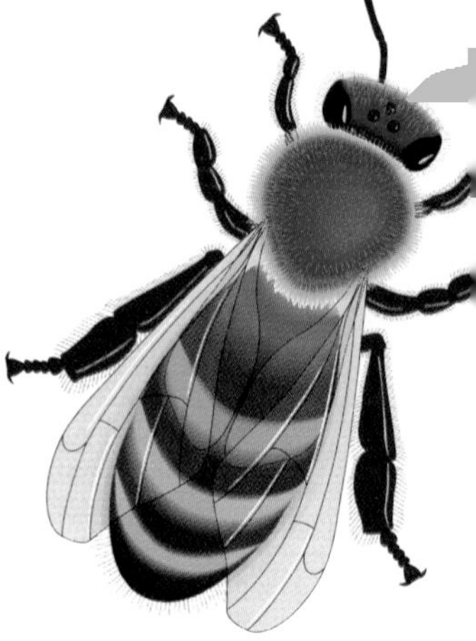

ruche^F

toit^M

sortie^F

rayon^M de miel^M

abdomen^M

hausse^F

alvéole^F

aiguillon^M

corps^M de ruche^F

planche^F de vol^M

patte^F postérieure

entrée^F

coulisse^F d'entrée^F

59

coupe^F **d'un rayon**^M **de miel**^M

alvéole^F à miel^M

nymphe^F

alvéole^F à pollen^M

œuf^M

alvéole^F operculée

cellule^F royale

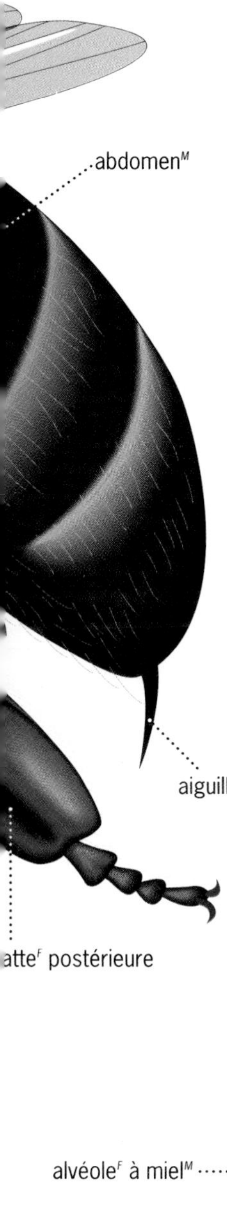

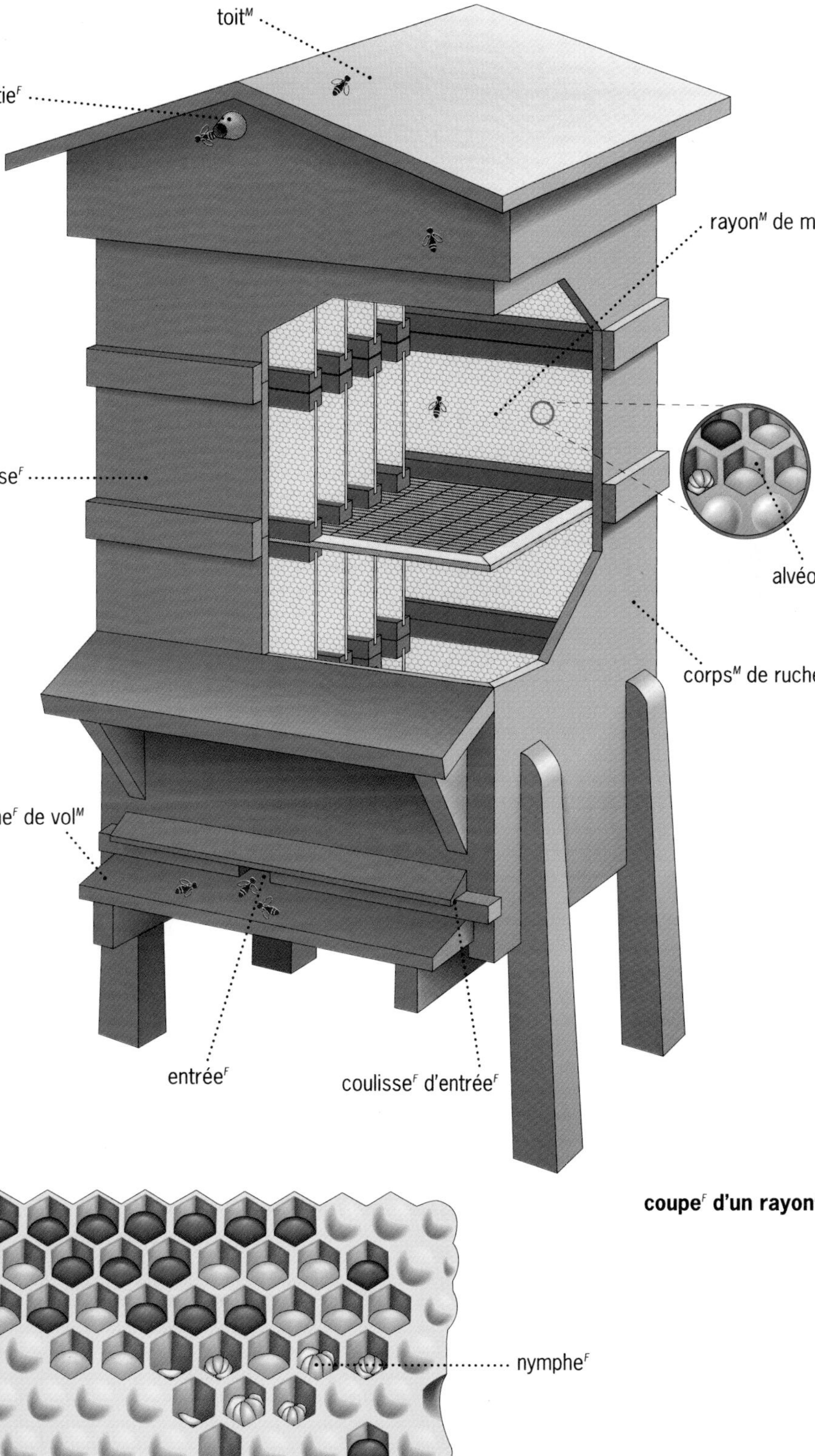

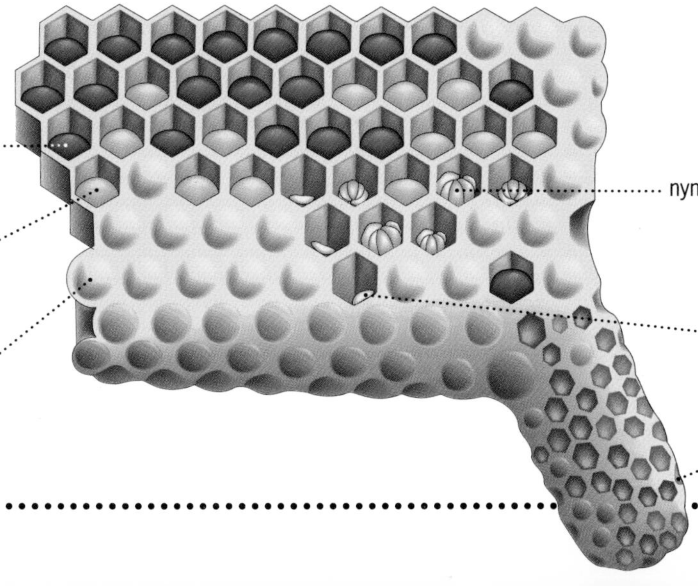

LES AMPHIBIENS^M

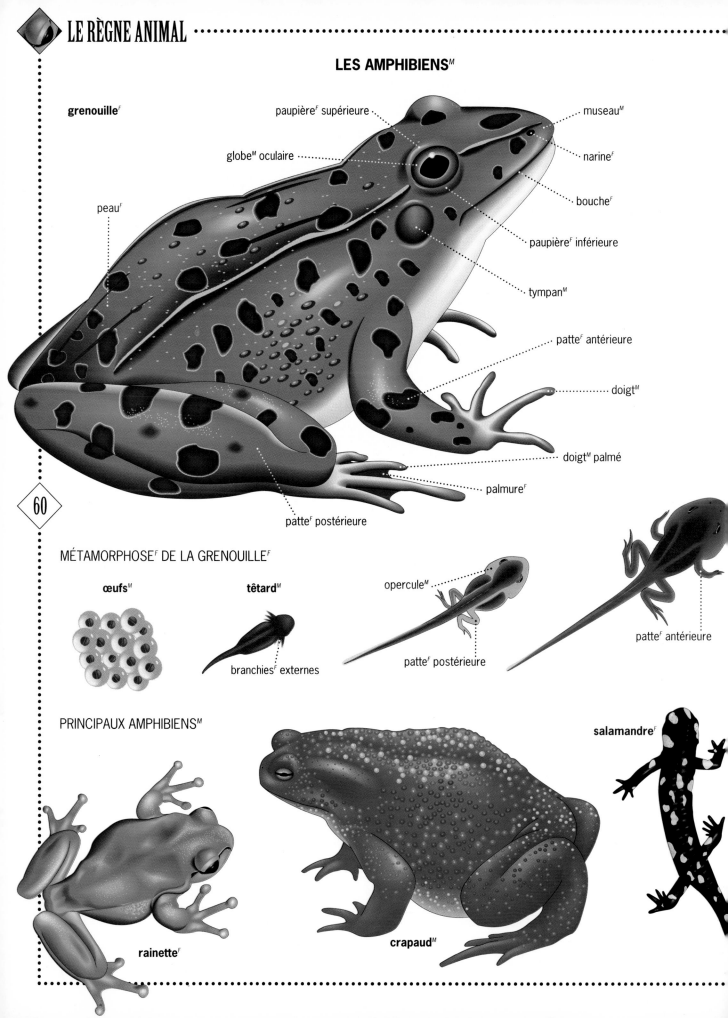

grenouille^F

paupière^F supérieure

museau^M

globe^M oculaire

narine^F

peau^F

bouche^F

paupière^F inférieure

tympan^M

patte^F antérieure

doigt^M

doigt^M palmé

palmure^F

patte^F postérieure

60

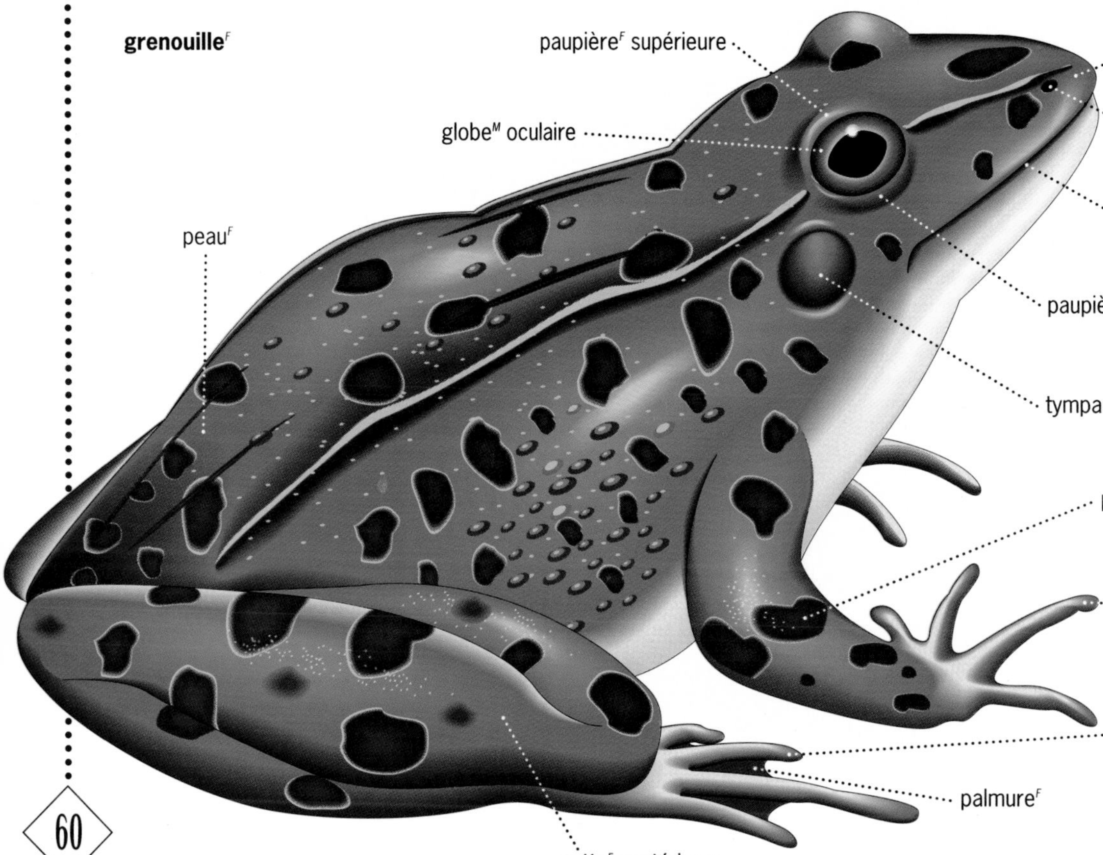

MÉTAMORPHOSE^F DE LA GRENOUILLE^F

œufs^M

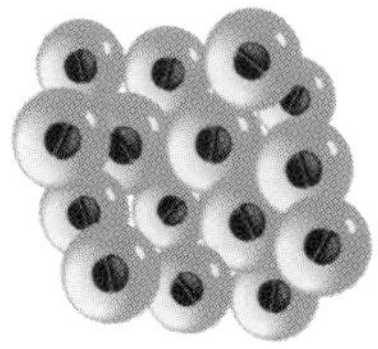

têtard^M

opercule^M

patte^F antérieure

branchies^F externes

patte^F postérieure

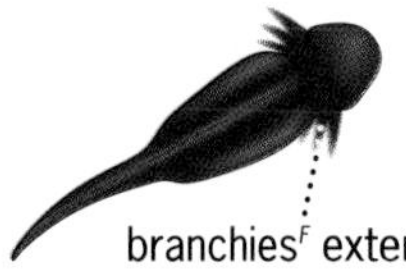

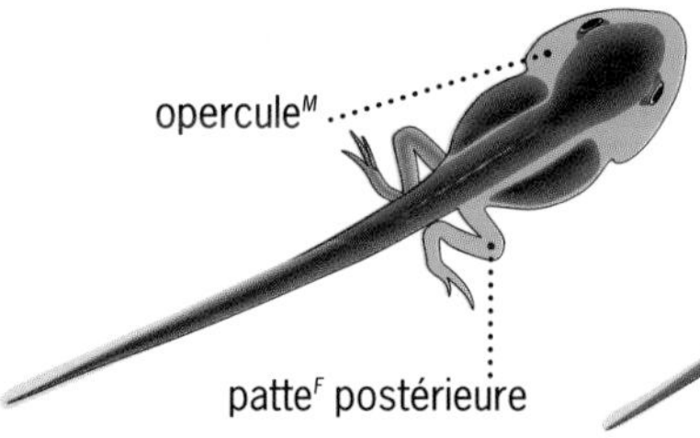

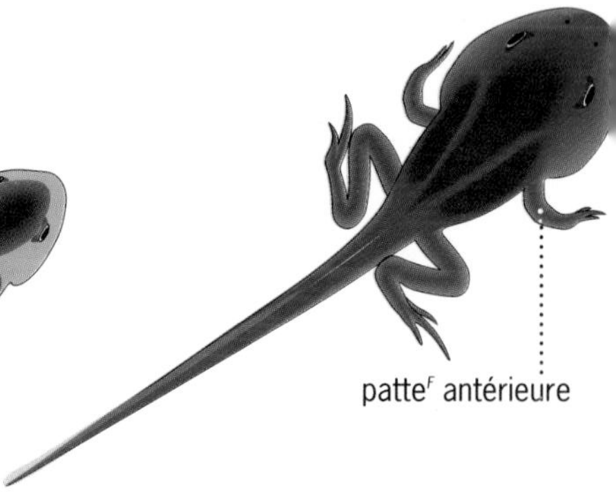

PRINCIPAUX AMPHIBIENS^M

salamandre^F

rainette^F

crapaud^M

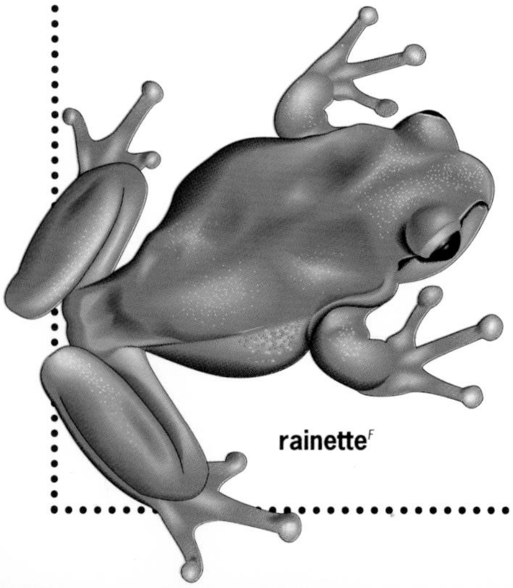

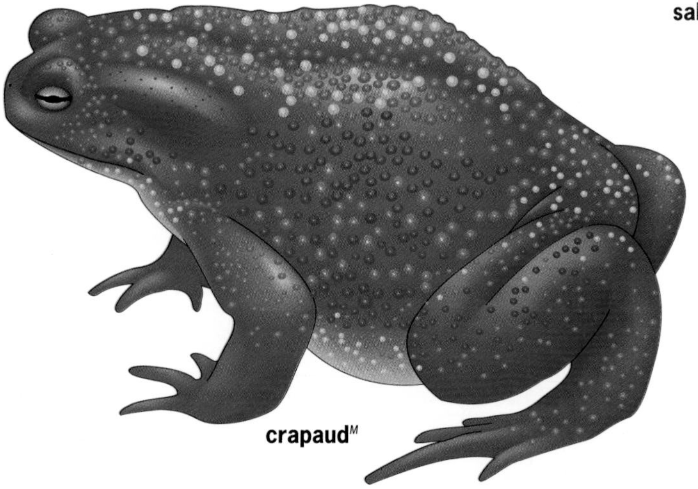

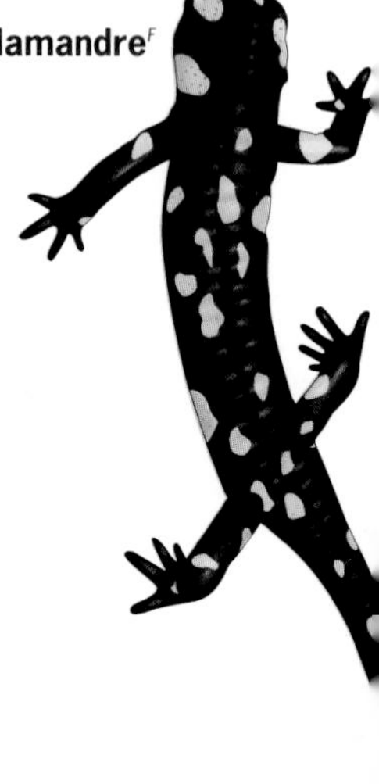

LES CRUSTACÉS^M

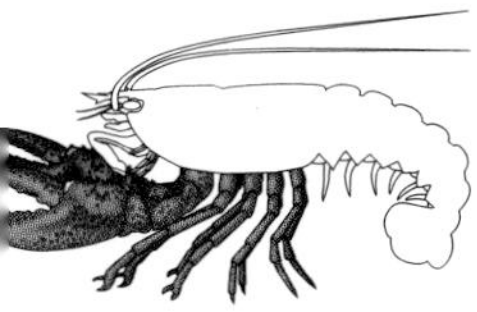

pattes^F thoraciques

œil^M

antenne^F

homard^M

antennule^F

carapace^F

pattes^F-mâchoires^F

pince^F

pattes^F abdominales

61

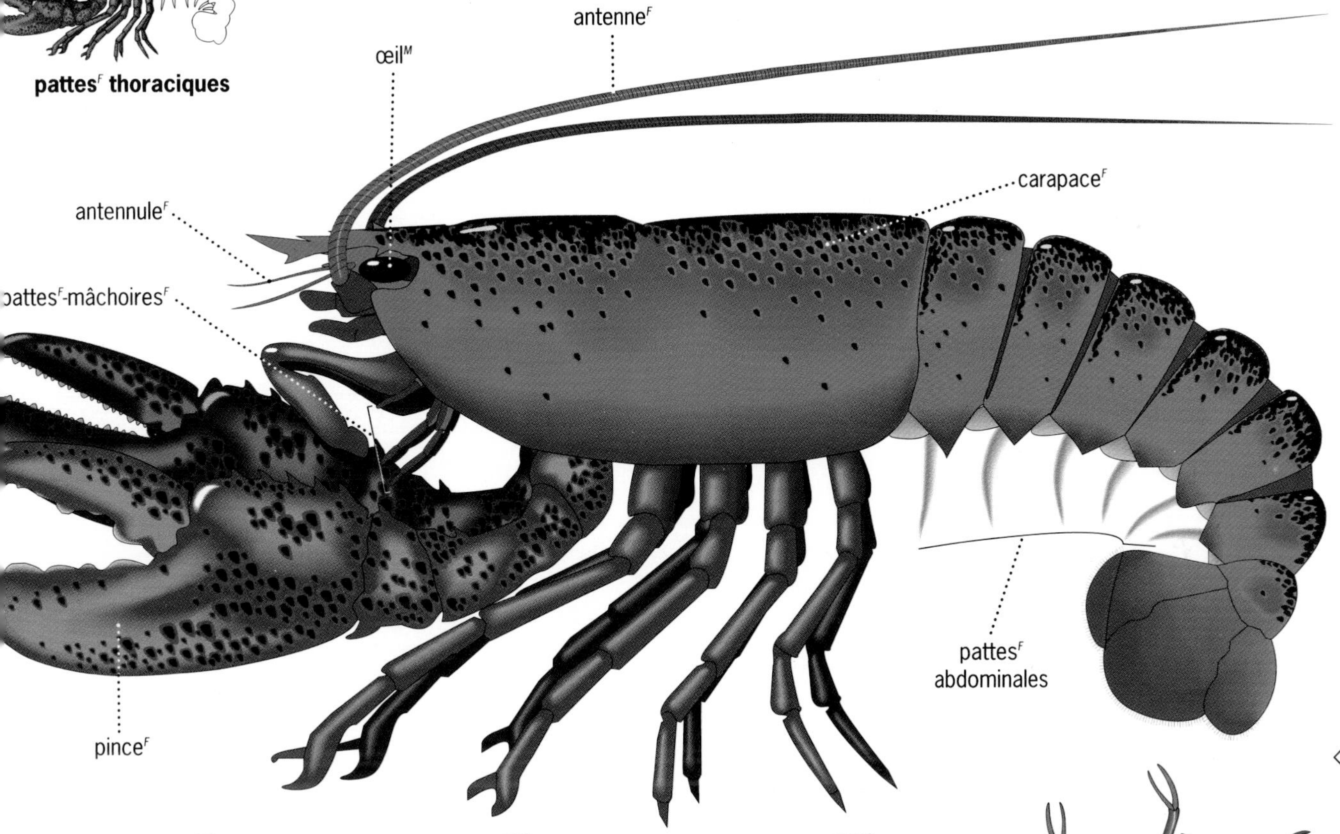

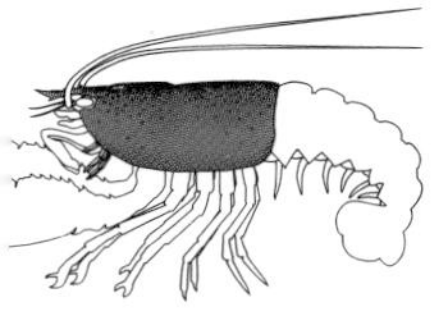

céphalothorax^M

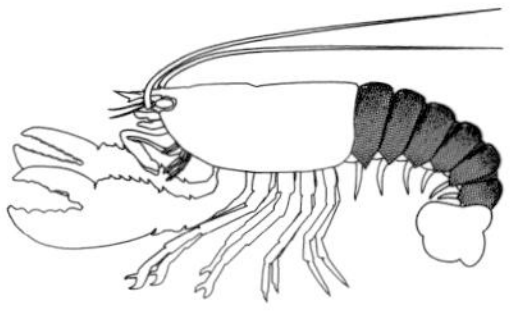

abdomen^M

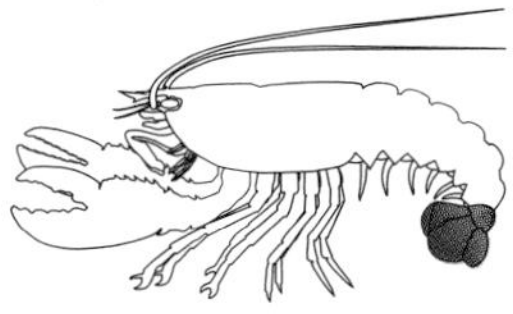

nageoire^F caudale

PRINCIPAUX CRUSTACÉS^M
COMESTIBLES

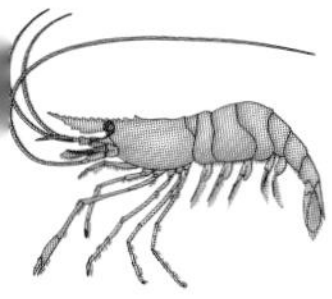

crevette^F

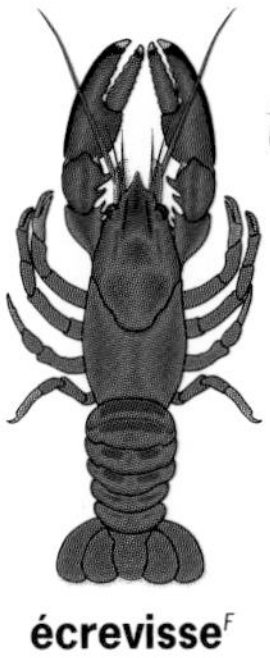

écrevisse^F

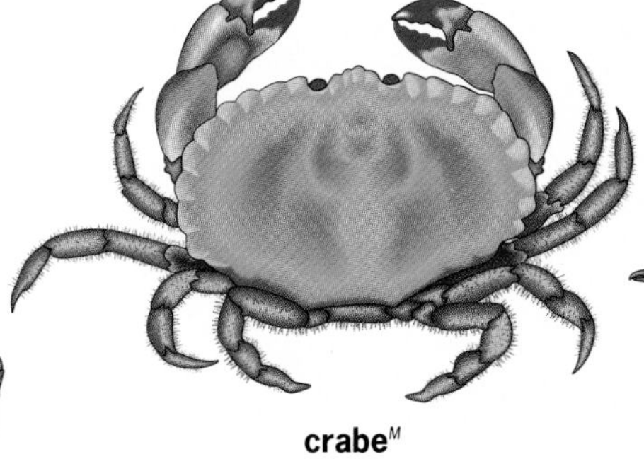

crabe^M

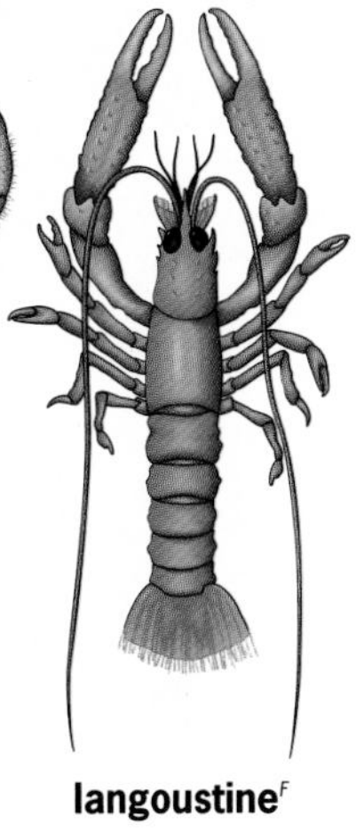

langoustine^F

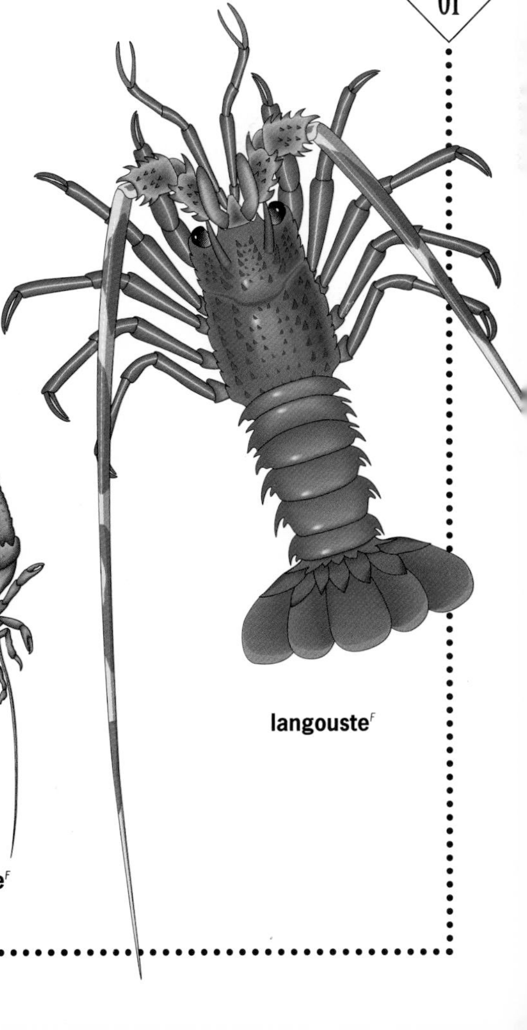

langouste^F

LES POISSONS[M]

MORPHOLOGIE[F]

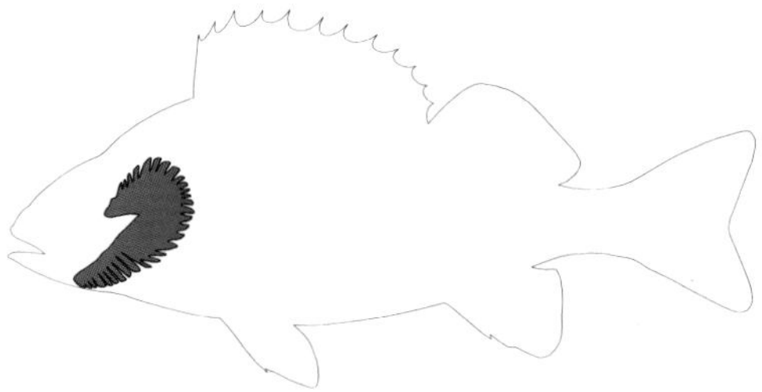

première nageoire[F] dorsale

narine[F]

branchies[F]

mandibule[F]

maxillaire[M]

nageoire[F] pectorale

hippocampe[M]

nageoire[F] pelvienne

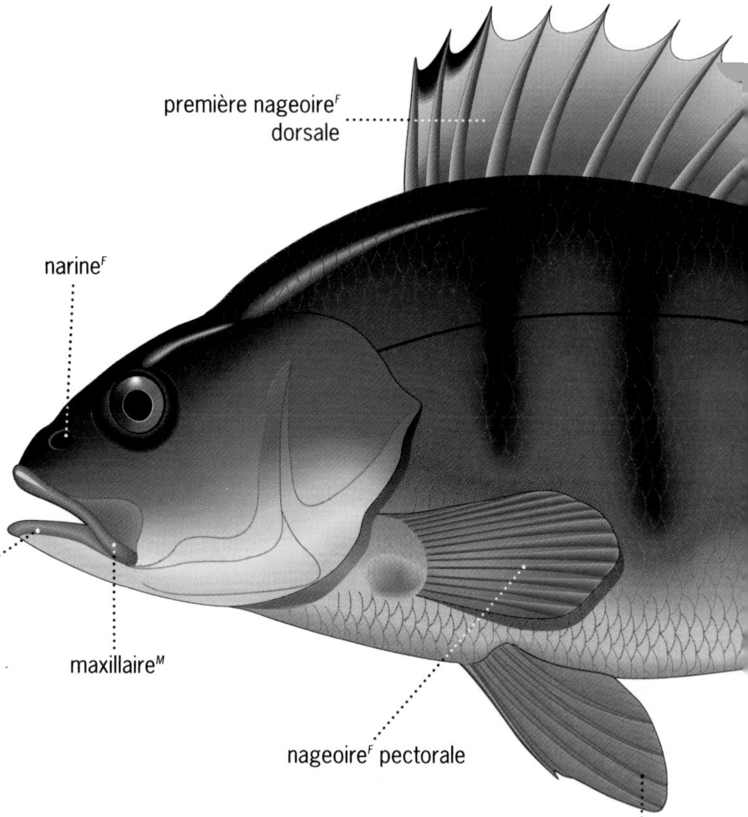

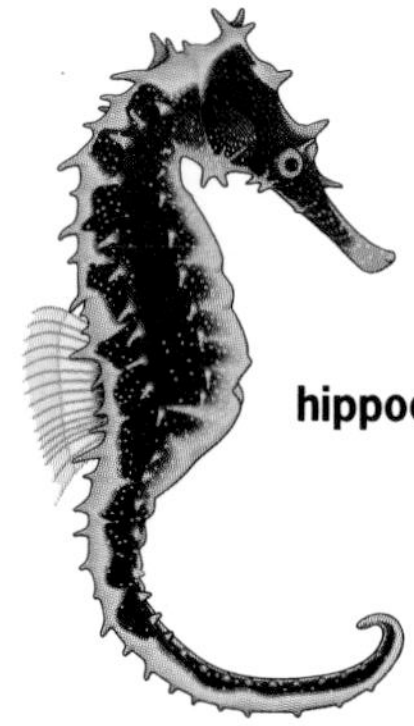

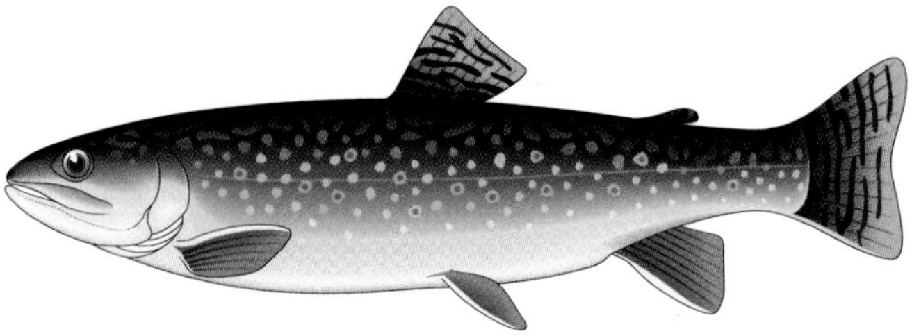

truite[F]

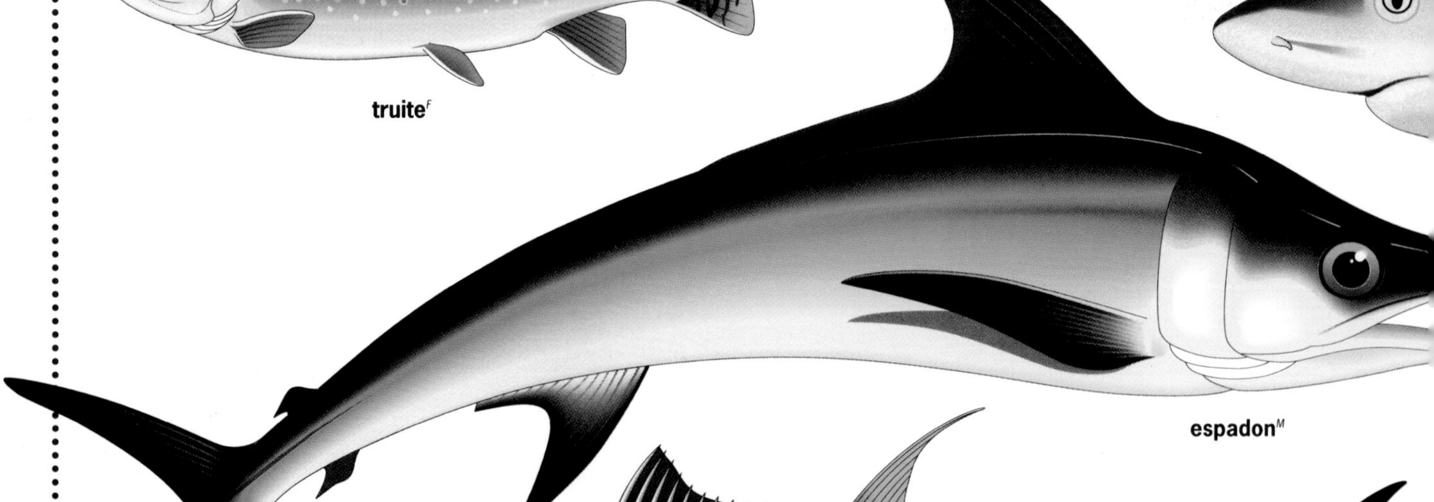

espadon[M]

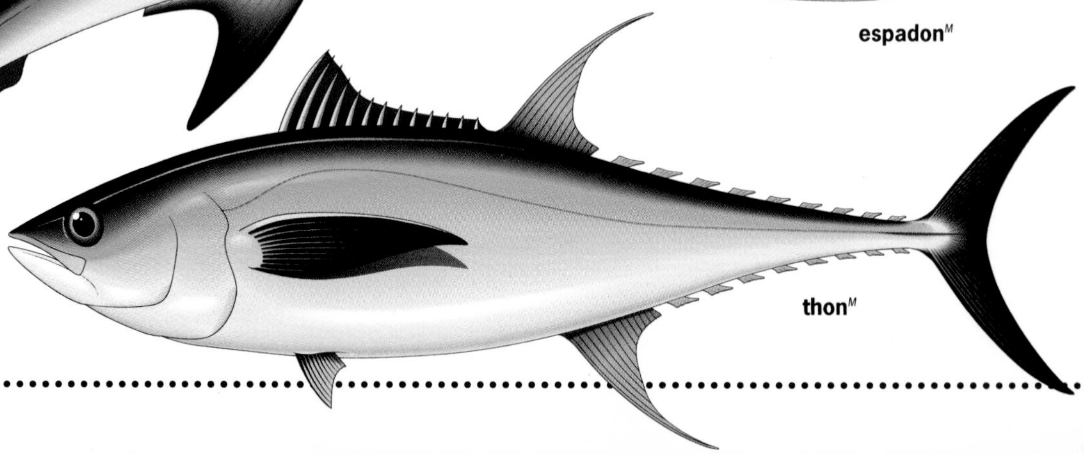

thon[M]

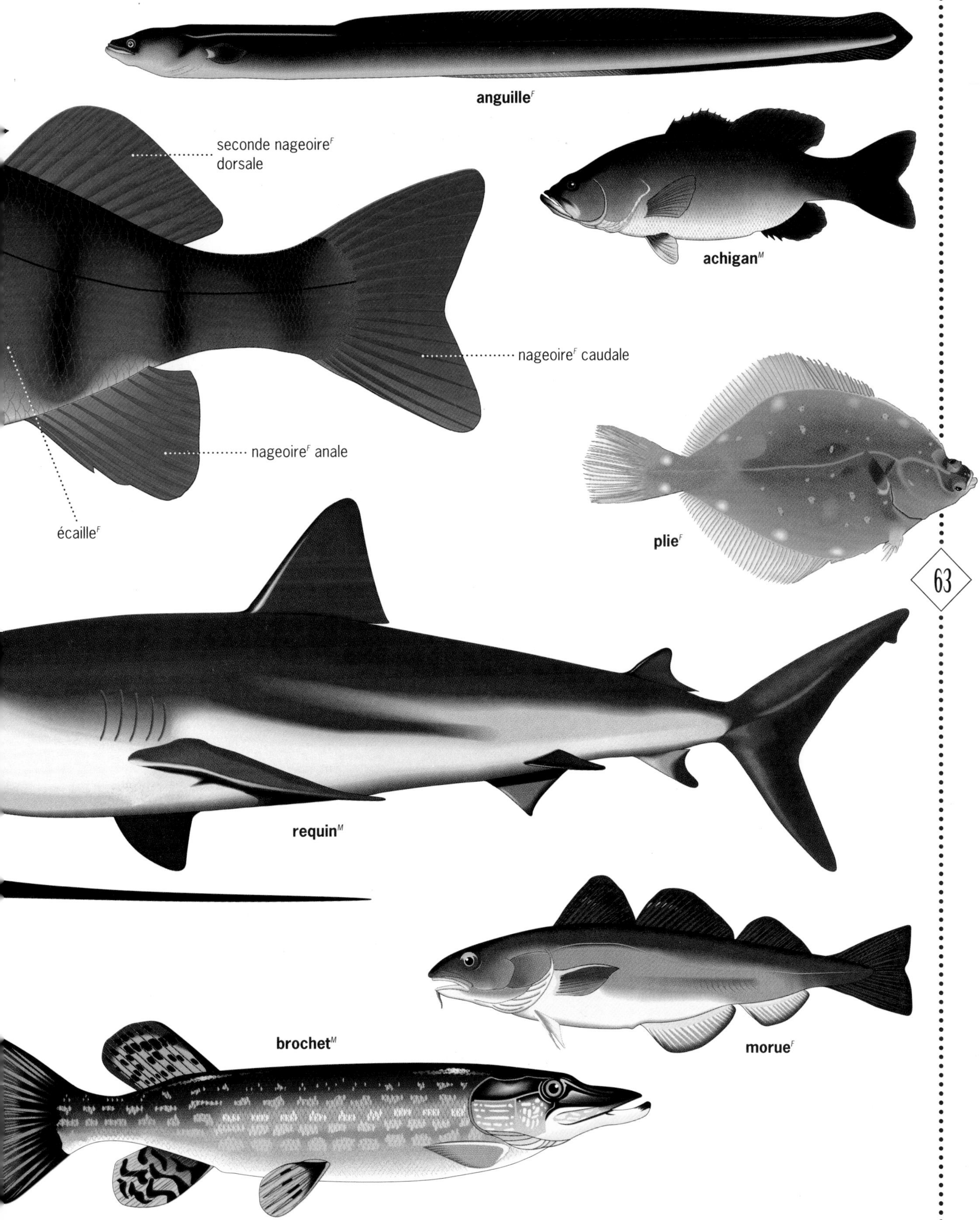

anguille^F

seconde nageoire^F
dorsale

achigan^M

nageoire^F caudale

nageoire^F anale

plie^F

écaille^F

63

requin^M

brochet^M

morue^F

LES REPTILES^M

tortue^F

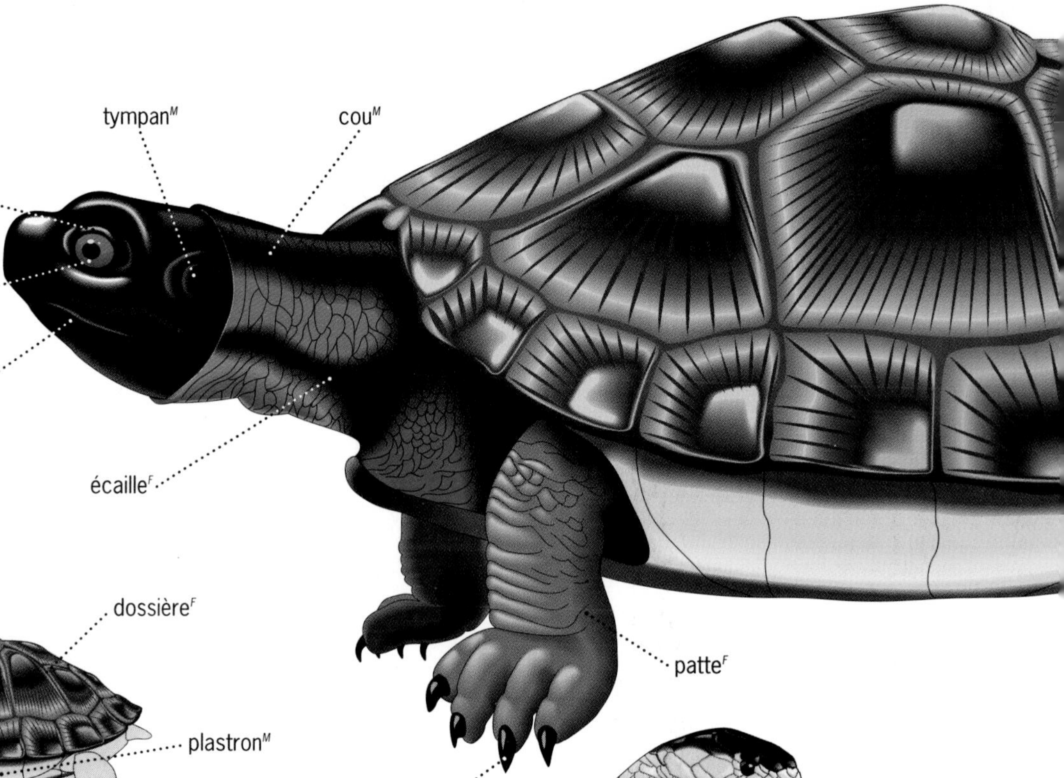

tympan^M

cou^M

paupière^F

œil^M

bec^M corné

écaille^F

carapace^F

dossière^F

patte^F

plastron^M

griffe^F

tête^F **de serpent**^{M} **venimeux**

maxillaire^M basculant

conduit^M de la glande^F

canal^M à venin^M

crochet^M à venin^M

glande^F à venin^M

glotte^F

dent^F

fourreau^M de la langue^F

langue^F bifide

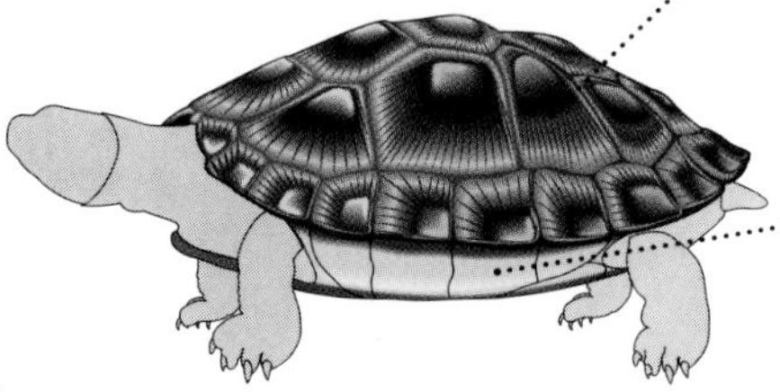

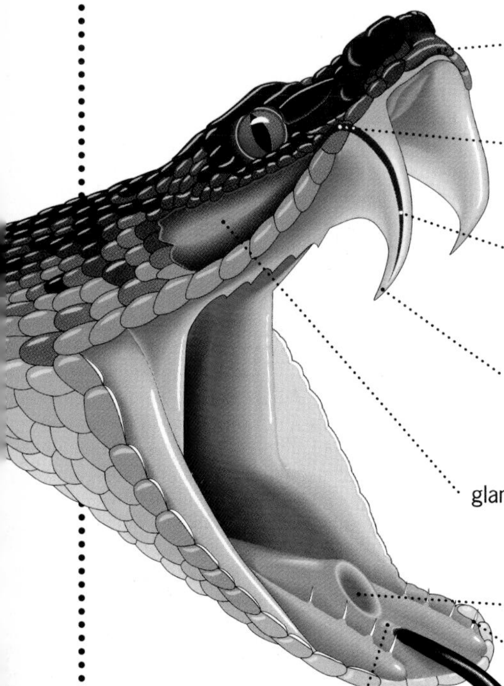

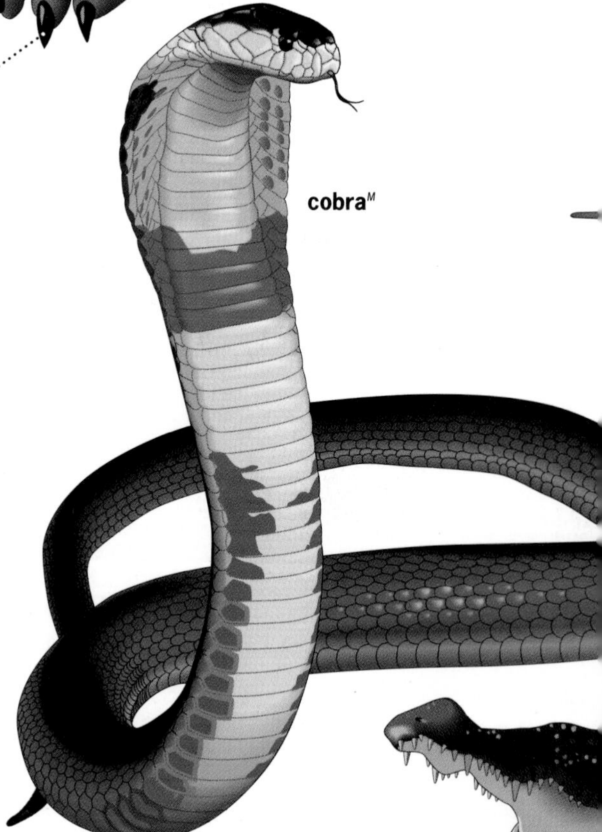

cobra^M

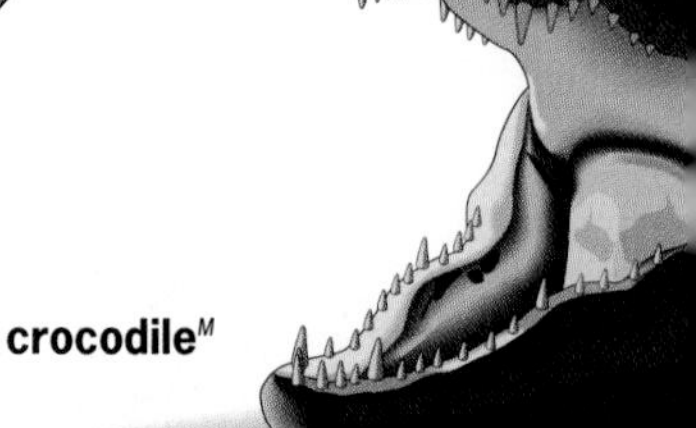

crocodile^M

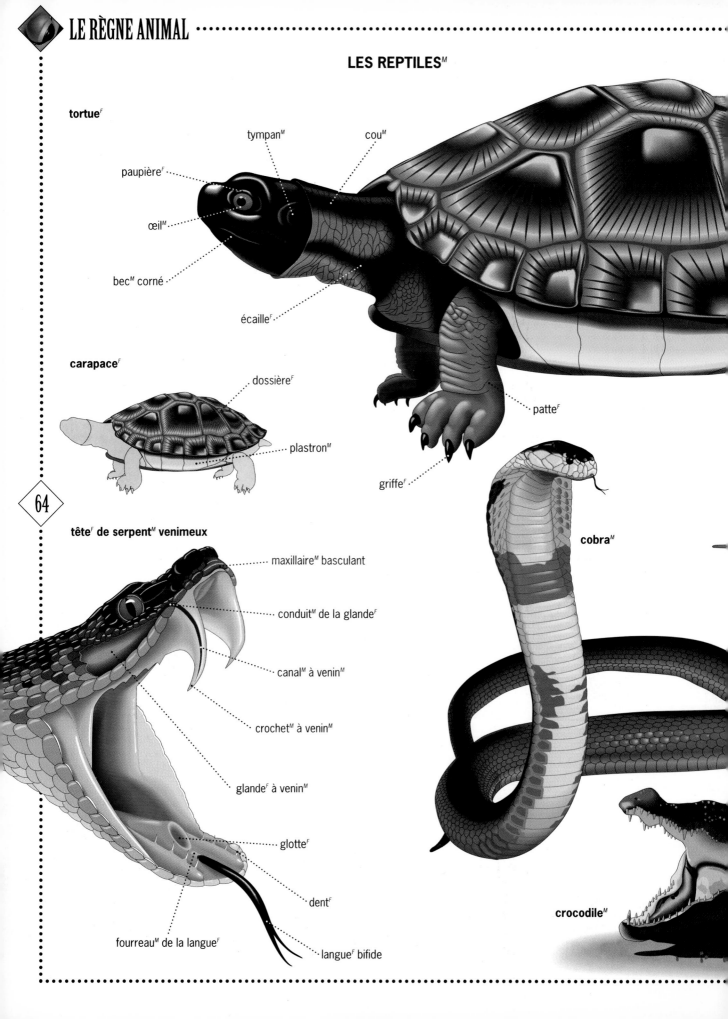

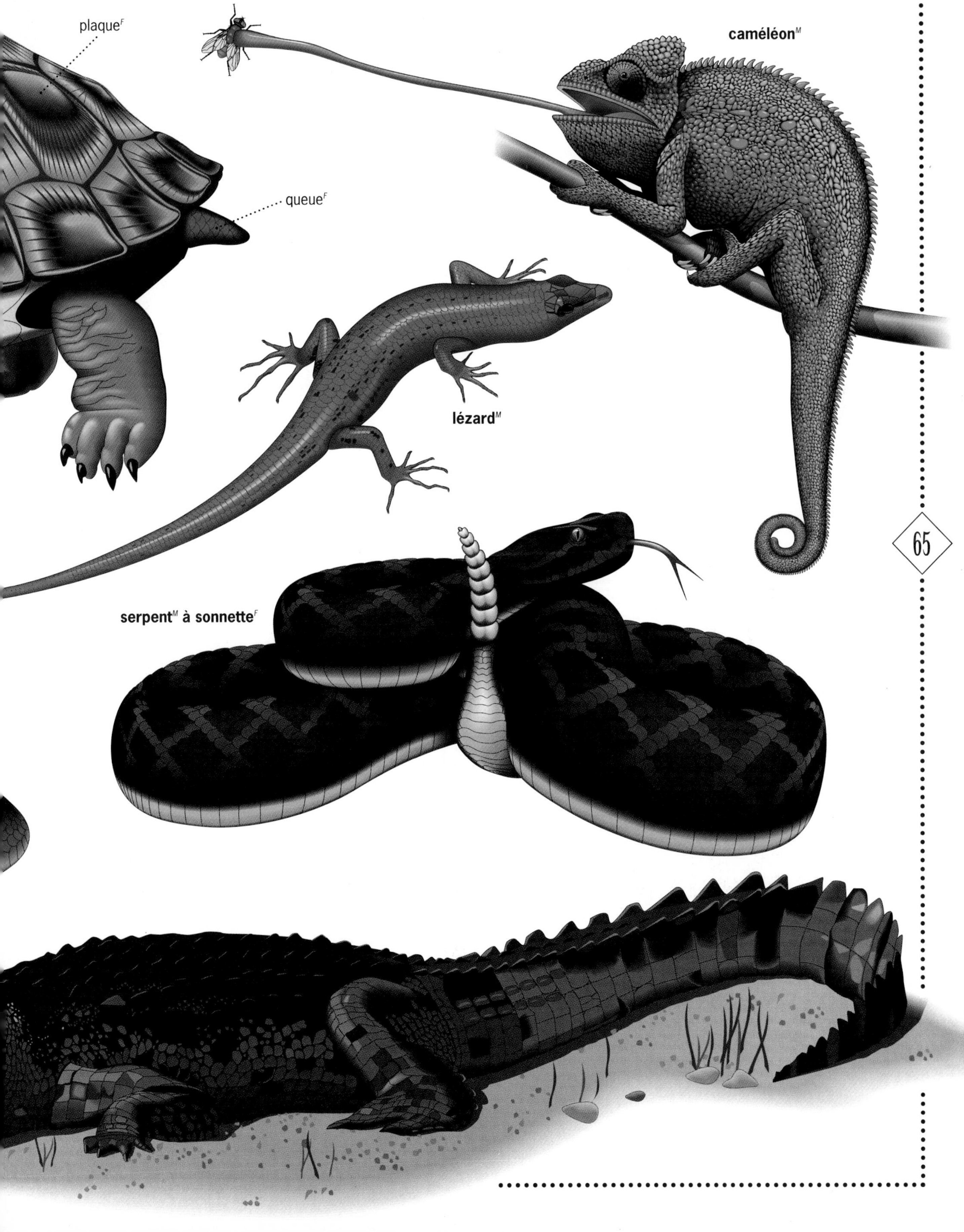

plaque^F

caméléon^M

queue^F

lézard^M

serpent^M à sonnette^F

LE CHAT^M

sourcils^M

paupière^F supérieure

paupière^F inférieure

paupière^F interne

moustaches^F

lèvre^F

cils^M

pupille^F

truffe^F

museau^M

LE CHIEN^M

MORPHOLOGIE^F

stop^M

museau^M

babines^F

joue^F

garrot^M

dos^M

cuisse^F

épaule^F

fourreau^M

coude^M

jarret^M

patte^F antérieure

coussinet^M palmaire

coussinet^M digité

griffe^F

ergot^M

orteil^M

poignet^M

avant-bras^M

orteil^M

queue

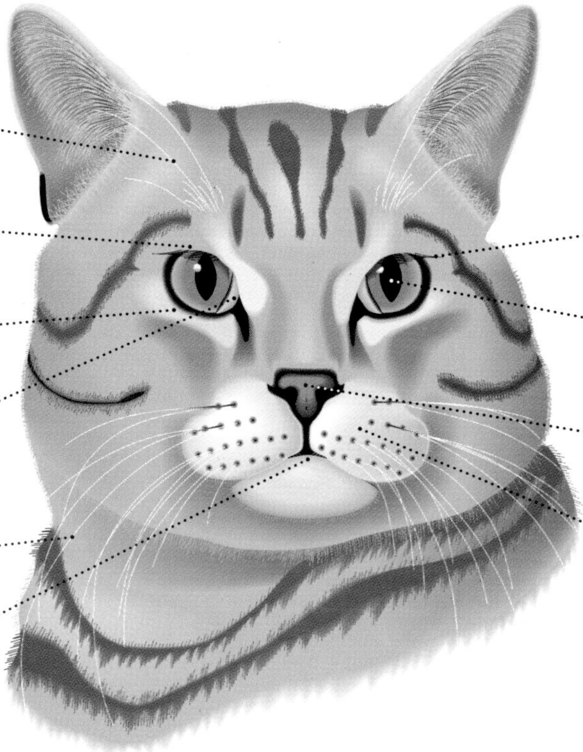

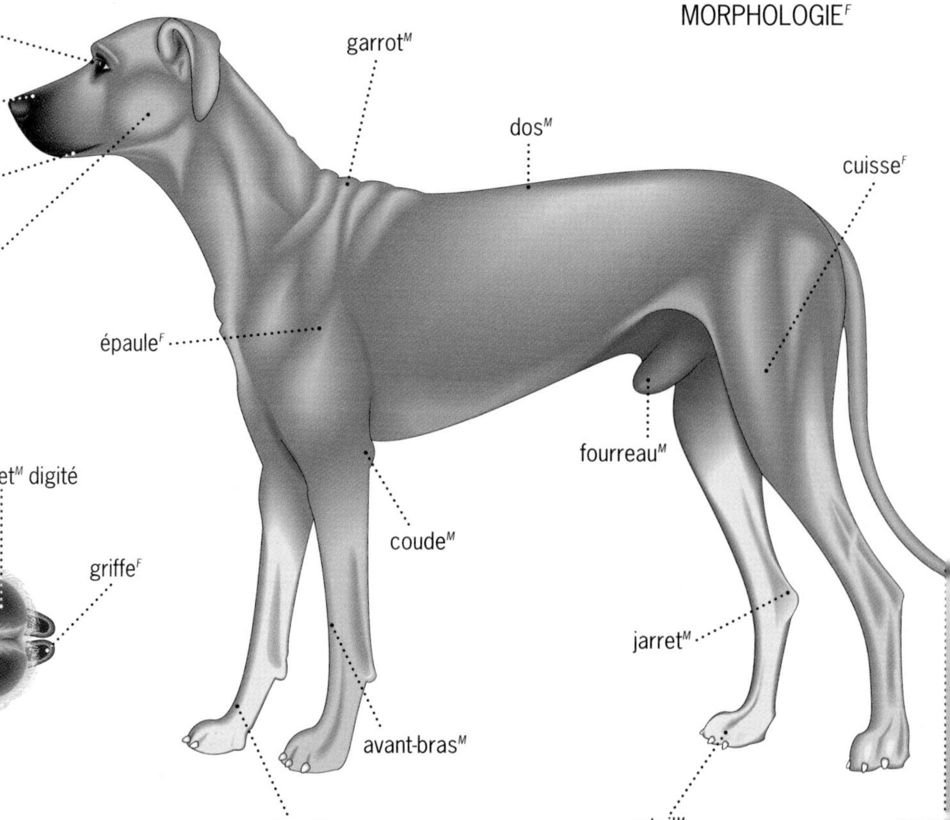

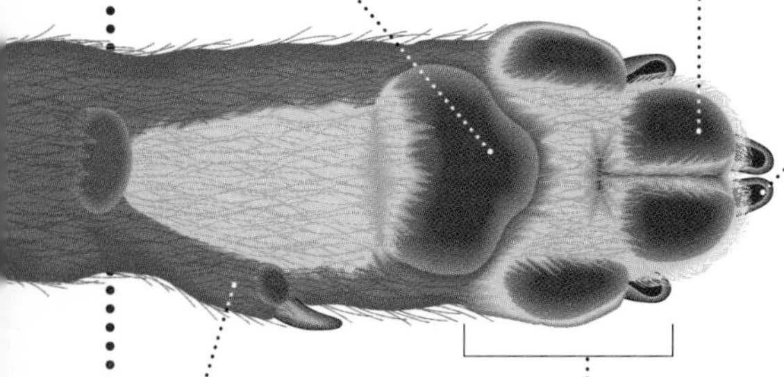

LE CHEVAL[M]

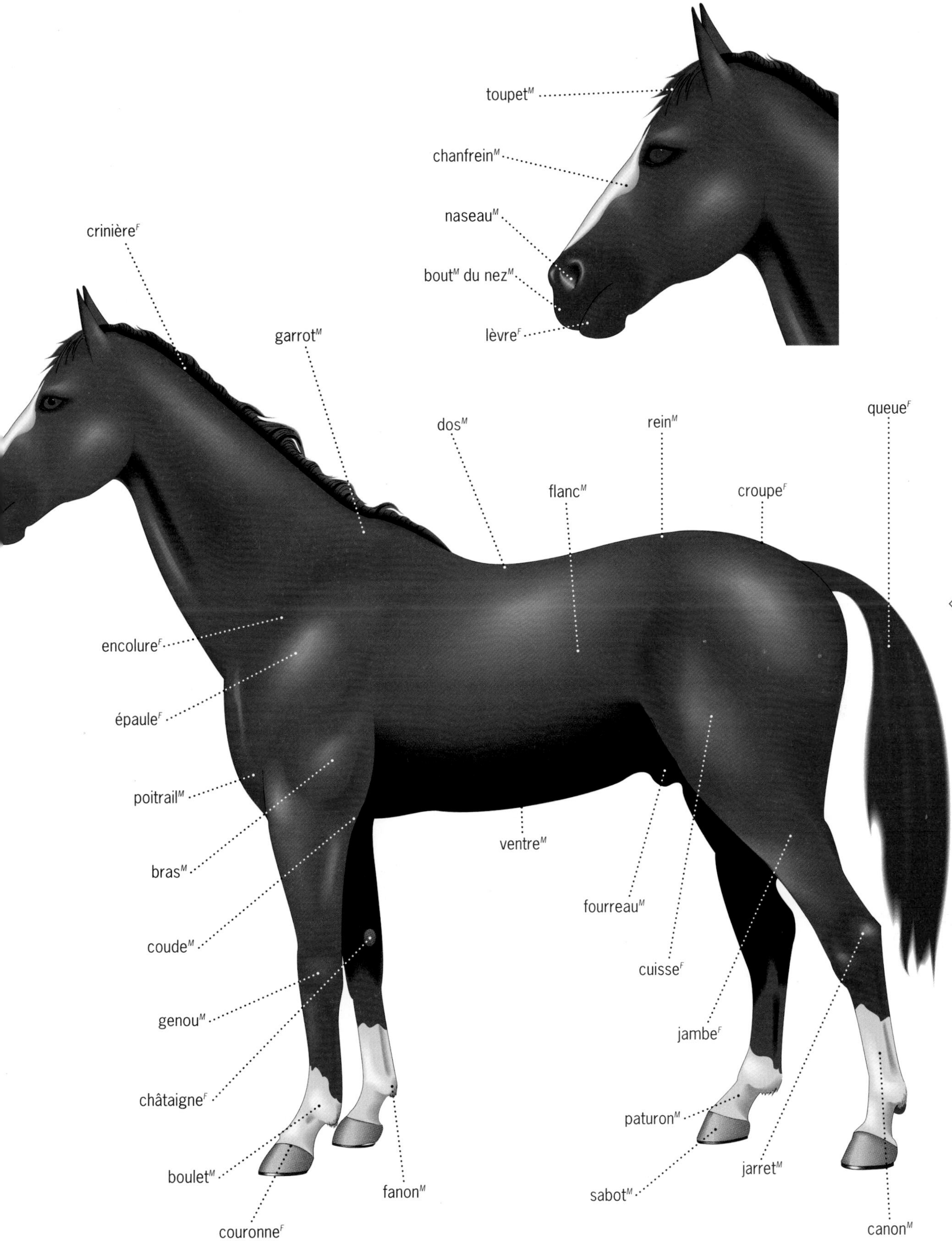

toupet[M]

chanfrein[M]

naseau[M]

bout[M] du nez[M]

lèvre[F]

crinière[F]

garrot[M]

dos[M]

rein[M]

queue[F]

flanc[M]

croupe[F]

encolure[F]

épaule[F]

poitrail[M]

bras[M]

ventre[M]

coude[M]

fourreau[M]

cuisse[F]

genou[M]

jambe[F]

châtaigne[F]

paturon[M]

boulet[M]

jarret[M]

fanon[M]

sabot[M]

canon[M]

couronne[F]

LES ANIMAUX^M DE LA FERME^F

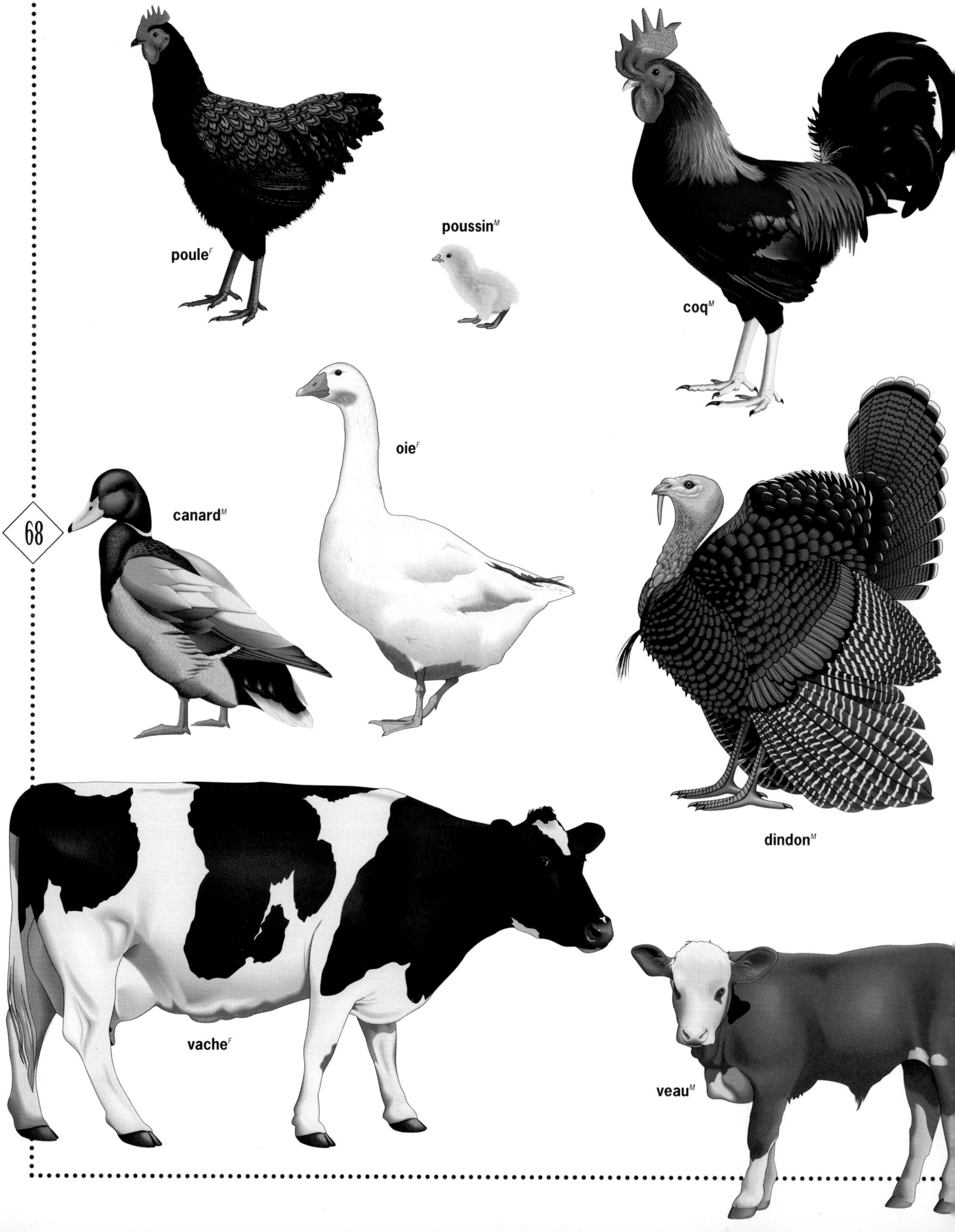

poule^F

poussin^M

coq^M

canard^M

oie^F

68

dindon^M

vache^F

veau^M

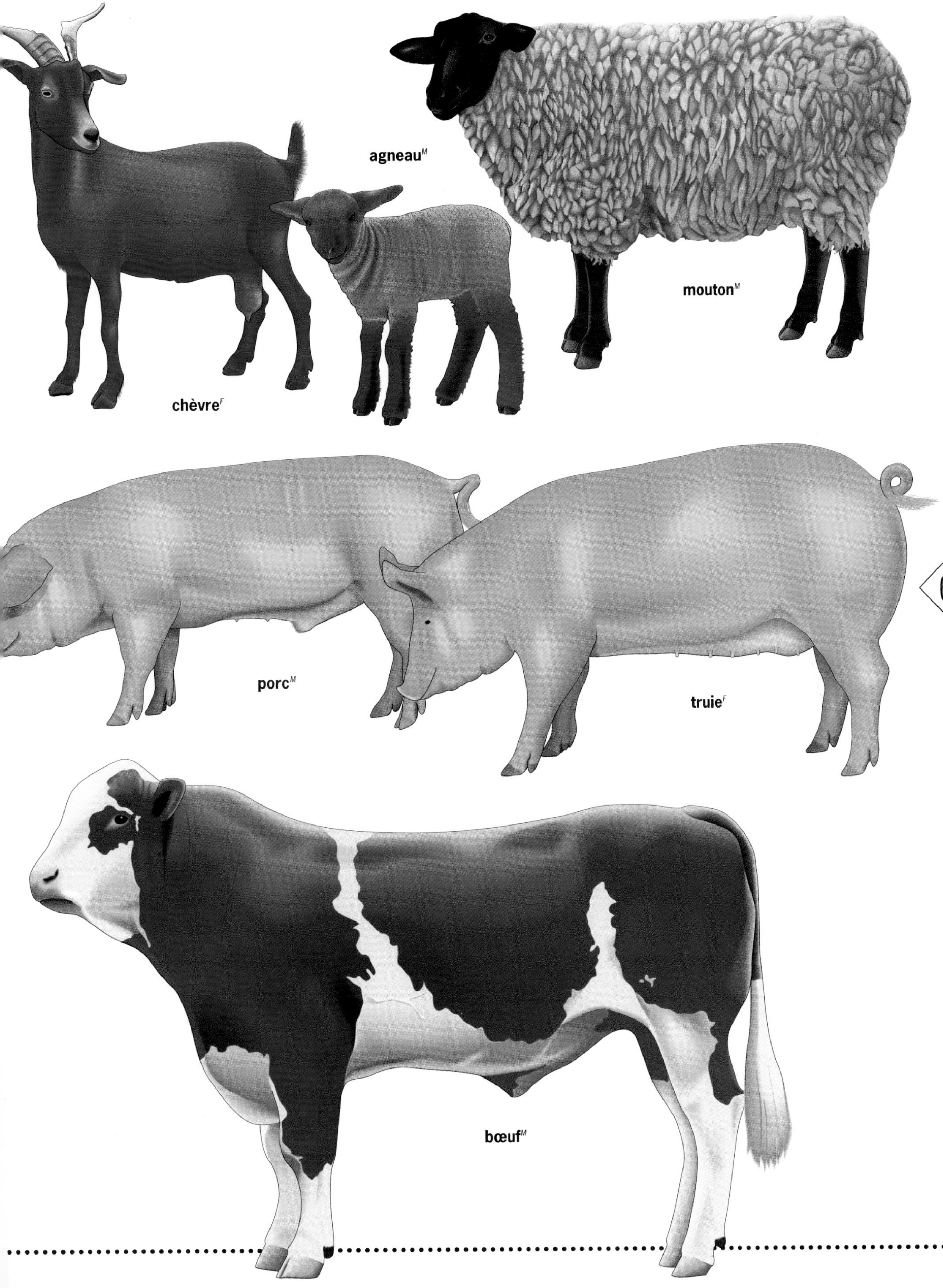

agneau[M]

chèvre[F]

mouton[M]

porc[M]

truie[F]

bœuf[M]

69

LES TYPES^M DE MÂCHOIRES^F

mâchoire^F de rongeur^M

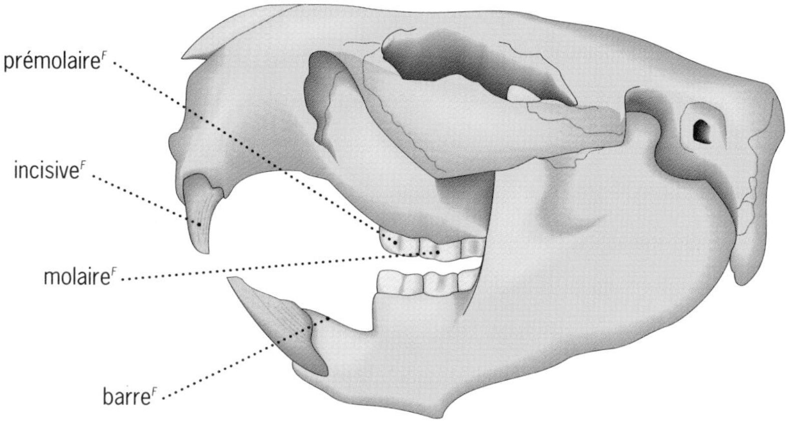

castor^M

prémolaire^F

incisive^F

molaire^F

barre^F

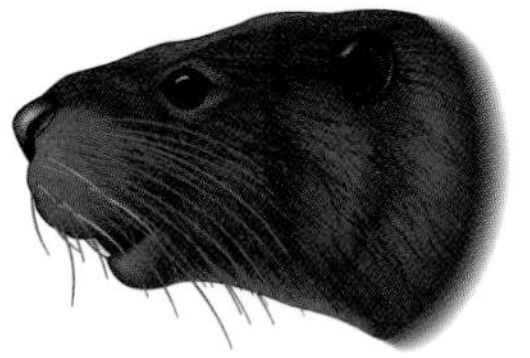

mâchoire^F de carnivore^M

lion^M

prémolaire^F

incisive^F

canine^F

carnassière^F

molaire^F

mâchoire^F d'herbivore^M

cheval^M

molaire^F

prémolaire^F

canine^F

incisive^F

barre^F

70

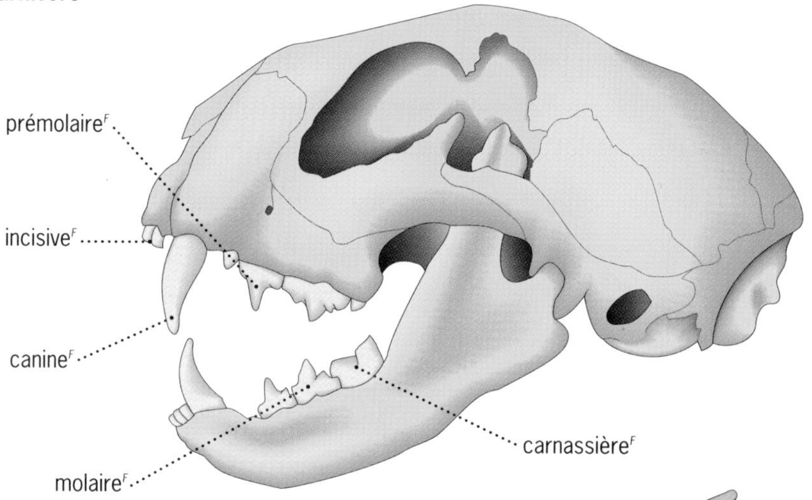

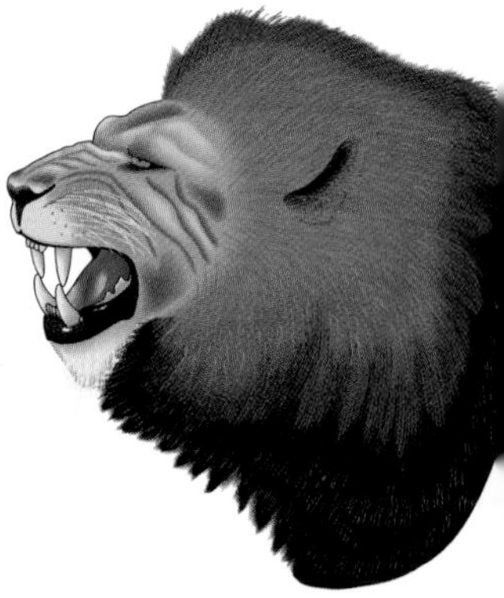

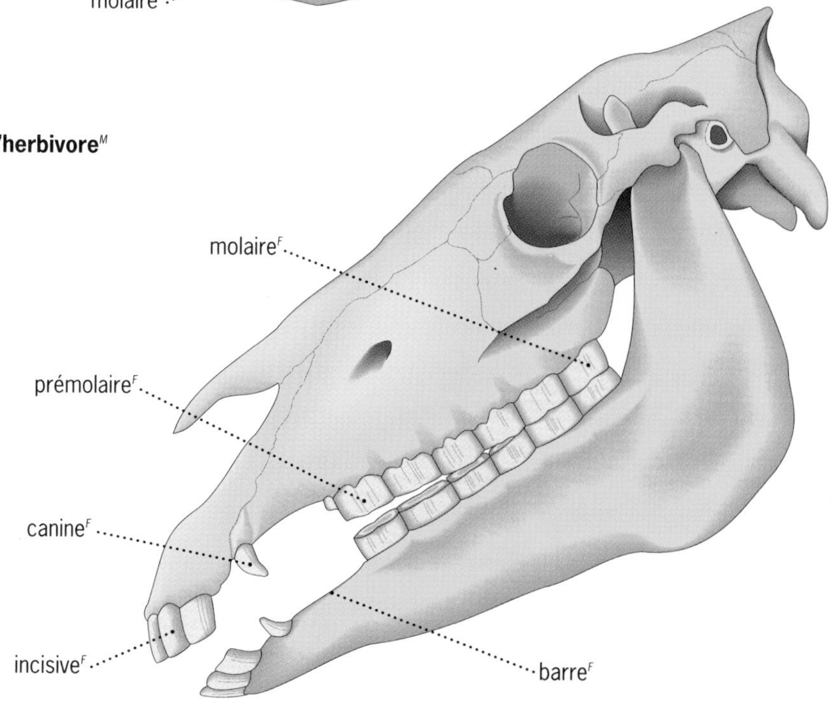

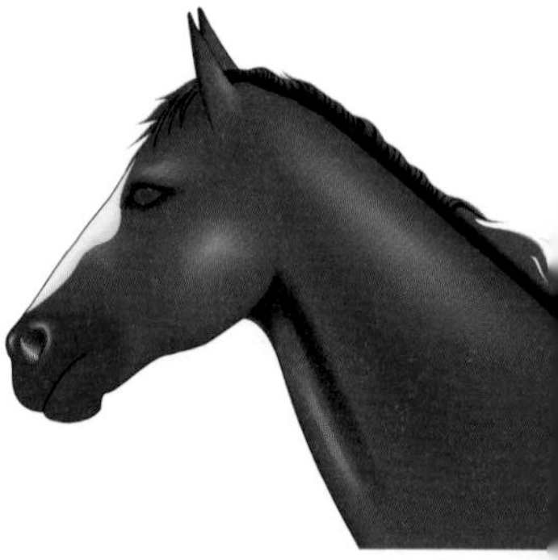

LES PRINCIPAUX TYPES^M DE CORNES^F

LES PRINCIPAUX TYPES[M] DE CORNES[F]

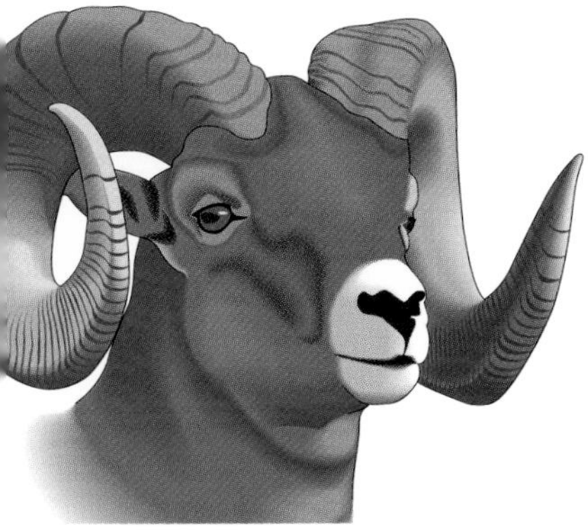

cornes[F] de mouflon[M]

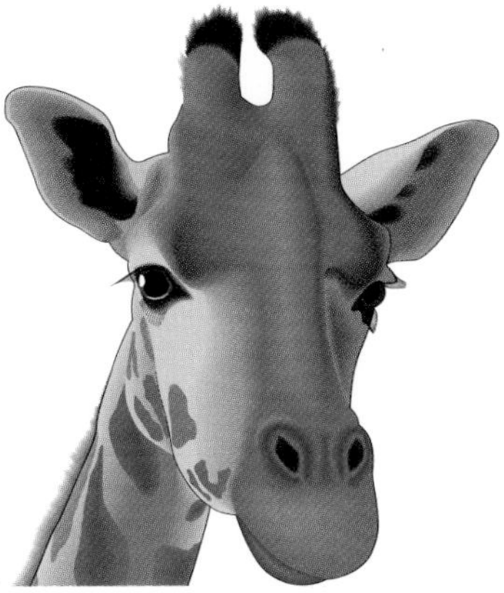

cornes[F] de girafe[F]

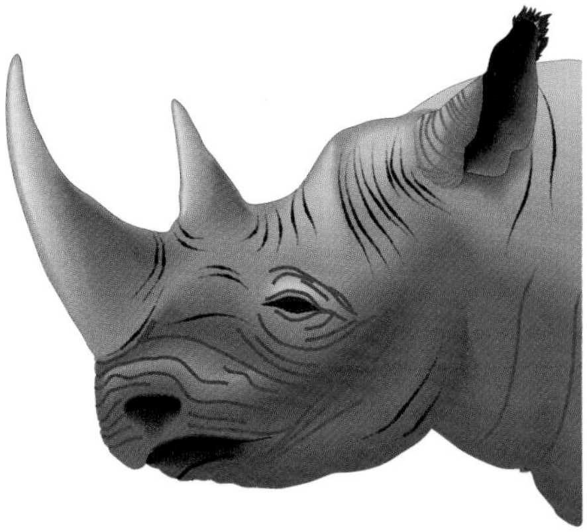

cornes[F] de rhinocéros[M]

LES PRINCIPAUX TYPES[M] DE DÉFENSES[F]

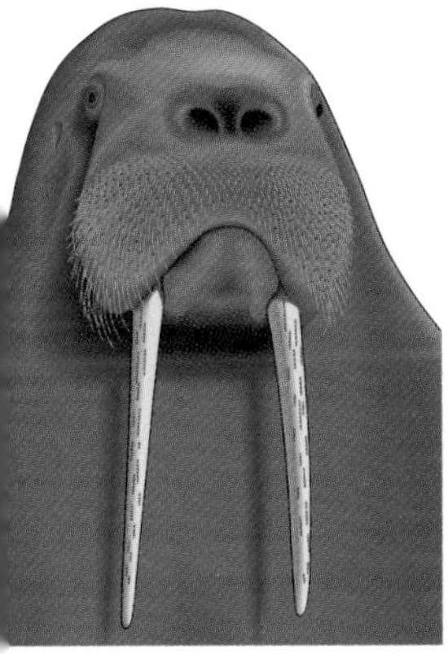

défenses[F] de morse[M]

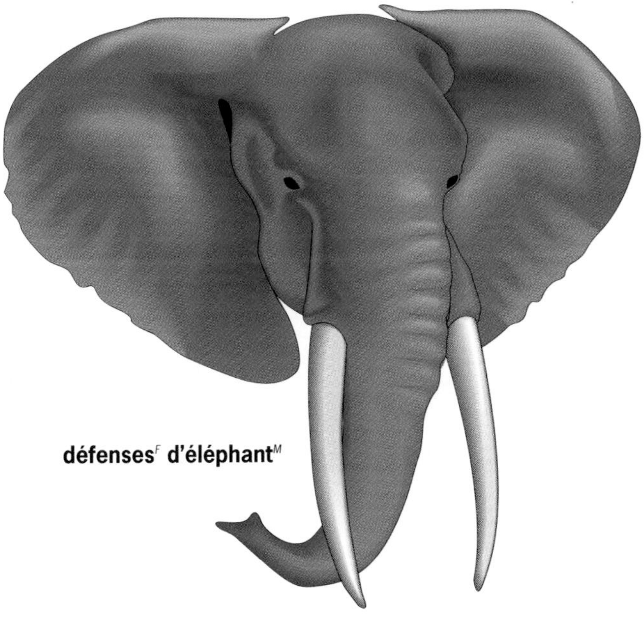

défenses[F] d'éléphant[M]

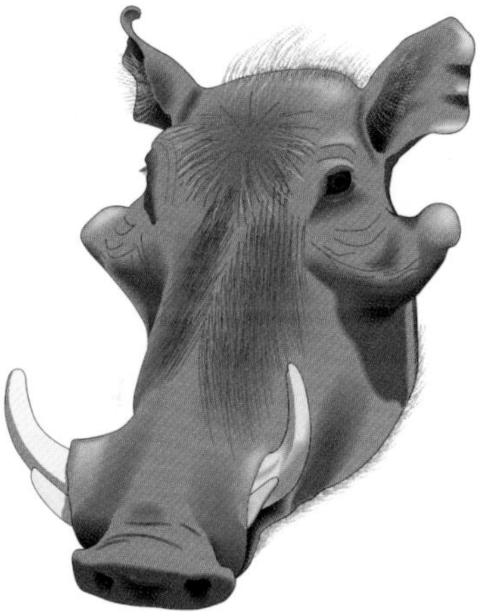

défenses[F] de phacochère[M]

LES TYPES[M] DE SABOTS[M]

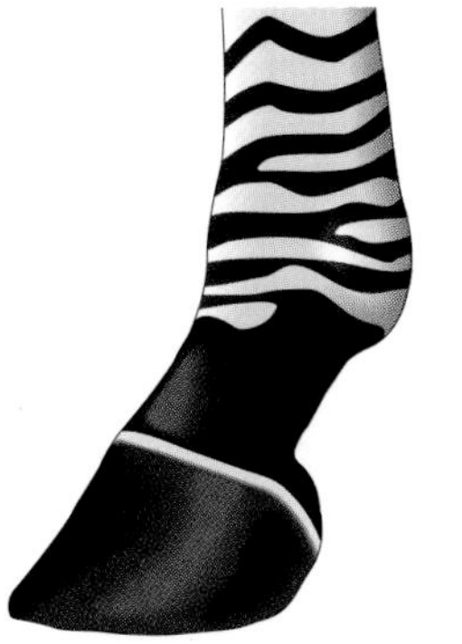

sabot[M] à 1 doigt[M]

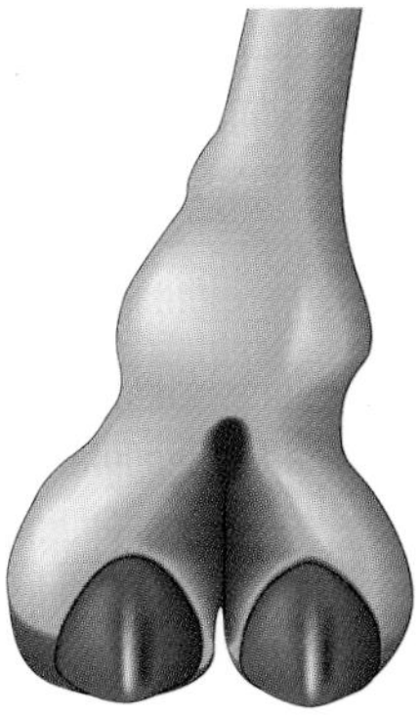

sabot[M] à 2 doigts[M]

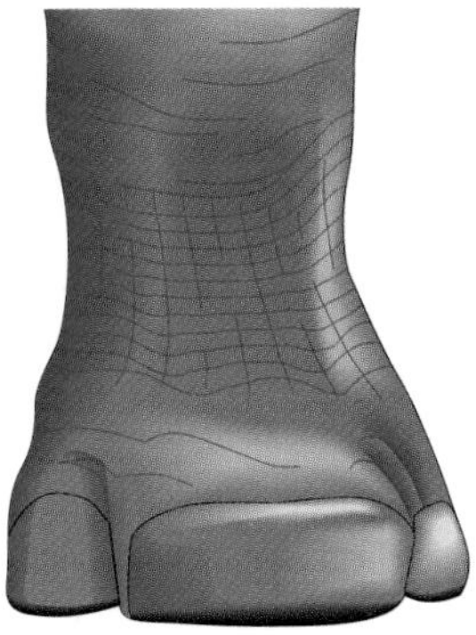

sabot[M] à 3 doigts[M]

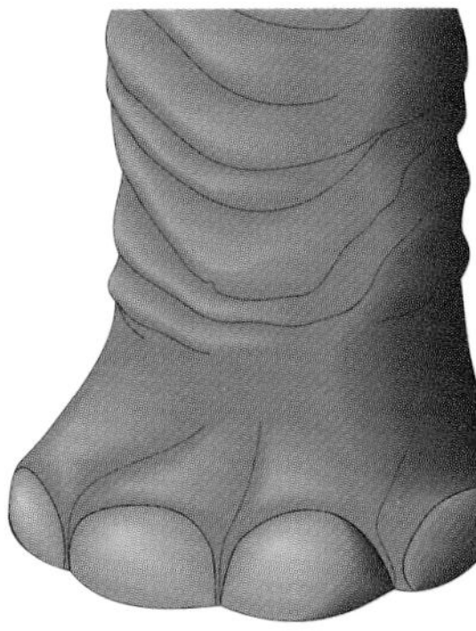

sabot[M] à 4 doigts[M]

LES ANIMAUX^M SAUVAGES

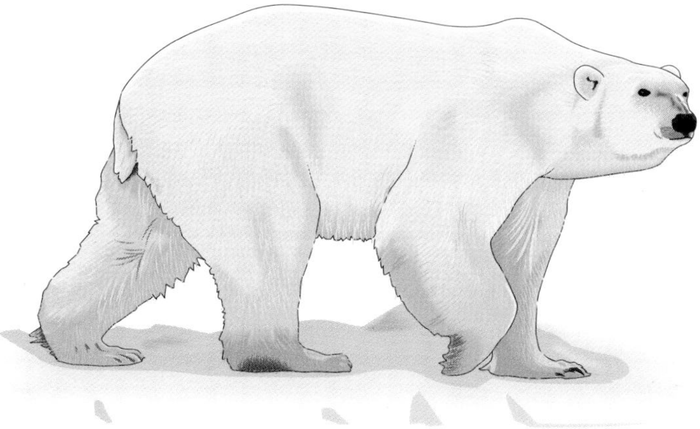

girafe^F

ours^M polaire

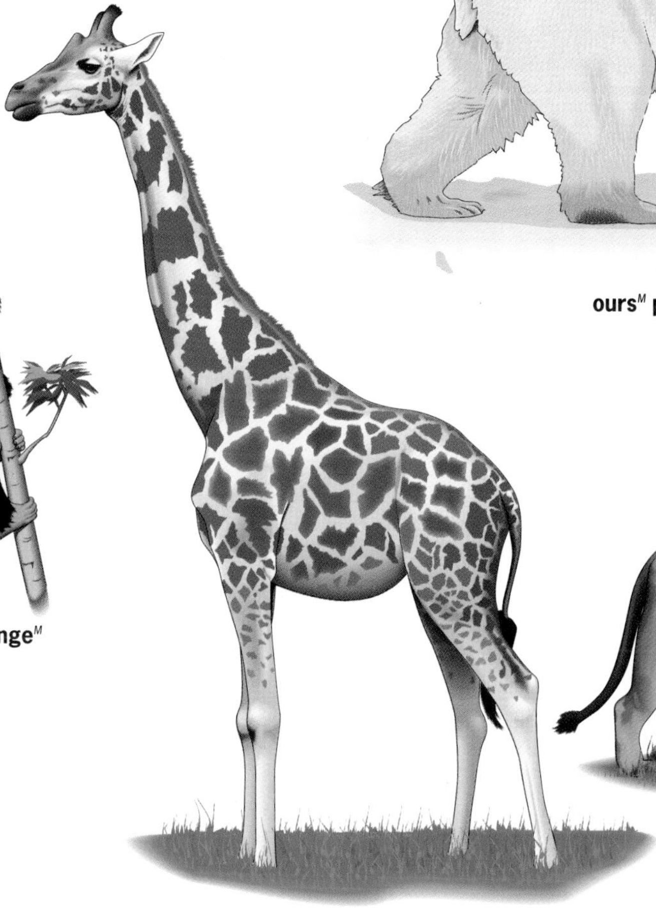

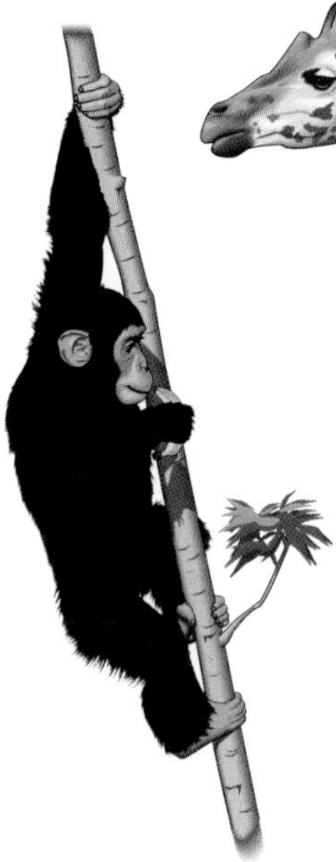

singe^M

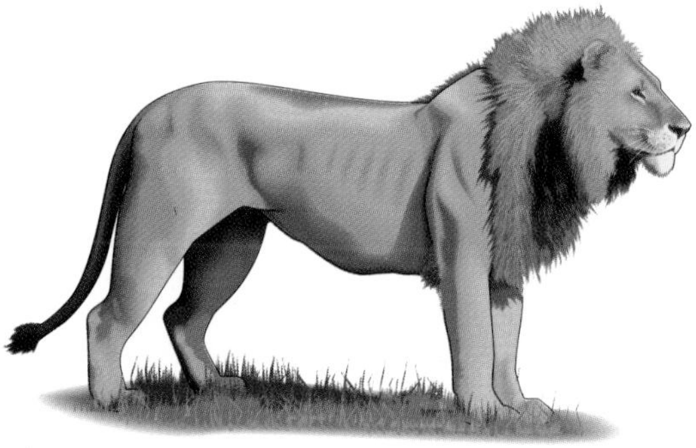

lion^M

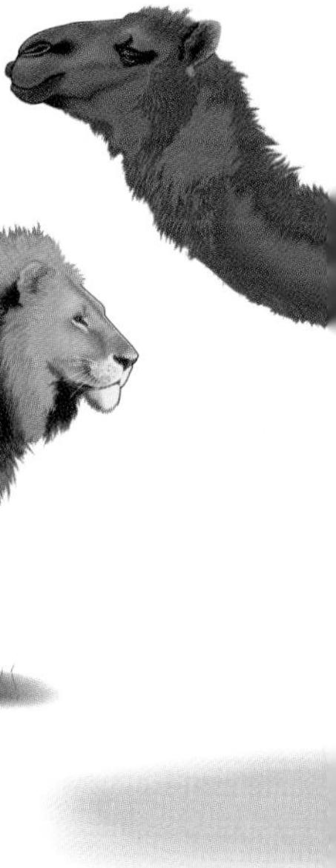

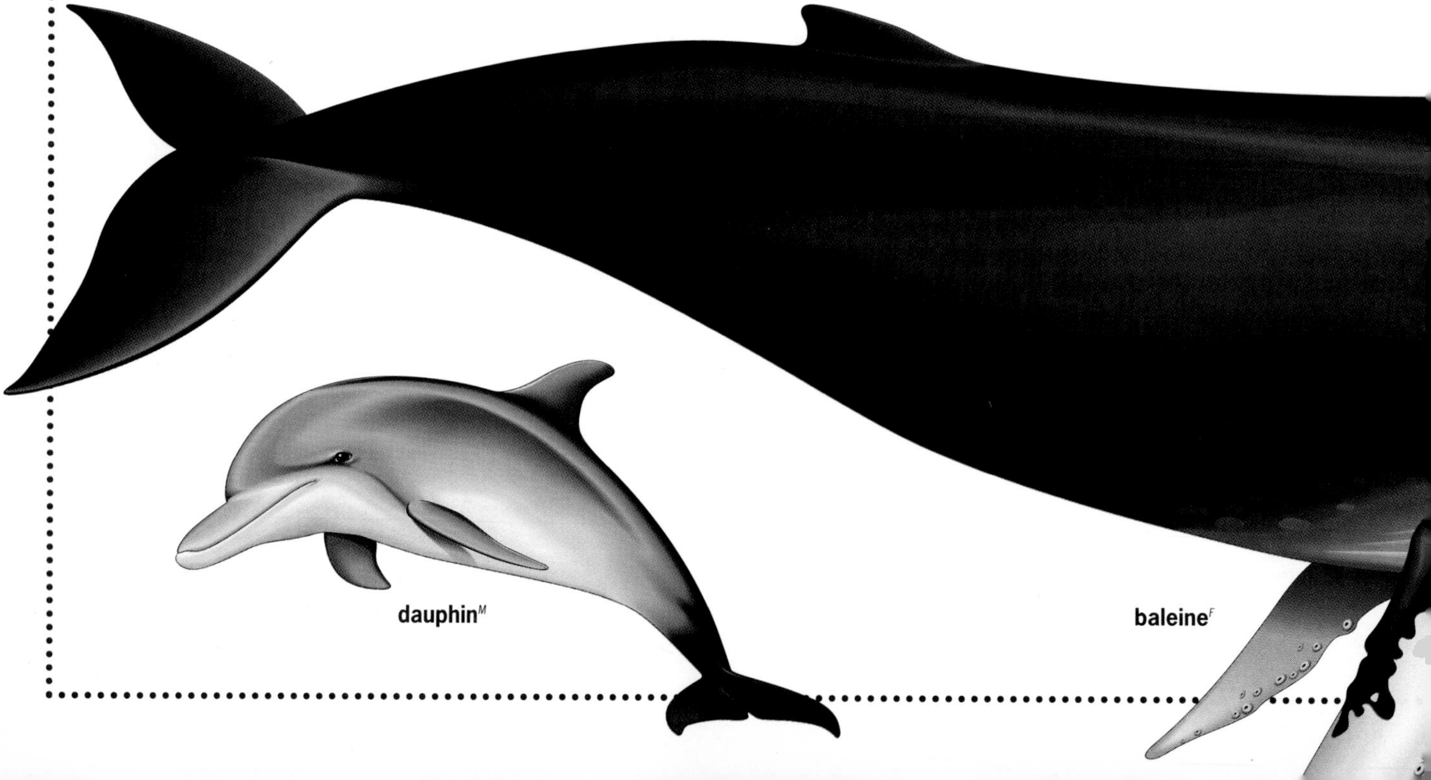

dauphin^M

baleine^F

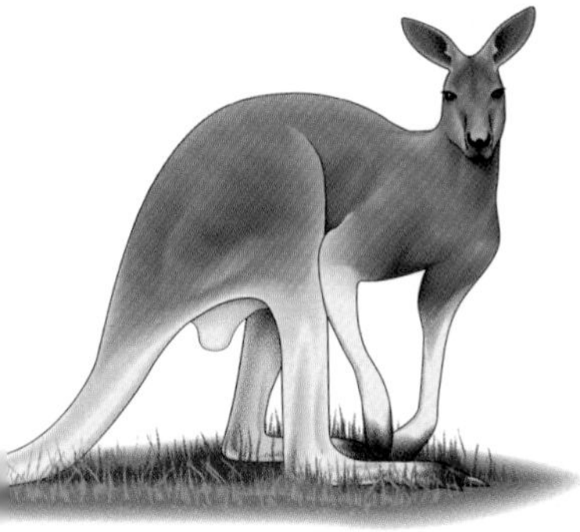

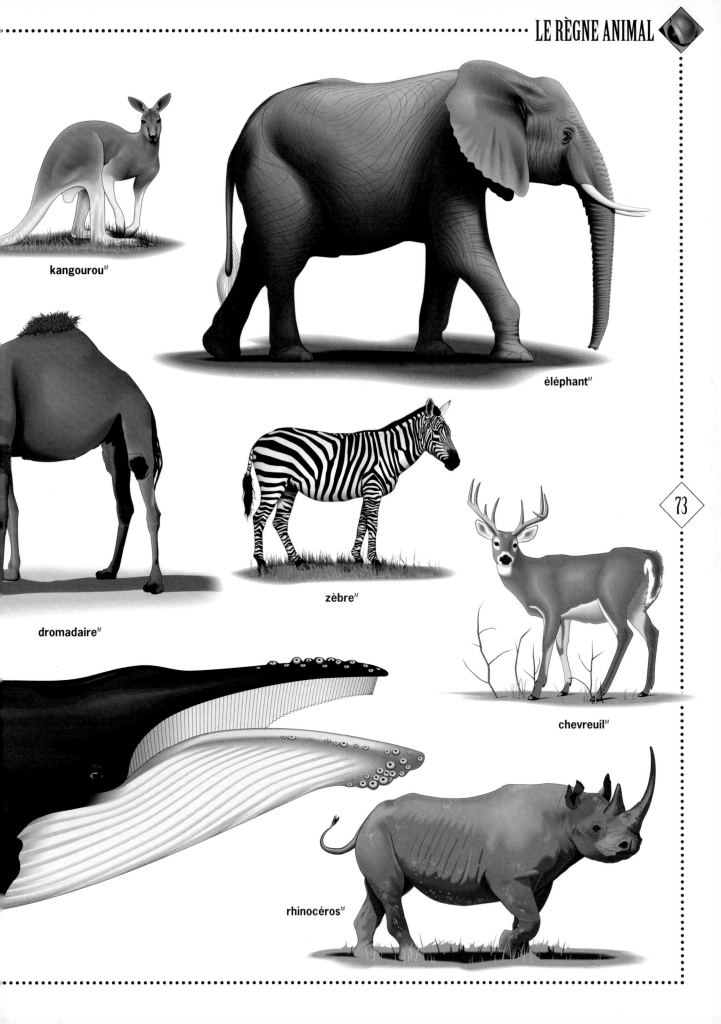

kangourou^M

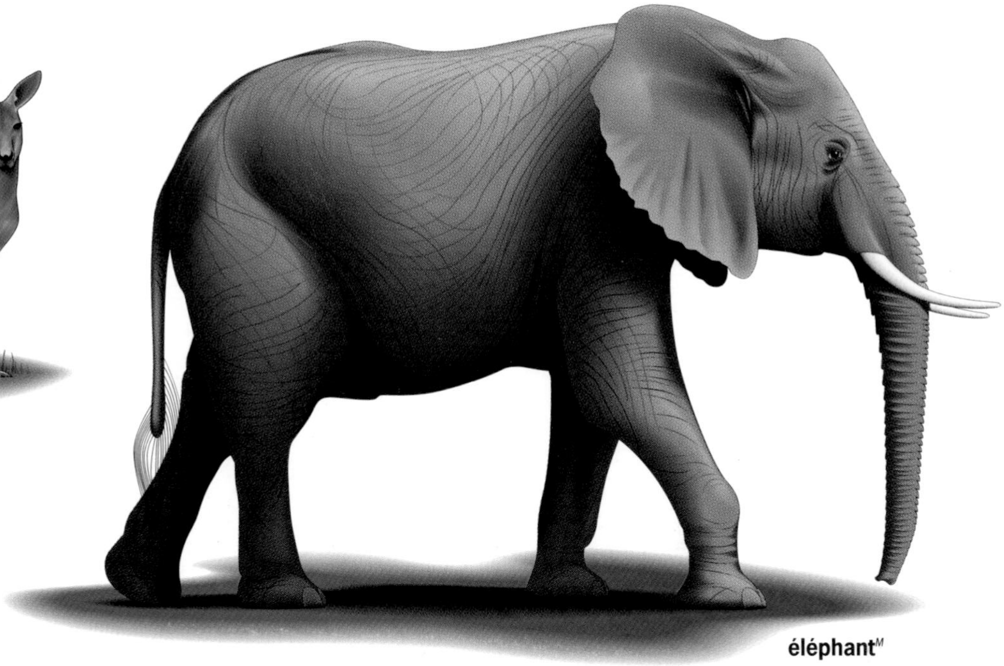

éléphant^M

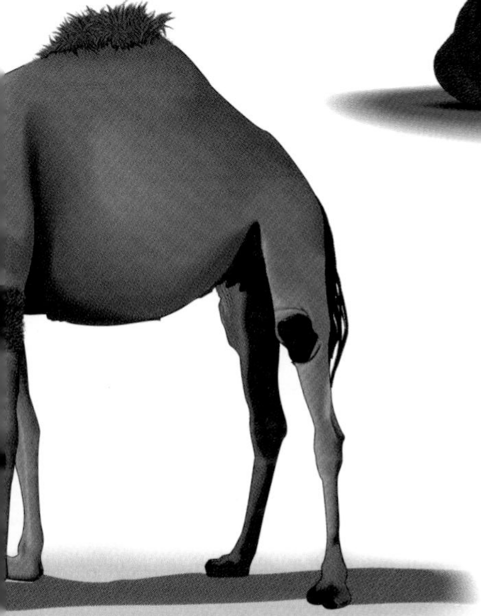

dromadaire^M

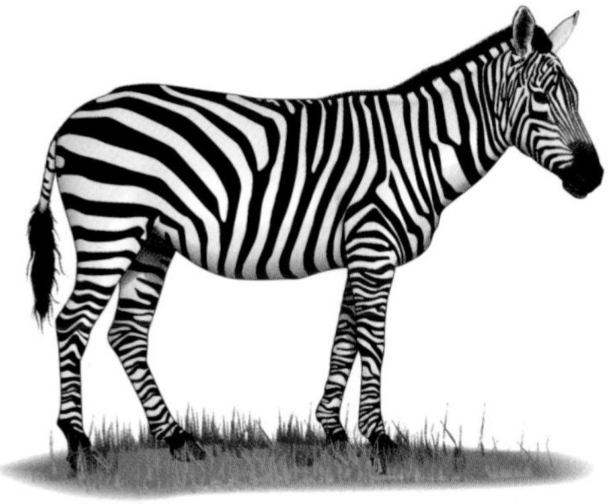

zèbre^M

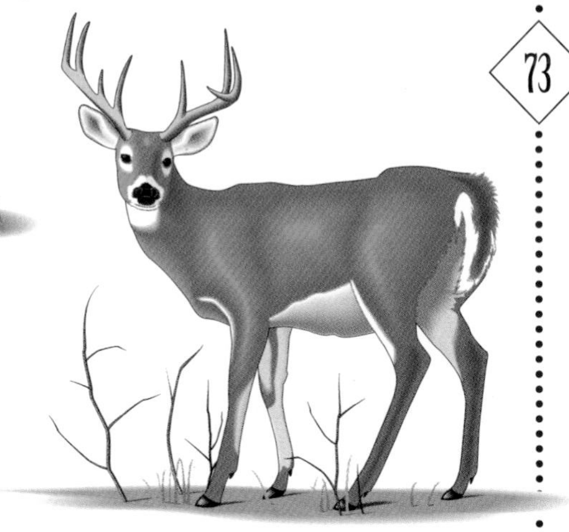

chevreuil^M

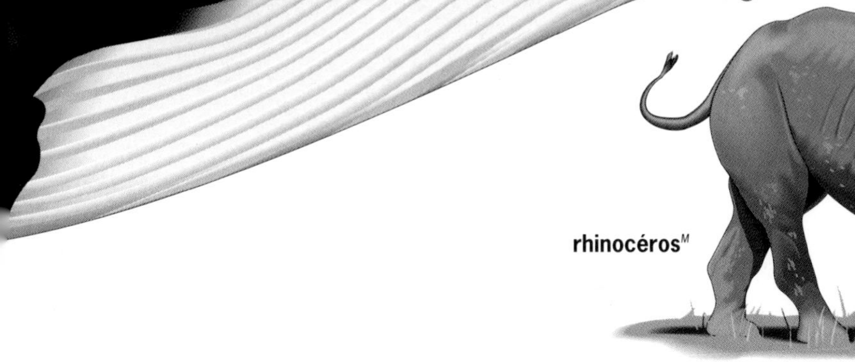

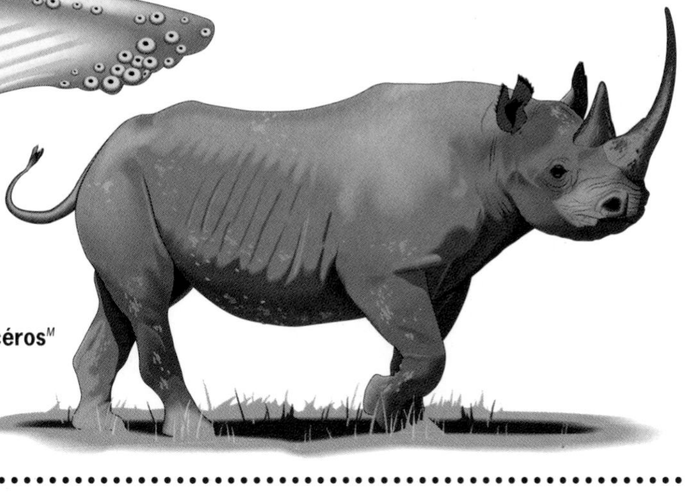

rhinocéros^M

L'OISEAU[M]

PRINCIPAUX TYPES[M] DE BECS[M]

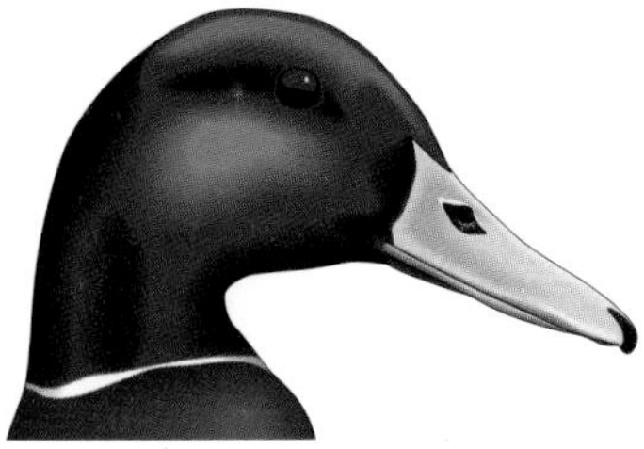

MORPHOLOGI[E]

oiseau[M] aquatique

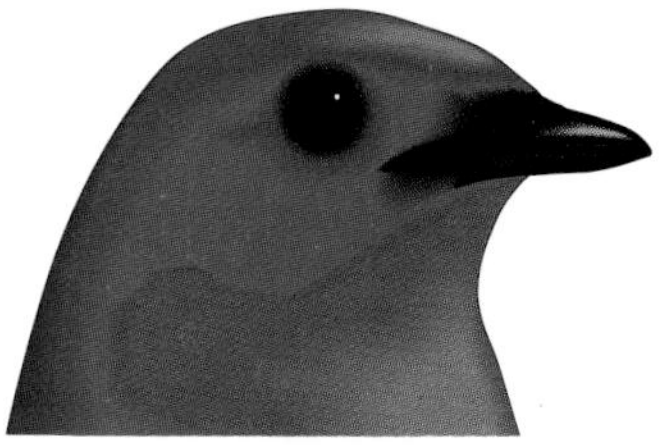

oiseau[M] insectivore

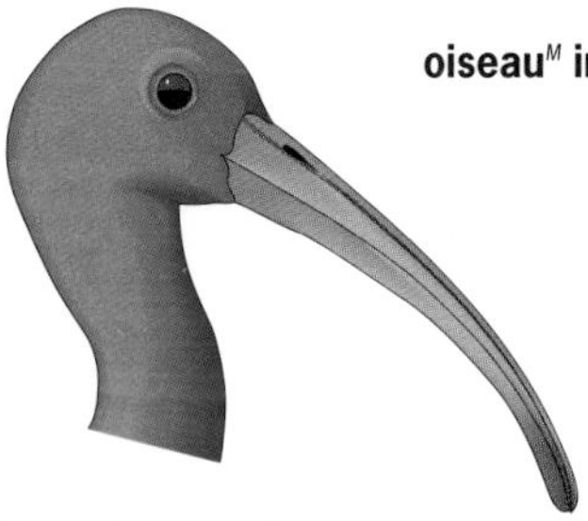

oiseau[M] échassier

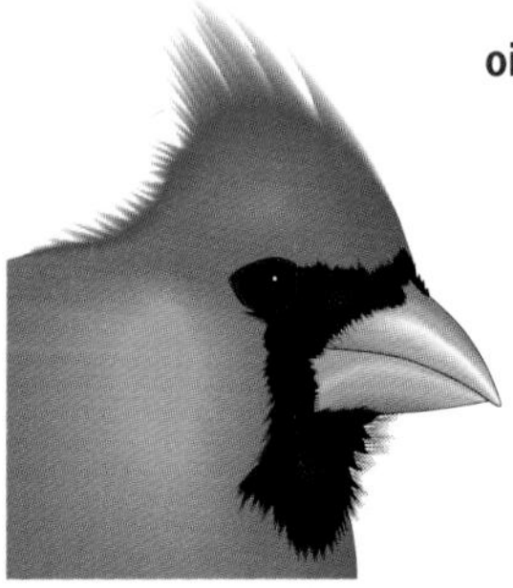

oiseau[M] granivore

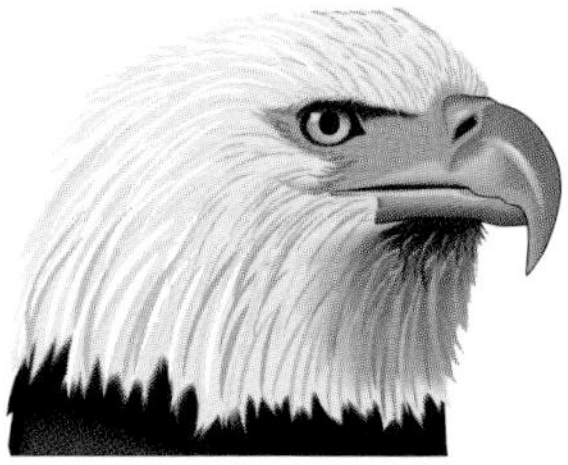

oiseau[M] de proie[F]

couronne[F]

front[M]

bec[M]

œil[M]

menton[M]

gorge[F]

poitrine[F]

PRINCIPAUX TYPES[M] DE PATTES[F]

oiseau[M] de proie[F]

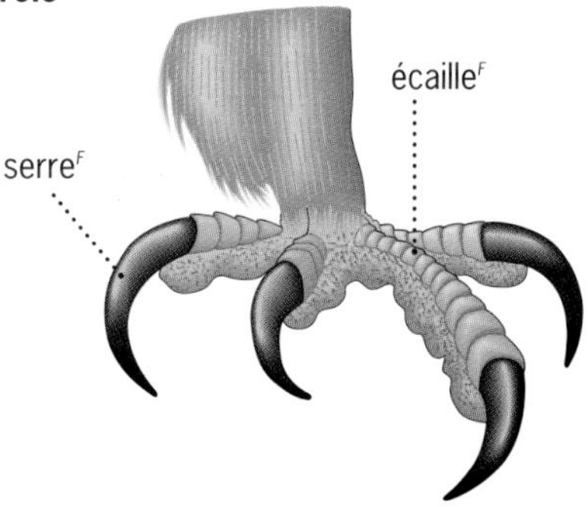

écaille[F]

serre[F]

oiseau[M] aquatique

doigt[M] palmé

palmure[F]

abdomen[M]

oiseau[M] aquatique

lobe[M]

doigt[M] lobé

oiseau[M] percheur

doigt[M]

doigt[M] médian

doigt[M] externe

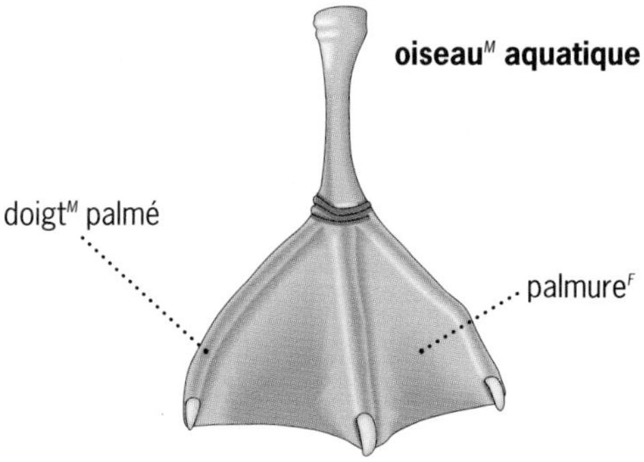

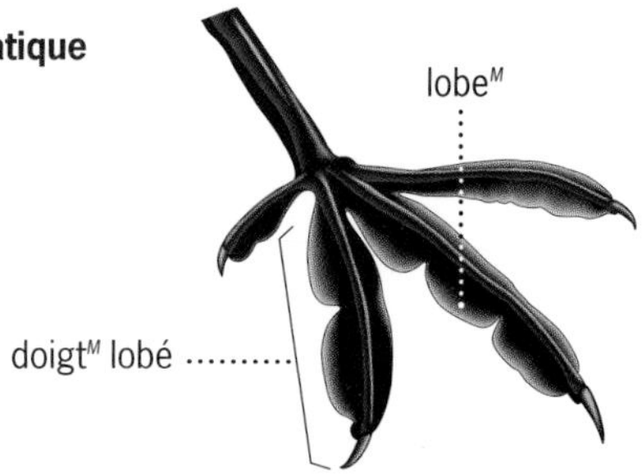

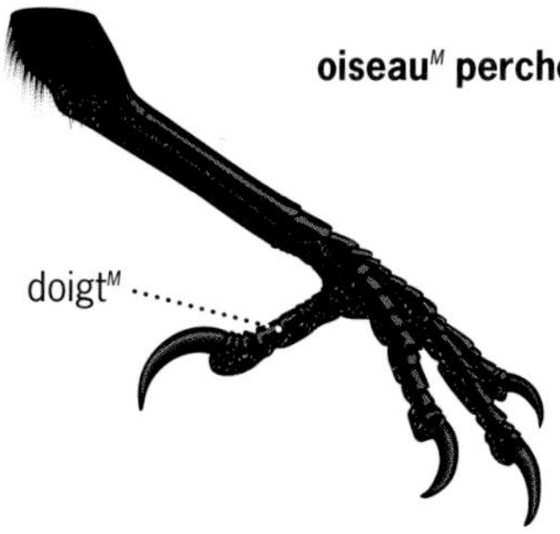

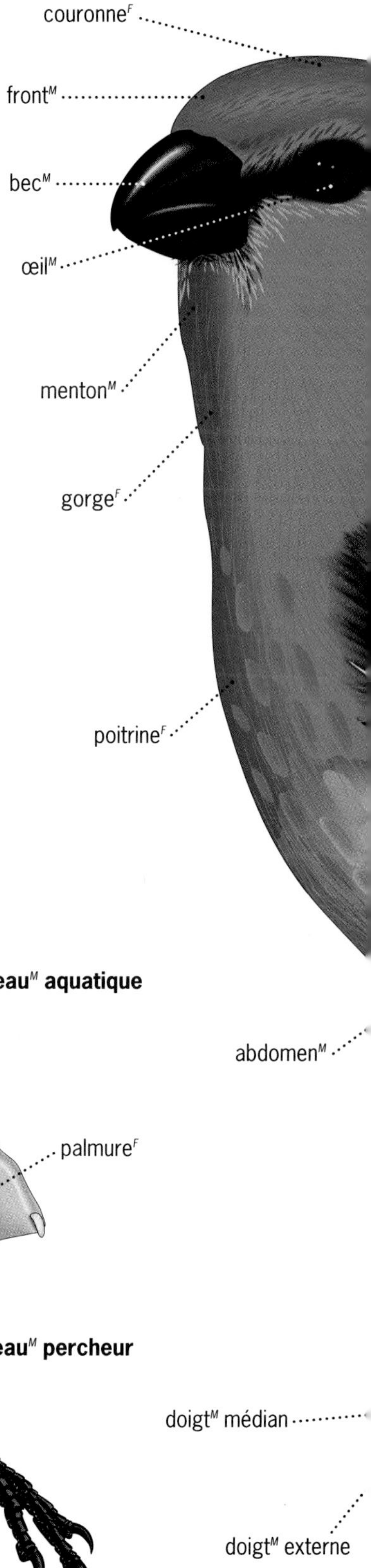

nid^M

maison^F d'oiseau^M

mangeoire^F

tube^M

graines^F

perchoir^M

nuque^F

dos^M

aile^F

croupion^M

queue^F

tectrice^F sous-caudale

tectrice^F sus-caudale

flanc^M

patte^F

œuf^M

germe^M

coquille^F

chambre^F à air^M

doigt^M postérieur

griffe^F

jaune^M

albumen^M

75

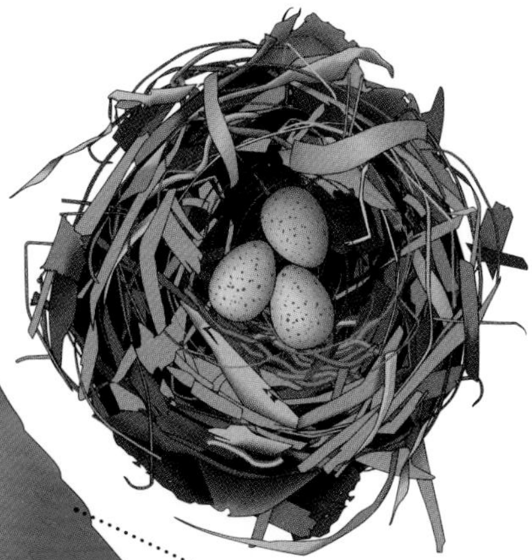

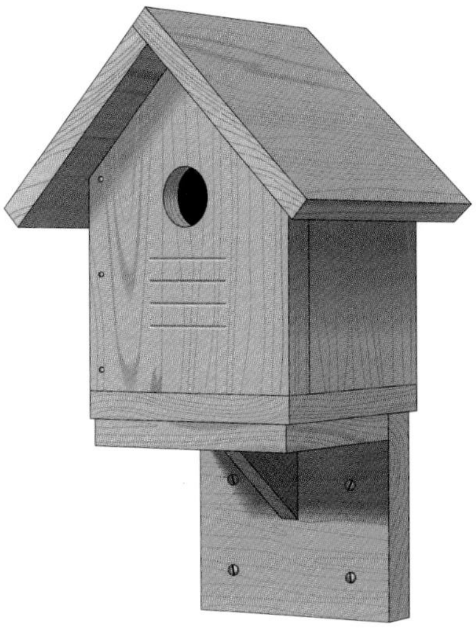

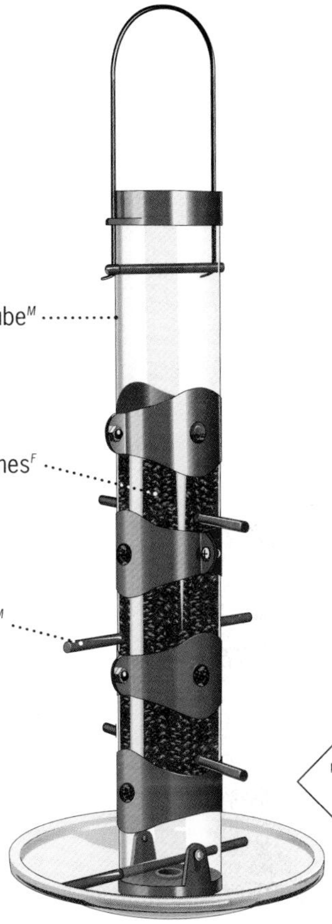

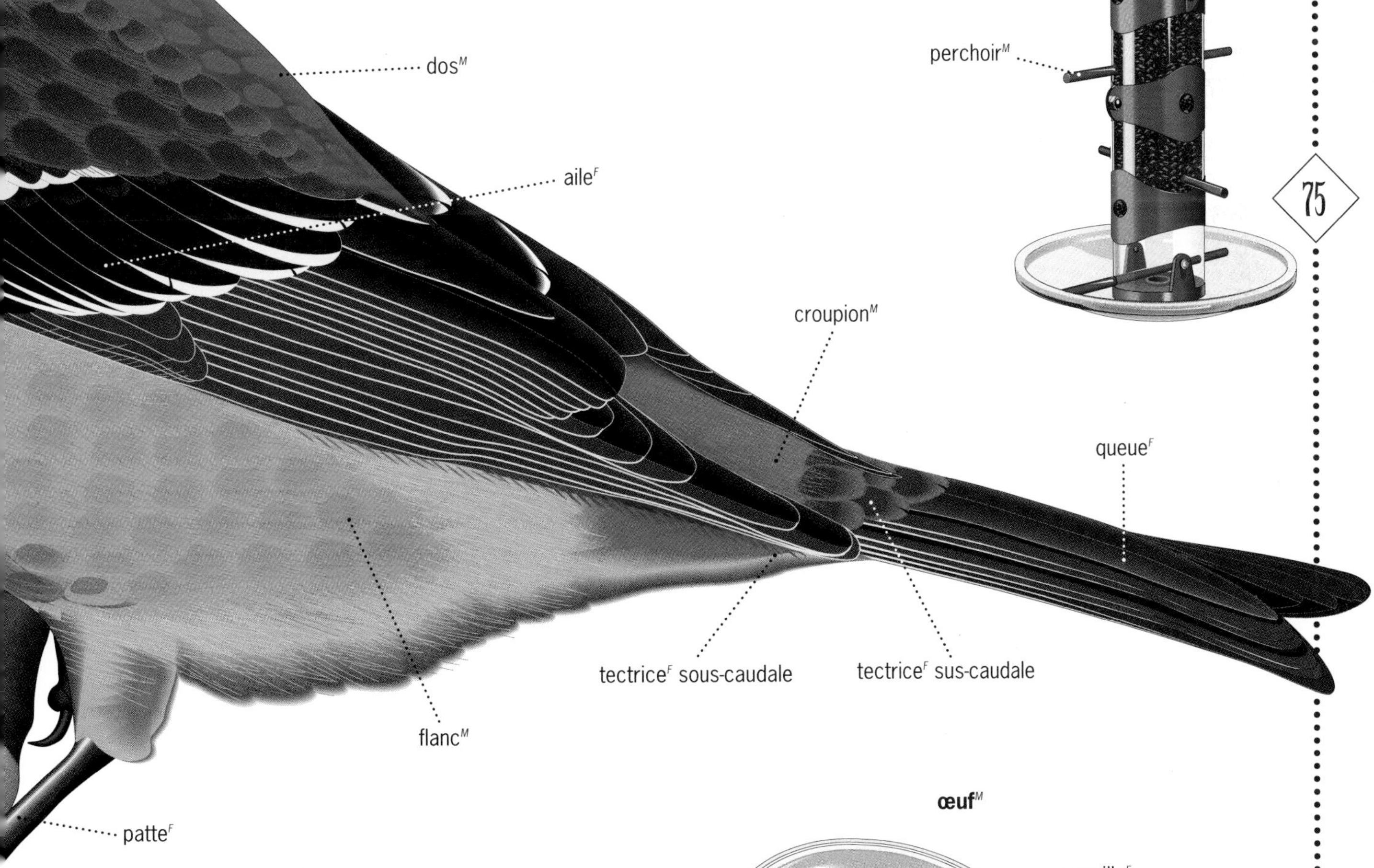

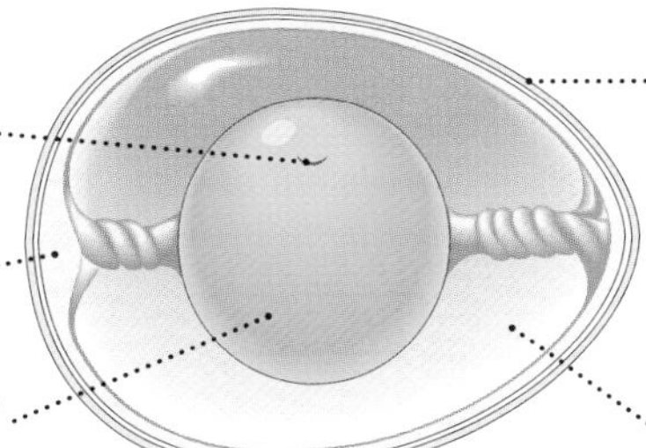

EXEMPLES^M D'OISEAUX^M

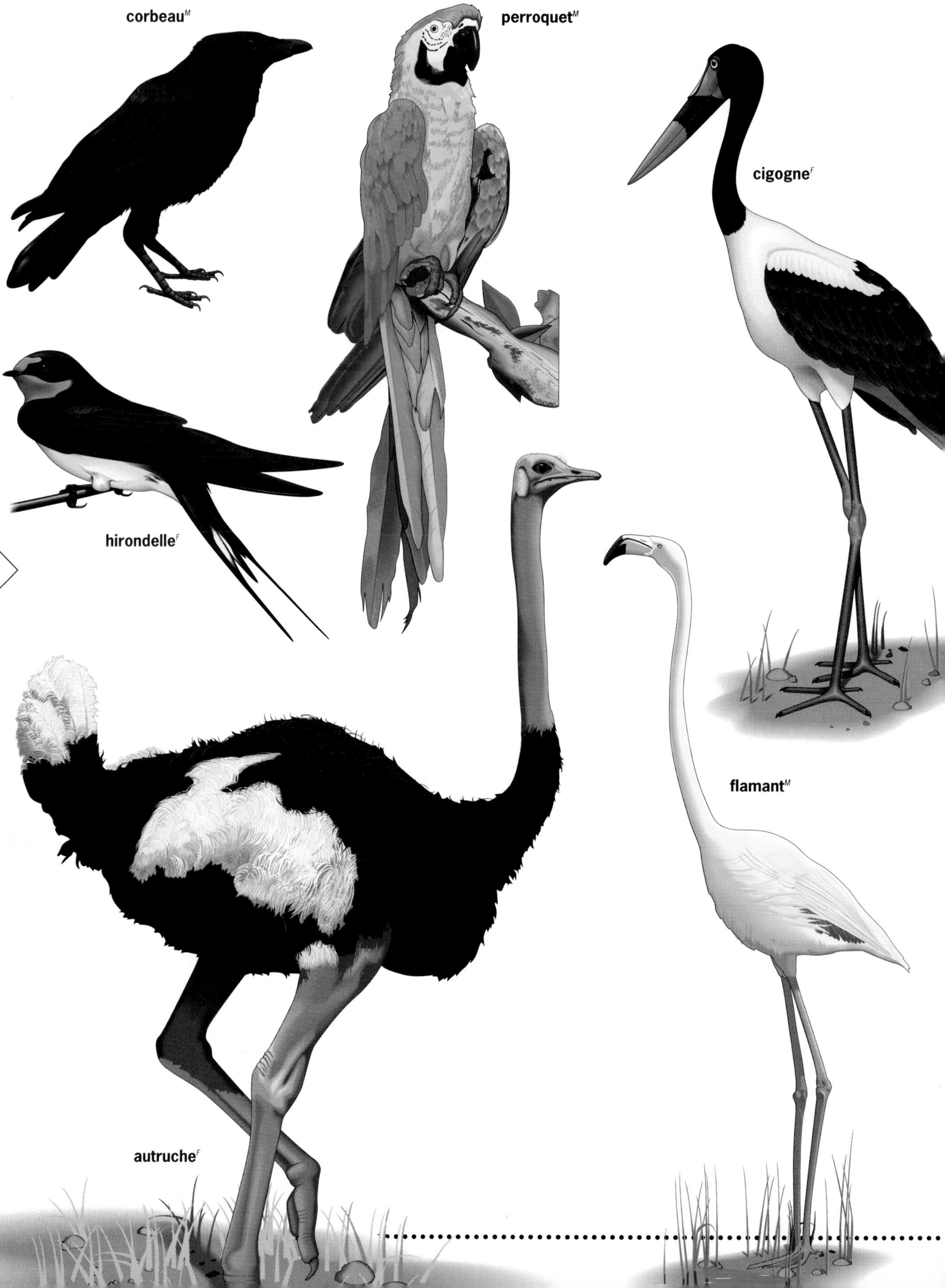

corbeau^M

perroquet^M

cigogne^F

hirondelle^F

flamant^M

autruche^F

rouge-gorge^M

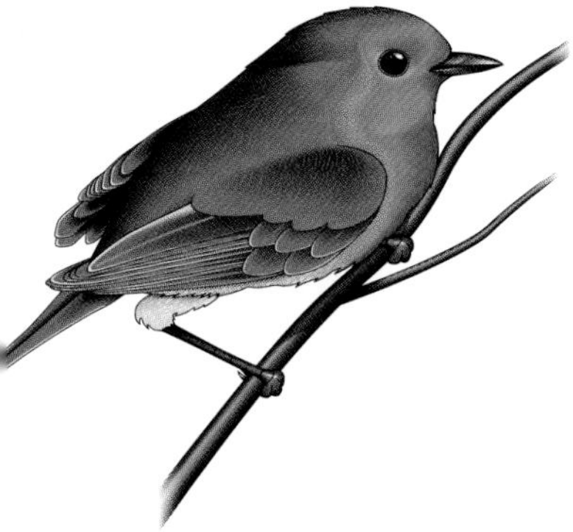

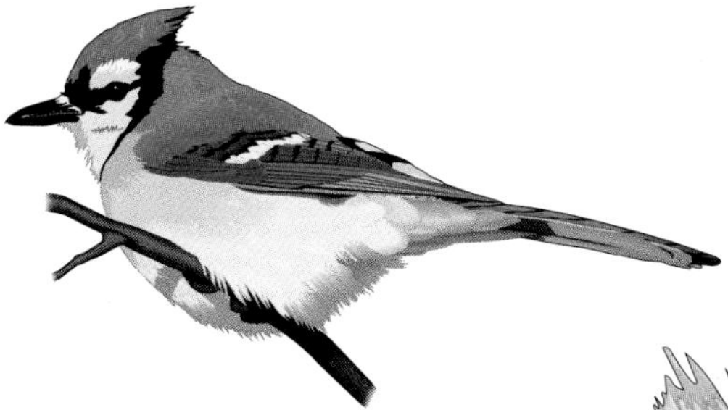

geai^M

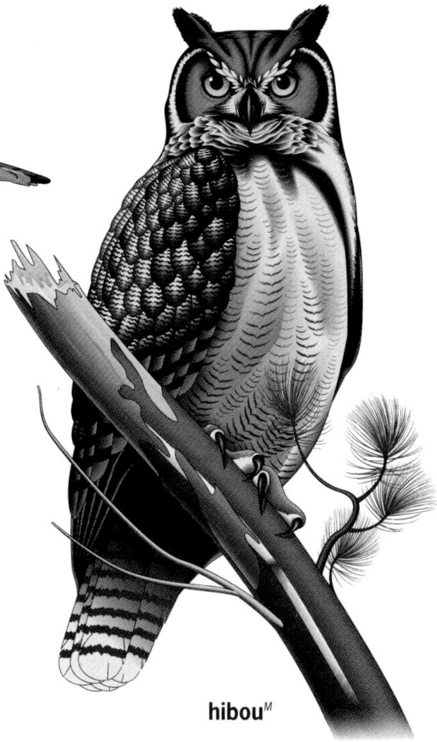

hibou^M

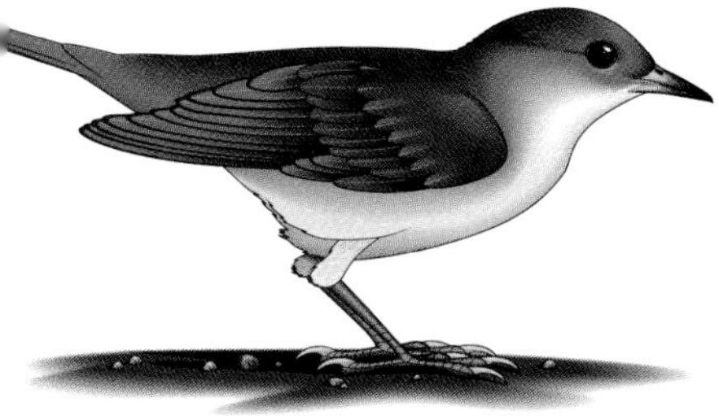

rossignol^M

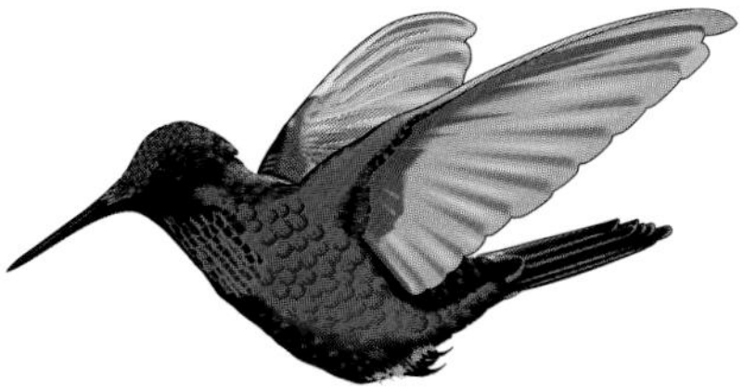

colibri^M

paon^M

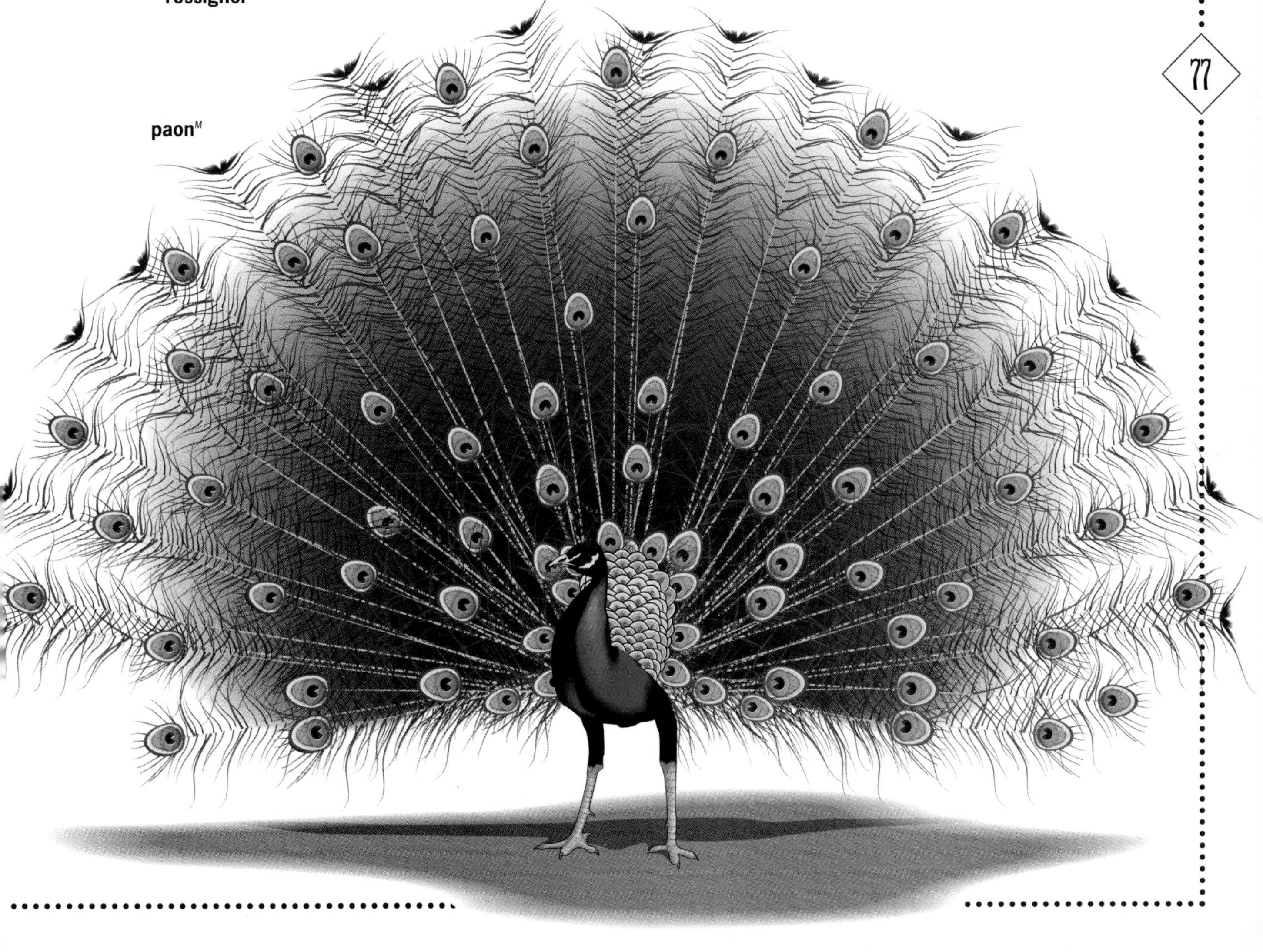

LE CORPS^M, VUE^F DE FACE^F

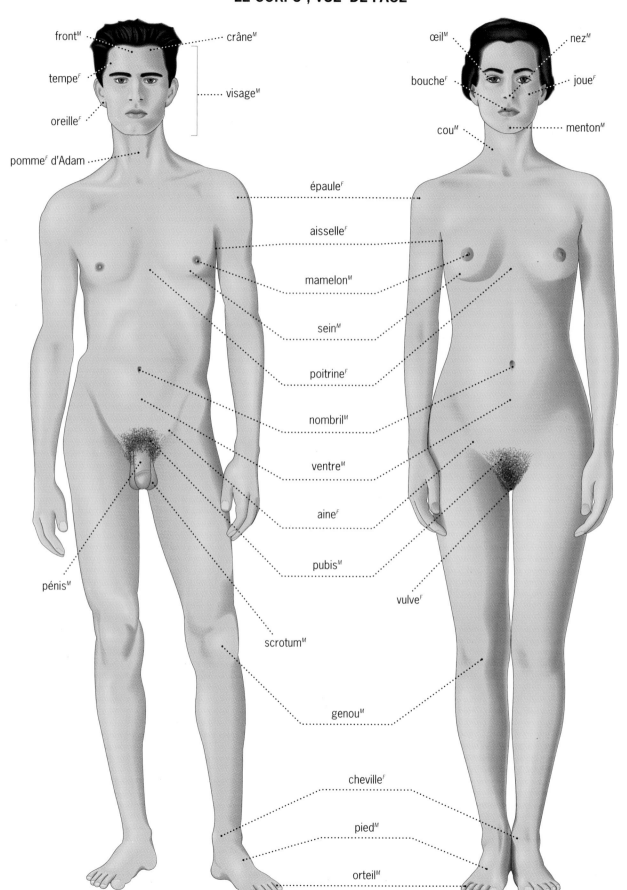

front^M

crâne^M

tempe^F

visage^M

oreille^F

pomme^F d'Adam

œil^M

nez^M

bouche^F

joue^F

cou^M

menton^M

épaule^F

aisselle^F

mamelon^M

sein^M

poitrine^F

nombril^M

ventre^M

aine^F

pubis^M

pénis^M

vulve^F

scrotum^M

genou^M

cheville^F

pied^M

orteil^M

78

LE CORPS^M, VUE^F DE DOS^M

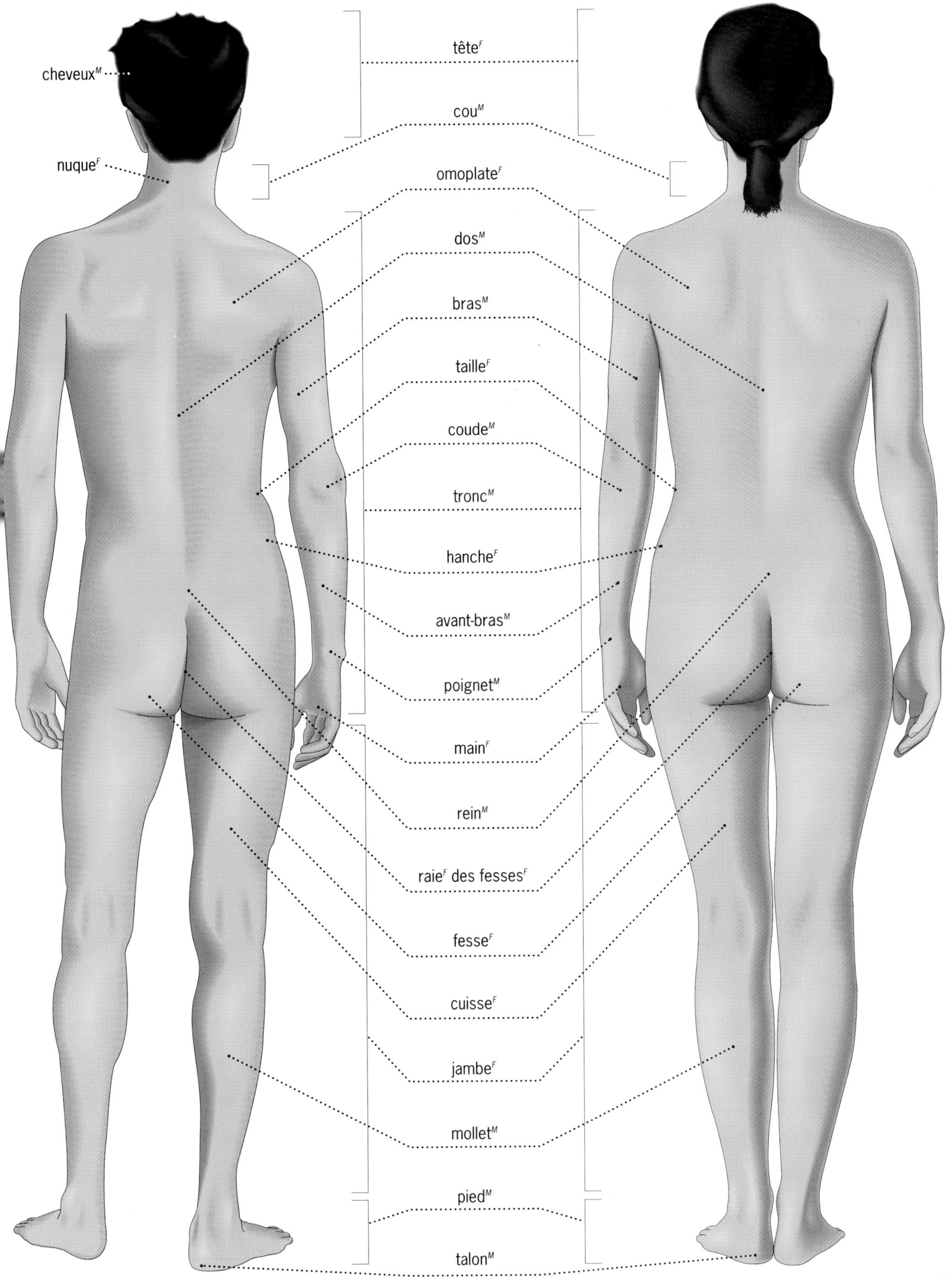

cheveux^M

nuque^F

tête^F

cou^M

omoplate^F

dos^M

bras^M

taille^F

coude^M

tronc^M

hanche^F

avant-bras^M

poignet^M

main^F

rein^M

raie^F des fesses^F

fesse^F

cuisse^F

jambe^F

mollet^M

pied^M

talon^M

LE CORPS^M, VUE^F DE DOS^M

LE SQUELETTE^M

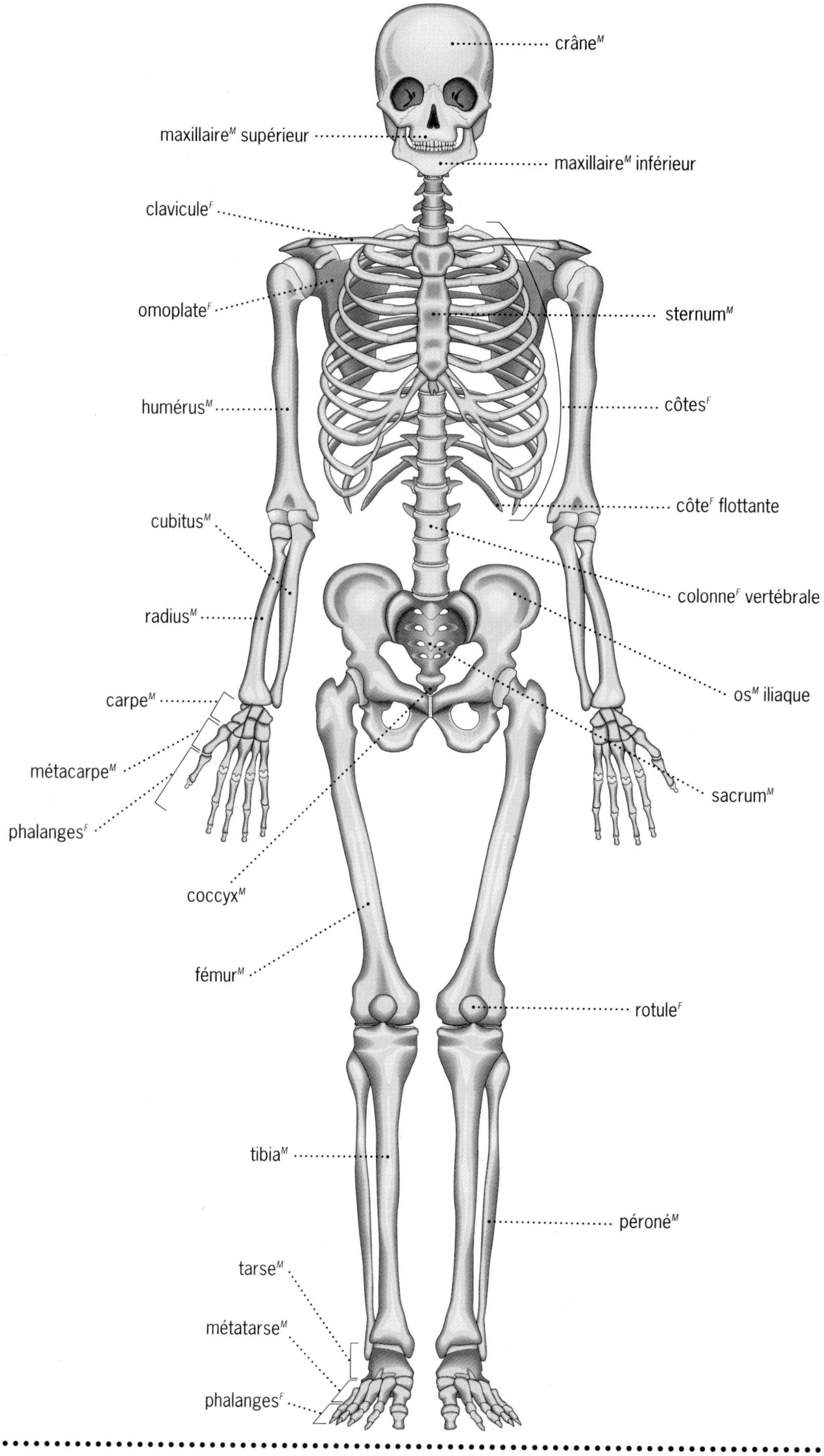

crâne^M

maxillaire^M supérieur

maxillaire^M inférieur

clavicule^F

sternum^M

omoplate^F

côtes^F

humérus^M

côte^F flottante

cubitus^M

colonne^F vertébrale

radius^M

os^M iliaque

carpe^M

métacarpe^M

sacrum^M

phalanges^F

coccyx^M

fémur^M

rotule^F

tibia^M

péroné^M

tarse^M

métatarse^M

phalanges^F

LE SQUELETTE^M

L'ANATOMIE^F HUMAINE

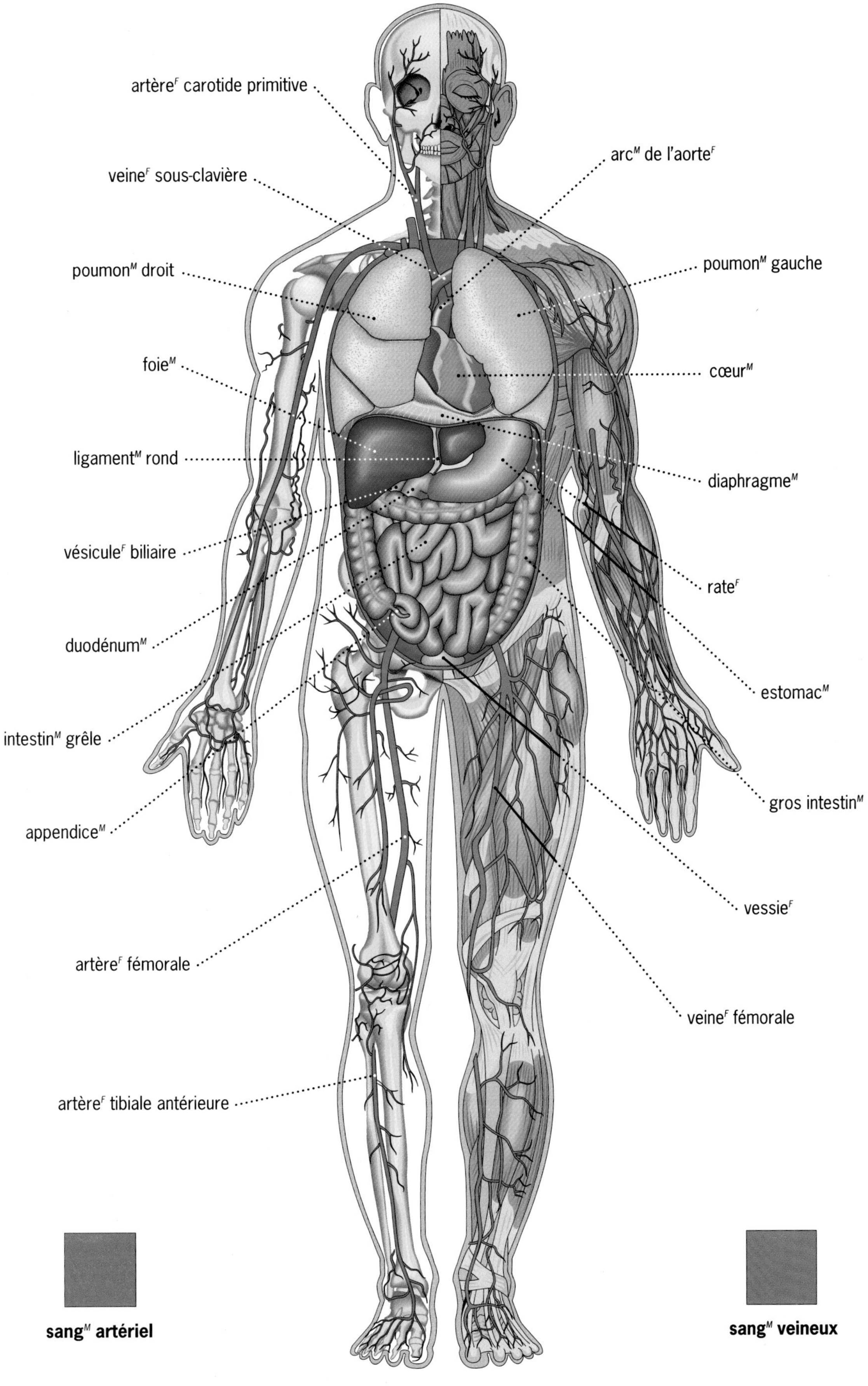

artère^F carotide primitive

veine^F sous-clavière

poumon^M droit

foie^M

ligament^M rond

vésicule^F biliaire

duodénum^M

intestin^M grêle

appendice^M

artère^F fémorale

artère^F tibiale antérieure

arc^M de l'aorte^F

poumon^M gauche

cœur^M

diaphragme^M

rate^F

estomac^M

gros intestin^M

vessie^F

veine^F fémorale

sang^M artériel

sang^M veineux

LE SENS^M DE LA VUE^F: L'ŒIL^M

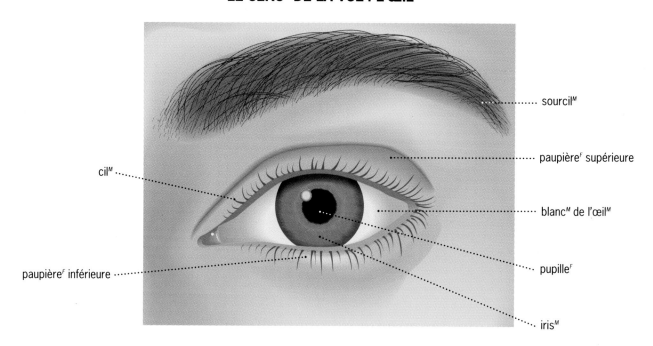

sourcil^M

paupière^F supérieure

cil^M

blanc^M de l'œil^M

pupille^F

paupière^F inférieure

iris^M

LE SENS^M DU TOUCHER^M: LA MAIN^F

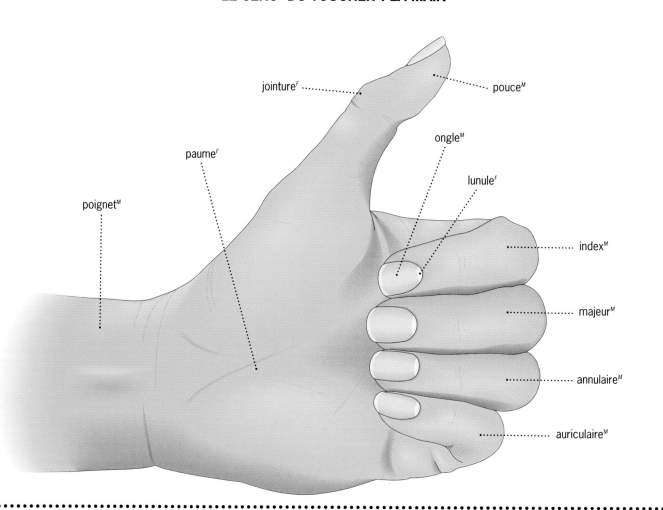

jointure^F

pouce^M

ongle^M

lunule^F

paume^F

poignet^M

index^M

majeur^M

annulaire^M

auriculaire^M

82

LE SENS^M DE L'OUÏE^F: L'OREILLE^F

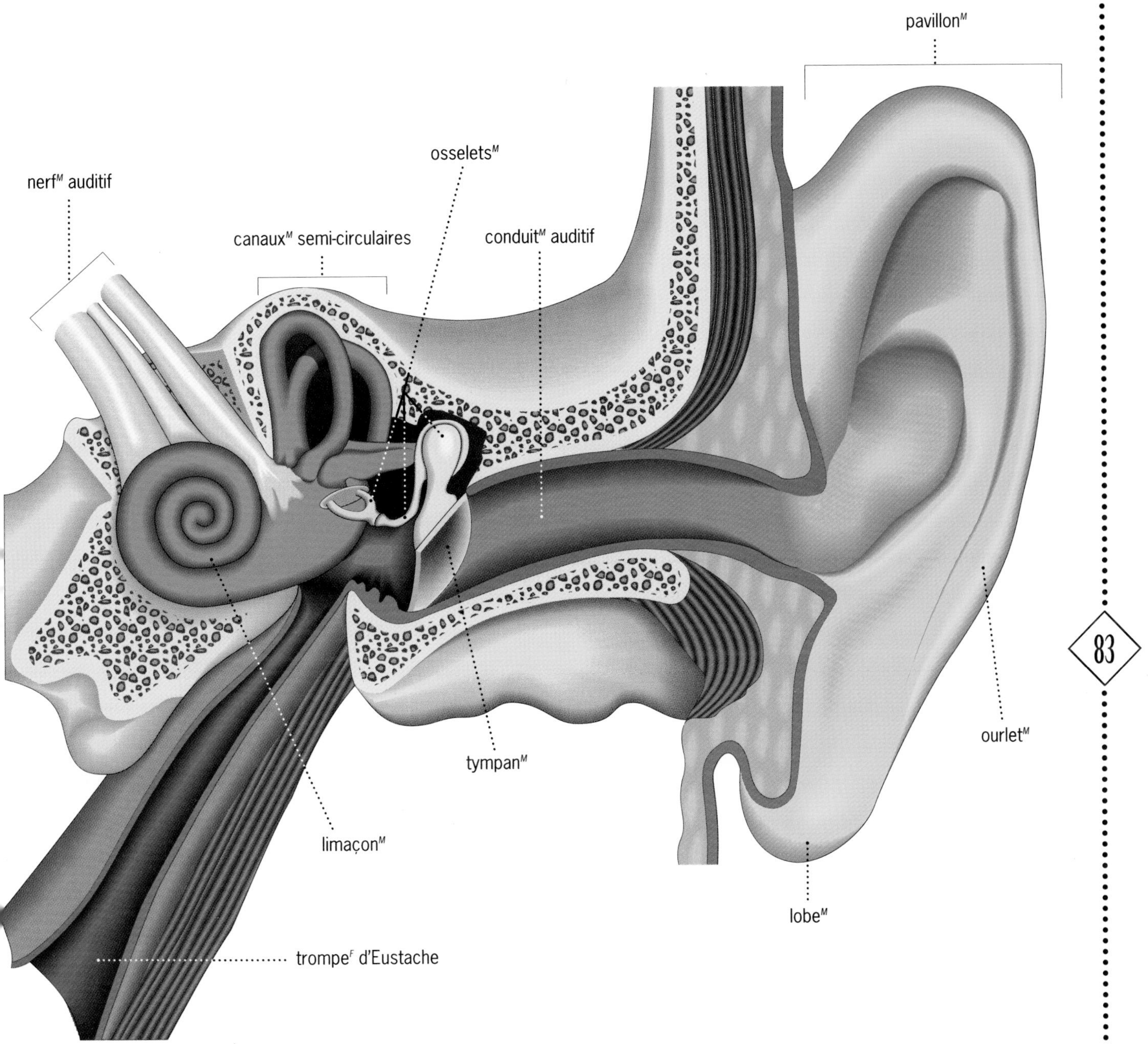

pavillon^M

nerf^M auditif

canaux^M semi-circulaires

osselets^M

conduit^M auditif

ourlet^M

tympan^M

limaçon^M

lobe^M

trompe^F d'Eustache

PARTIES^F DE L'OREILLE^F

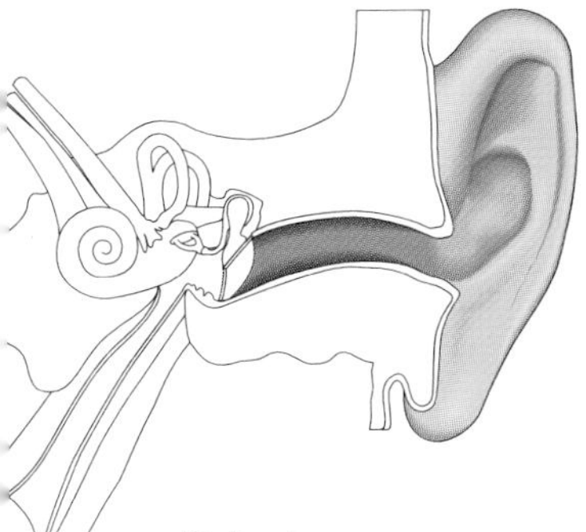

oreille^F externe

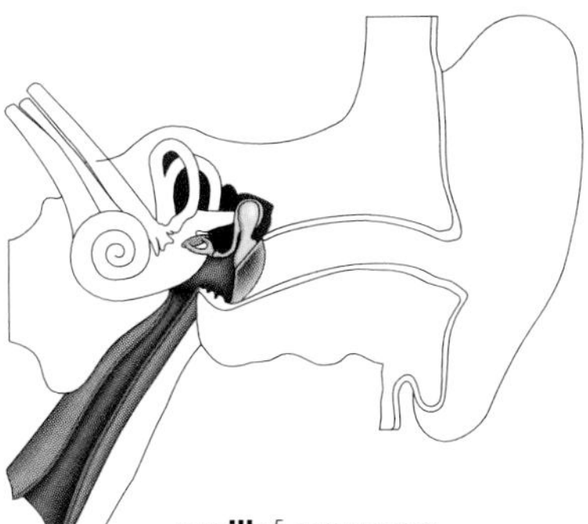

oreille^F moyenne

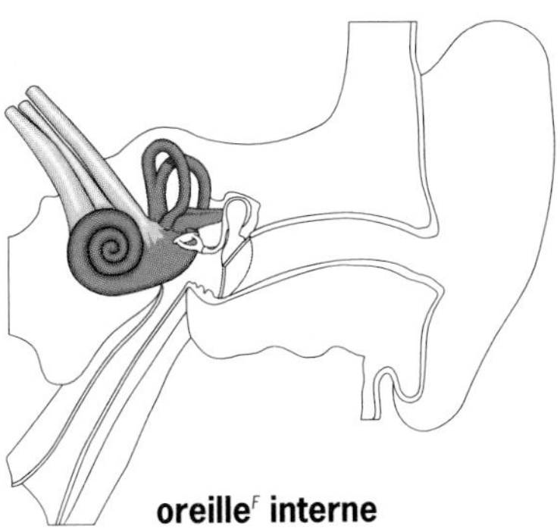

oreille^F interne

LE SENS^M DE L'ODORAT^M: LE NEZ^M

racine^F du nez^M

aile^F du nez^M

dos^M du nez^M

narine^F

lobe^M du nez^M

sillon^M

cloison^F

84

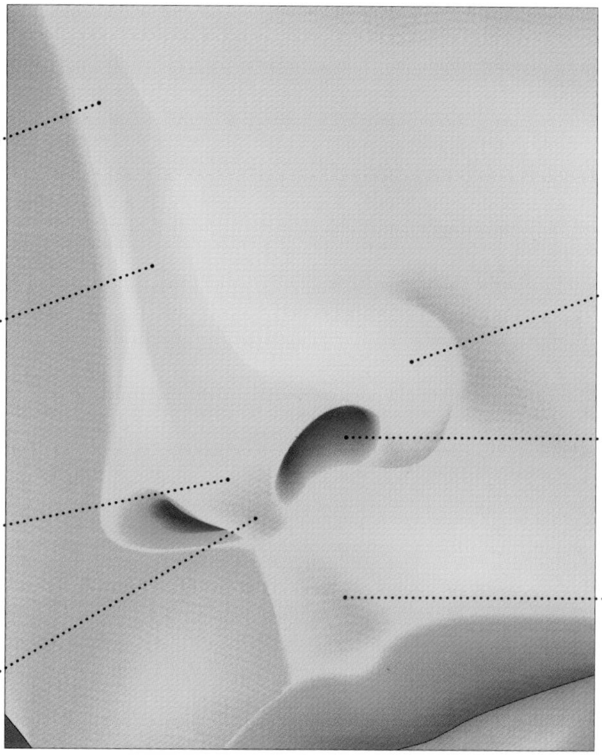

LE SENS^M DU GOÛT^M: LA BOUCHE^F

perception^F des saveurs^F

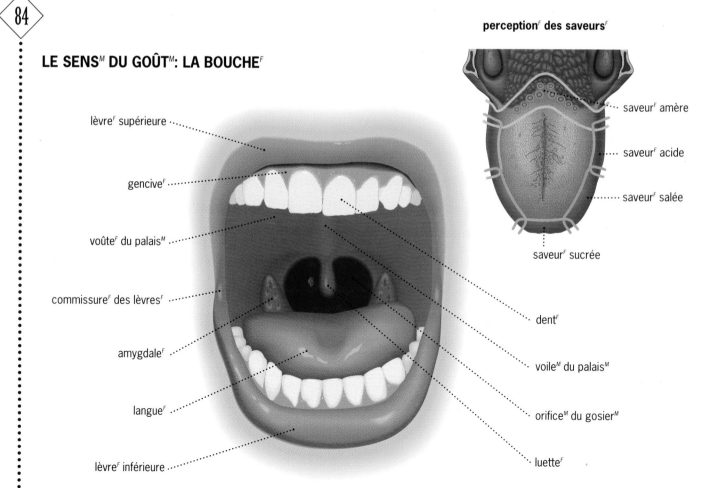

lèvre^F supérieure

saveur^F amère

gencive^F

saveur^F acide

voûte^F du palais^M

saveur^F salée

commissure^F des lèvres^F

saveur^F sucrée

amygdale^F

dent^F

langue^F

voile^M du palais^M

orifice^M du gosier^M

lèvre^F inférieure

luette^F

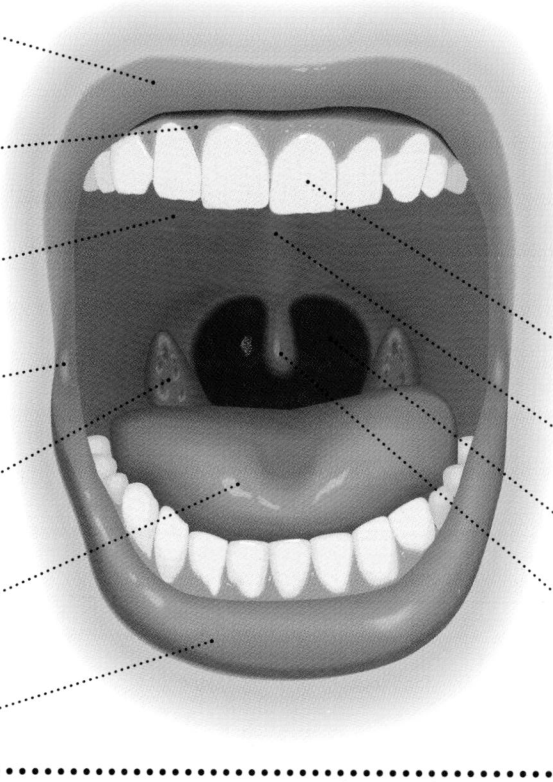

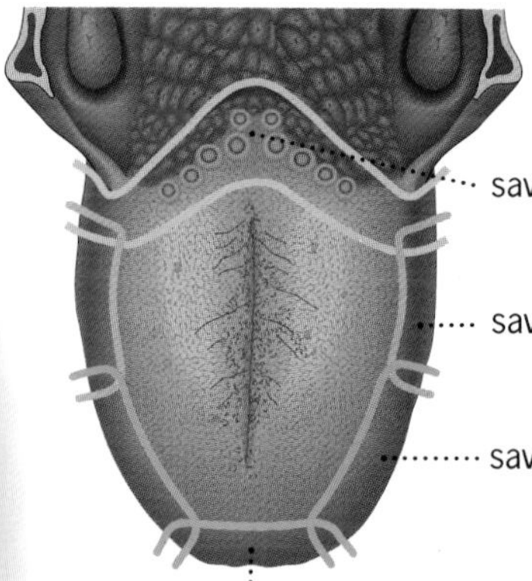

LA DENTURE^F HUMAINE

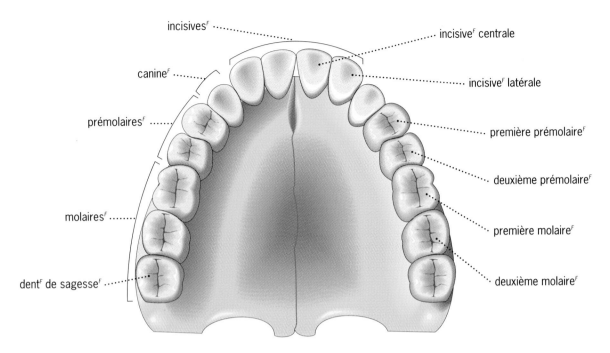

incisives^F .... incisive^F centrale

canine^F .... incisive^F latérale

prémolaires^F .... première prémolaire^F

.... deuxième prémolaire^F

molaires^F .... première molaire^F

.... deuxième molaire^F

dent^F de sagesse^F ....

coupe^F d'une molaire^F

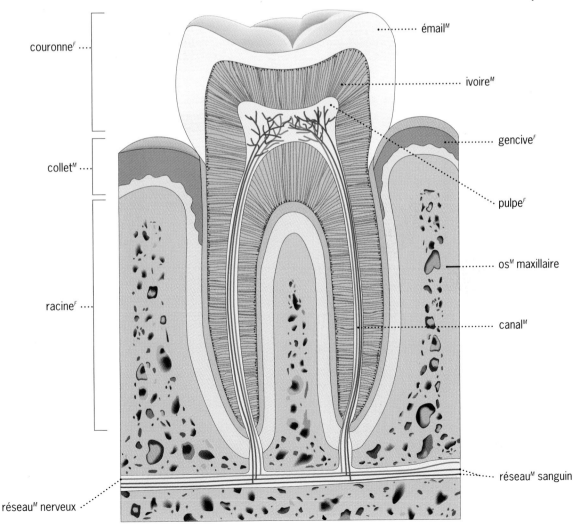

couronne^F .... émail^M

.... ivoire^M

collet^M .... gencive^F

.... pulpe^F

.... os^M maxillaire

racine^F .... canal^M

.... réseau^M sanguin

réseau^M nerveux ....

LES MAISONS^F TRADITIONNELLES

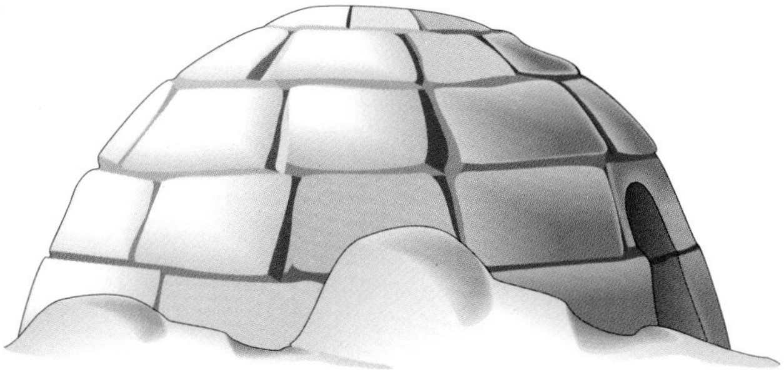

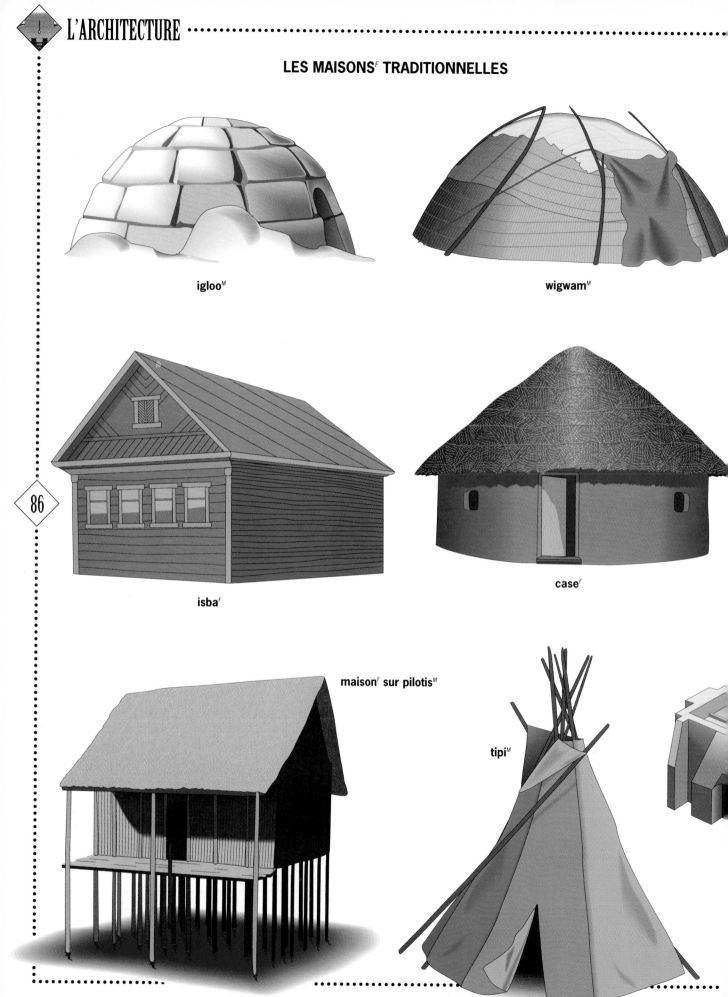

igloo^M

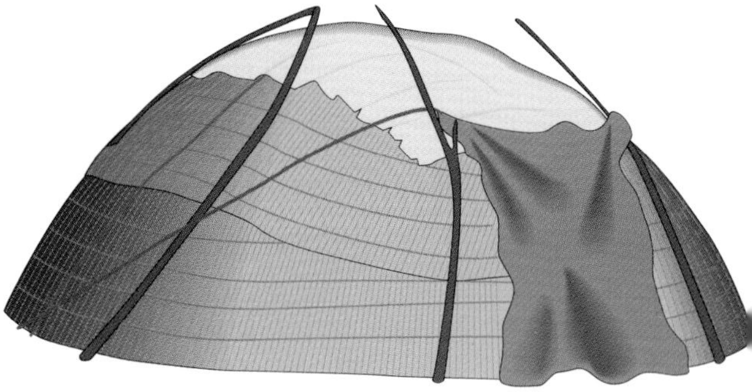

wigwam^M

isba^F

case^F

maison^F sur pilotis^M

tipi^M

86

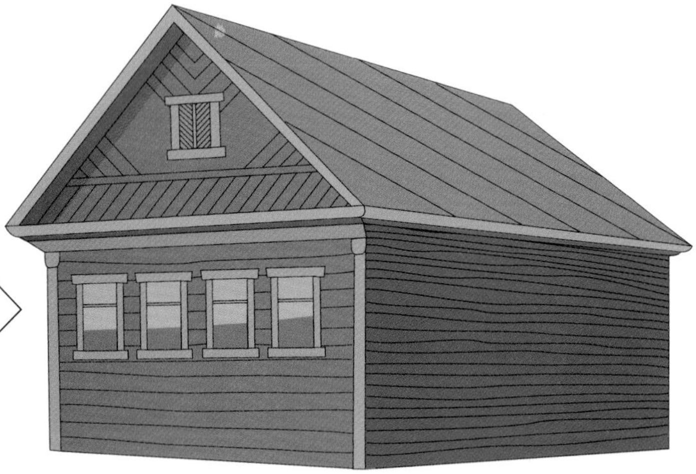

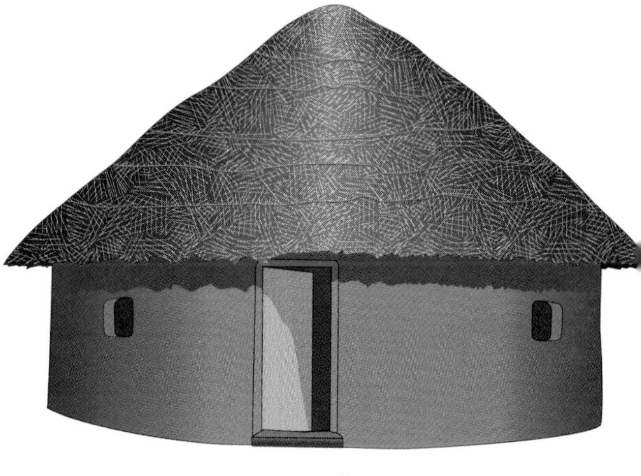

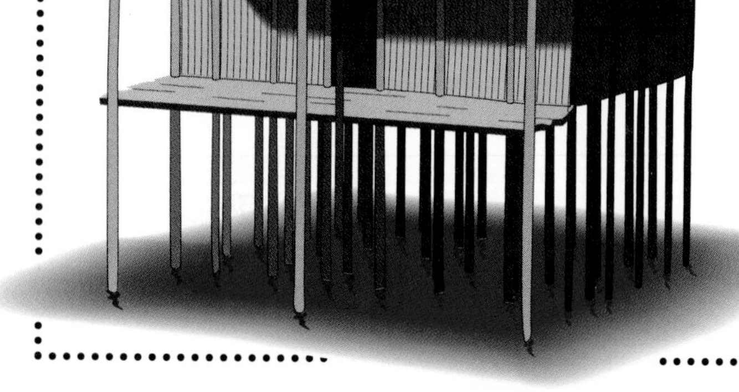

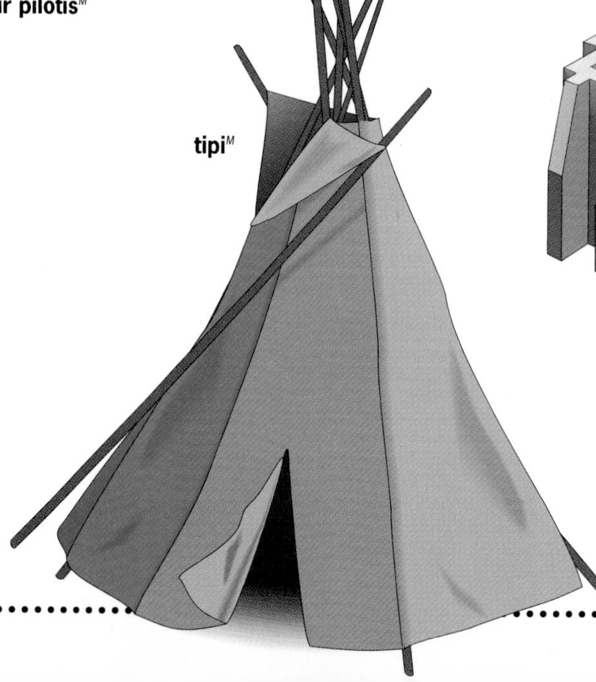

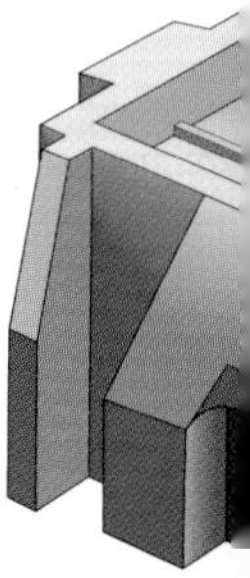

hutte^F

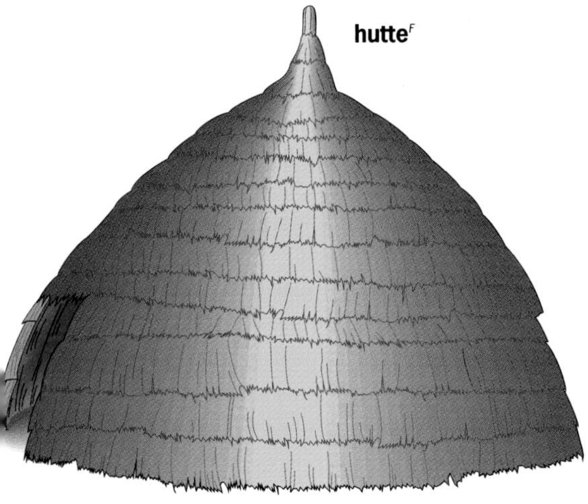

yourte^F

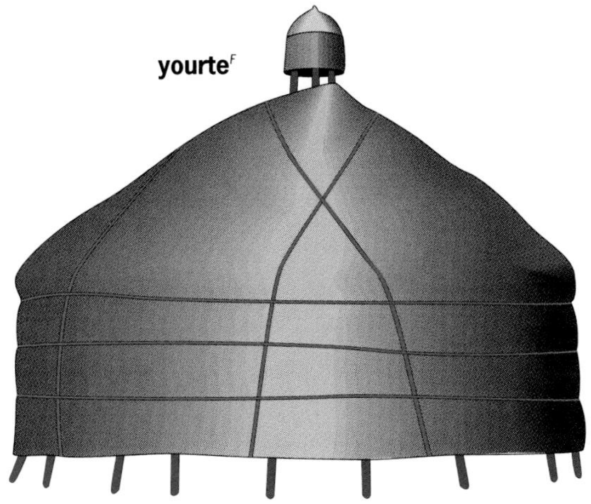

LA MOSQUÉE^F

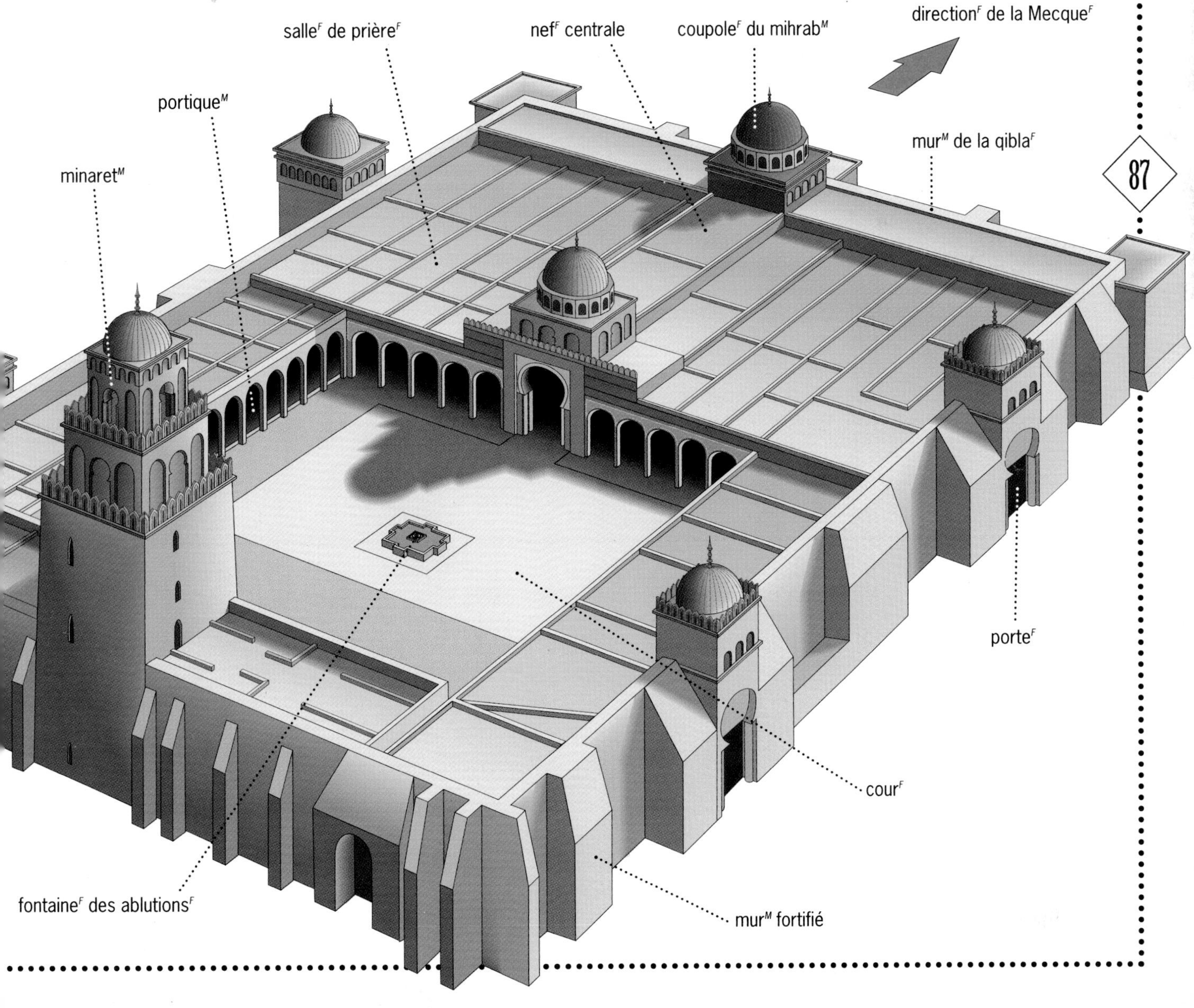

salle^F de prière^F

neff^F centrale

coupole^F du mihrab^M

direction^F de la Mecque^F

portique^M

mur^M de la qibla^F

minaret^M

porte^F

cour^F

fontaine^F des ablutions^F

mur^M fortifié

LE CHÂTEAU^M FORT

mâchicoulis^M

créneau^M

merlon^M

meurtrière^F

parapet^M

chapelle^F

donjon^M

demeure^F seigneuriale

cour^F

chemin^M de ronde^F couvert

tourelle^F

courtine^F

tour^F d'ang

tour^F de flanquement

rempart^M

pont-levis^M

passerelle^F

corps^M de garde^F

bretèche^F

douve^F

palissade^F

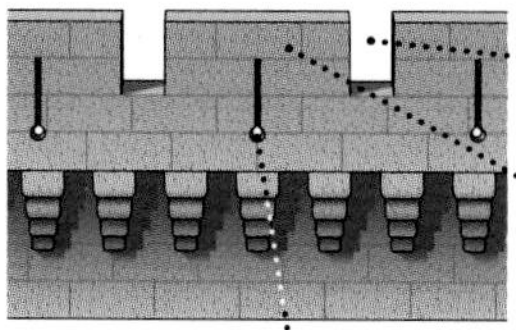

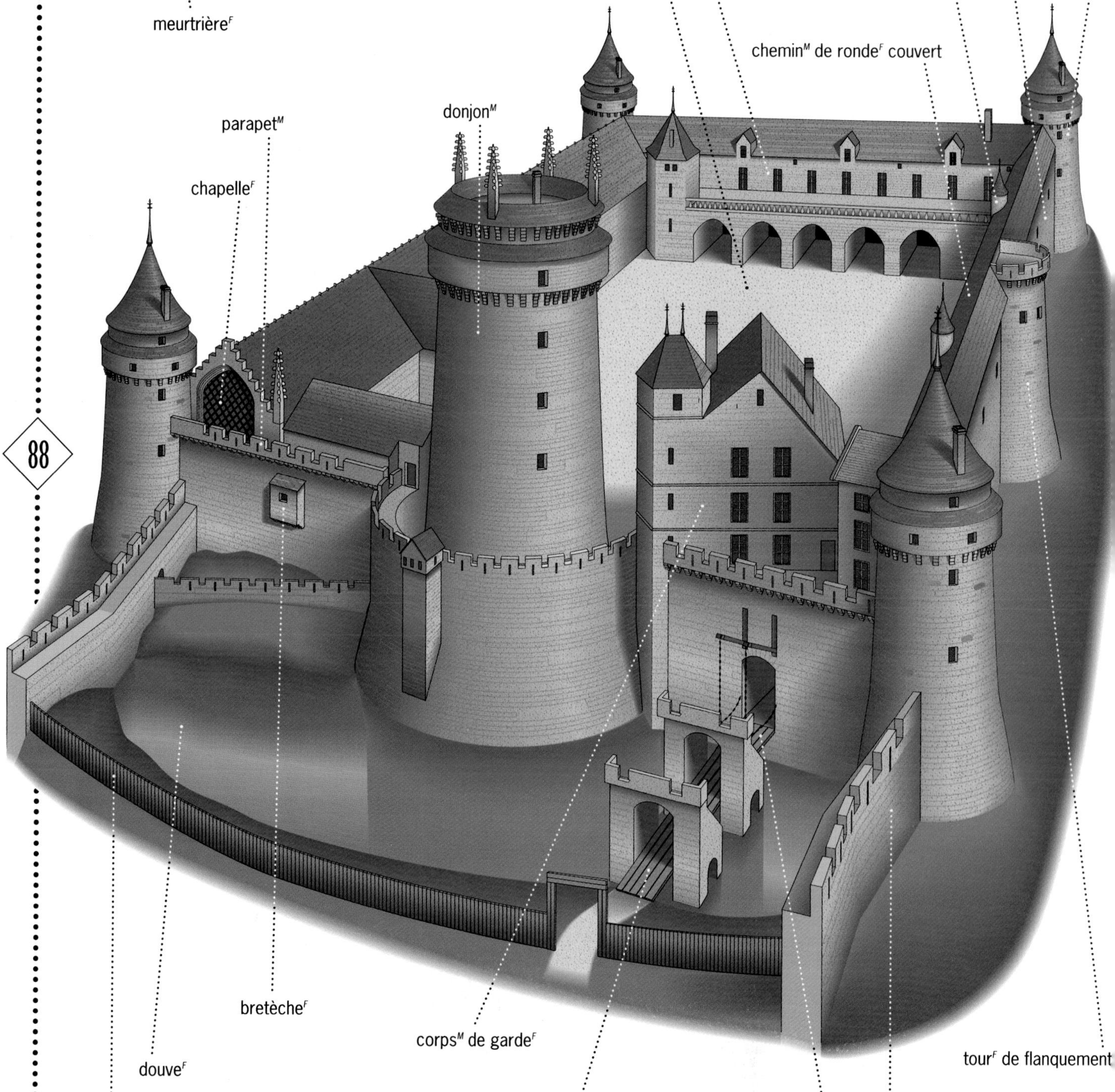

LA CATHÉDRALE^F GOTHIQUE

façade^F

clocher^M

abat-son^M

galerie^F

flèche^F

rose^F

tympan^M

portail^M

clocheton^M

tour^F

nef^F

flèche^F de transept^M

transept^M

chevet^M

arc-boutant^M

chapelle^F latérale

croisée^F

pilier^M

chœur^M

déambulatoire^M

chapelle^F de la Vierge^F

89

LA CATHÉDRALE^F GOTHIQUE

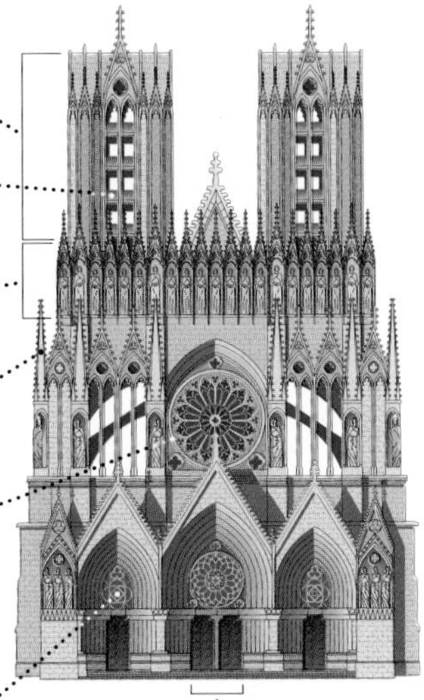

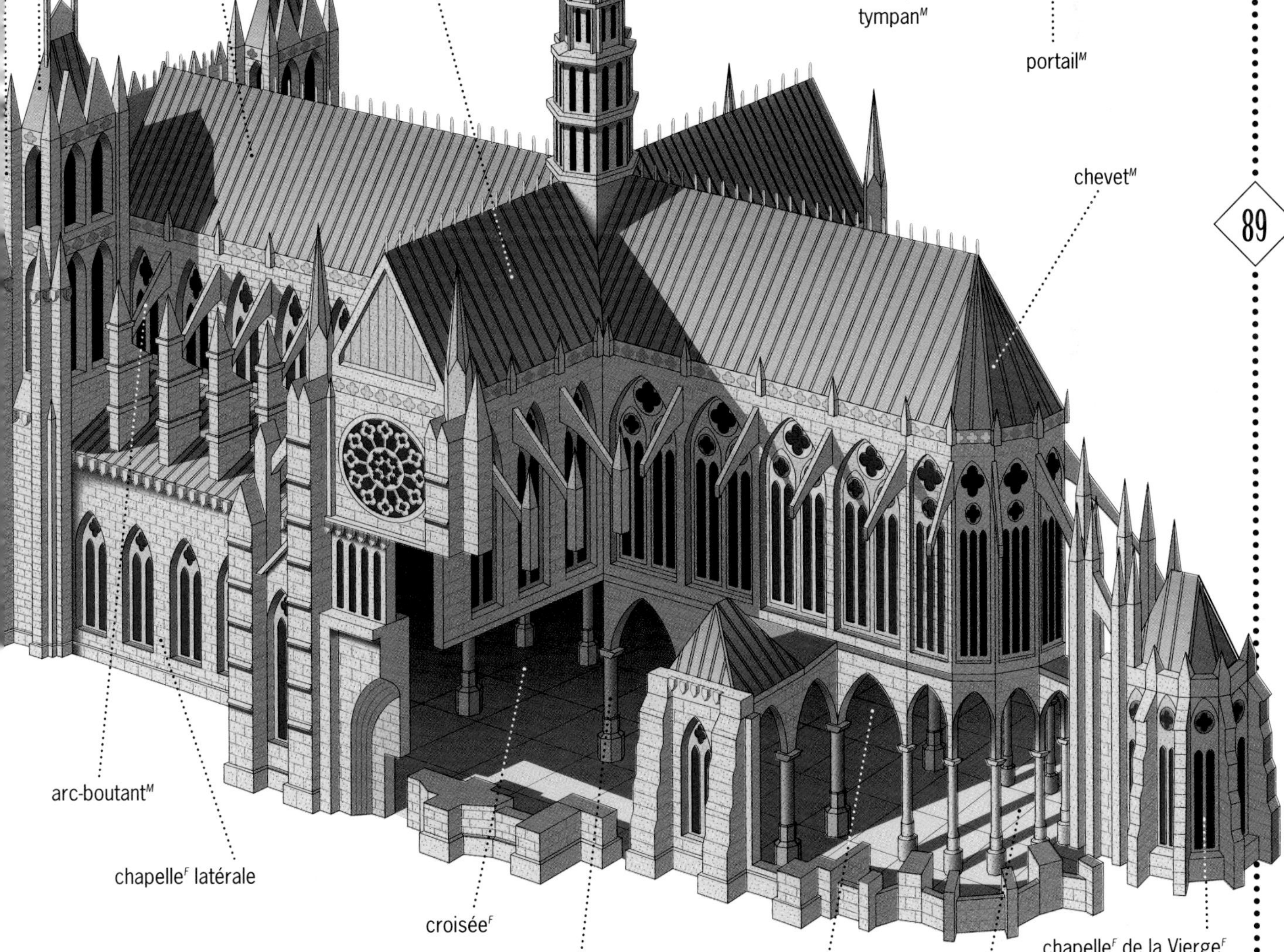

LE CENTRE-VILLE^M

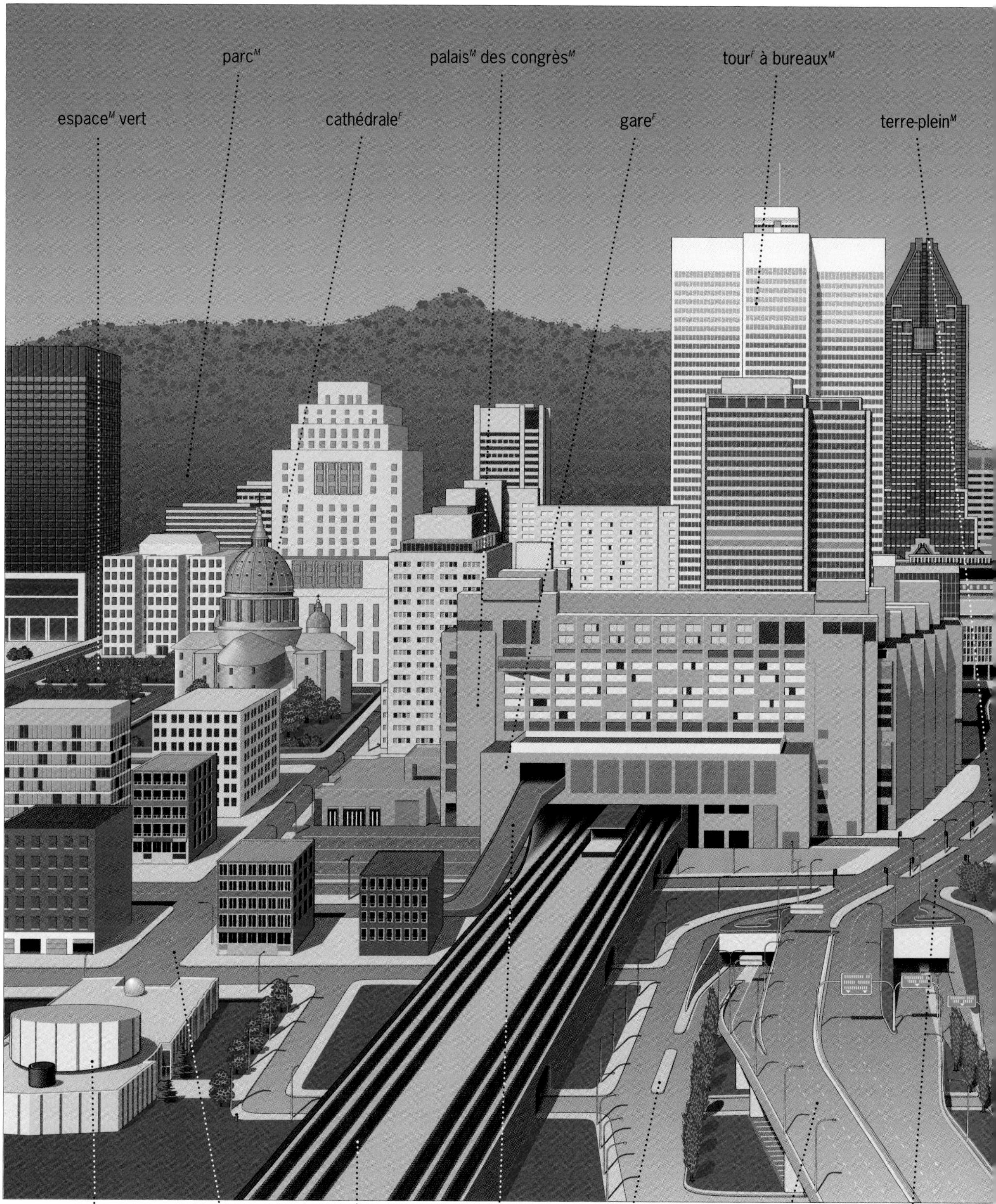

espace^M vert

parc^M

cathédrale^F

palais^M des congrès^M

gare^F

tour^F à bureaux^M

terre-plein^M

planétarium^M

voie^F ferrée

îlot^M refuge^M

boulevard^M

rue^F

rampe^F de livraison^F

autoroute^F

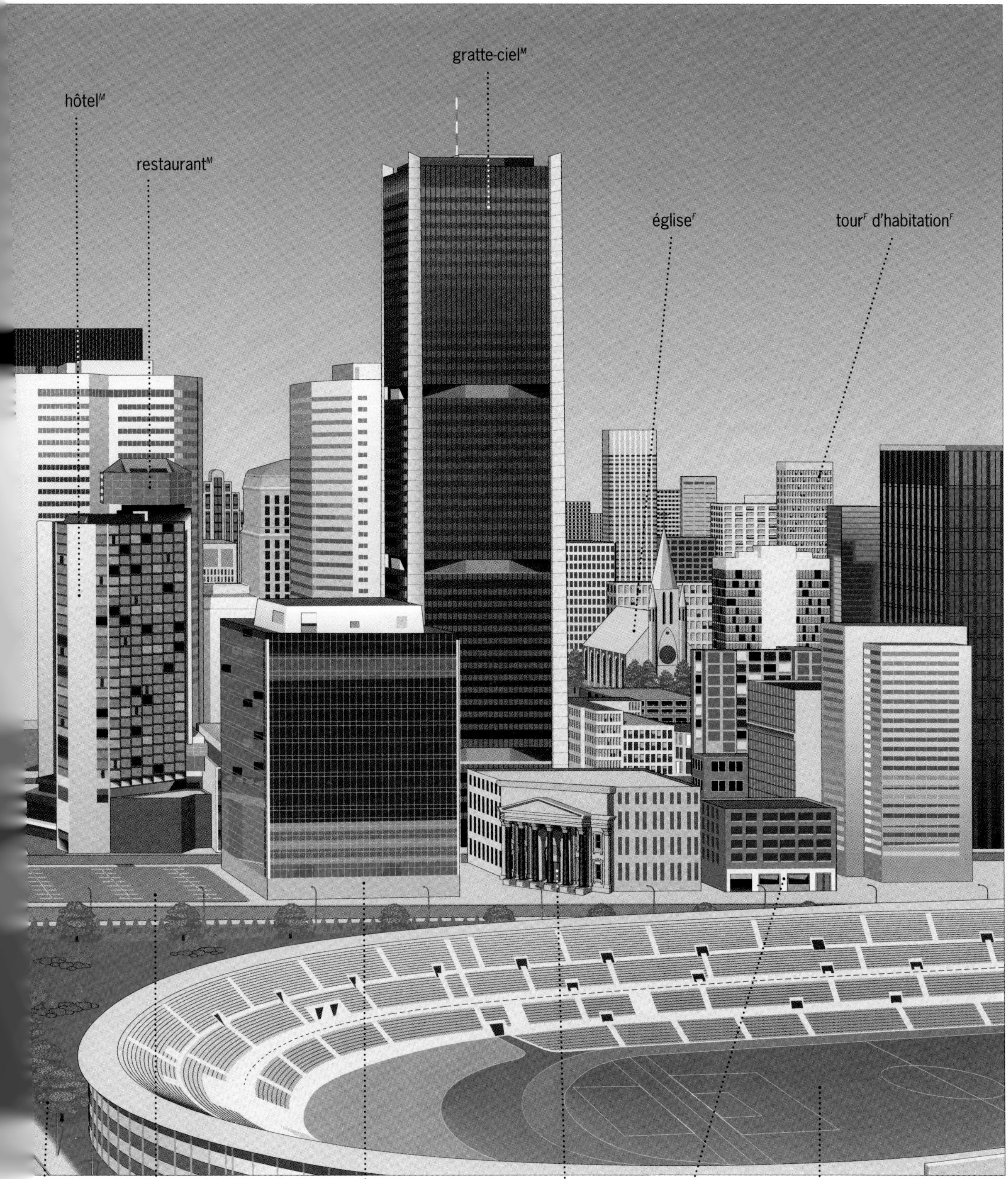

gratte-ciel^M

hôtel^M

restaurant^M

église^F

tour^F d'habitation^F

aire^F de stationnement^M

immeuble^M commercial

immeuble^M à bureaux^M

lampadaire^M

musée^M

stade^M

LA MAISON

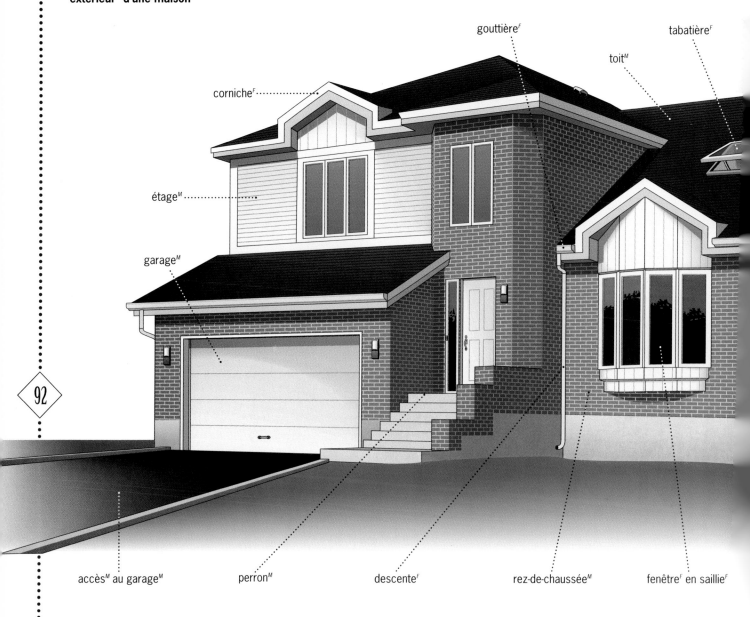

LA MAISON^F

extérieur^M d'une maison^F

gouttière^F

tabatière^F

toit^M

corniche^F

étage^M

garage^M

92

accès^M au garage^M

perron^M

descente^F

rez-de-chaussée^M

fenêtre^F en saillie^F

TYPES^M DE PORTES^F

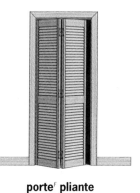

porte^F classique

porte^F accordéon^M

porte^F pliante

cheminée^F

paratonnerre^M

pignon^M

fenêtre^F en baie^F

fenêtre^F de sous-sol^M

sous-sol^M

porte^F coulissante

serrure^F

pêne^M dormant

pêne^M demi-tour^M

serrure^F

écusson^M

bec-de-cane^M

porte^F

corniche^F

linteau^M

chambranle^M

panneau^M

montant^M

traverse^F

serrure^F

poignée^F de porte^F

gond^M

frise^F

seuil^M

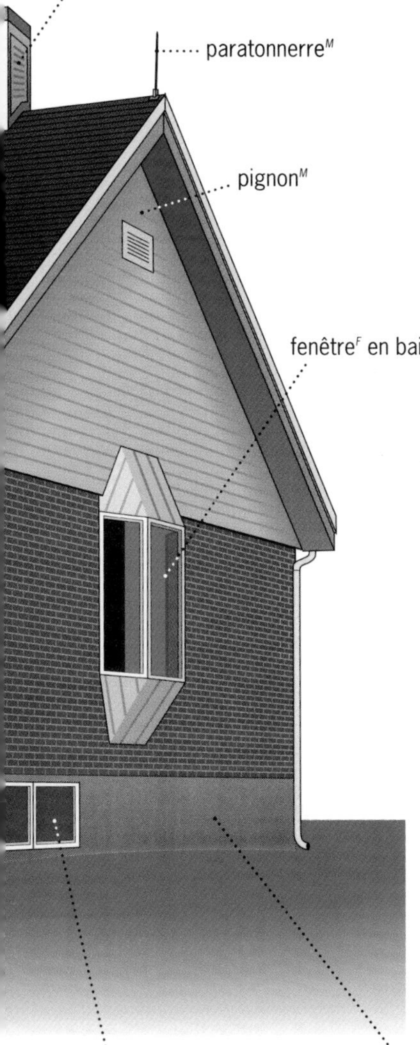

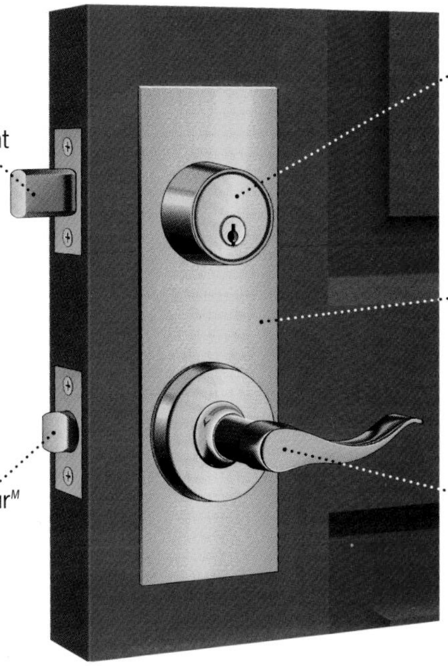

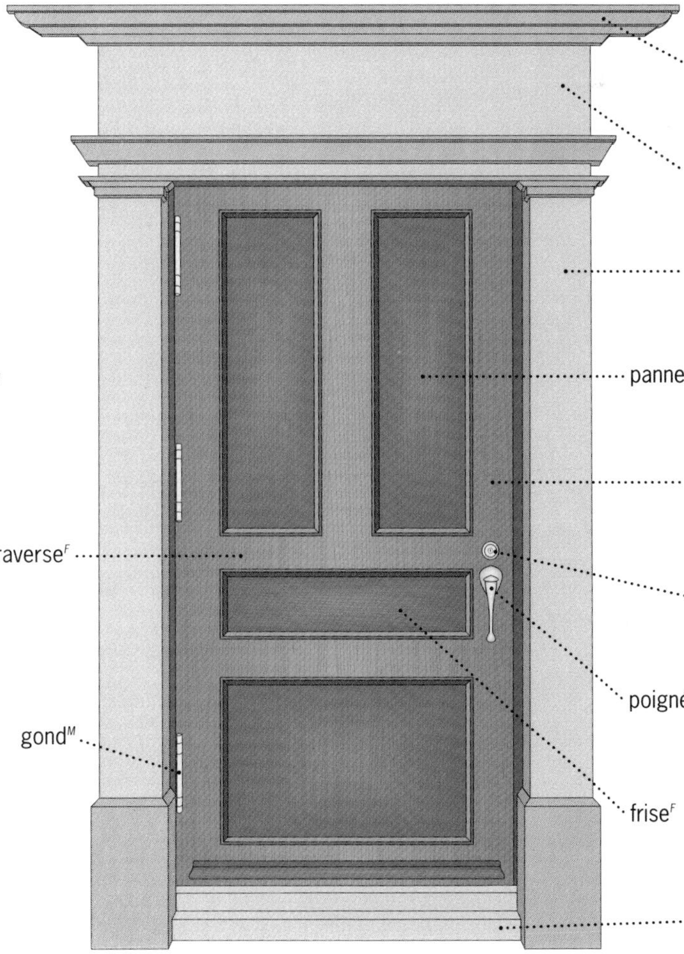

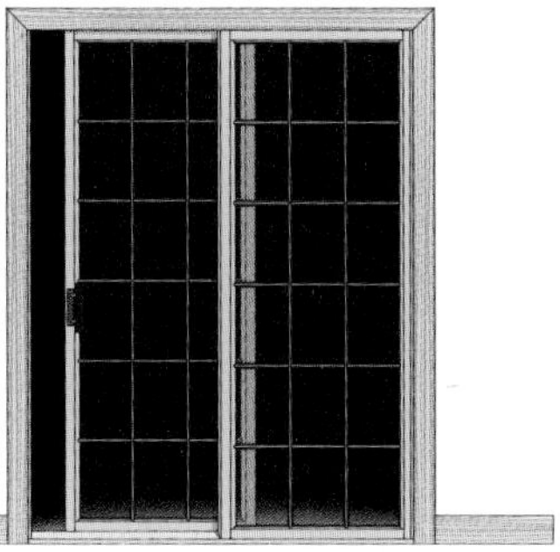

LA MAISON

LA FENÊTRE[F]

petit bois[M]   dormant[M]   traverse[F] supérieure

carreau[M]   persienne[F]

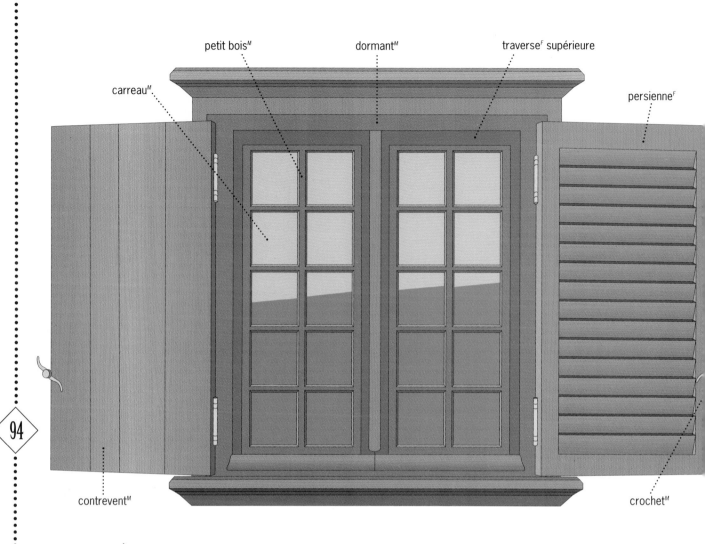

contrevent[M]   crochet[M]

TYPES[M] DE FENÊTRES[F]

fenêtre[F] à la française[F]

fenêtre[F] à l'anglaise[F]

fenêtre[F] basculante

fenêtre[F] coulissante

fenêtre[F] en accordéon[M]

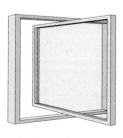
fenêtre[F] pivotante

fenêtre[F] à guillotine[F]

fenêtre[F] à jalousies[F]

94

LE LIT^M

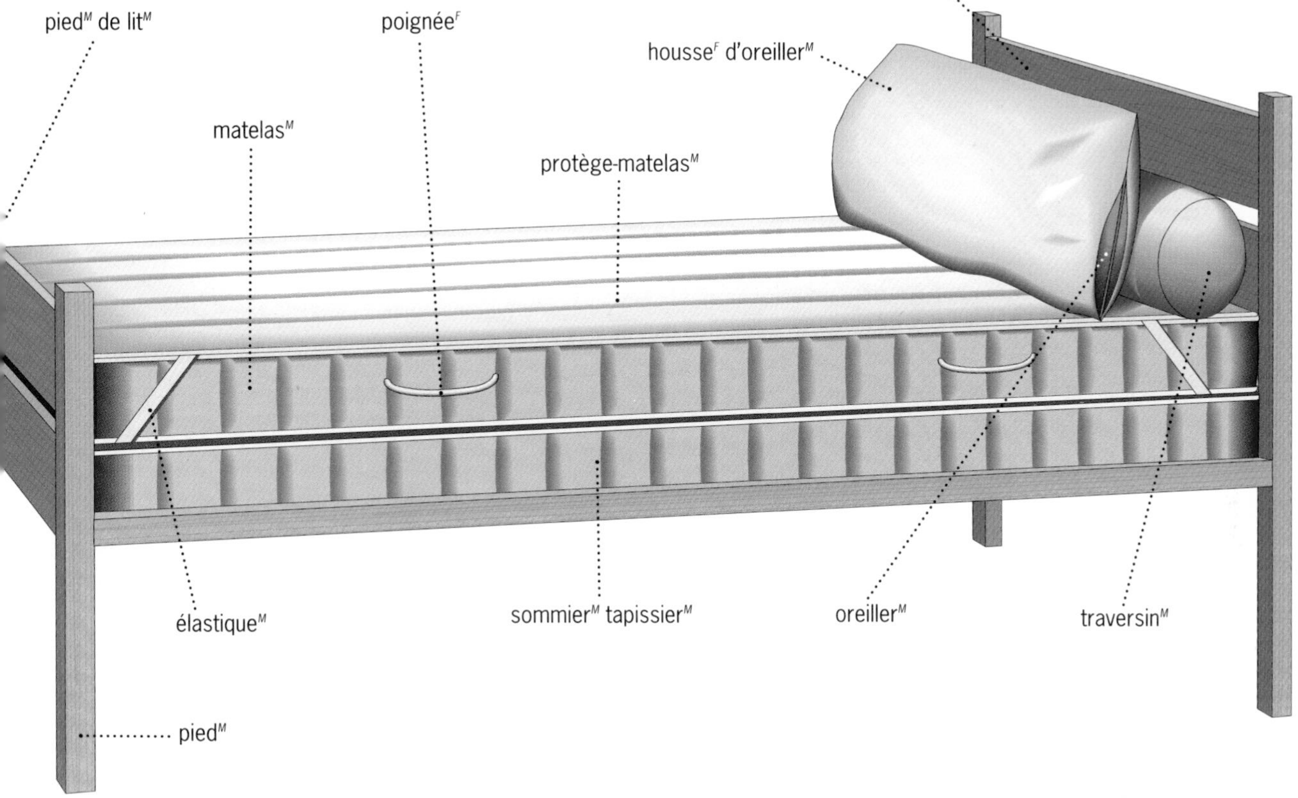

pied^M de lit^M

poignée^F

tête^F de lit^M

housse^F d'oreiller^M

matelas^M

protège-matelas^M

élastique^M

sommier^M tapissier^M

oreiller^M

traversin^M

pied^M

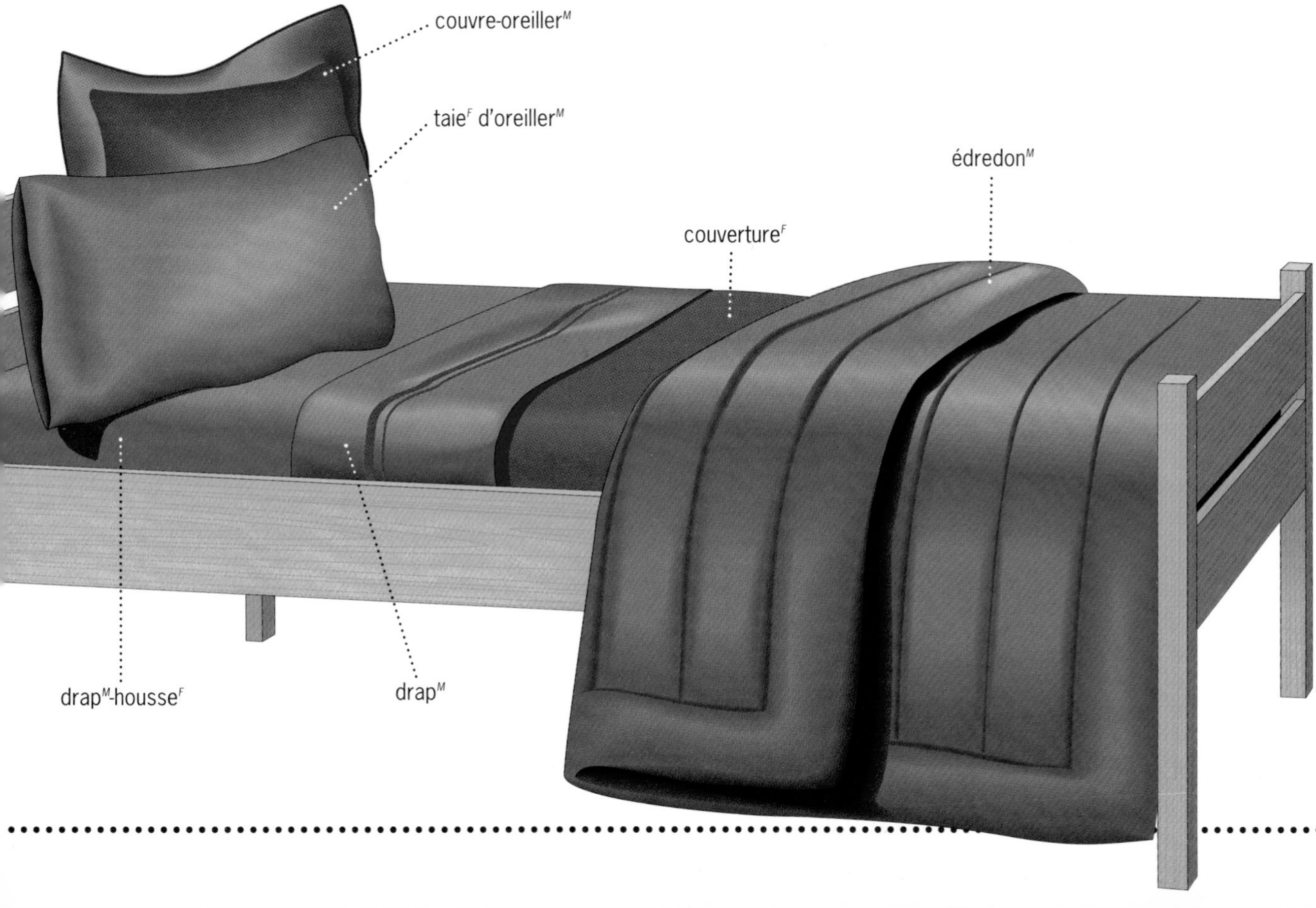

couvre-oreiller^M

taie^F d'oreiller^M

édredon^M

couverture^F

drap^M-housse^F

drap^M

LE LIT^M

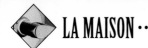

LES SIÈGES[M]

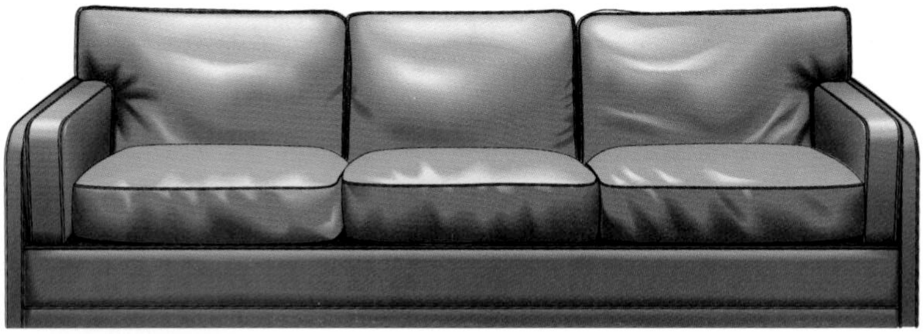

canapé[M]

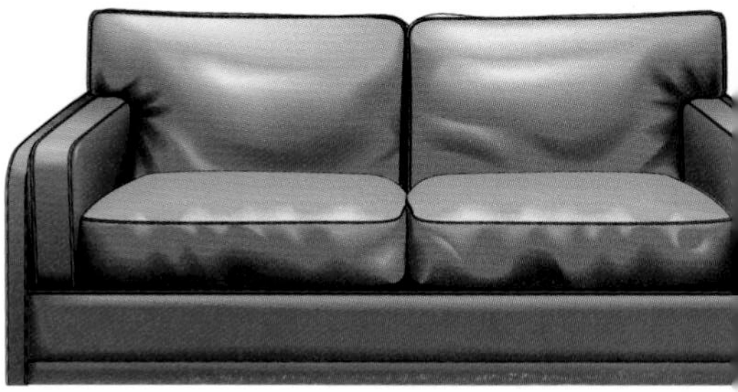

causeuse[F]

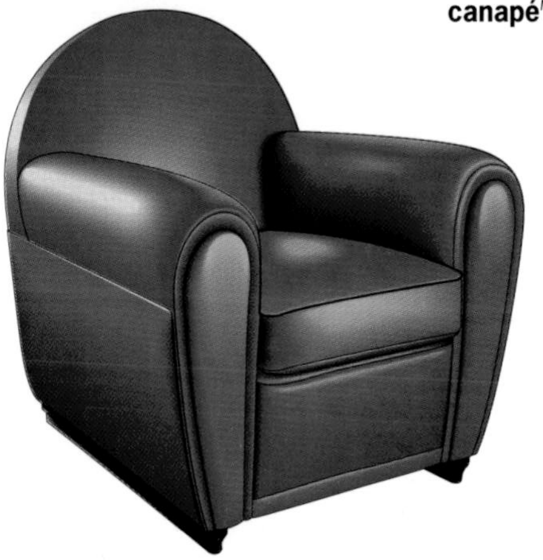

fauteuil[M] club[M]

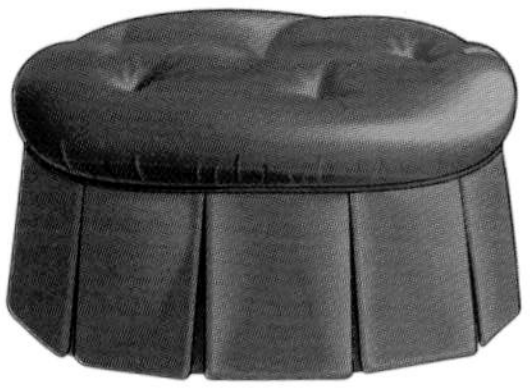

pouf[M]

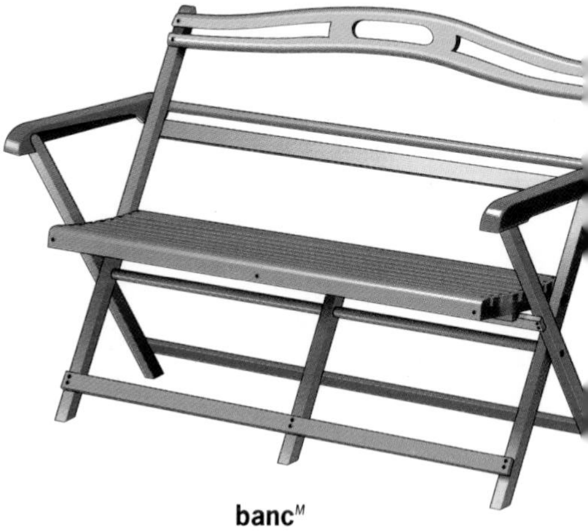

banc[M]

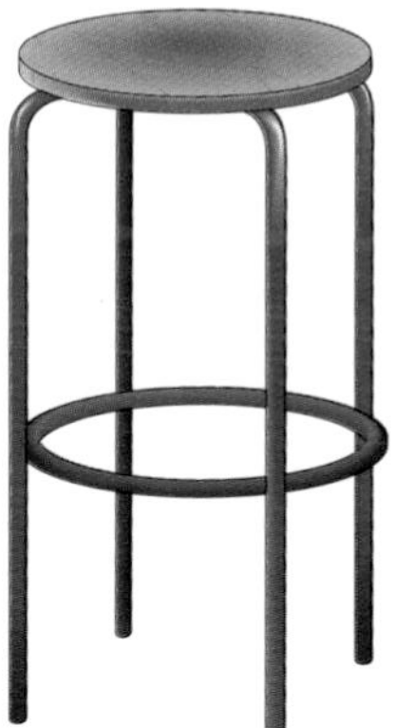

tabouret-bar[M]

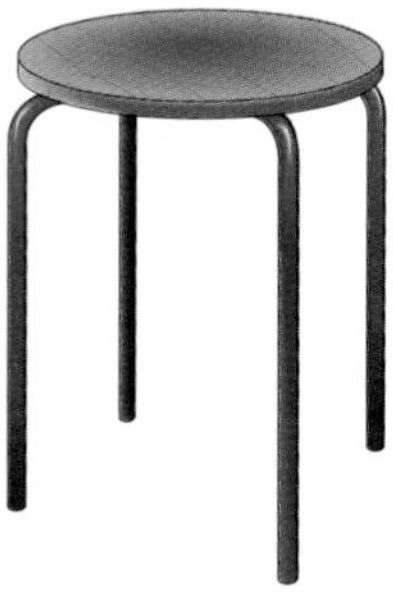

tabouret[M]

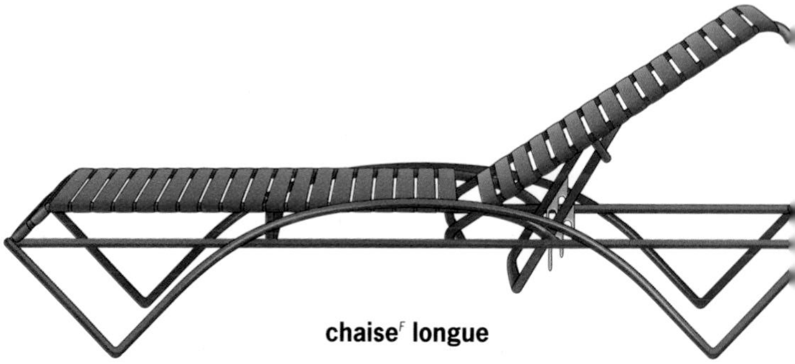

chaise[F] longue

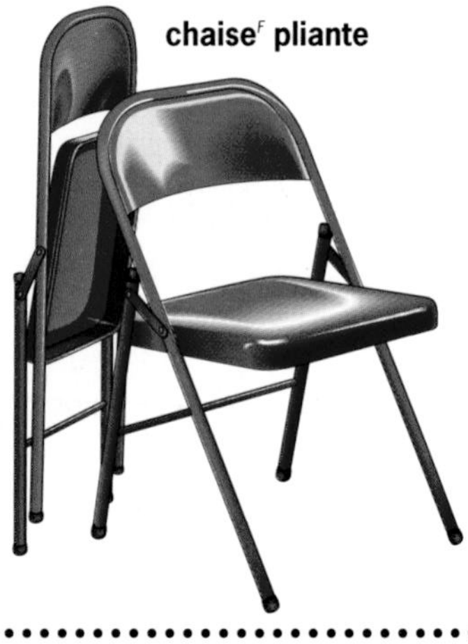

chaise[F] pliante

chaise[F] berçante

chaises[F] empilables

96

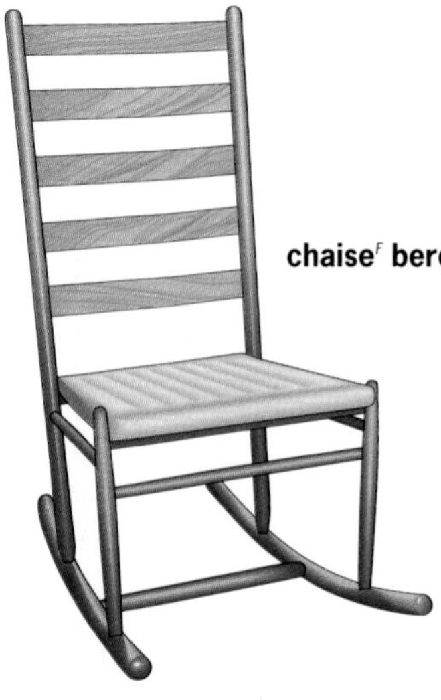

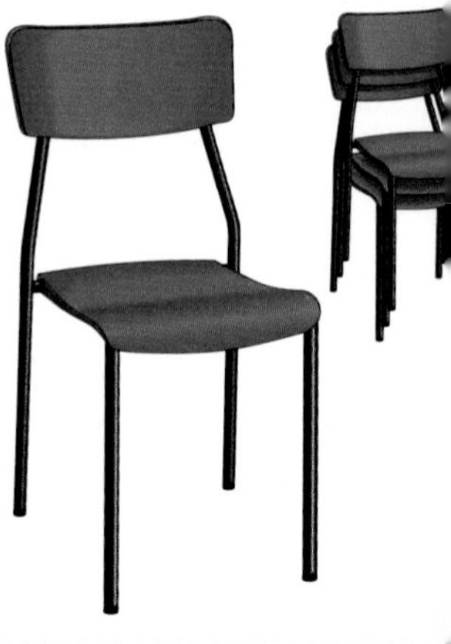

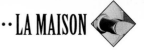

LES SIÈGES^M ET LA TABLE^F

chaise^F

oreille^F

traverse^F

fauteuil^M

dossier^M

montant^M

bras^M

siège^M

ceinture^F

barreau^M

pied^M

piètement^M

97

bouton^M

tiroir^M

plateau^M

table^F

abattant^M

pied^M

entrejambe^M

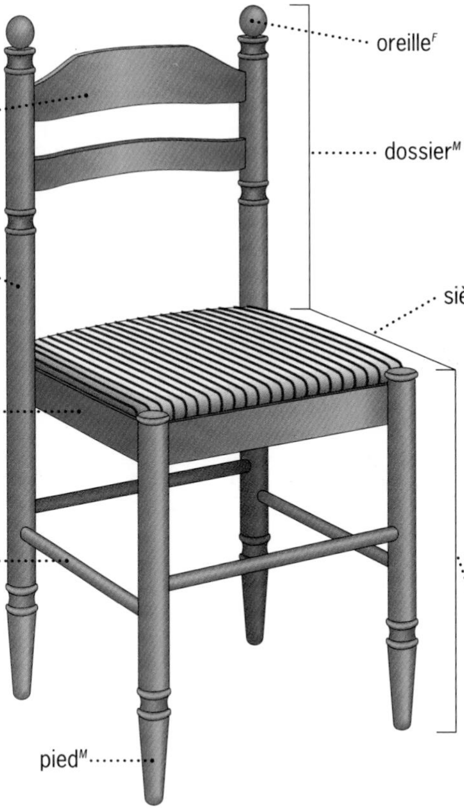

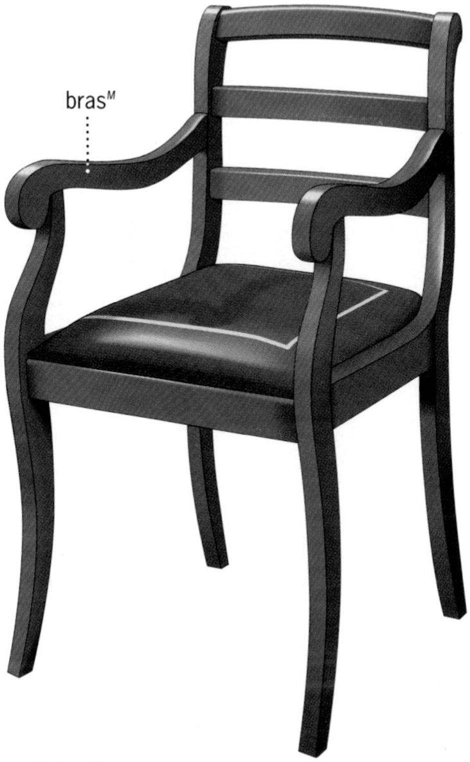

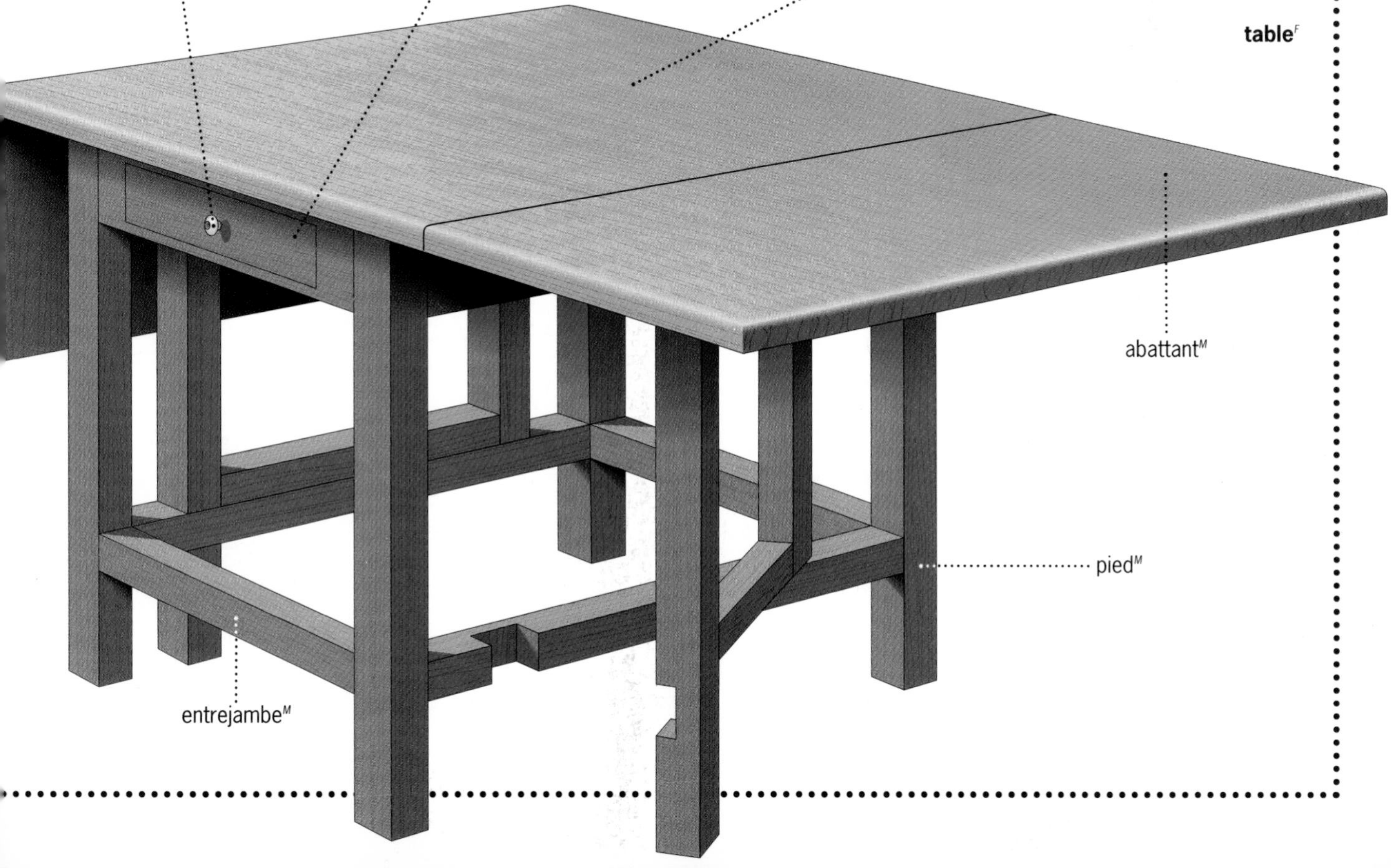

LES LUMINAIRES^M

spot^M

rail^M d'éclairage^M

transformateur^M

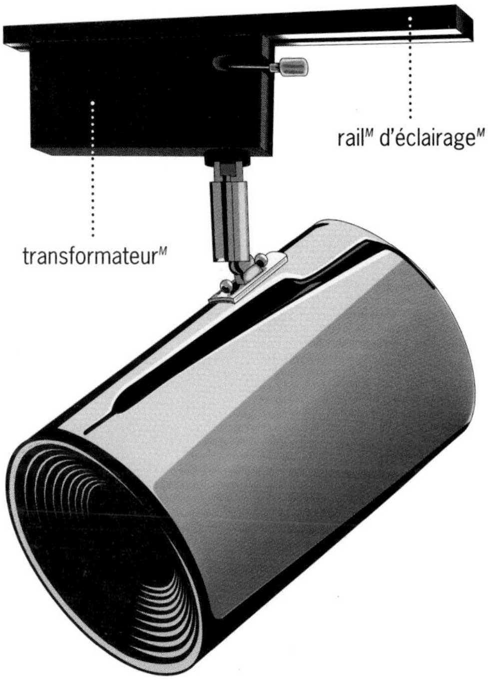

lampadaire^M

plafonnier^M

lampe^F **de table**^F

abat-jour^M

pied^M

suspension^F

applique^F

98

LES LUMINAIRES^M

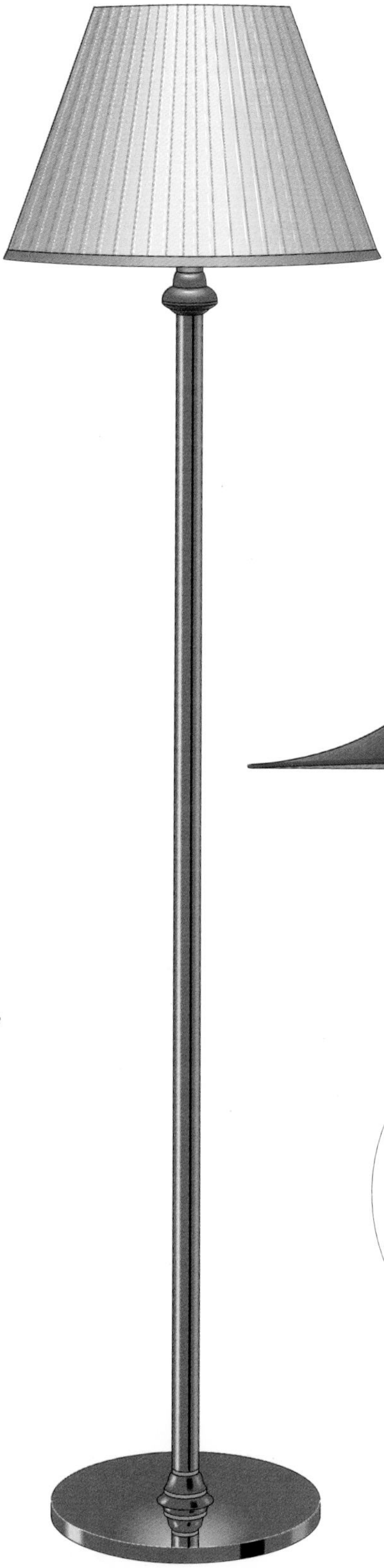

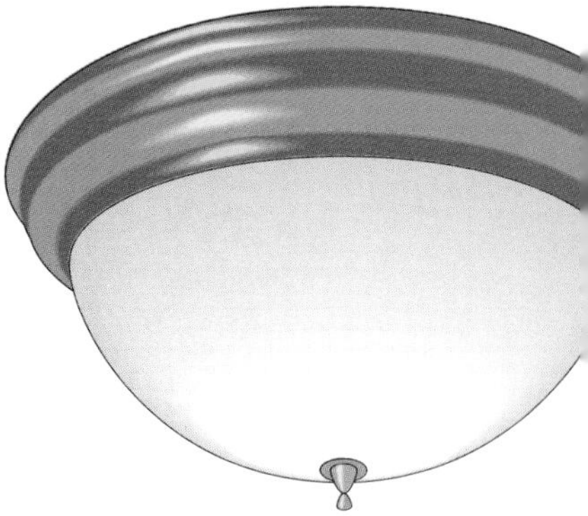

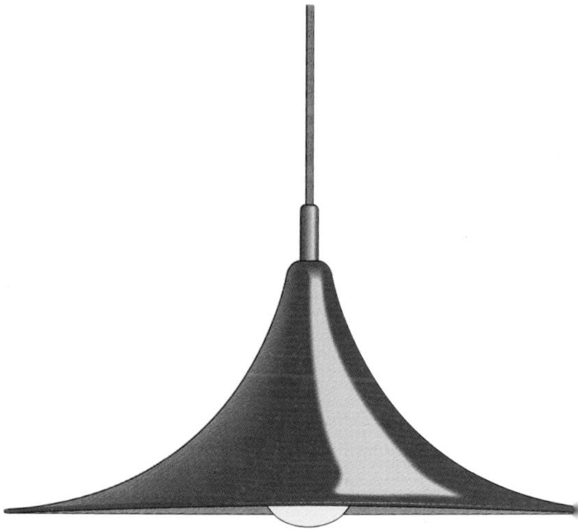

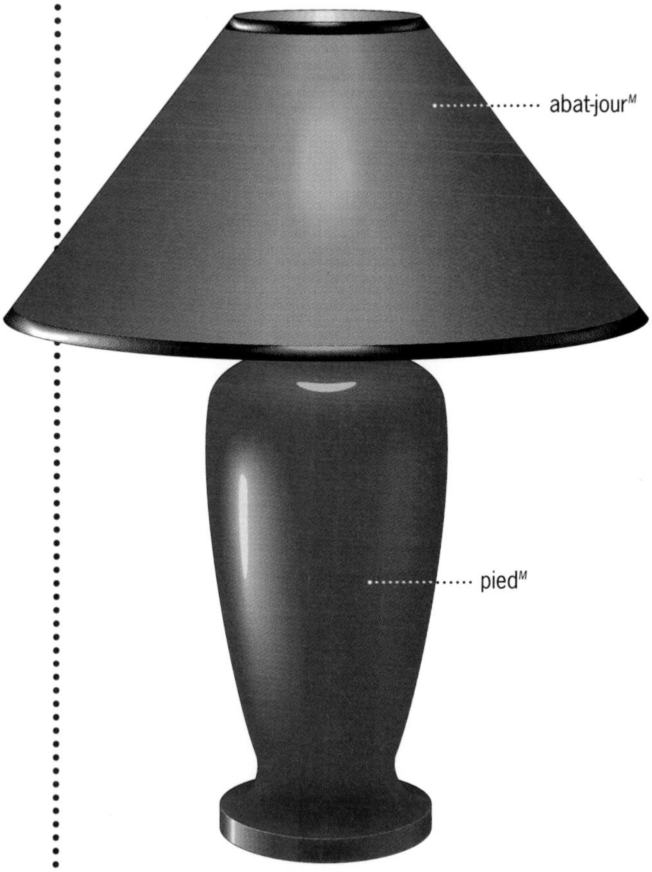

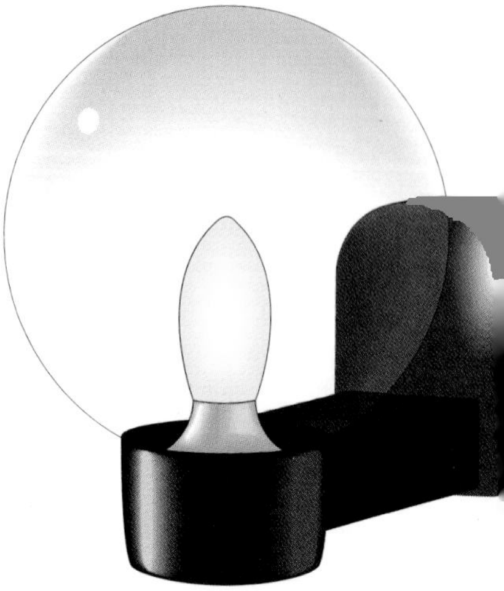

L'ÉCLAIRAGE^M

lampe^F à incandescence^F

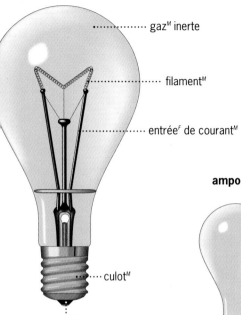

gaz^M inerte

filament^M

entrée^F de courant^M

culot^M

plot^M

lampe^F à halogène^M

broche^F

culot^M

ampoule^F

culot^M à vis^F

culot^M à baïonnette^F

tube^M fluorescent

culot^M à broches^F

gaz^M

couche^F fluorescente

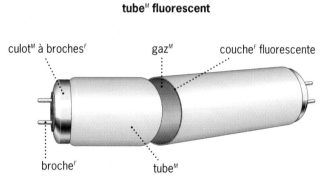

broche^F

tube^M

lampe^F à économie^F d'énergie^F

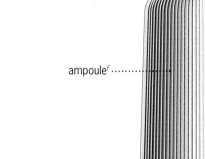

ampoule^F

tube^M fluorescent

boîtier^M

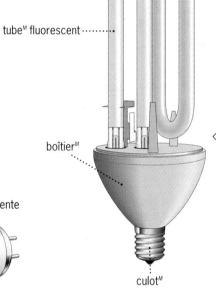

culot^M

fiche^F européenne

couvercle^M

broche^F

fiche^F américaine

lame^F

prise^F de terre^F

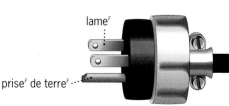

interrupteur^M

prise^F de courant^M

99

LES VERRES^{M}

coupe^{F}
verre^{M} à vin^{M} blanc
verre^{M} à vin^{M} rouge
flûte^{F}
verre^{M} ordinaire
chope^{F}
carafon^{M}
carafe^{F}

LA VAISSELLE^{F}

tasse^{F} à café^{M}
tasse^{F} à thé^{M}
chope^{F} à café^{M}
crémier^{M}
sucrier^{M}
poivrière^{F}
salière^{F}
beurrier^{M}
bol^{M}
assiette^{F} creuse
bol^{M} à salade^{F}
assiette^{F} plate
assiette^{F} à salade^{F}
assiette^{F} à dessert^{M}
saladier^{M}
théière^{F}
cafetière^{F} à piston^{M}
soupière^{F}
pichet^{M}

LE COUVERT^M

couteau^M

dos^M

lame^F

manche^M

tranchant^M

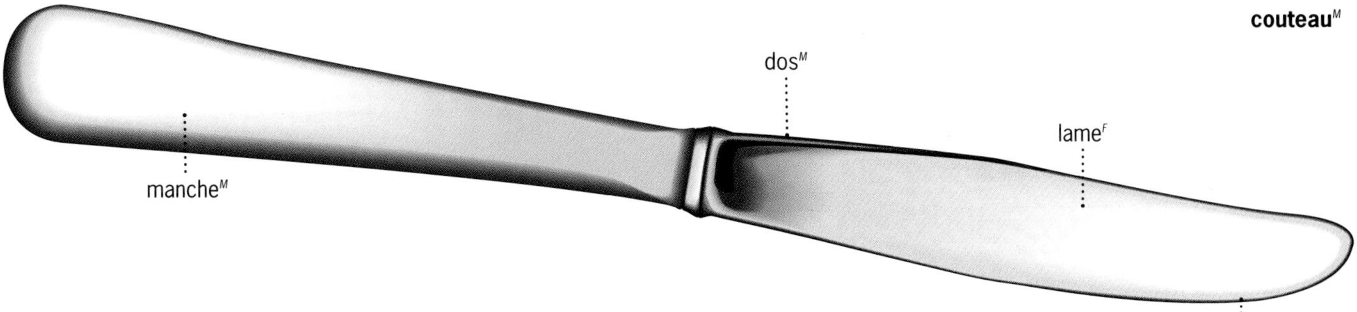

TYPES^M DE COUTEAUX^M

couteau^M à beurre^M

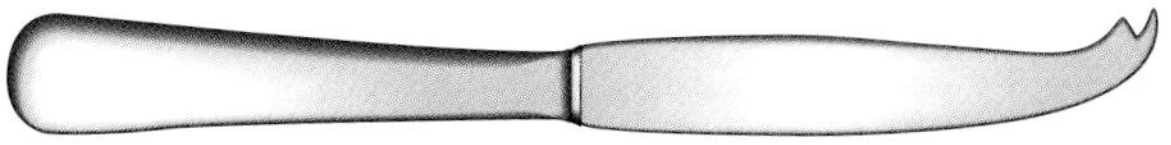

couteau^M à fromage^M

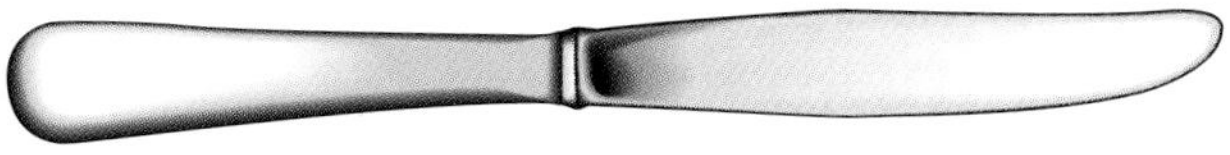

couteau^M de table^F

couteau^M à bifteck^M

fourchette^F

manche^M

dent^F

pointe^F

101

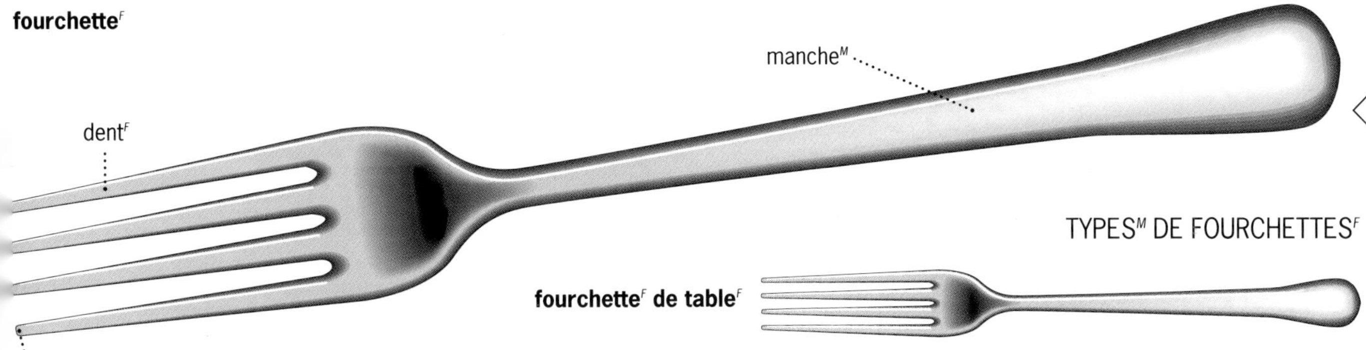

TYPES^M DE FOURCHETTES^F

fourchette^F de table^F

fourchette^F à fondue^F

cuiller^F

manche^M

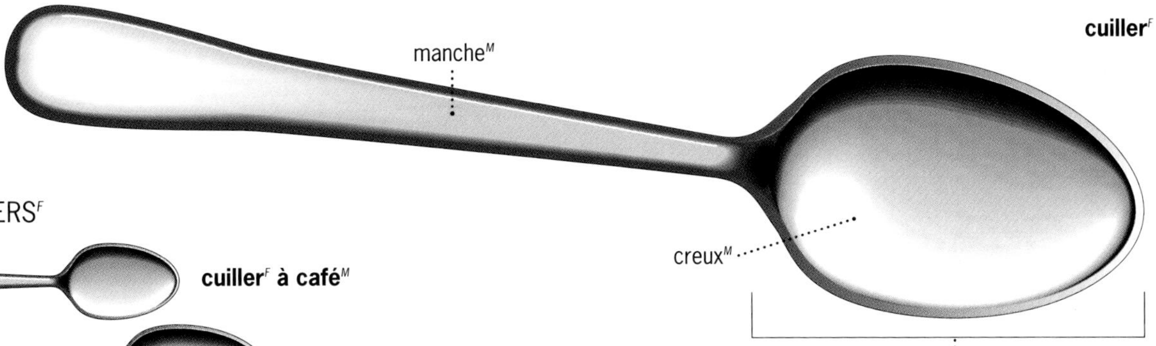

TYPES^M DE CUILLERS^F

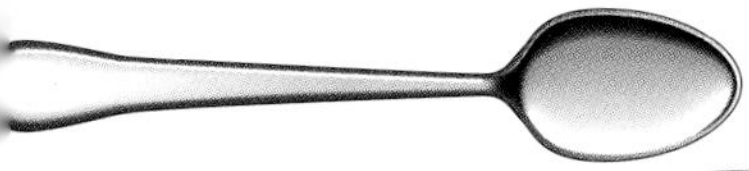

cuiller^F à café^M

cuiller^F à thé^M

creux^M

cuiller^F à soupe^F

cuilleron^M

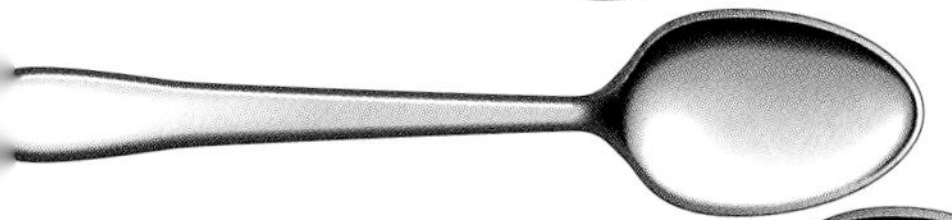

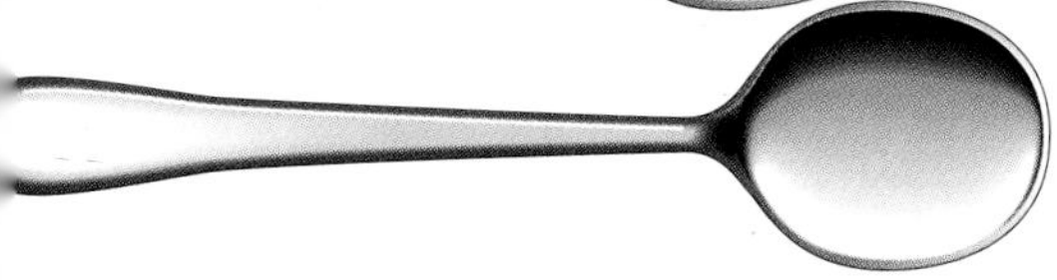

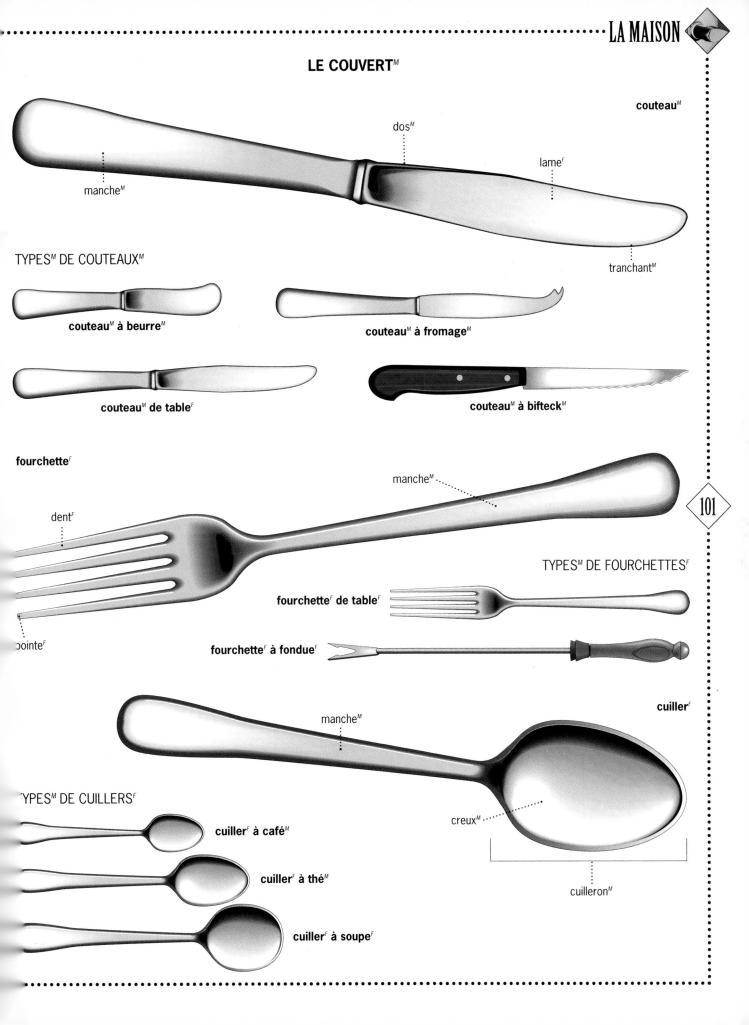

LES USTENSILES^M DE CUISINE^F

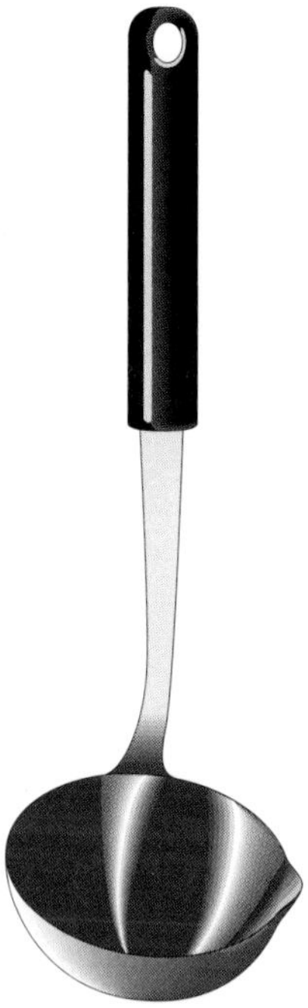

louche^F

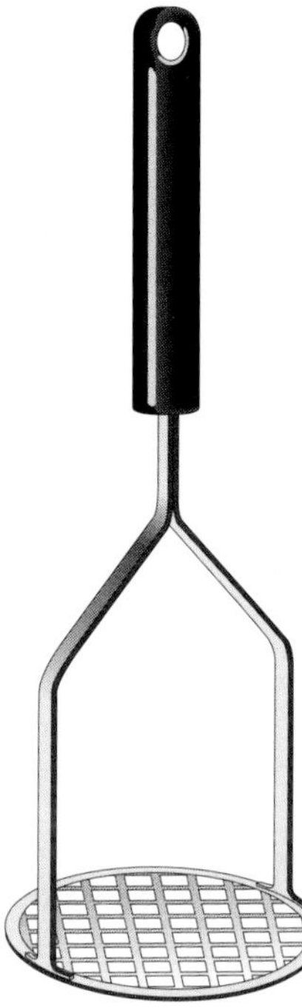

pilon^M

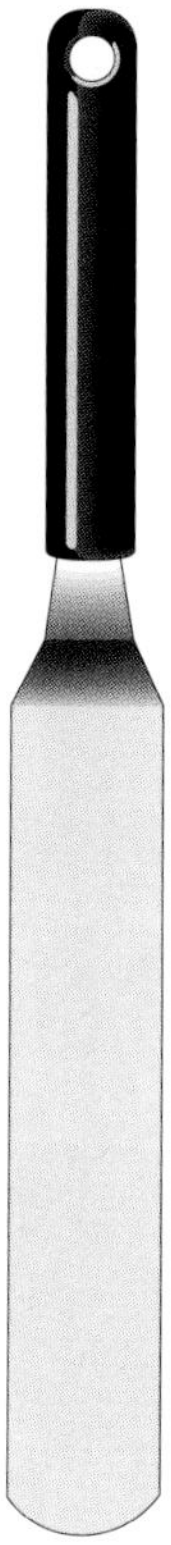

spatule^F

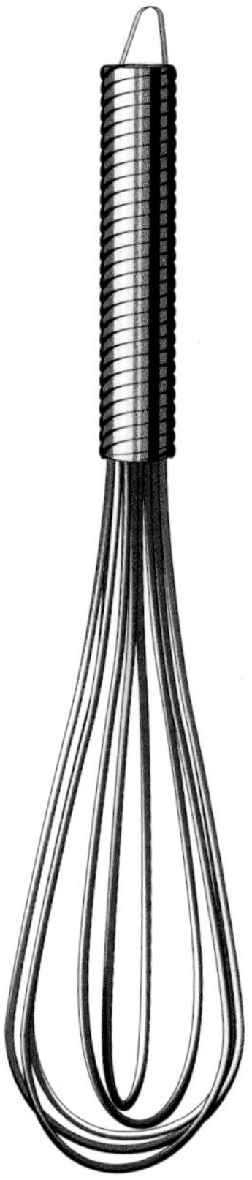

fouet^M

batteur^M à œufs^M

cuillers^F doseuses

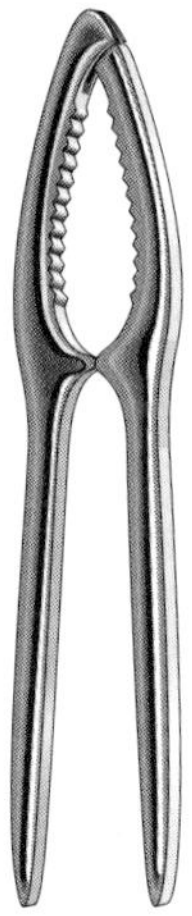

casse-noix^M

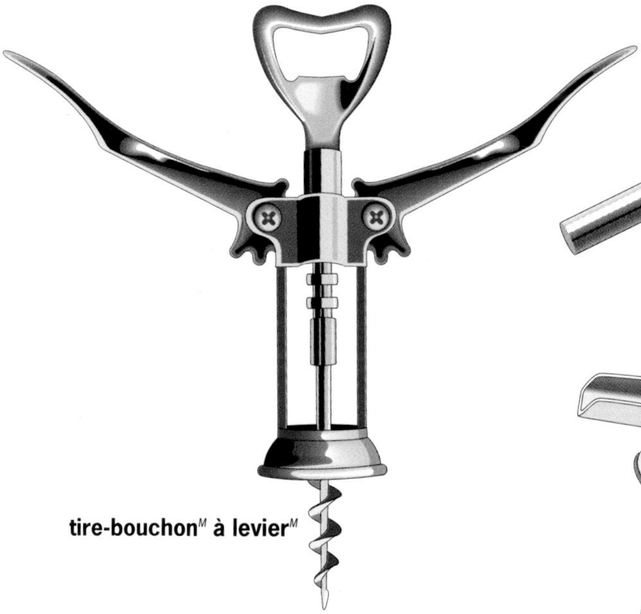

tire-bouchon^M à levier^M

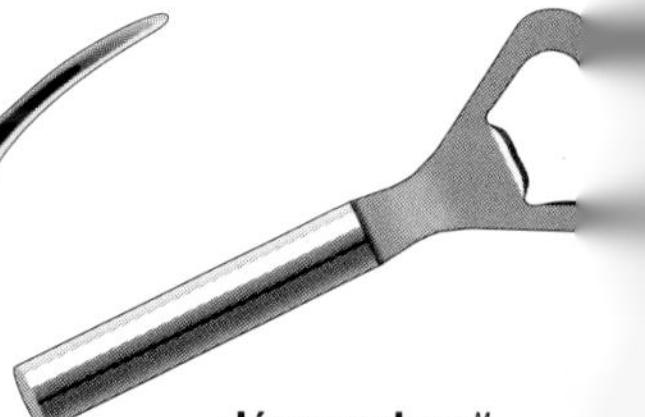

décapsuleur^M

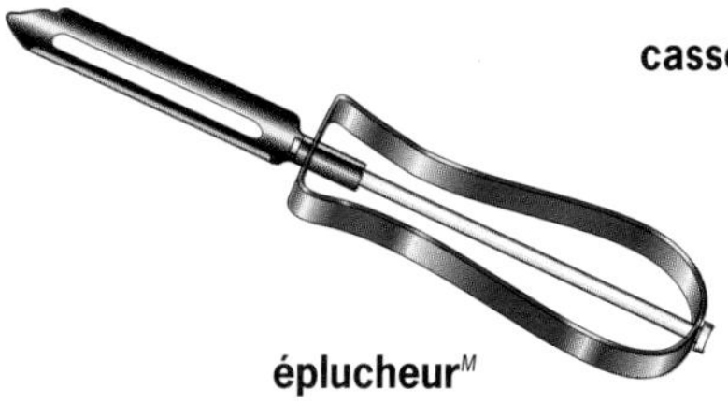

éplucheur^M

rouleau^M à pâtisserie^F

ouvre-boîtes^M

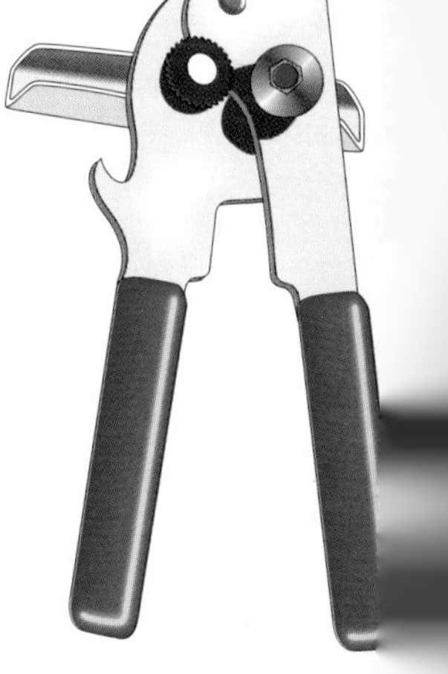

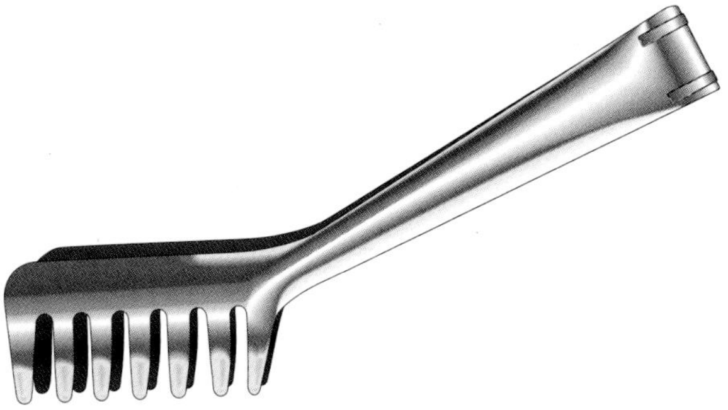

pince^F à spaghettis^M

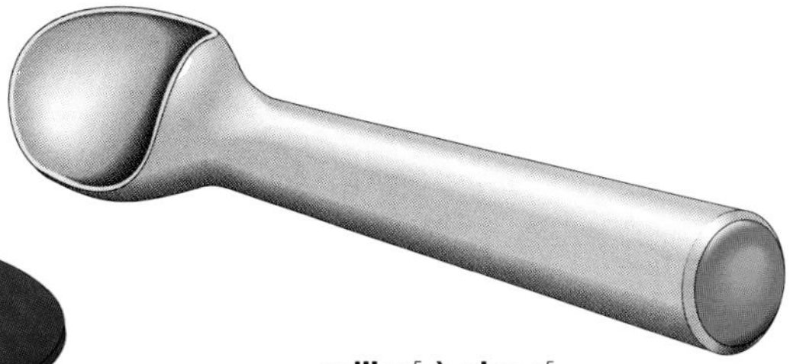

entonnoir^M

cuiller^F à glace^F

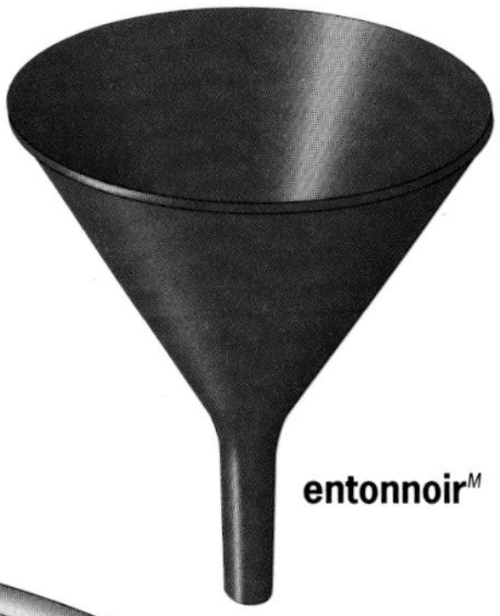

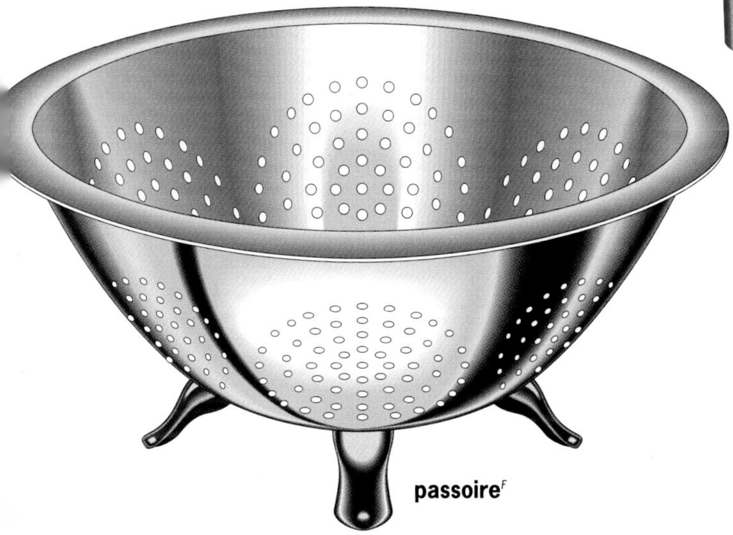

passoire^F

presse-agrumes^M

essoreuse^F à salade^F

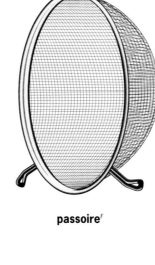

passoire^F

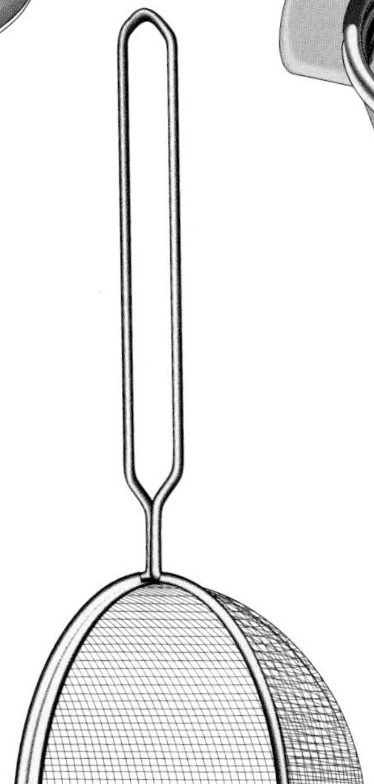

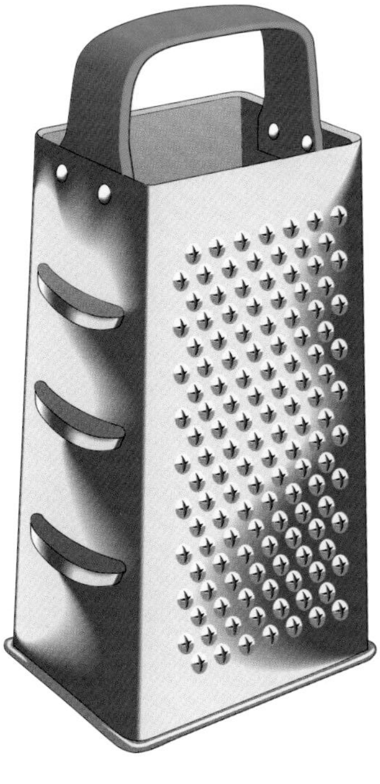

râpe^F

LA BATTERIE^F DE CUISINE^F

sauteuse^F

poêle^F à frire

marmite^F

service^M à fondue^F

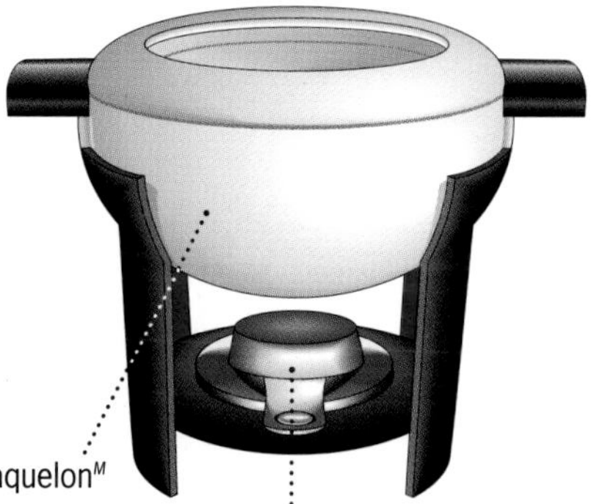

wok^M

caquelon^M

réchaud^M

104

bain-marie^M

casserole^F

étuveuse^F

plats^M à four^M

autocuiseur^M

régulateur^M de pression^F

soupape^F

LES APPAREILS^M ÉLECTROMÉNAGERS

cafetière^F filtre^M

réservoir^M

panier^M

verseuse^F

plaque^F chauffante

interrupteur^M

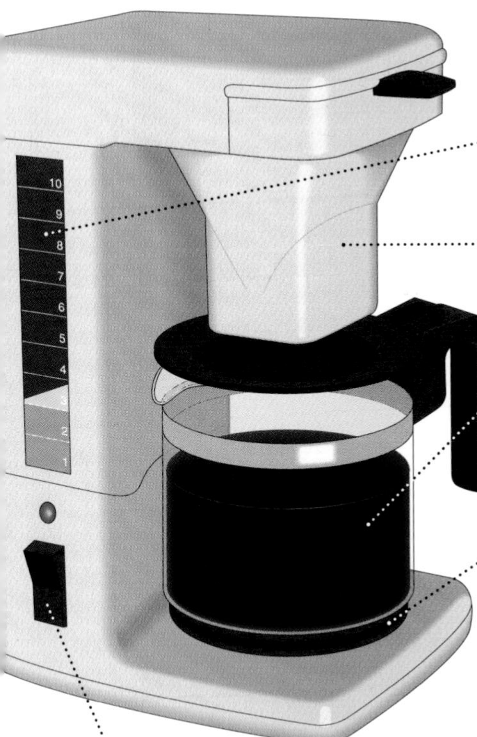

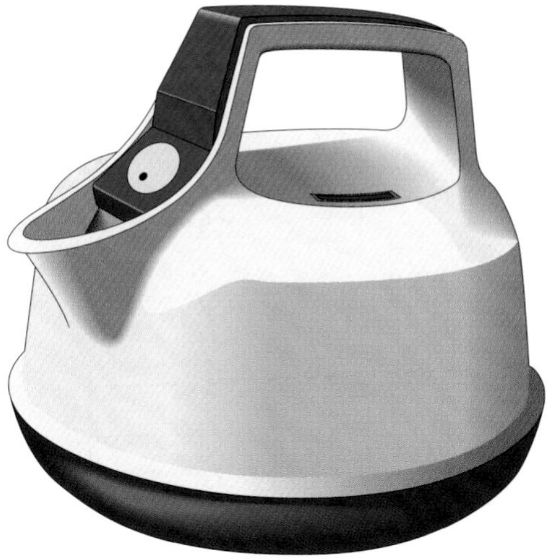

bouilloire^F

batteur^M à main^F

éjecteur^M de fouets^M

commande^F de vitesse^F

fouet^M

mélangeur^M

mélangeur^M à main^F

récipient^M

couteau^M

bouton^M-poussoir^M

grille-pain^M

fente^F

manette^F

thermostat^M

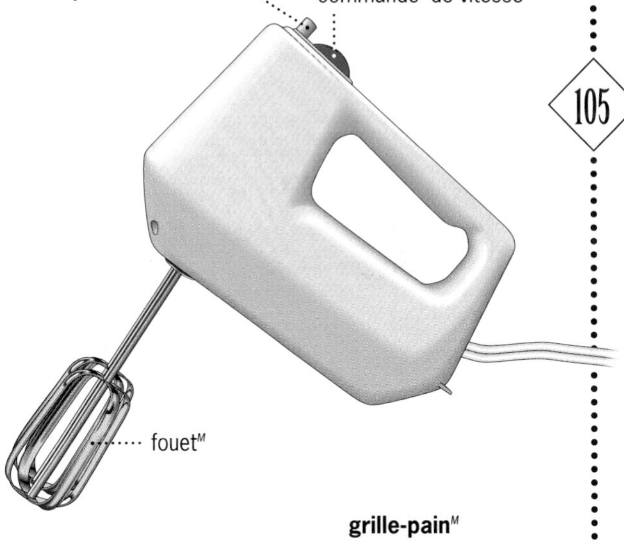

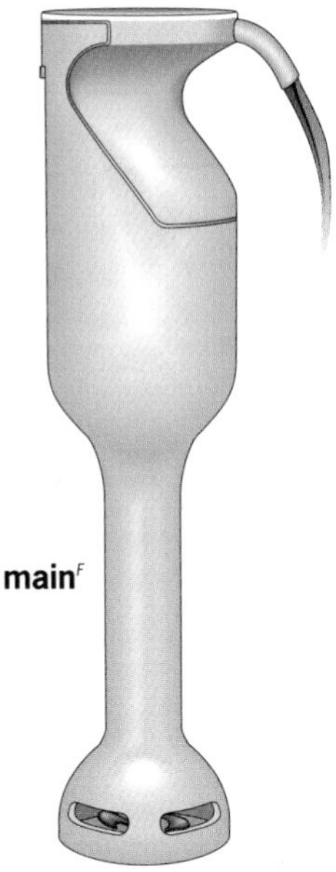

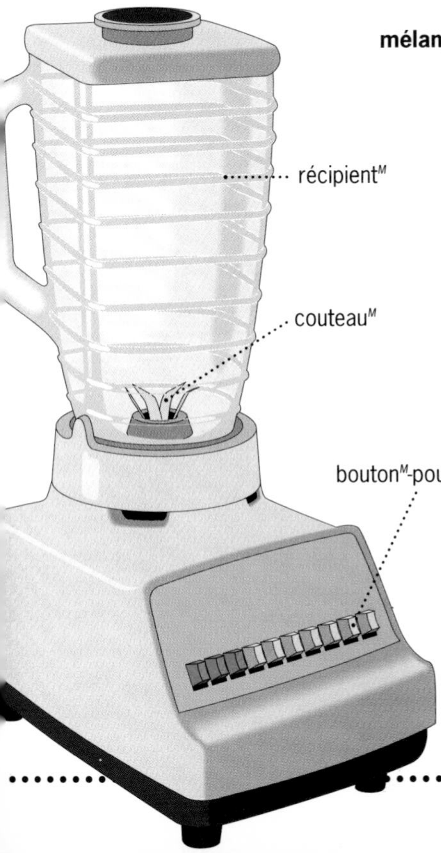

LE RÉFRIGÉRATEUR^M

bac^M à glaçons^M

œufrier^M

casier^M laitier

congélateur^M

commande^F de température^F

casier^M à beurre^M

bac^M à viande^F

bac^M à légumes^M

réfrigérateur^M

barre^F de retenue^F

tablette^F de verre^M

clayette^F

porte^F étagère^F

LES APPAREILS^M DE CUISSON^F

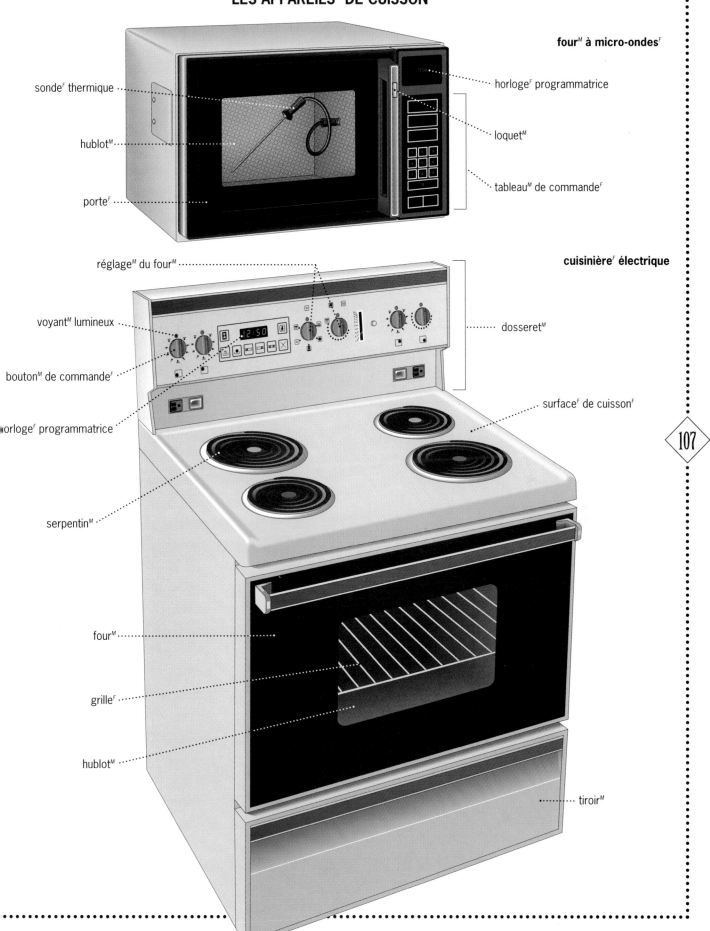

four^M à micro-ondes^F

sonde^F thermique

hublot^M

porte^F

horloge^F programmatrice

loquet^M

tableau^M de commande^F

cuisinière^F électrique

réglage^M du four^M

voyant^M lumineux

bouton^M de commande^F

horloge^F programmatrice

dosseret^M

surface^F de cuisson^F

serpentin^M

four^M

grille^F

hublot^M

tiroir^M

107

LES OUTILS^M DE BRICOLAGE^M

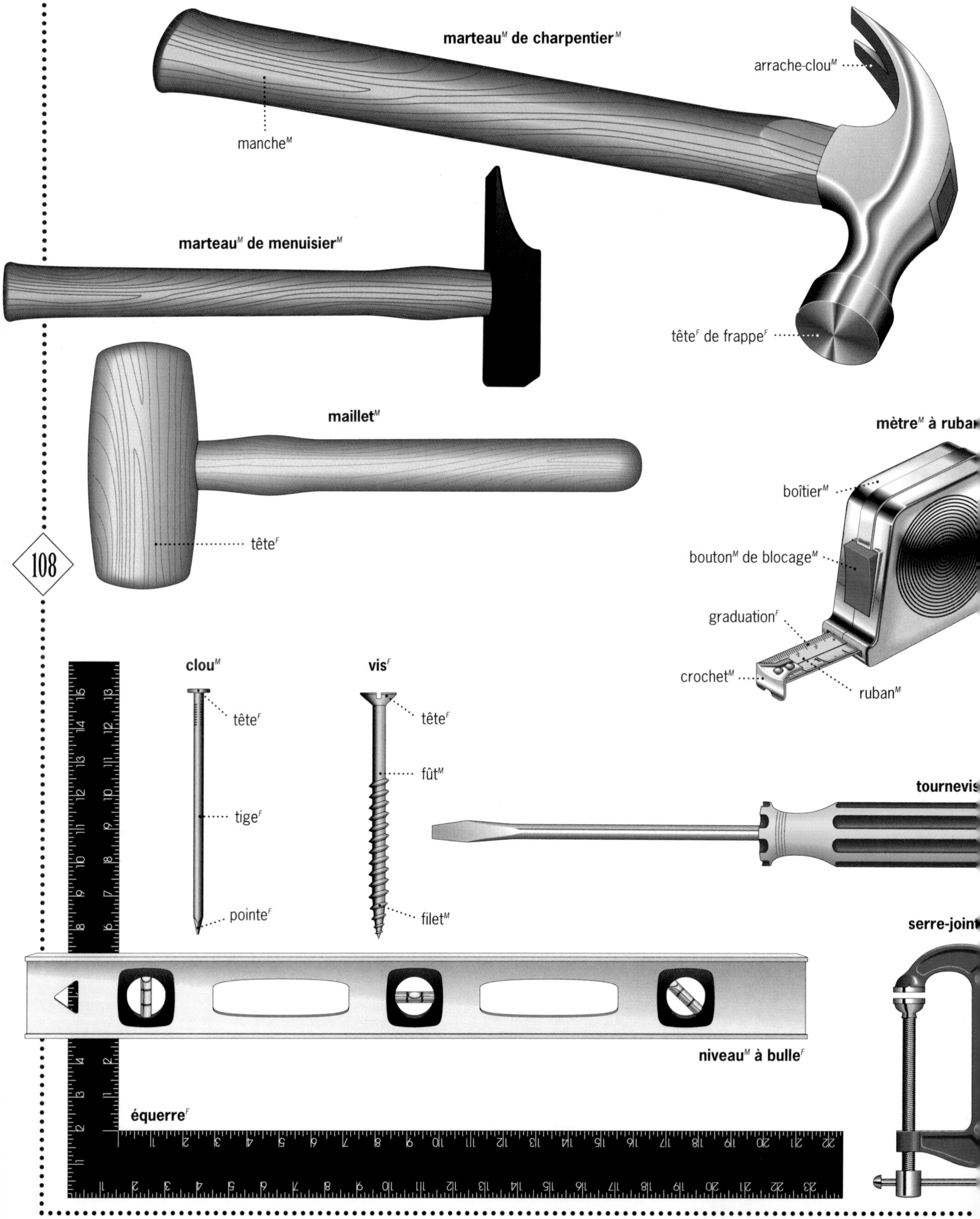

marteau^M de charpentier^M

arrache-clou^M

manche^M

marteau^M de menuisier^M

tête^F de frappe^F

maillet^M

mètre^M à ruban

boîtier^M

bouton^M de blocage^M

graduation^F

crochet^M

ruban^M

tête^F

clou^M

vis^F

tête^F

tête^F

fût^M

tige^F

tournevis

pointe^F

filet^M

serre-joint

niveau^M à bulle^F

équerre^F

108

scie^F égoïne

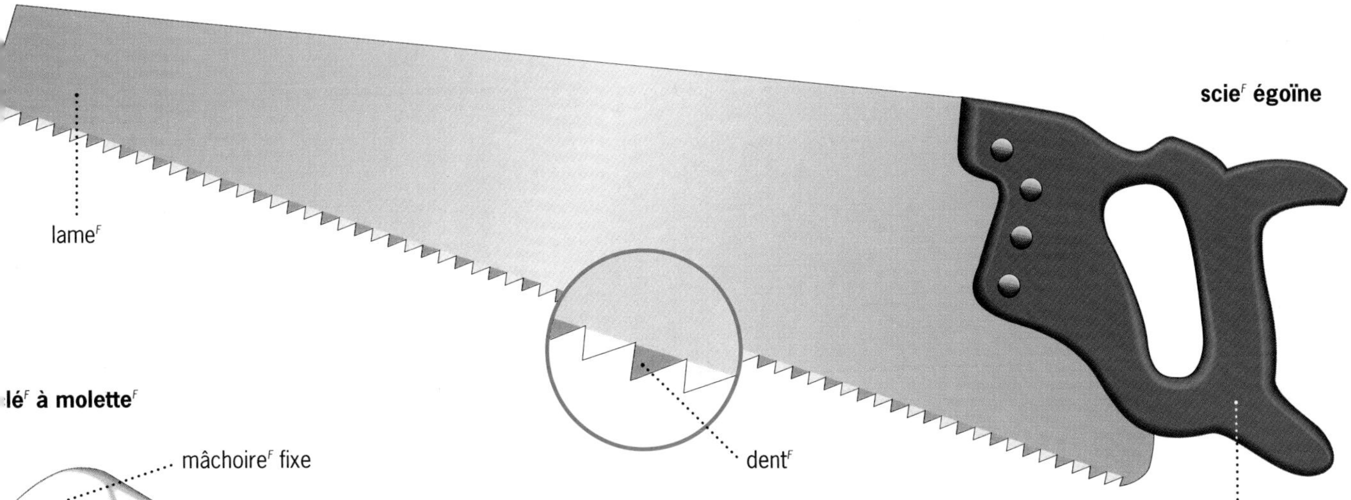

lame^F

lé^F à molette^F

mâchoire^F fixe

dent^F

poignée^F

molette^F

manche^M

âchoire^F mobile

pince^F-étau^M

ressort^M

levier^M

vis^F de réglage^M

levier^M de dégagement^M

mâchoire^F

109

pince^F multiprise

boulon^M

écrou^M

cran^M de réglage^M

tête^F

tige^F filetée

pince^F à long bec^M

pince^F motoriste

branche^F

joint^M à coulisse^F

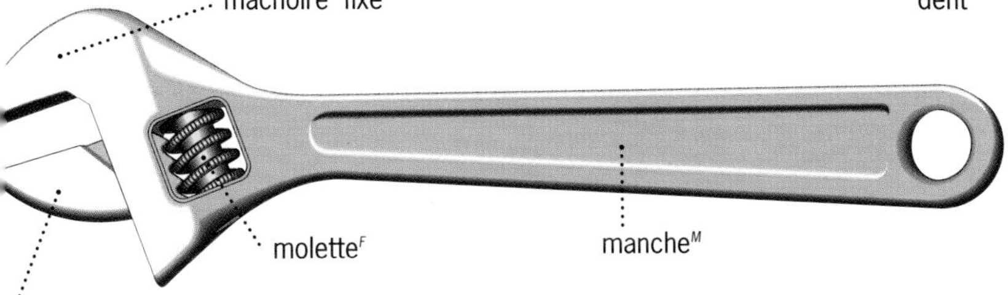

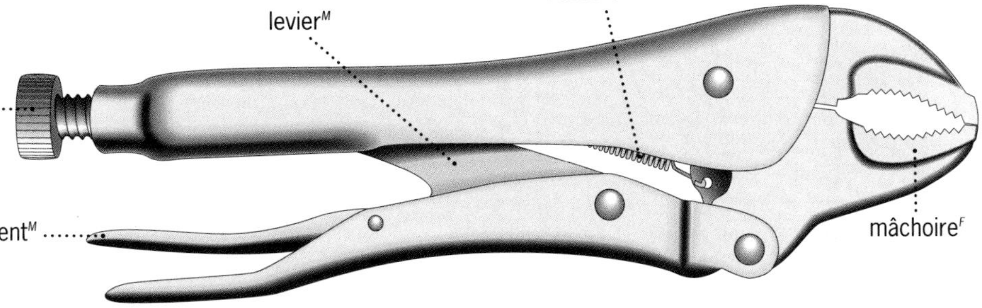

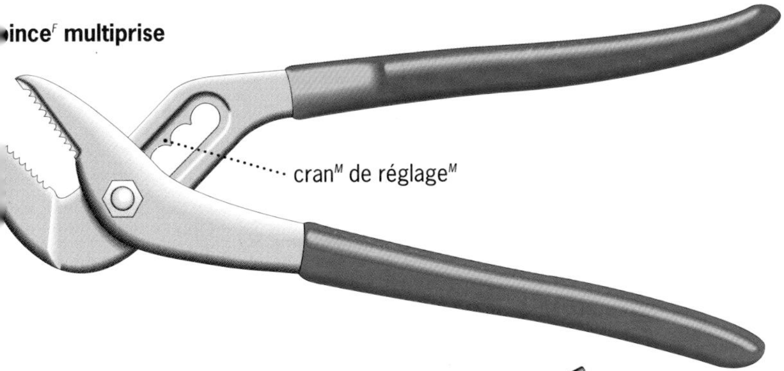

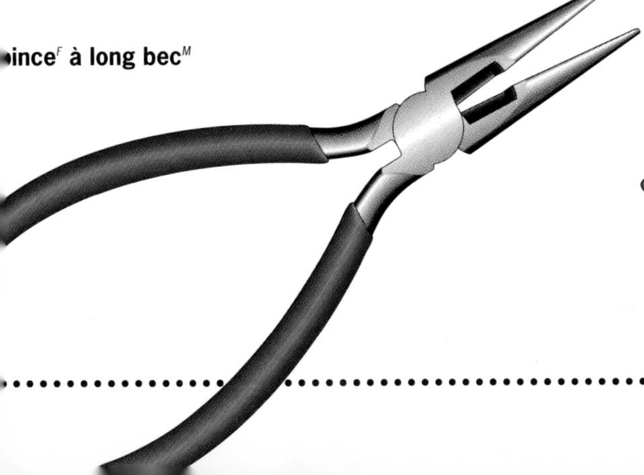

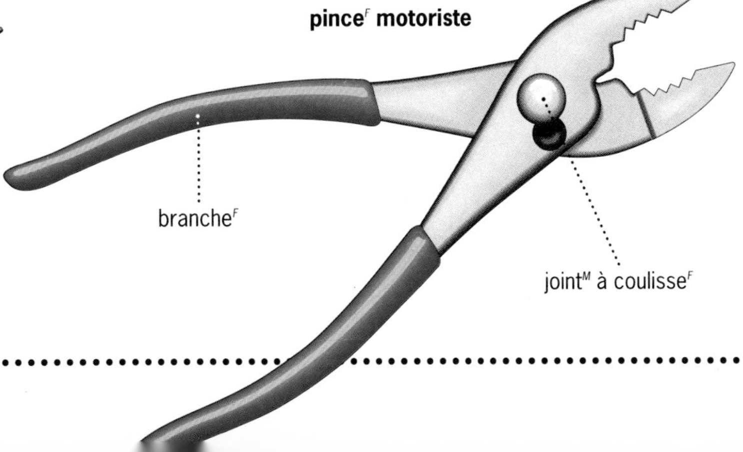

LES OUTILS^M ÉLECTRIQUES

perceuse^F électrique

boîtier^M

mandrin^M

mors^M

poignée^F auxiliaire

blocage^M de l'interrupteur^M

interrupteur^M

poignée^F-pistolet^M

câble^M

fiche^F

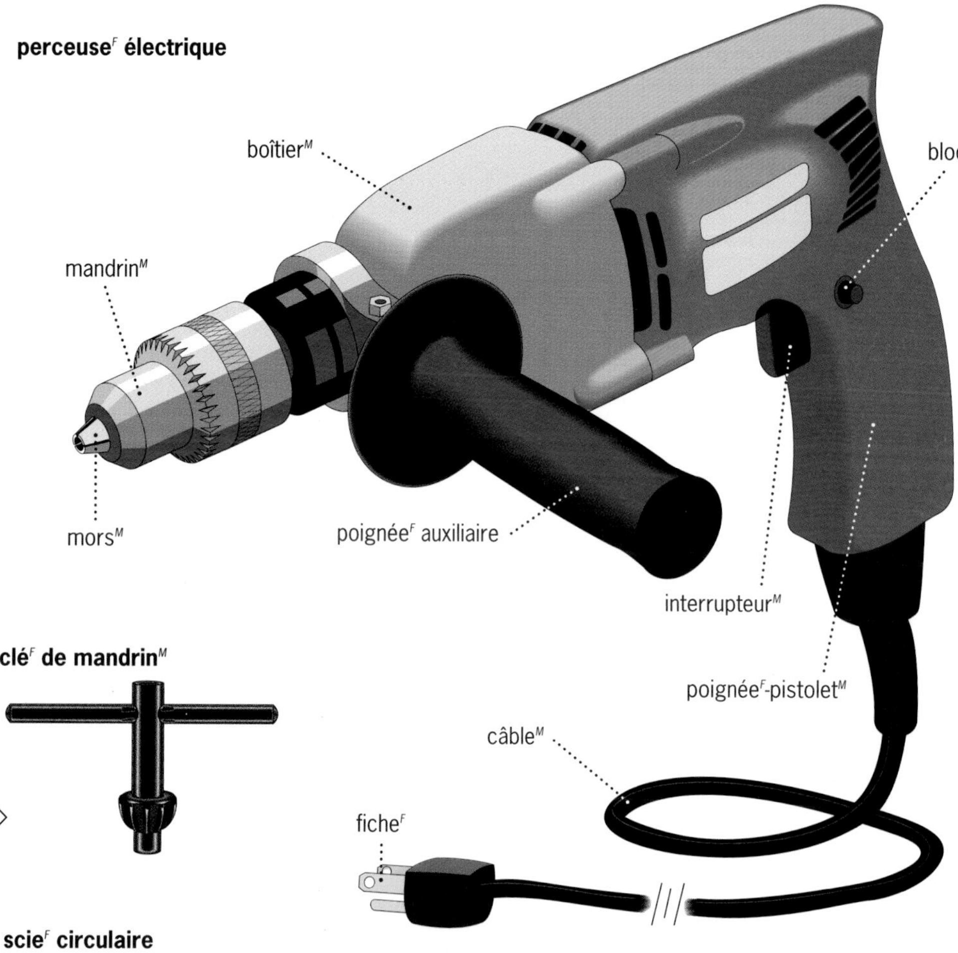

clé^F de mandrin^M

mèche^F hélicoïdal

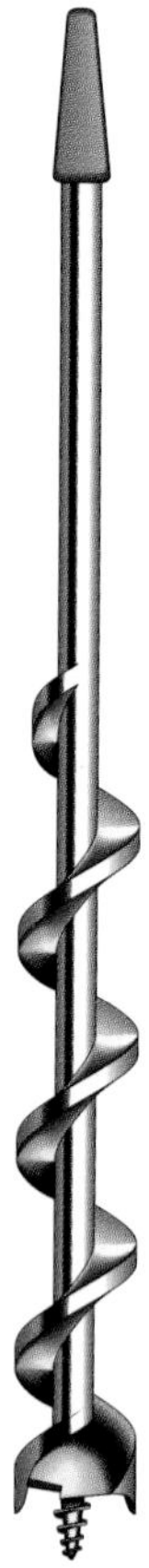

foret^M hélicoïdal

scie^F circulaire

poignée^F

interrupteur^M

inclinaison^F de la lame^F

moteur^M

bouton^M-guide^M

protège-lame^M

lame^F

semelle^F

lame^F de scie^F circulaire

pointe^F

dent^F

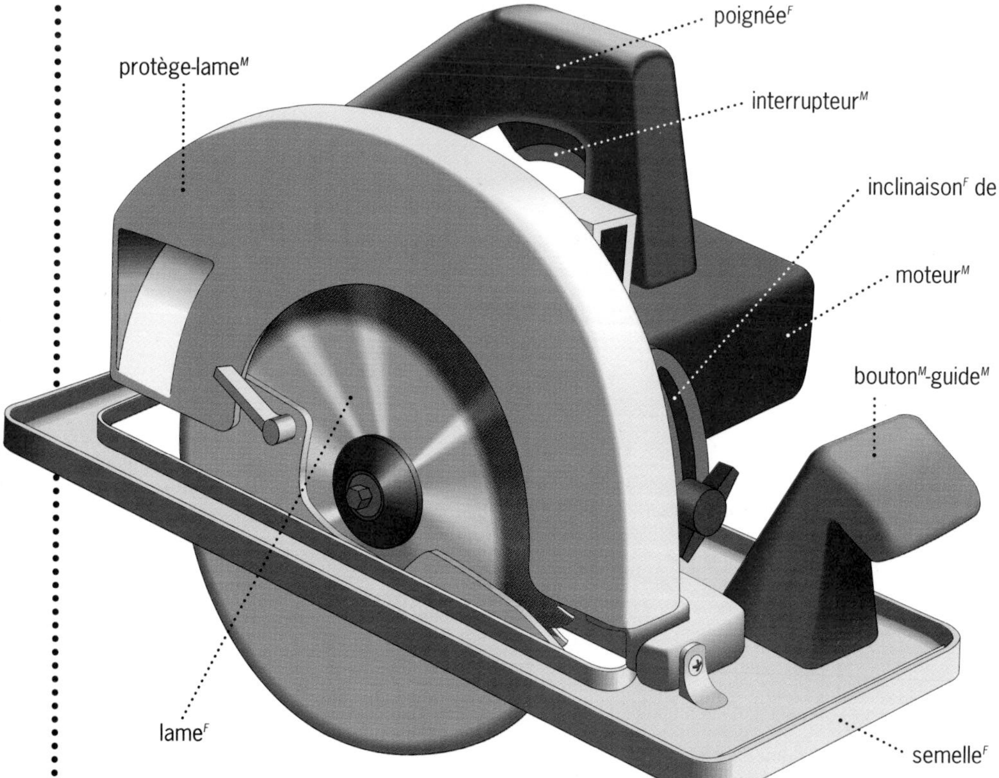

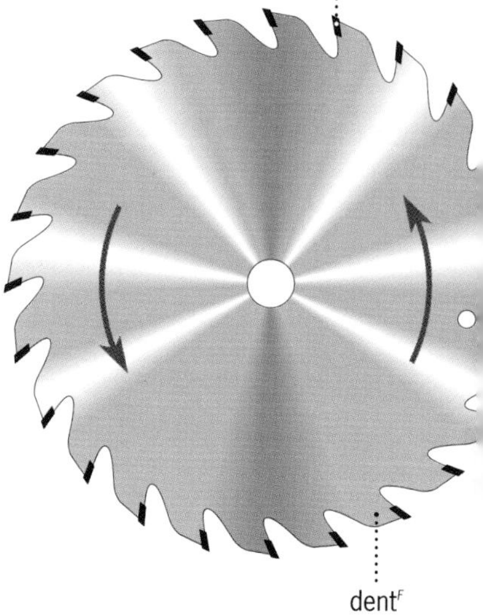

LA PEINTURE^F D'ENTRETIEN^M

rouleau^M à peinture^F

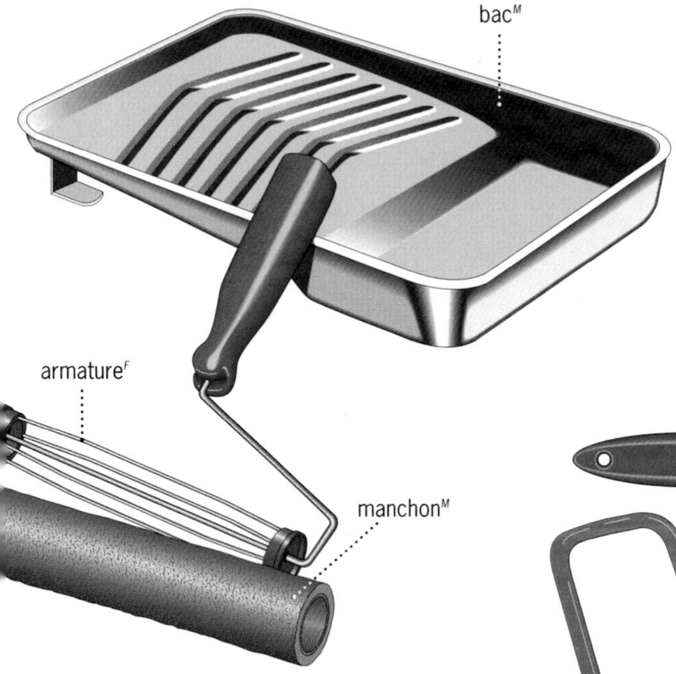

bac^M

grattoir^M

lame^F

échelle^F coulissante

armature^F

manchon^M

pinceau^M

manche^M

soies^F

escabeau^M

montant^M

poulie^F

dispositif^M de blocage^M

échelon^M

marchepied^M

corde^F de tirage^M

patin^M antidérapant

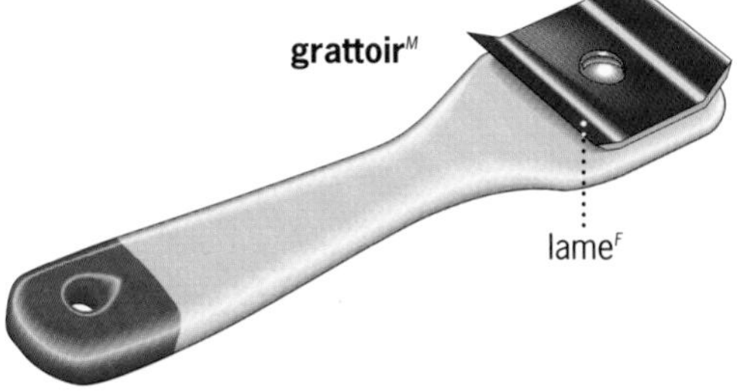

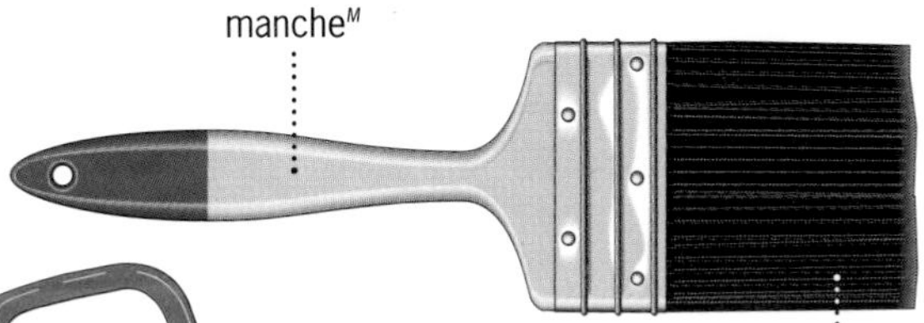

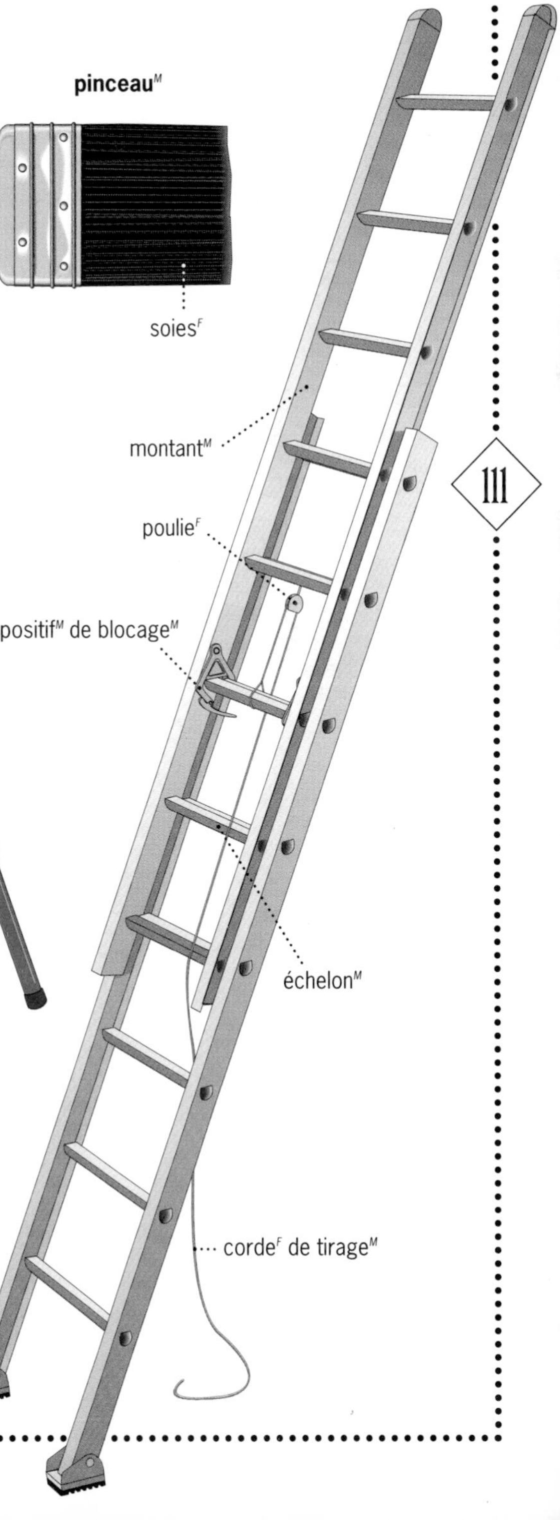

LES VÊTEMENTS^M D'HOMME^M

chemise^F

col^M

pointe^F de col^M

patte^F de boutonnage^M

poche^F poitrine^F

devant^M

poignet^M

bouton^M

pan^M

bretelles

coulisse^F

boutonnière^F

pince^F

patte^F

cravate^F

pan^M arrière

tour^M de cou^M

passant^M

pan^M avant

pantalon^M

ceinture^F montée

poche^F

braguette^F

pli^M

ceinture^F

boucle^F de ceinture^F

cran^M

passant^M

ardillon^M

gilet^M **athlétique**

caleçon^M

slip^M **ouvert**

braguette^F

enfourchure^F

ceinture^F élastique

revers^M

112

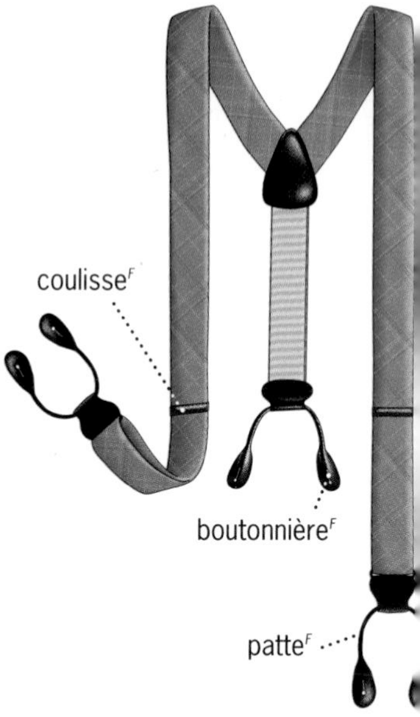

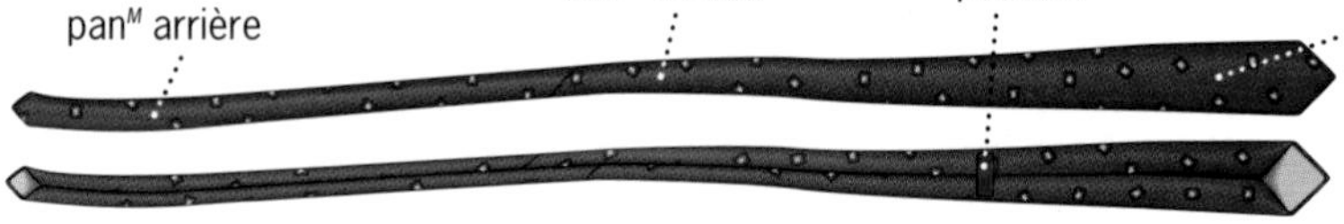

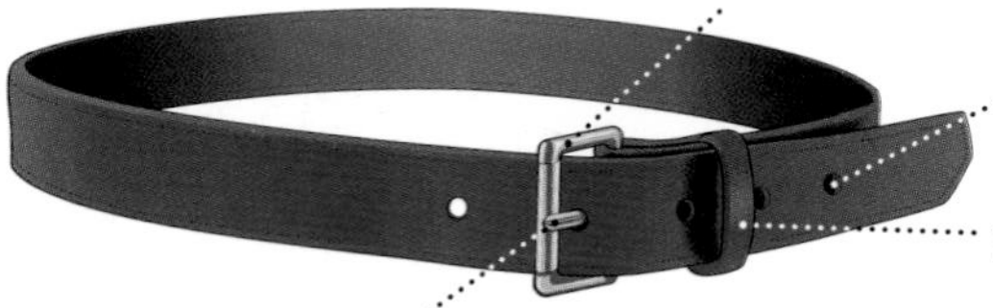

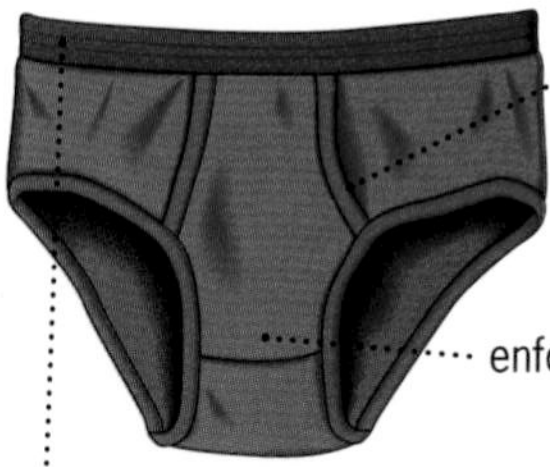

veston^M croisé

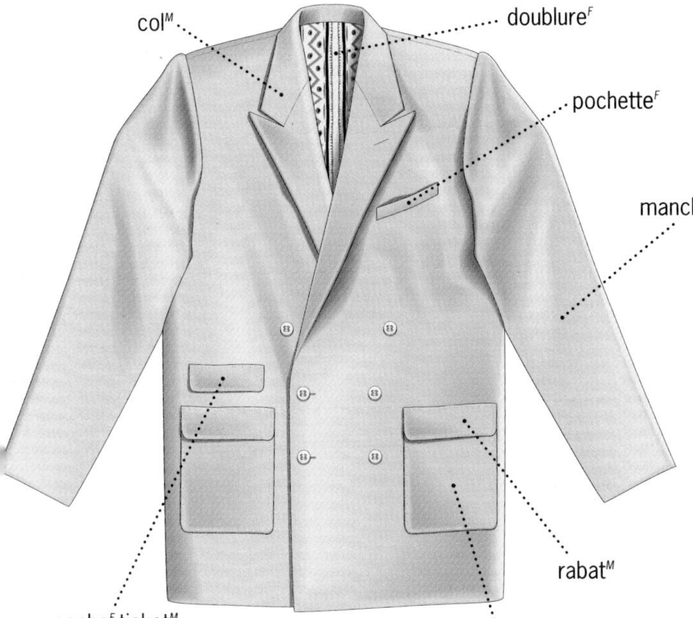

col^M

doublure^F

pochette^F

manche^F

poche^F-ticket^M

rabat^M

poche^F plaquée

duffle-coat^M

capuchon^M

brandebourg^M

bûchette^F

casquette^F

calotte^F

visière^F

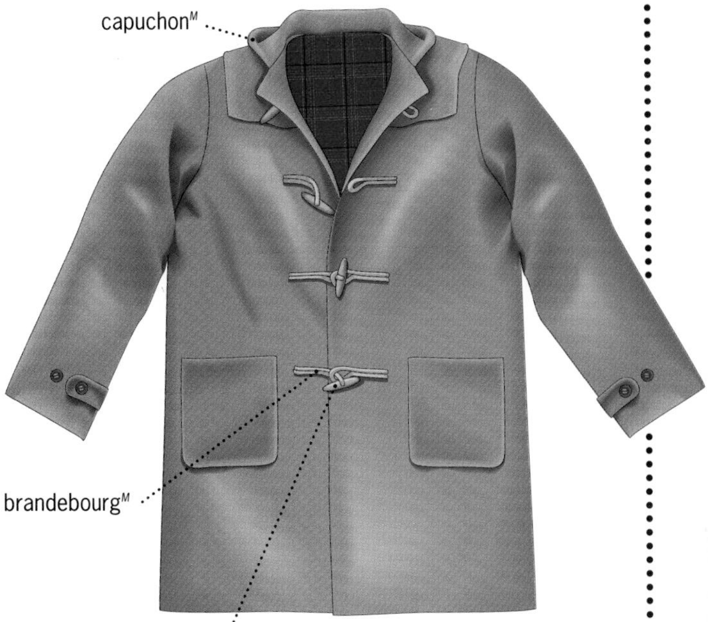

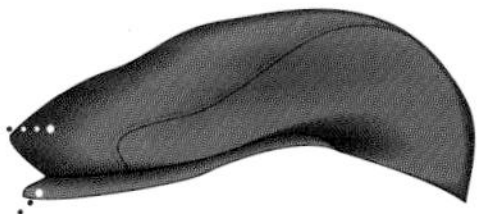

tuque^F

casquette^F norvégienne

cache-oreilles^M abattant

113

blouson^M court

bouton-pression^M

ceinture^F élastique

blouson^M long

ceinture^F montée

cordon^M coulissant

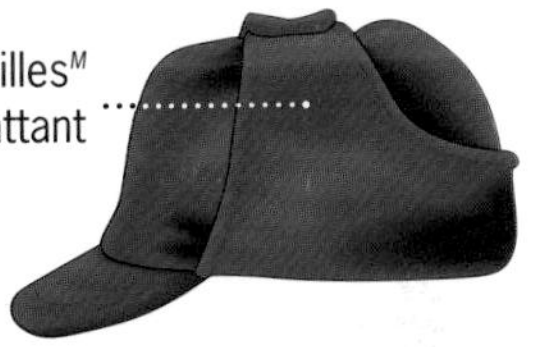

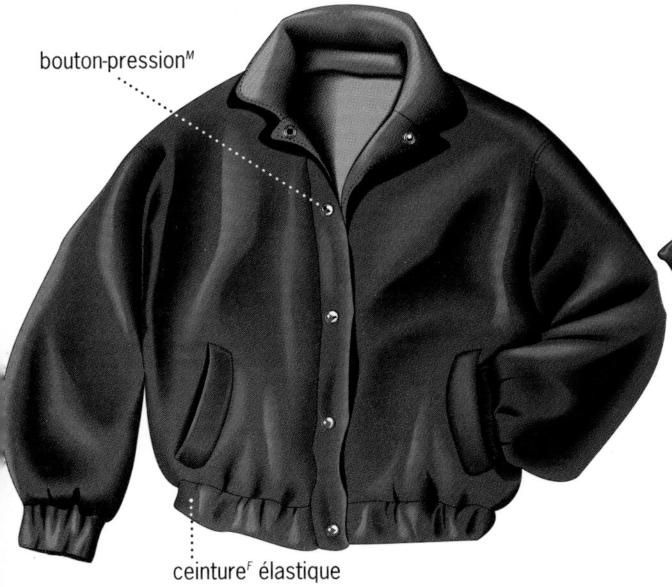

LES VÊTEMENTS

LES VÊTEMENTS[M] DE FEMME[F]

toque[F]

bonnet[M]

cagoule[F]

visière[F]

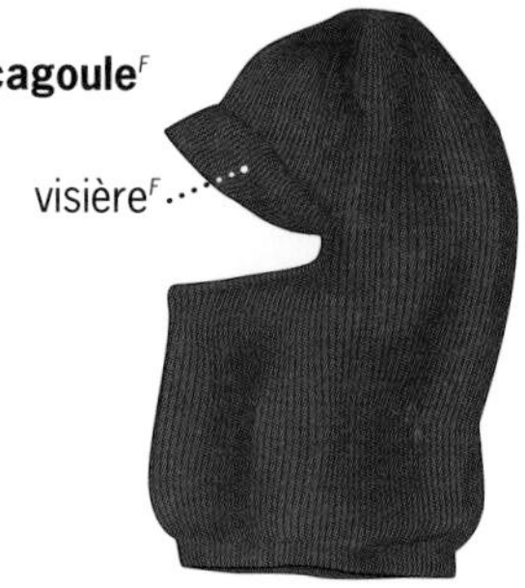

béret[M]

chemisier[M] classique

caban[M]

tailleur[M]

veste[F]

jupe[F]

manteau[M]

poncho[M]

robe[F]-polo[M]

114

jean^M

fuseau^M

short^M

bermuda^M

sous-pied^M

jupe^F droite

jupe^F-culotte^F

jupe^F plissée

LES VÊTEMENTS^M DE FEMME^F

pyjama^M

soutien-gorge^M

bretelle^F

bonnet^M

culotte^F

jupon^M

peignoir^M

116

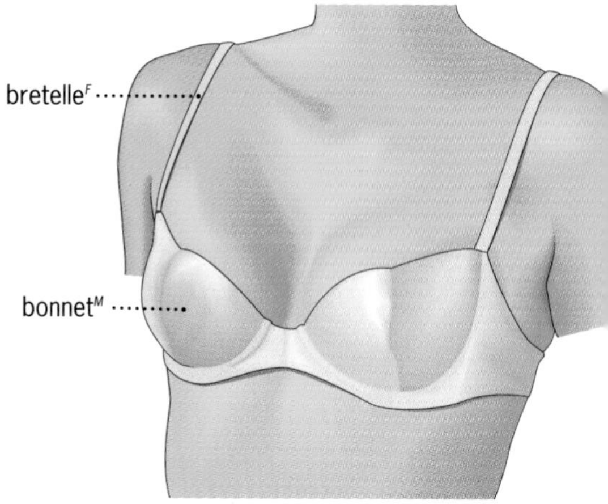

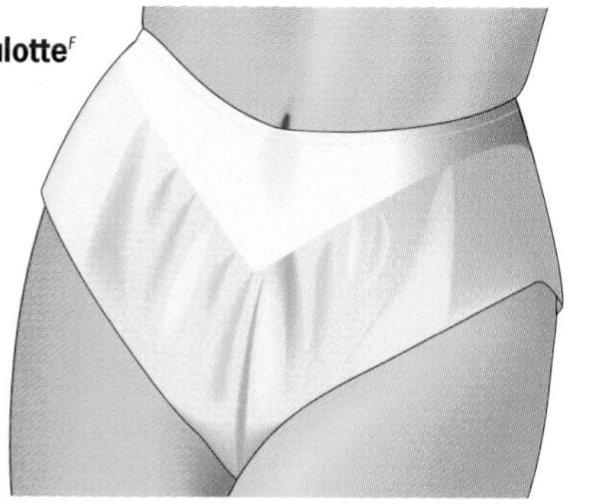

LES TRICOTS^M

ras-de-cou^M

col^M roulé

cardigan^M

polo^M

gilet^M de laine^F

bride^F de suspension^F

manche^F

encolure^F en V

débardeur^M

bouton^M

poche^F

bord^M-côte^F

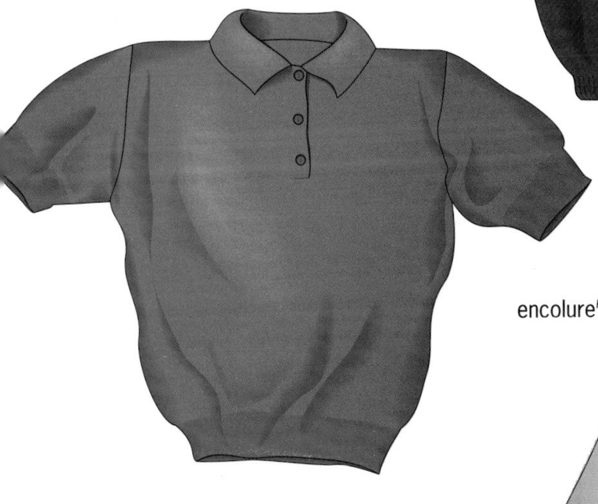

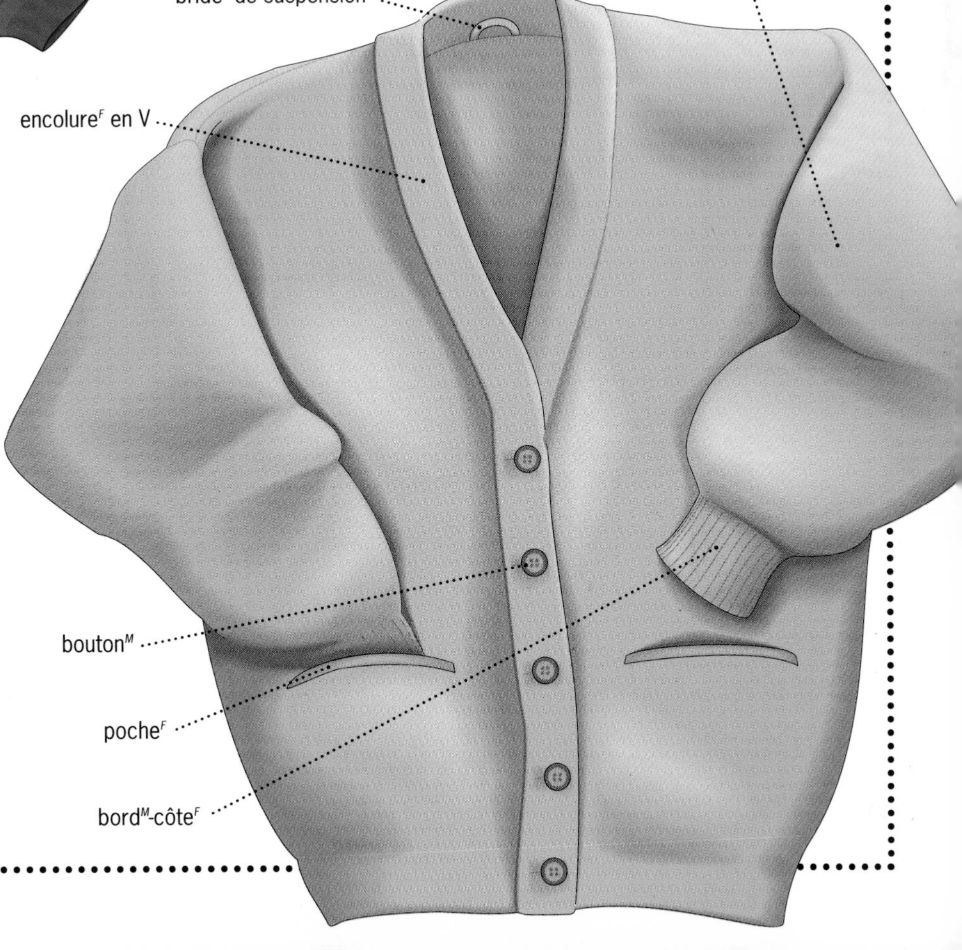

LES GANTS^M ET LES BAS^M

gants^M

doigt^M

pouce^M

paume^F

bouton^M-pression^F

baguette^F

chaussett●

bord^M-côte^F

jambe^F

pied^M

talon^M

semelle^F

pointe^F

gant^M de conduite^F

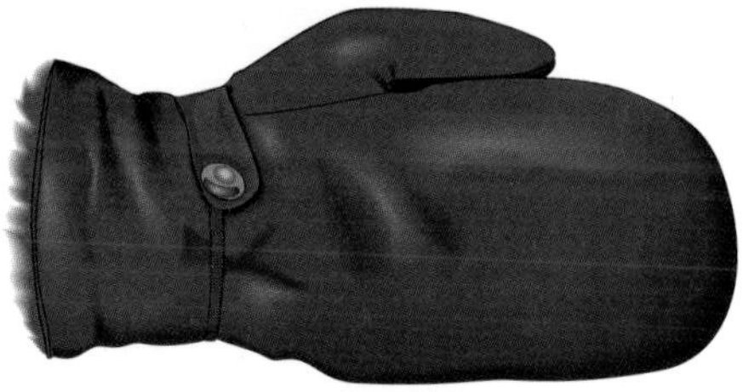

mitaine^F

118

collant^M

socquette^F

chaussette^F

mi-bas^M

bas^M

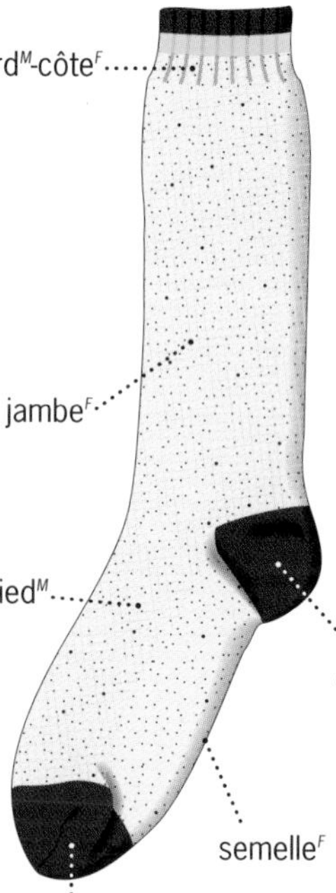

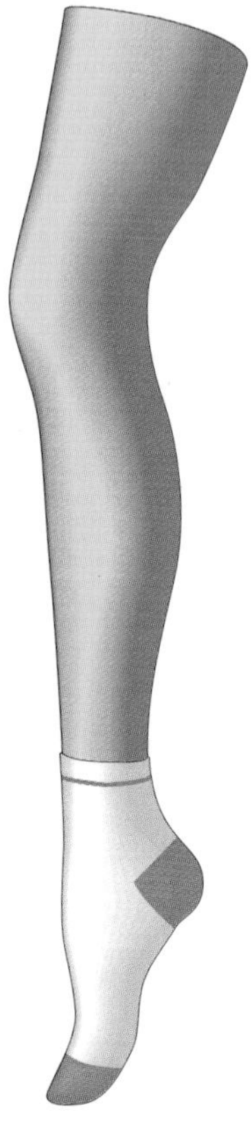

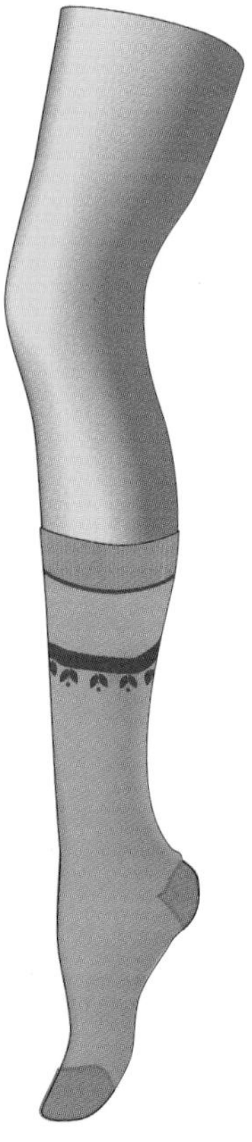

LES CHAUSSURES^F

brodequin^M

ballerine^F

sandale^F

escarpin^M

tennis^M

cuissarde^F

espadrille^F

flâneur^M

socque^M

mocassin^M

botte^F

bottine^F

LES CHAUSSURES^F

LES VÊTEMENTS

TENUE^F D'EXERCICE^M

VÊTEMENTS^M D'EXERCICE^M

débardeur^M

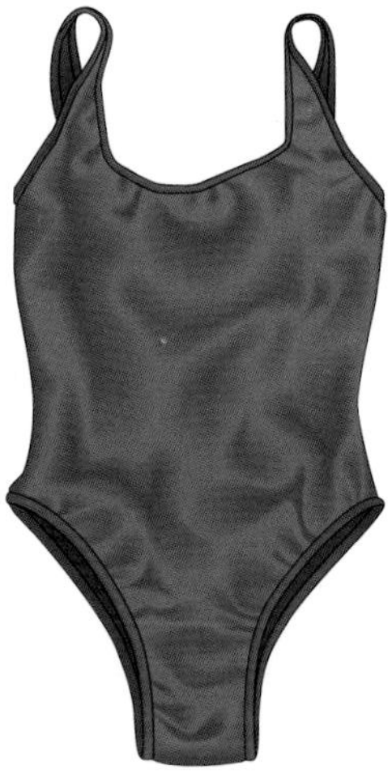

maillot^M **de bain**^M

justaucorps^M

SURVÊTEMENTS^M

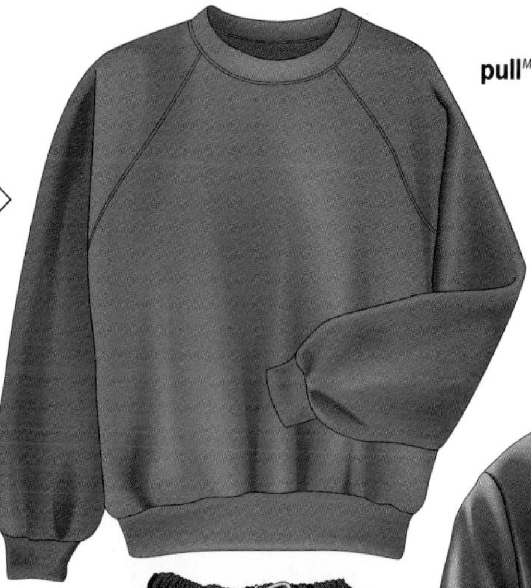

pull^M **d'entraînement**^M

anorak^M

pull^M **à capuche**^F

pantalon^M

pantalon^M **molleton**^M

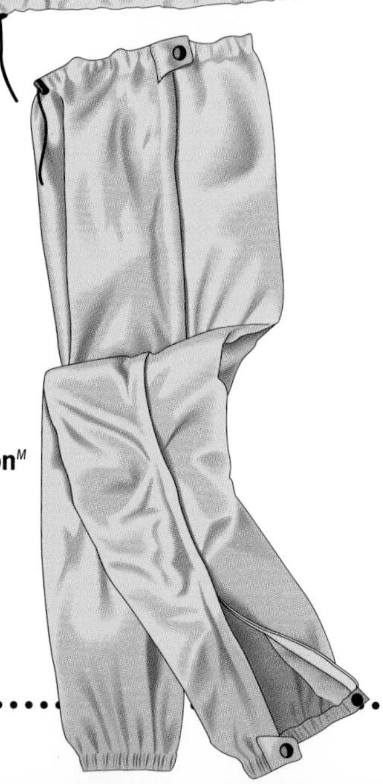

collant^M sans pied^M

VÊTEMENTS^M D'EXERCICE^M

slip^M de bain^M

jambière^F

short^M boxeur^M

chaussure^F de sport^M

ontrefort^M

col^M

quartier^M

doublure^F

languette^F

aile^F de quartier^M

œillet^M

claque^F

lon^M

coussin^M d'air^M

surpiqûre^F

semelle^F intercalaire

ferret^M

lacet^M

semelle^F d'usure^F

crampon^M

LES OBJETS PERSONNELS

L'HYGIÈNE^F DENTAIRE

brosse^F à dents^F

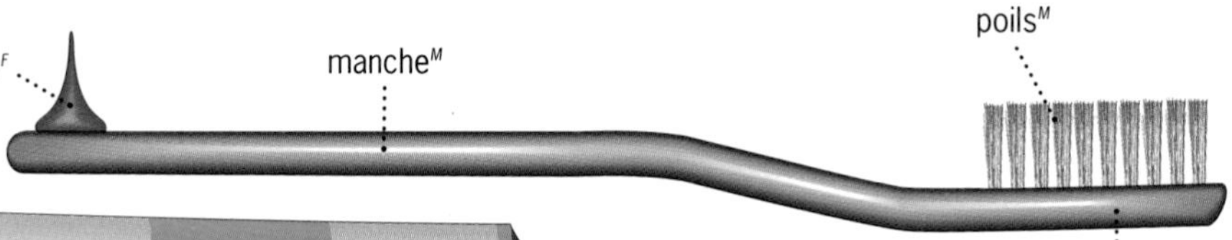

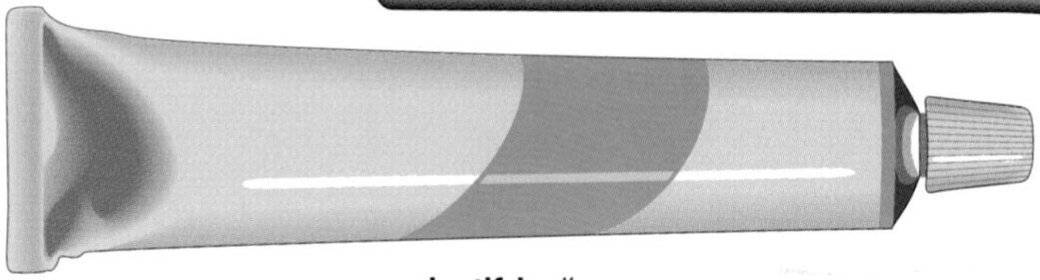

stimulateur^M de gencives^F

manche^M

poils^M

soie^F dentair

tête^F

dentifrice^M

LA COIFFURE^F

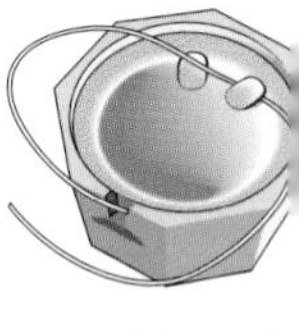

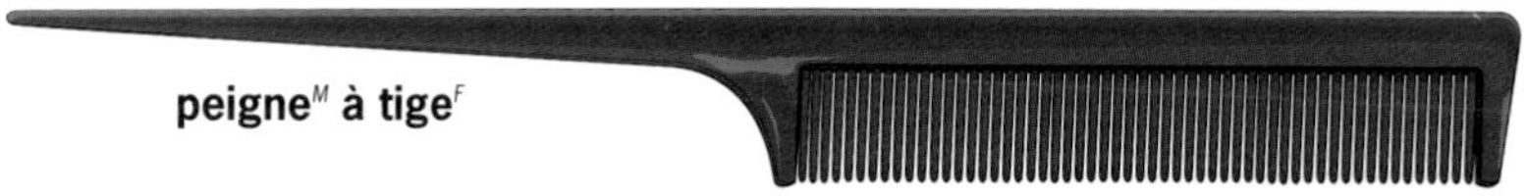

peigne^M à tige^F

démêloir^M

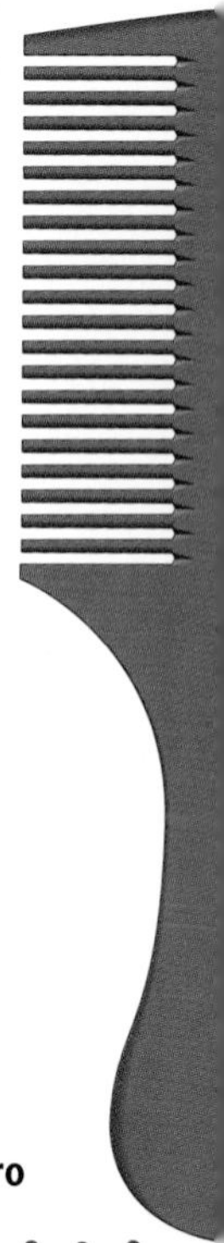

sèche-cheveux^M

ventilateur^M

sélecteur^M de température^F

corps^M

brosse^F pneumatique

peigne^M afro

sélecteur^M de vitesse^F

interrupteur^M

grille^F de sortie^F d'air^M

poignée^F

buse^F

LES ARTICLES^M DE MAROQUINERIE^F

sac^M à dos^M

sac^M seau^M

cet^M de serrage^M

porte-clés^M

portefeuille^M

bandoulière^F

LES LUNETTES^F

porte-monnaie^M

verre^M pont^M barre^F

cercle^M plaquette^F branche^F

poche^F frontale

123

LE PARAPLUIE^M

toile^F embout^M de baleine^F

rayon^M

parapluie^M télescopique

coulant^M

attache^F

manche^M

fourreau^M

baleine^F ferret^M poignée^F

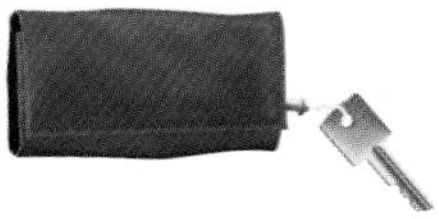

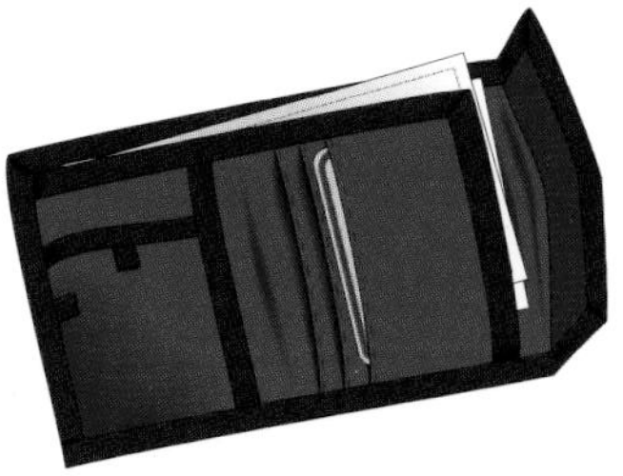

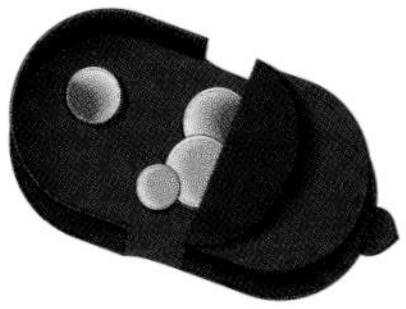

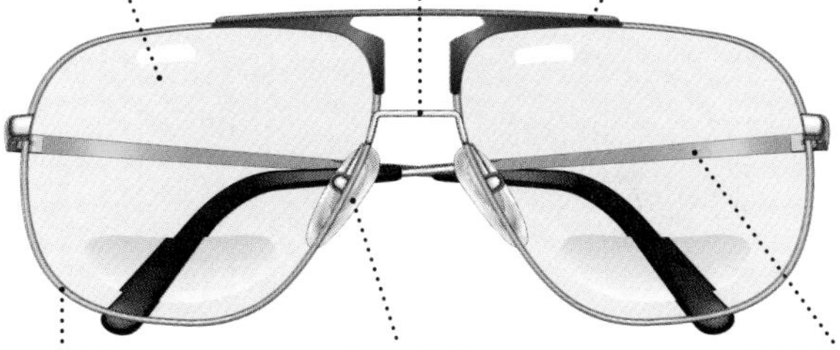

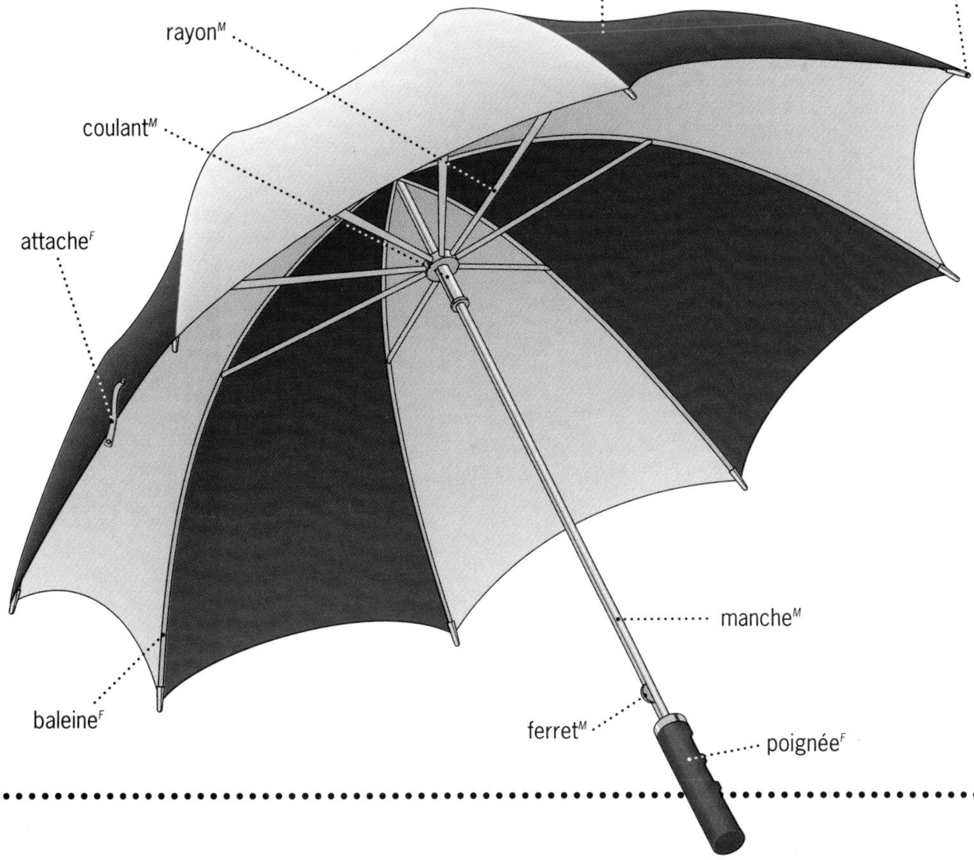

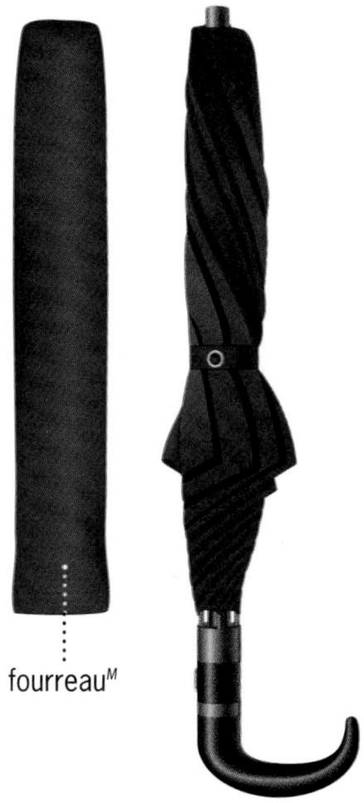

LES COMMUNICATIONS^F PAR TÉLÉPHONE^M

poste^M téléphonique

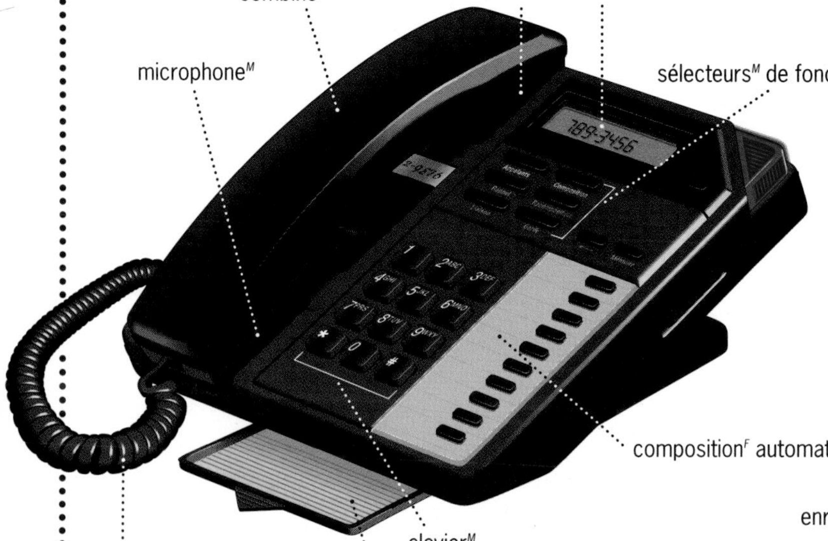

répondeur^M téléphonique

combiné^M

récepteur^M

afficheur^M

microphone^M

sélecteurs^M de fonctions^F

cassette^F annonce^F

cassette^F messages^M

haut-parleur^M

écou

composition^F automatique

enregistrement^M

cordon^M de combiné^M

clavier^M

commande^F de volume^M

contrôles^M du lecteur^M de cassett

répertoire^M téléphonique

124

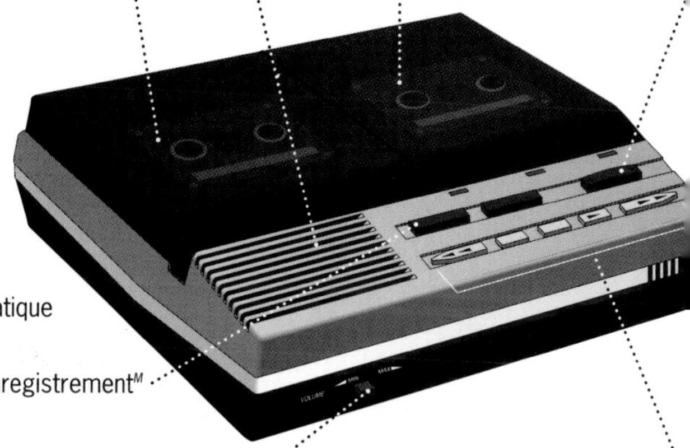

téléphone^M public

fente^F à monnaie^F

écran^M

poste^M à clavier^M

clavier^M

téléphone^M cellulaire portatif

combiné^M

poste^M sans cordon^M

lecteur^M de carte^F

sébile^F de remboursement^M

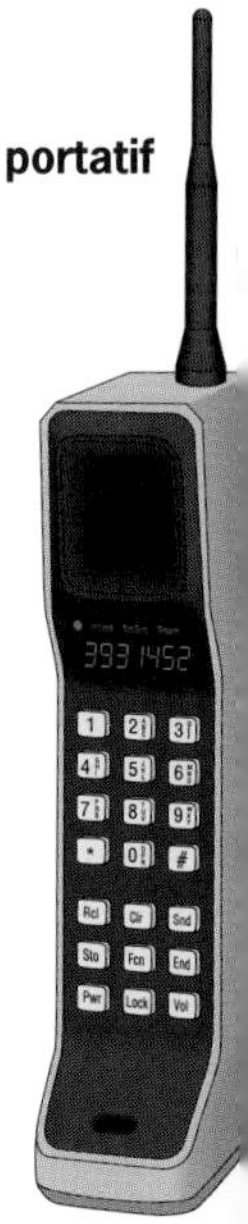

LA PHOTOGRAPHIE^F

griffe^F porte-accessoires^M

appareil^M à visée^F reflex mono-objectif^M

rebobinage^M

contact^M électrique

mode^M d'entraînement^M du film^M

écran^M de contrôle^M

sélecteur^M de fonctions^F

mode^M d'exposition^F

sensibilité^F du film^M

prise^F de télécommande^F

boîtier^M

bague^F de mise^F au point^M

déclencheur^M

objectif^M

flash^M électronique

appareil^M à télémètre^M couplé

réflecteur^M

perforation^F

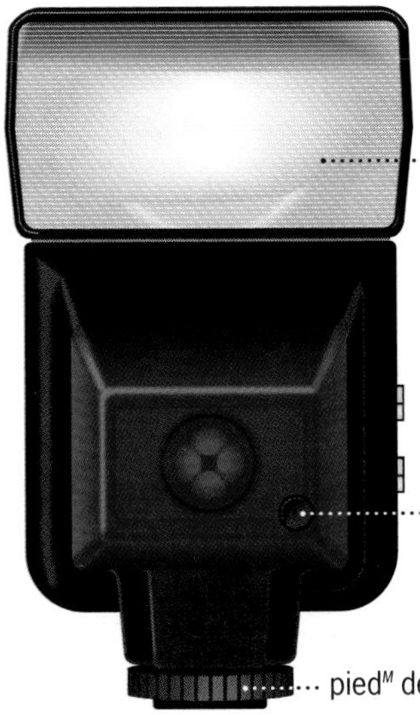

cassette^F de pellicule^F

amorce^F

cellule^F photôélectrique

Polaroid®^{M}

pied^M de fixation^F

appareil^M petit-format

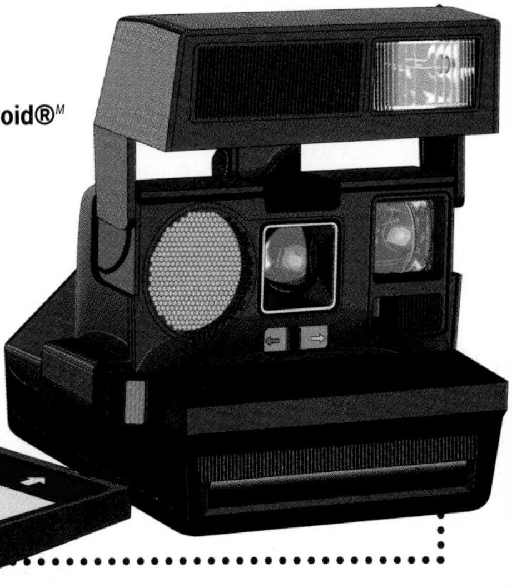

cartouche^F de pellicule^F

film^M-pack^M

LA TÉLÉVISION^F

téléviseur^M

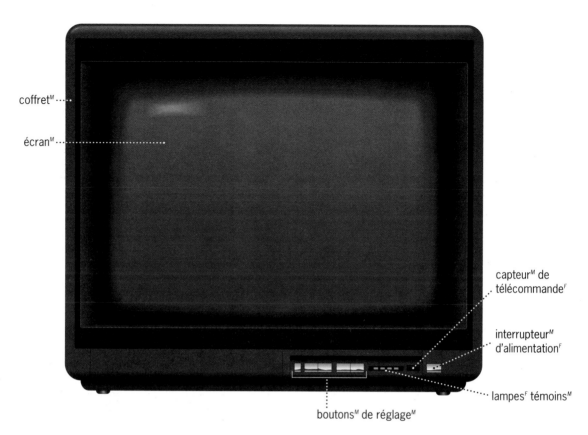

coffret^M

écran^M

capteur^M de télécommande^F

interrupteur^M d'alimentation^F

lampes^F témoins^M

boutons^M de réglage^M

télécommande^F

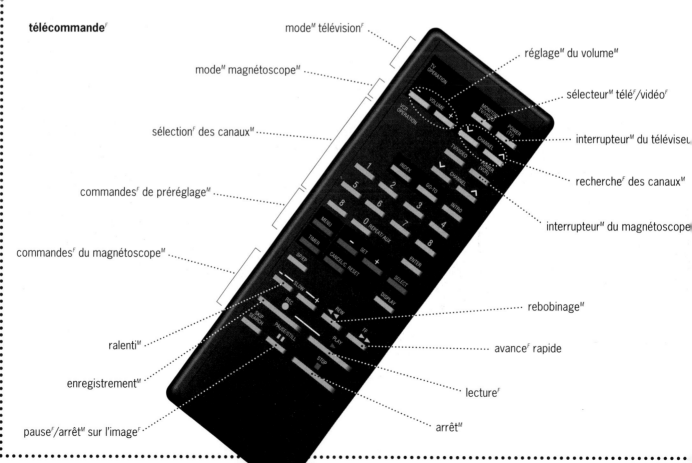

mode^M télévision^F

réglage^M du volume^M

mode^M magnétoscope^M

sélecteur^M télé^F/vidéo^F

sélection^F des canaux^M

interrupteur^M du téléviseu

commandes^F de préréglage^M

recherche^F des canaux^M

interrupteur^M du magnétoscope

commandes^F du magnétoscope^M

rebobinage^M

ralenti^M

avance^F rapide

enregistrement^M

lecture^F

pause^F/arrêt^M sur l'image^F

arrêt^M

LA VIDÉO^F

magnétoscope^M

interrupteur^M d'alimentation^F

affichage^M des données^F

commandes^F de préréglage^M

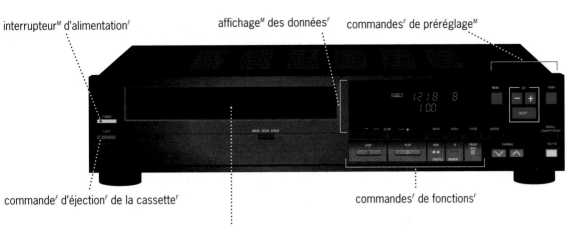

commande^F d'éjection^F de la cassette^F

commandes^F de fonctions^F

logement^M de la cassette^F

caméra^F **vidéo**

griffe^F porte-accessoires^M

oculaire^M

commande^F électrique du zoom^M

viseur^M électronique

commande^F d'éjection^F de la cassette^F

commandes^F de la bande^F vidéo

réglage^M du viseur^M

microphone^M incorporé

BATT

pile^F

commande^F d'éjection^F de la pile^F

objectif^M zoom^M

commandes^F de prise^F de vue^F

logement^M de la cassette^F

affichage^M des données^F

commandes^F de montage^M

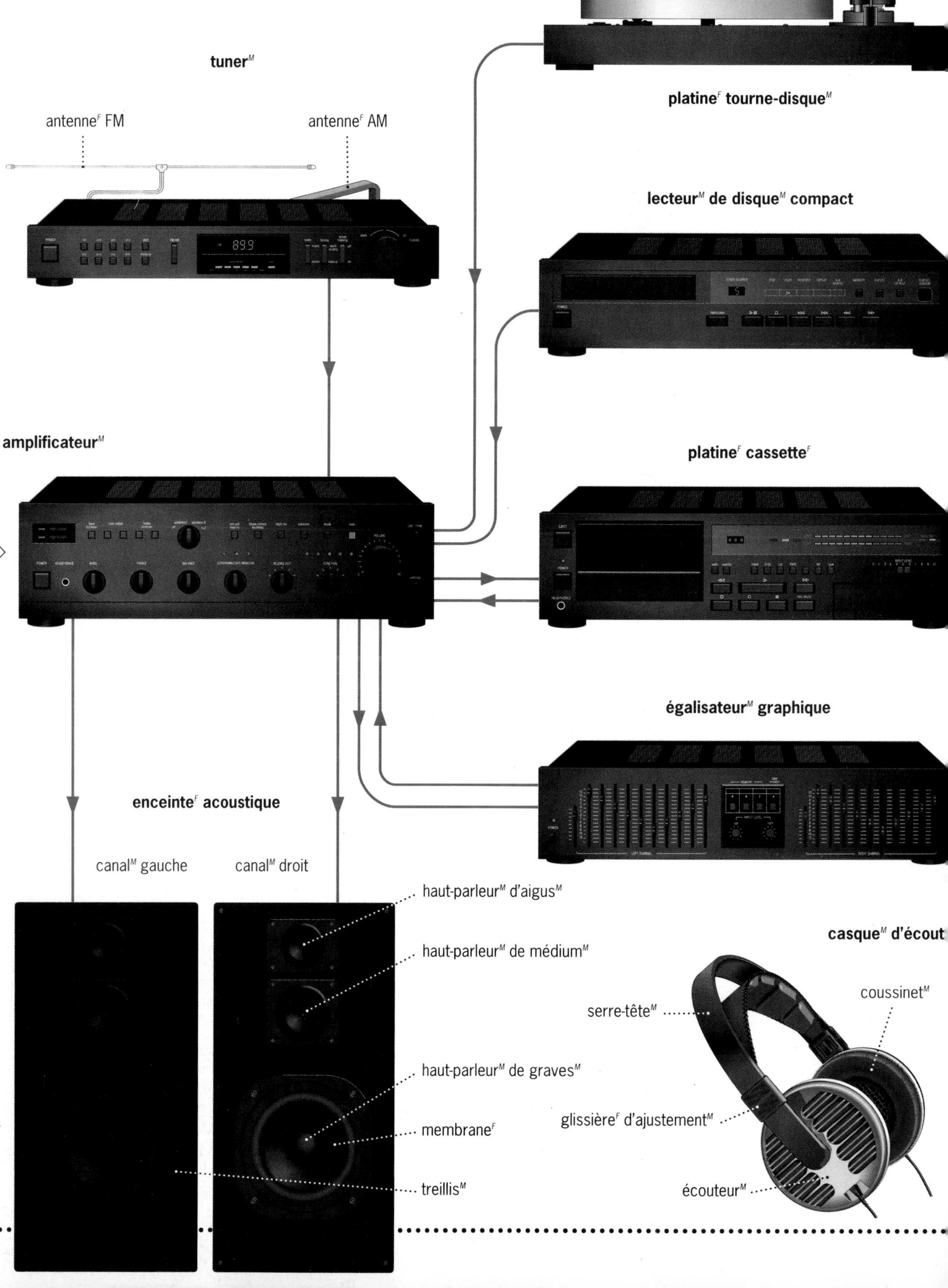

LA CHAÎNE*F* STÉRÉO

COMPOSANTES*F* D'UN SYSTÈME*M*

tuner*M*

antenne*F* FM

antenne*F* AM

platine*F* tourne-disque*M*

lecteur*M* de disque*M* compact

amplificateur*M*

platine*F* cassette*F*

égalisateur*M* graphique

enceinte*F* acoustique

canal*M* gauche

canal*M* droit

haut-parleur*M* d'aigus*M*

haut-parleur*M* de médium*M*

casque*M* d'écout

serre-tête*M*

coussinet*M*

haut-parleur*M* de graves*M*

glissière*F* d'ajustement*M*

membrane*F*

treillis*M*

écouteur*M*

LES APPAREILS^M DE SON^M PORTATIFS

radiocassette^F

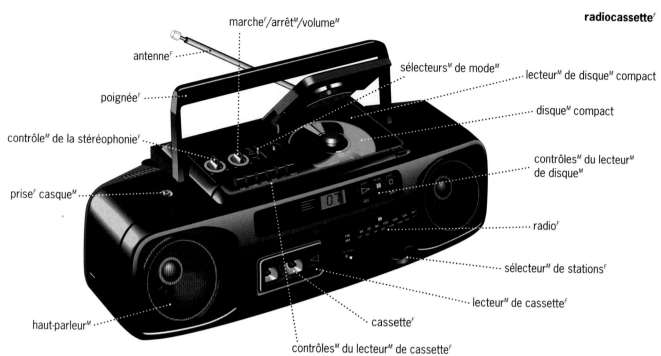

marche^F/arrêt^M/volume^M

antenne^F

poignée^F

sélecteurs^M de mode^M

lecteur^M de disque^M compact

disque^M compact

contrôle^M de la stéréophonie^F

contrôles^M du lecteur^M de disque^M

prise^F casque^M

radio^F

sélecteur^M de stations^F

lecteur^M de cassette^F

haut-parleur^M

cassette^F

contrôles^M du lecteur^M de cassette^F

129

baladeur^M

disque^M **compact**

cordon^M

prise^F casque^M

serre-tête^M

surface^F pressée

début^M de lecture^F

marche^F/arrêt^M

réglage^M du volume^M

rebobinage^M

sélecteur^M de stations^F

avance^F

casque^M d'écoute^F

avance^F rapide

bande^F d'identification^F technique

cassette^F

auto-inversion^F

lecteur^M de cassette^F

disque^M

radio^F

sillon^M de départ^M

cassette^F

boîtier^M

plage^F de séparation^F

bobine^F réceptrice

surface^F gravée

bande^F magnétique

sillon^M de sortie^F

guide-bande^M

étiquette^F

galet^M

fenêtre^F de lecture^F

trou^M central

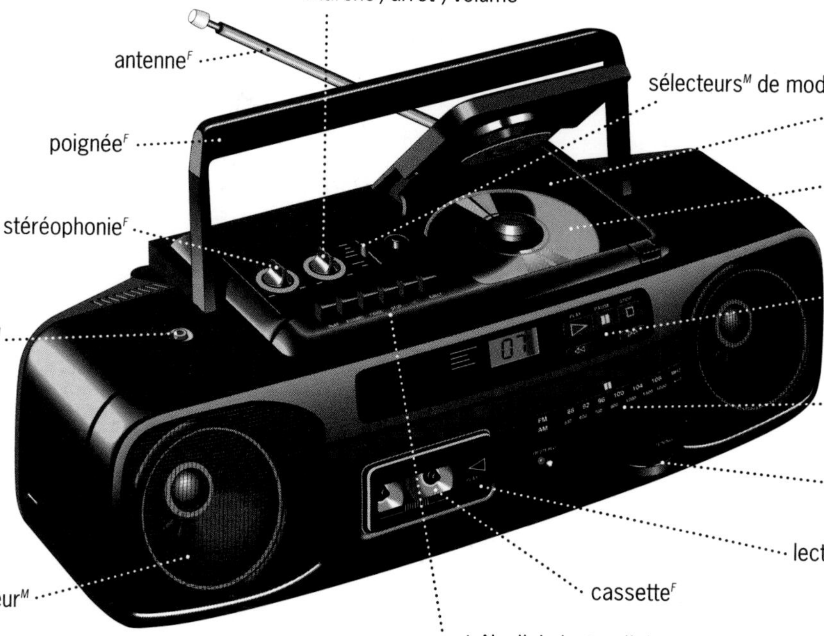

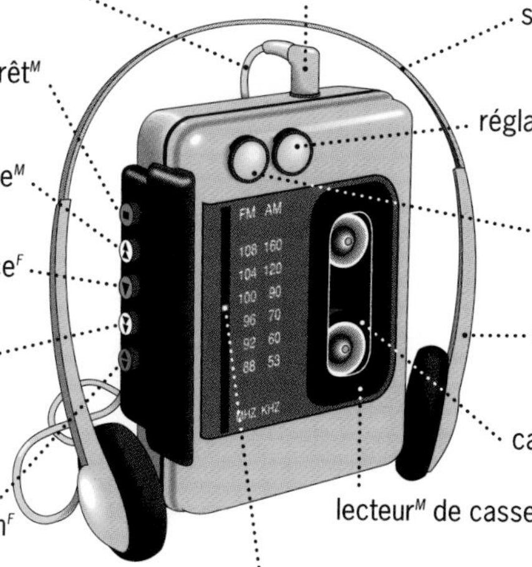

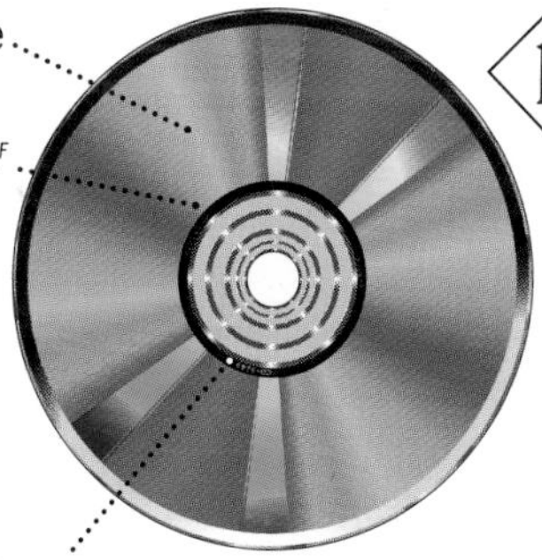

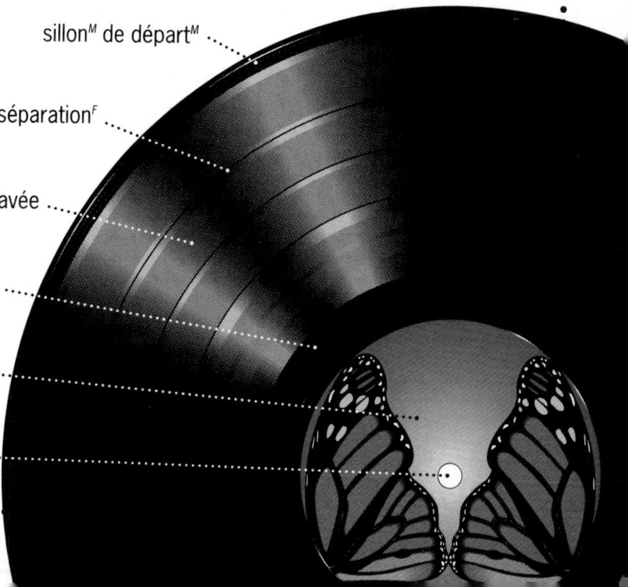

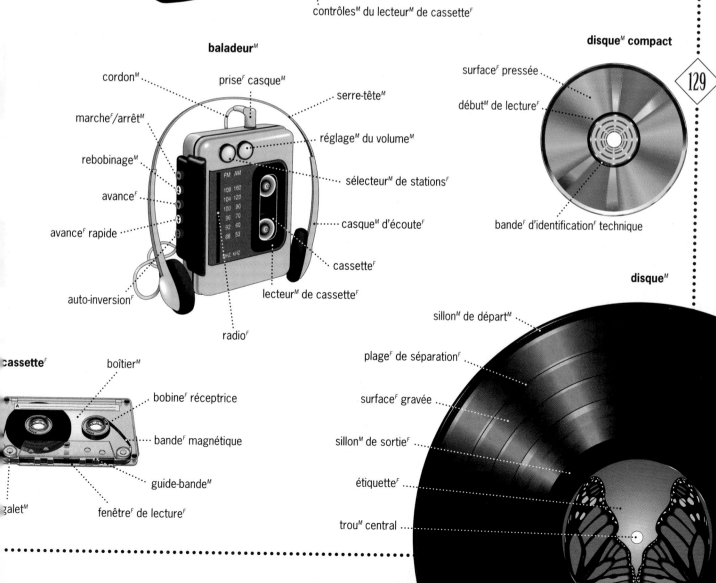

L'AUTOMOBILE^F

carrosserie^F

pare-brise^M

essuie-glace^M

rétroviseur^M extérieur

gicleur^M de lave-glace^M

capot^M

130

phare^M

calandre^F

pare-chocs^M

aile^F

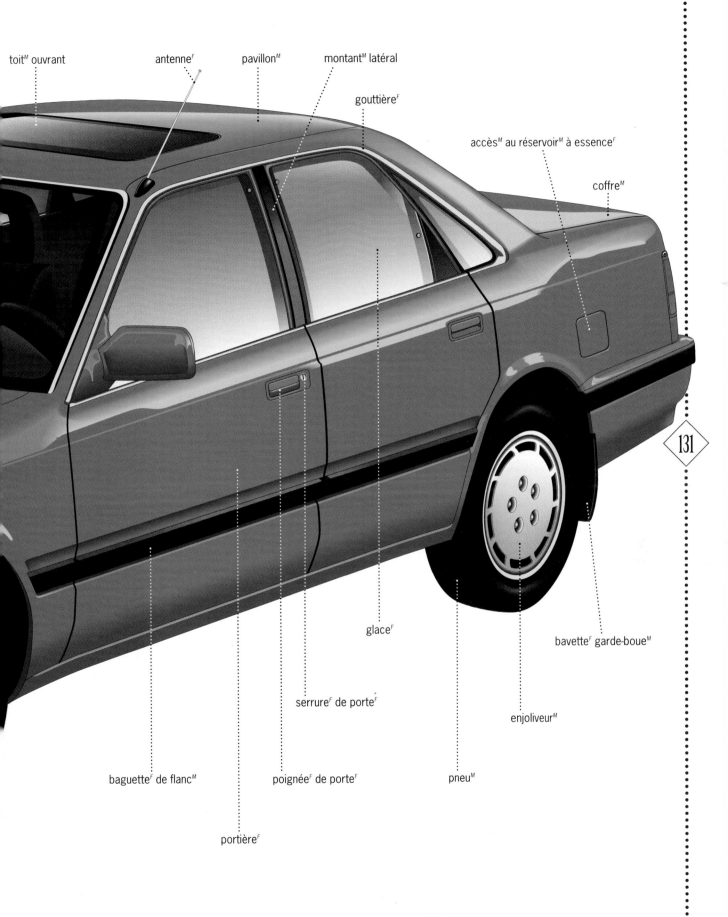

toit^M ouvrant

antenne^F

pavillon^M

montant^M latéral

gouttière^F

accès^M au réservoir^M à essence^F

coffre^M

131

glace^F

bavette^F garde-boue^M

serrure^F de porte^F

enjoliveur^M

baguette^F de flanc^M

poignée^F de porte^F

pneu^M

portière^F

L'AUTOMOBILE[F]

tableau[M] de bord[M]

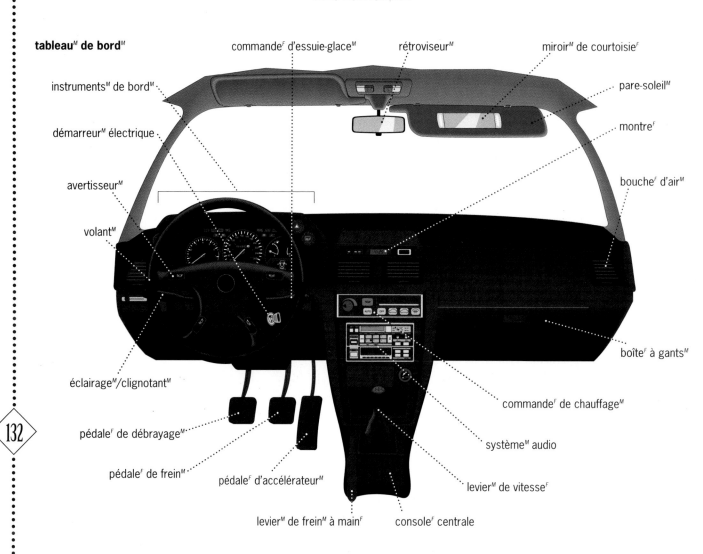

commande[F] d'essuie-glace[M]

rétroviseur[M]

miroir[M] de courtoisie[F]

instruments[M] de bord[M]

pare-soleil[M]

démarreur[M] électrique

montre[F]

avertisseur[M]

bouche[F] d'air[M]

volant[M]

boîte[F] à gants[M]

éclairage[M]/clignotant[M]

commande[F] de chauffage[M]

pédale[F] de débrayage[M]

système[M] audio

pédale[F] de frein[M]

pédale[F] d'accélérateur[M]

levier[M] de vitesse[F]

levier[M] de frein[M] à main[F]

console[F] centrale

instruments[M] de bord[M]

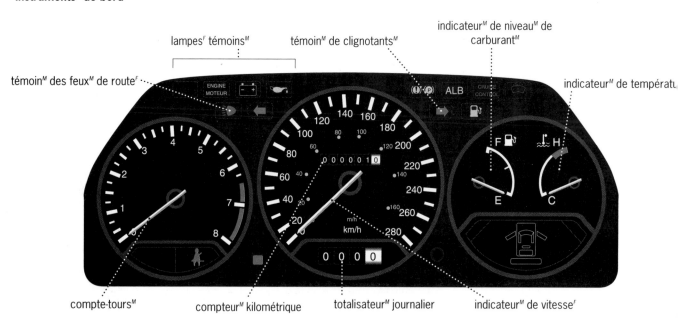

lampes[F] témoins[M]

témoin[M] de clignotants[M]

indicateur[M] de niveau[M] de carburant[M]

témoin[M] des feux[M] de route[F]

indicateur[M] de températu

compte-tours[M]

compteur[M] kilométrique

totalisateur[M] journalier

indicateur[M] de vitesse[F]

LES FEUX[M]

feux[M] avant

feux[M] arrière

feux[M] de croisement[M]

feux[M] clignotants

feux[M] clignotants

feux[M] rouges arrière

feux[M] de gabarit[M]

feux[M] de gabarit[M]

feux[M] de route[F]

feux[M] stop[M]

feux[M] de brouillard[M]

feu[M] de plaque[F]

feu[M] stop[M]

feux[M] de recul[M]

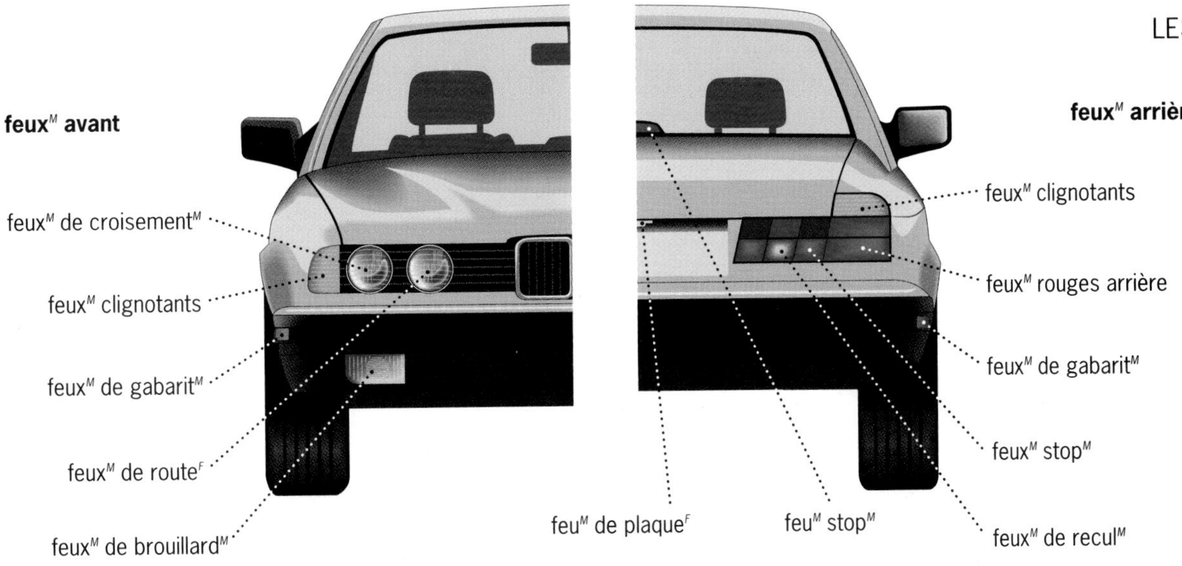

LES TYPES[M] DE CARROSSERIES[F]

coach[M]

voiture[F] sport[M]

trois-portes[F]

camionnette[F]

cabriolet[M]

familiale[F]

berline[F]

fourgonnette[F]

véhicule[M] tout-terrain[M]

limousine[F]

133

LE CAMIONNAGE^M

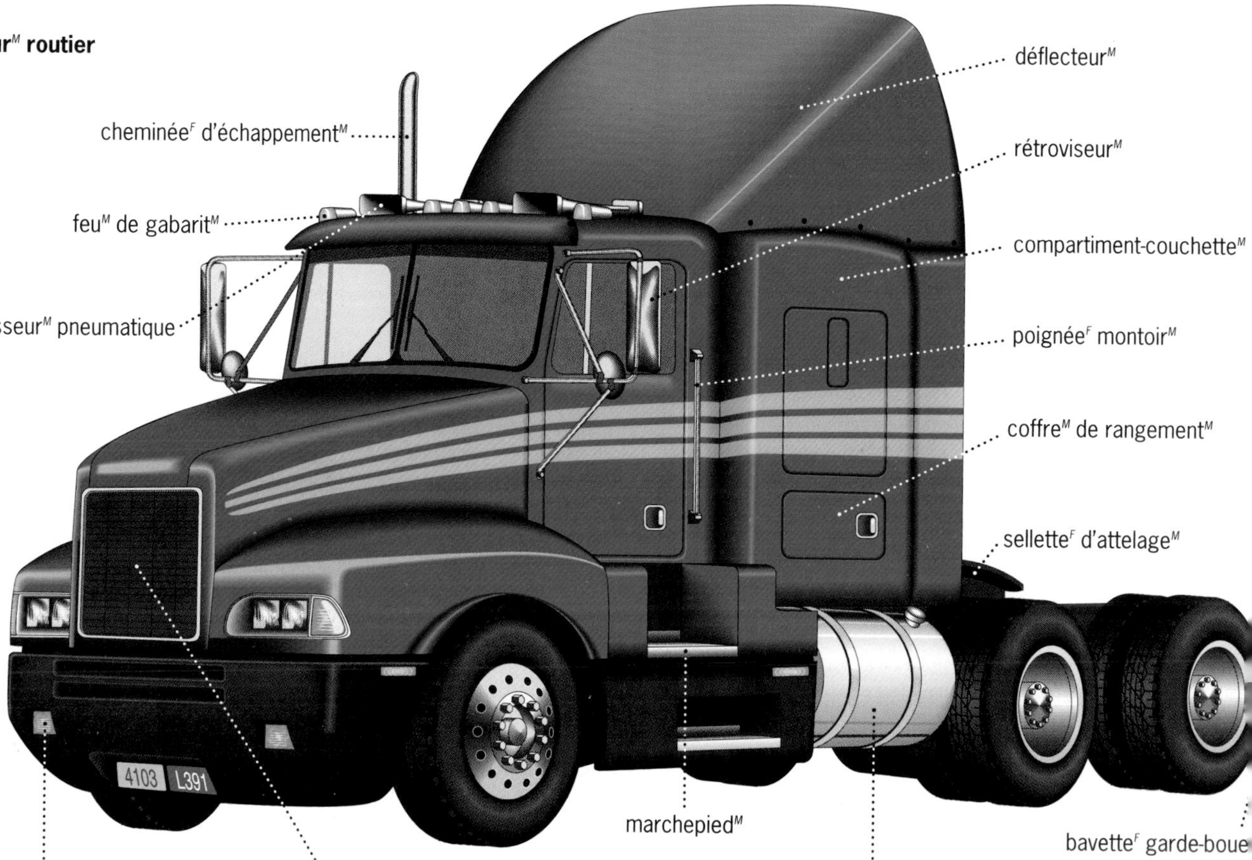

tracteur^M routier

cheminée^F d'échappement^M

feu^M de gabarit^M

avertisseur^M pneumatique

déflecteur^M

rétroviseur^M

compartiment-couchette^M

poignée^F montoir^M

coffre^M de rangement^M

sellette^F d'attelage^M

bavette^F garde-boue

marchepied^M

réservoir^M à carburant^M

phare^M antibrouillard

calandre^F

4103 L391

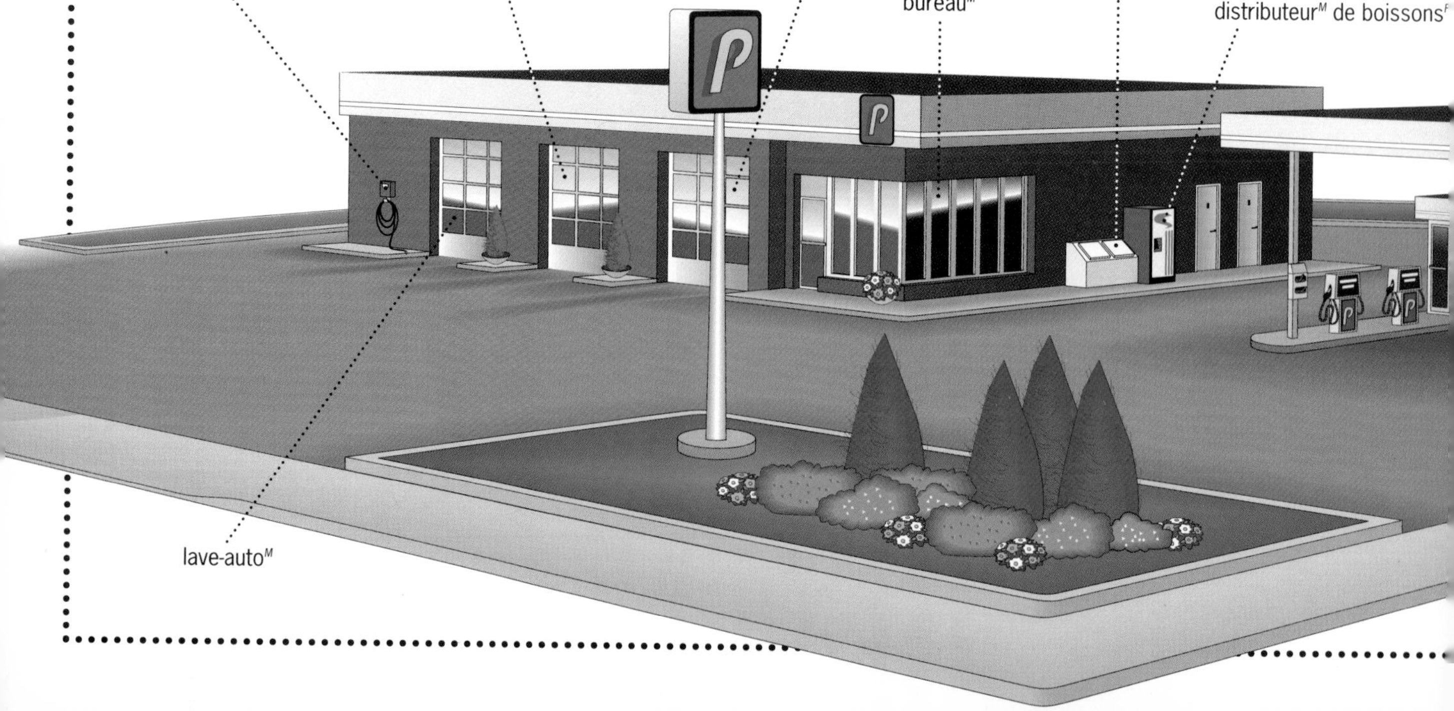

station-service^F

borne^F de gonflage^M

atelier^M de mécanique^F

service^M d'entretien^M

distributeur^M de glaçons^M

bureau^M

distributeur^M de boissons^F

lave-auto^M

LA MOTO^F

pare-brise^M

rétroviseur^M

levier^M d'embrayage^M

réservoir^M à essence^F

feu^M arrière

tableau^M de bord^M

poignée^F

selle^F biplace

clignotant^M

phare^M

garde-boue^M avant

fourche^F télescopique hydraulique

repose-pied^M

amortisseur^M arrière

jante^F

étrier^M

moteur^M

béquille^F

frein^M à disque^M

sélecteur^M de vitesses^F

pot^M d'échappement^M

135

kiosque^M

distributeur^M d'essence^F

aire^F de ravitaillement^M

casque^M de protection^F

coque^F

visière^F

mentonnière^F

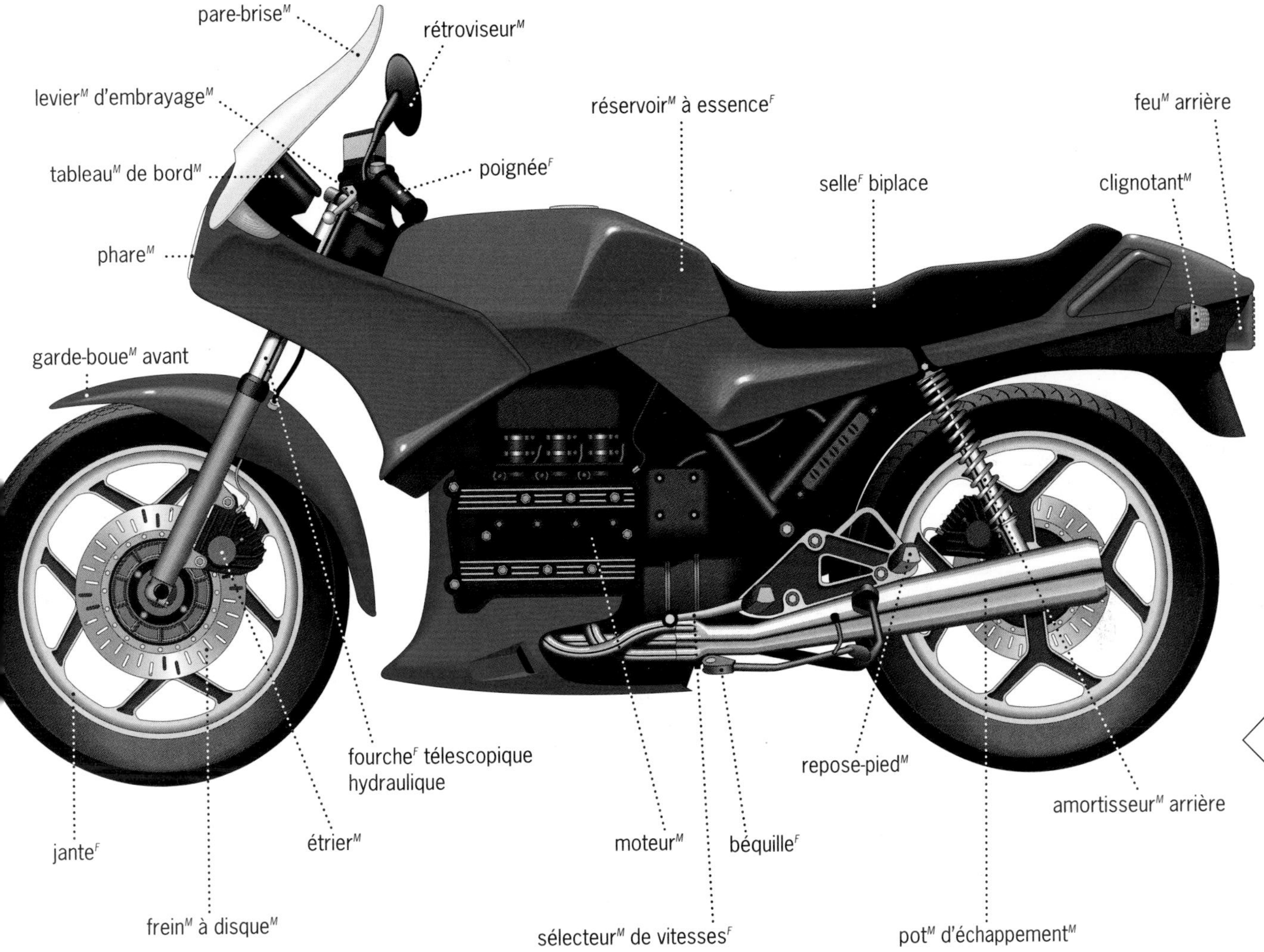

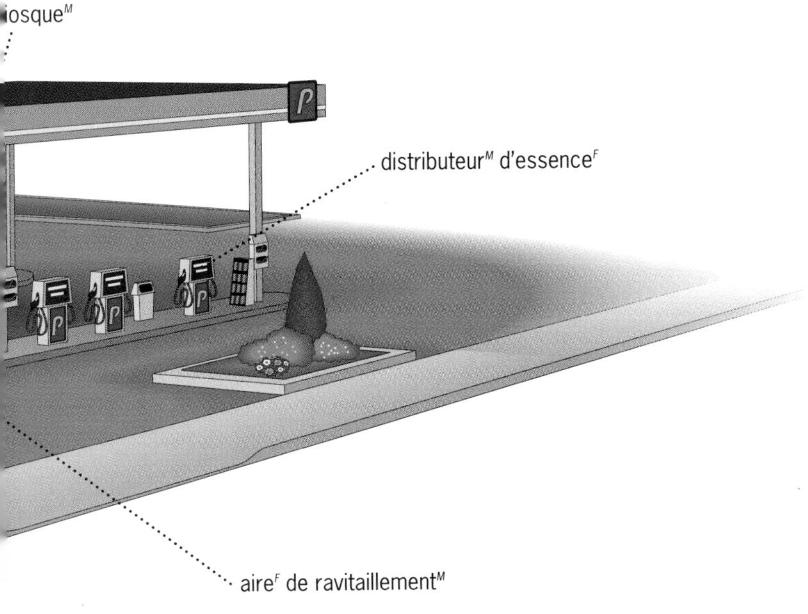

LA BICYCLETTE^F

selle^F

tige^F de selle^F

pompe^F

cadre^M

porte-bagages^M

dynamo^F

frein^M arrière

porte-bidon^M

catadioptre^M

dérailleur^M avant

feu^M arrière

bidon^M

136

plateau^M

manivelle^F

garde-boue^M

guide-chaîne^M

cale-pied^M

pédale^F

dérailleur^M arrière

chaîne^F

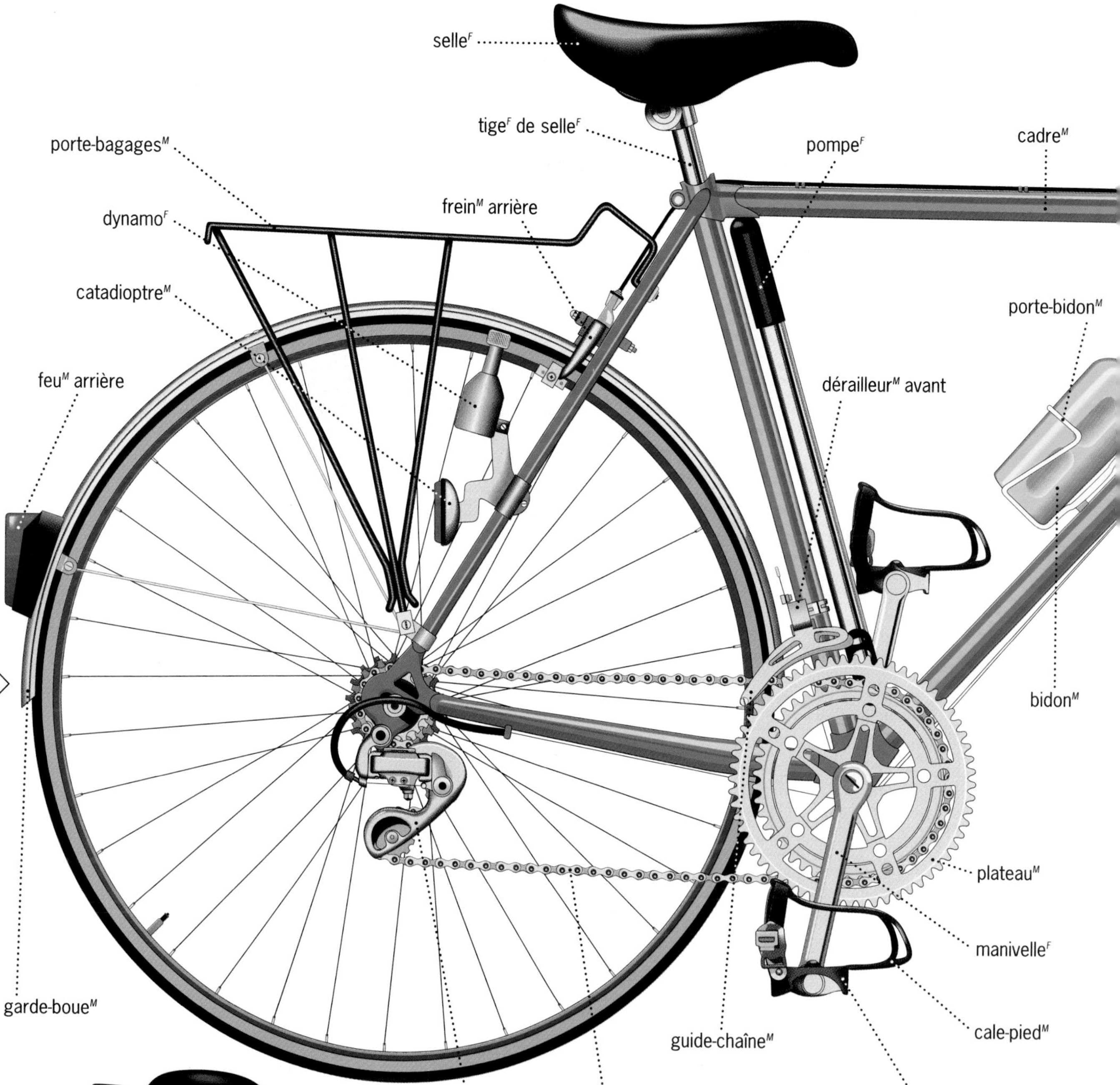

sacoche^F

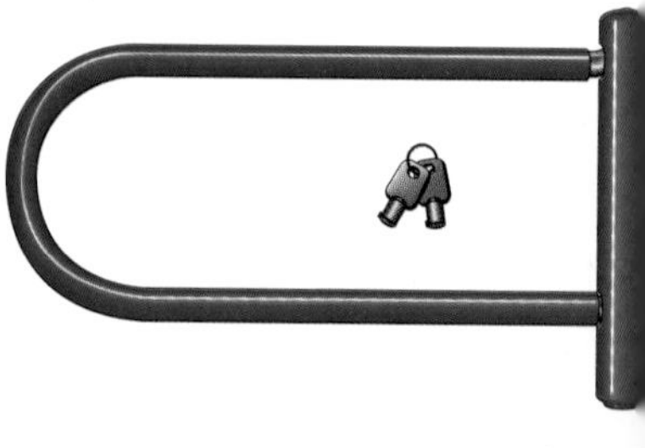

cadenas

câble[M] de frein[M]

potence[F]

poignée[F] de frein[M]

guidon[M]

frein[M] avant

projecteur[M]

fourche[F]

moyeu[M]

pneu[M]

jante[F]

rayon[M]

manette[F] de dérailleur[M]

valve[F]

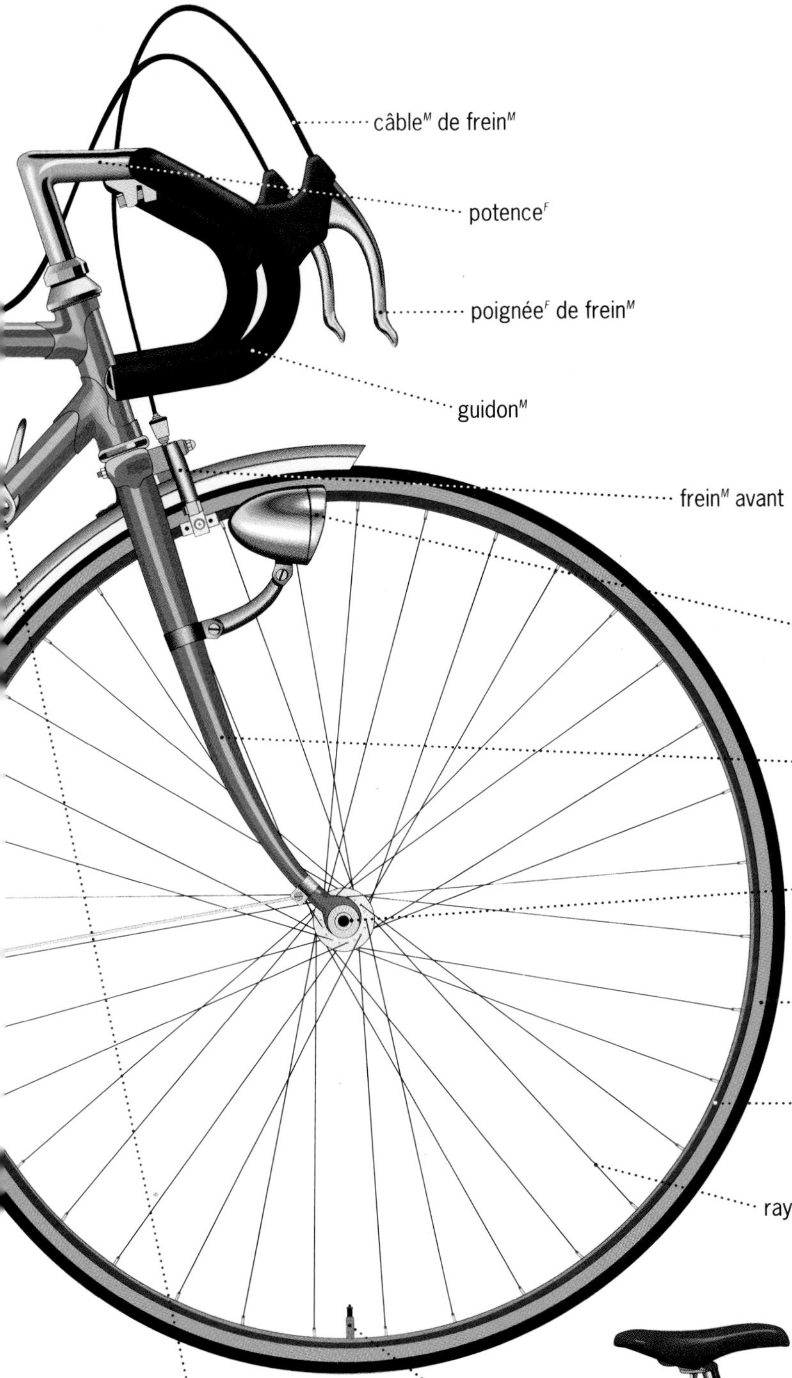

casque[M] de protection[F]

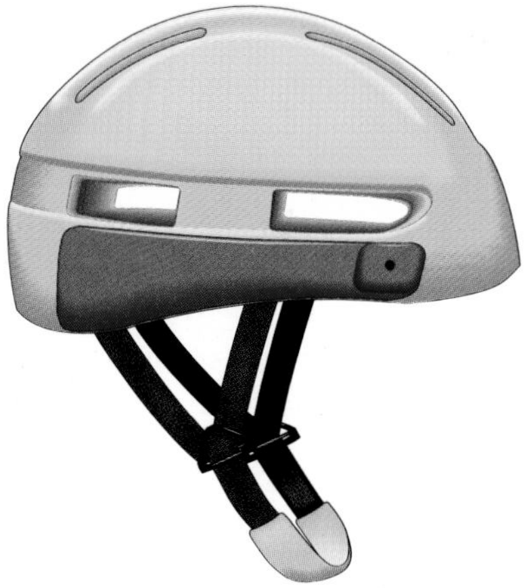

vélo[M] de montagne[F]

LA LOCOMOTIVE^F DIESEL-ÉLECTRIQUE

cabine^F de conduite^F

pupitre^M de conduite^F

ventilateur^M de moteur^M di◆

avertisseur^M

frein^M direct

garde-corps^M

4103

essieu^M

châssis^M de bogie^M

batterie^F

alternateur^M

boîte^F d'essieu^M

bogie^M

ressort^M de suspension^F

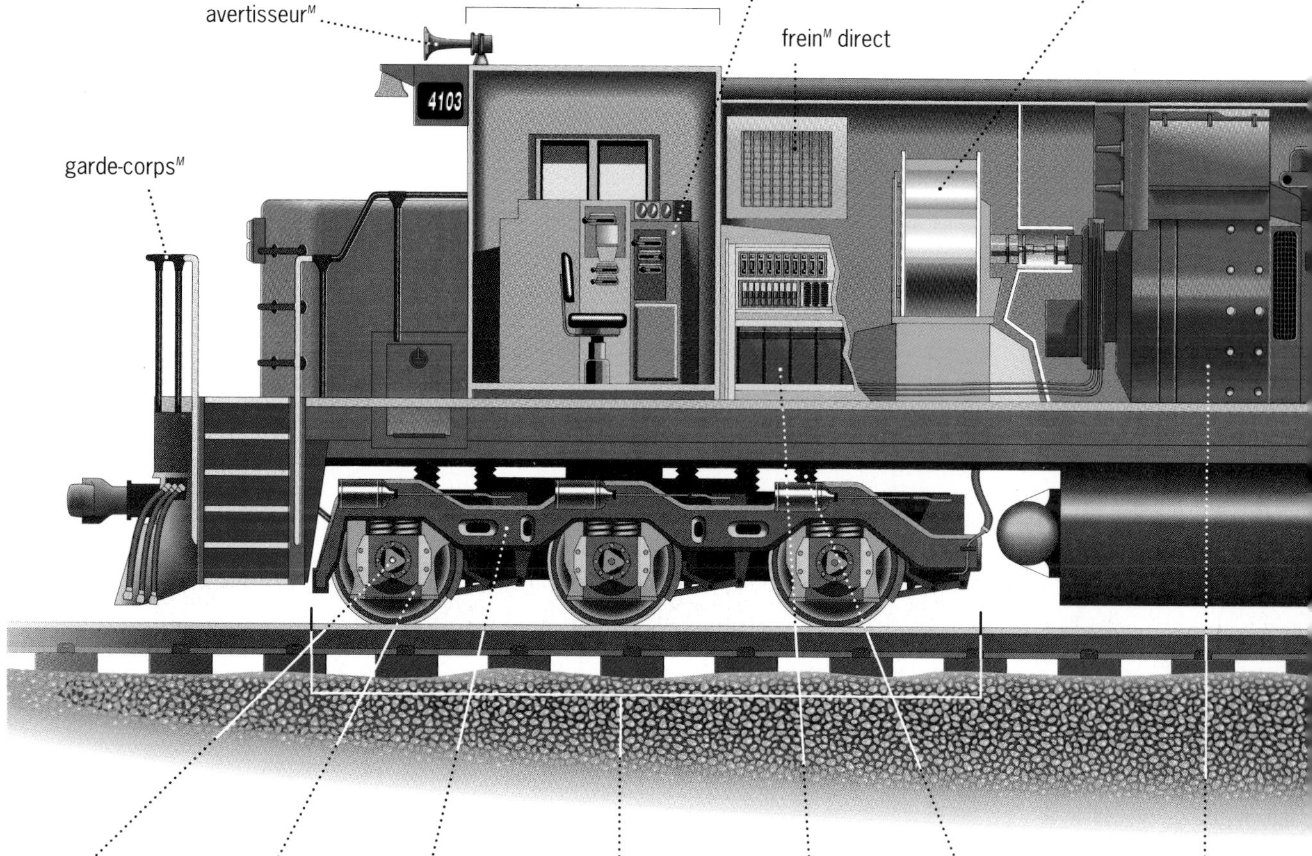

LES TYPES^M DE WAGONS^M

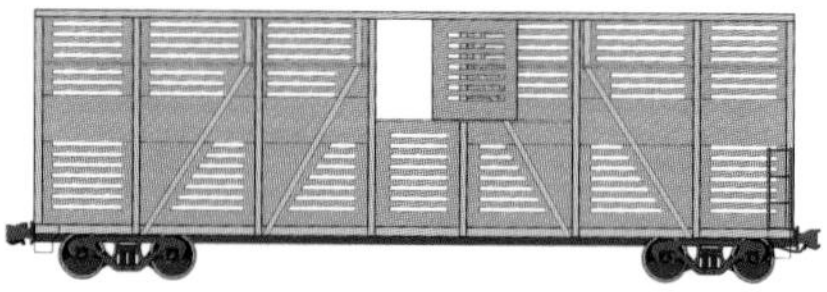

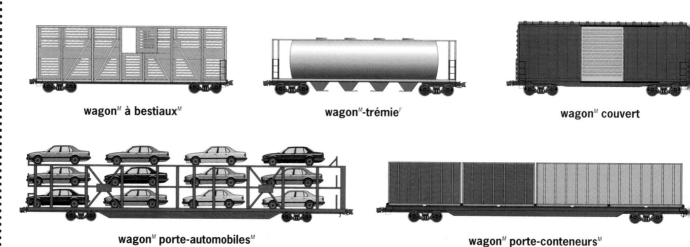

wagon^M à bestiaux^M

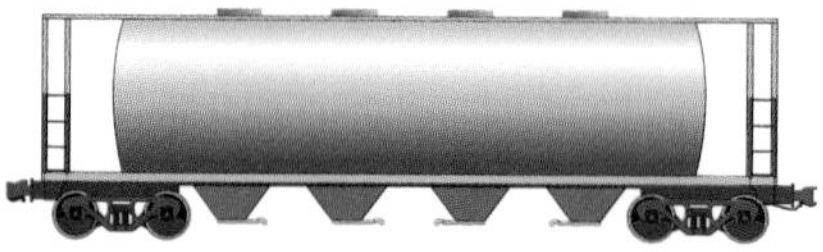

wagon^M-trémie^F

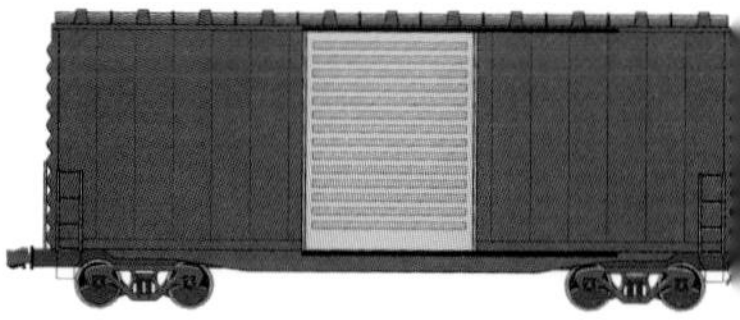

wagon^M couvert

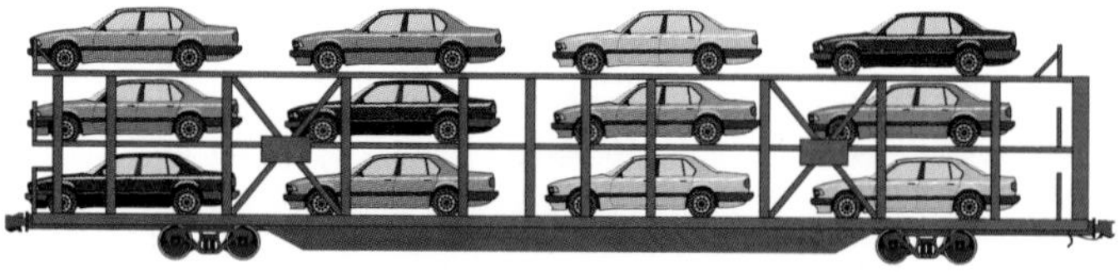

wagon^M porte-automobiles^M

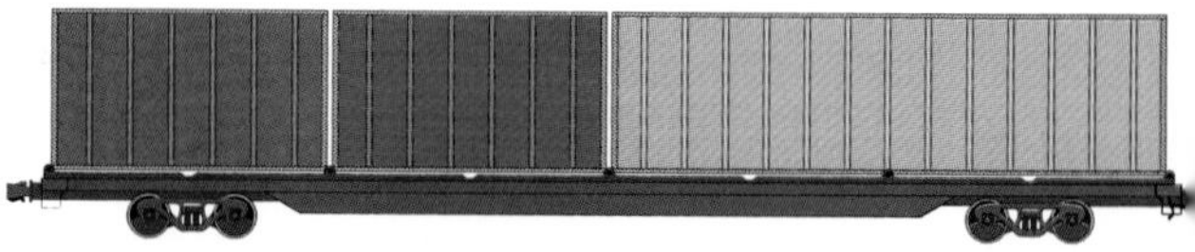

wagon^M porte-conteneurs^M

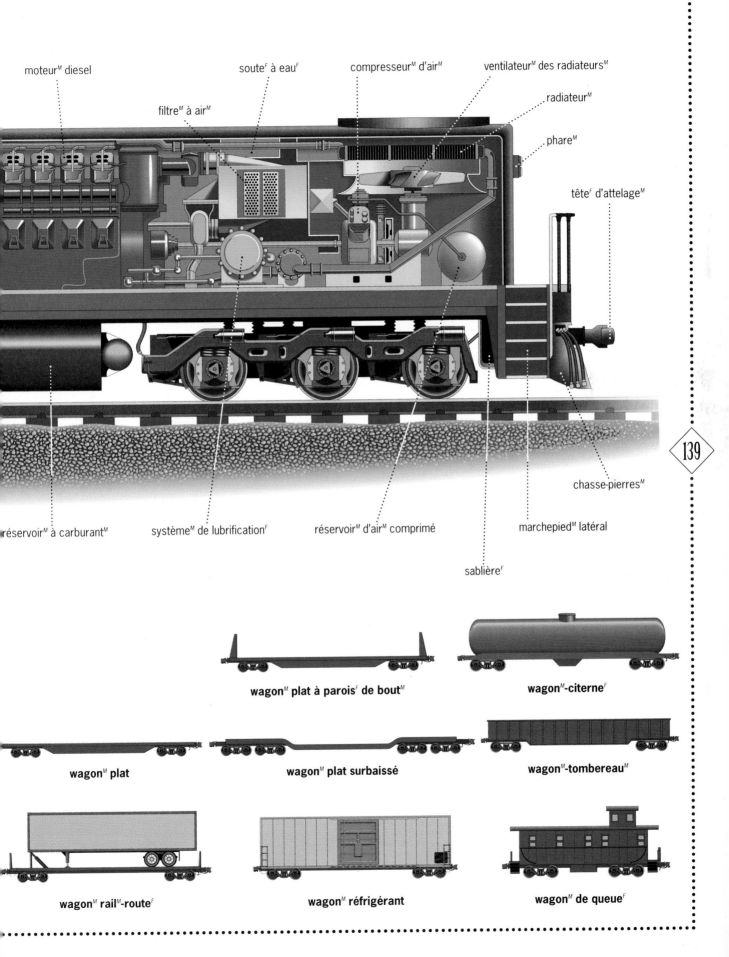

moteur^M diesel

filtre^M à air^M

soute^F à eau^F

compresseur^M d'air^M

ventilateur^M des radiateurs^M

radiateur^M

phare^M

tête^F d'attelage^M

chasse-pierres^M

marchepied^M latéral

sablière^F

réservoir^M d'air^M comprimé

système^M de lubrification^F

réservoir^M à carburant^M

139

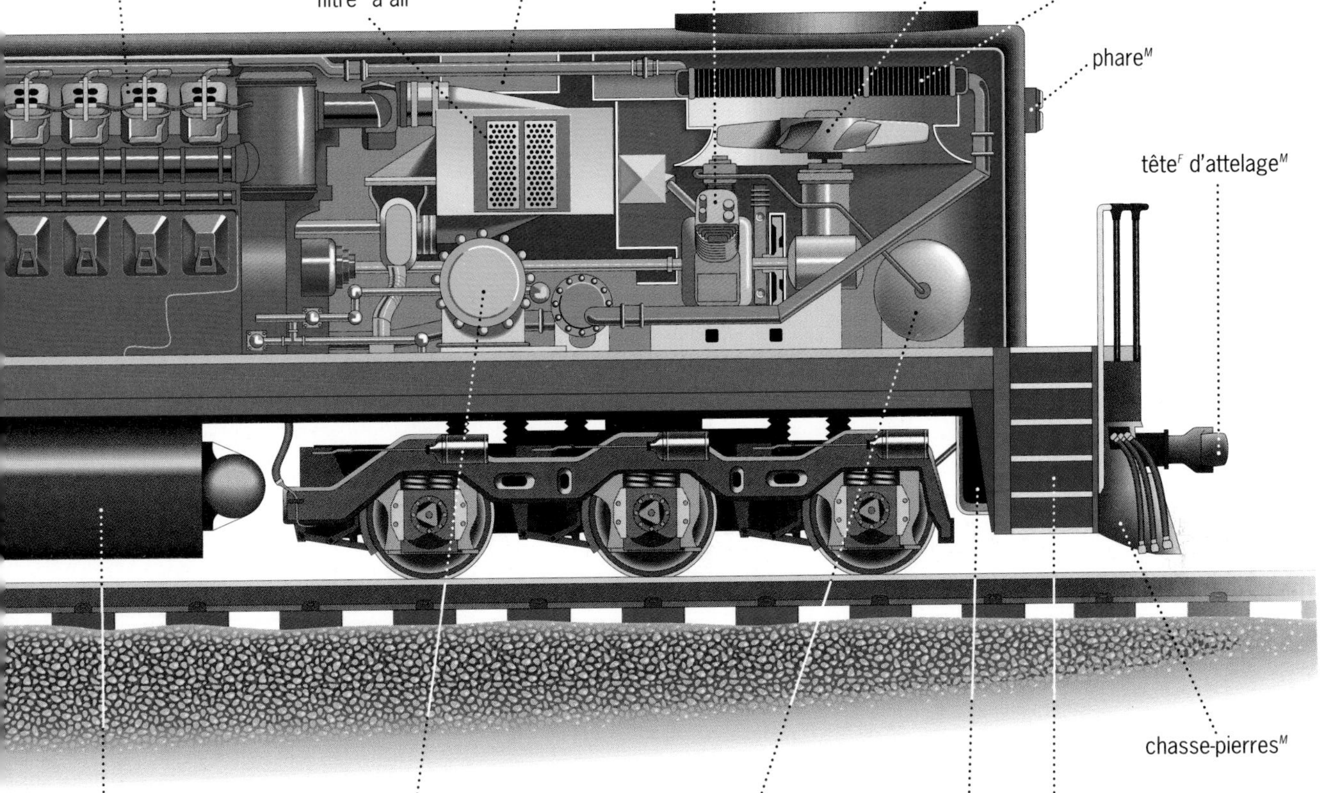

wagon^M plat à parois^F de bout^M

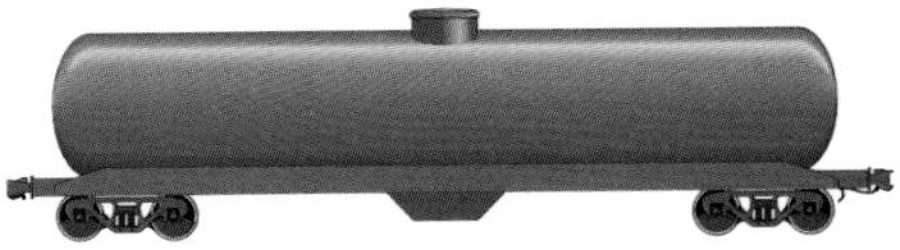

wagon^M-citerne^F

wagon^M plat

wagon^M plat surbaissé

wagon^M-tombereau^M

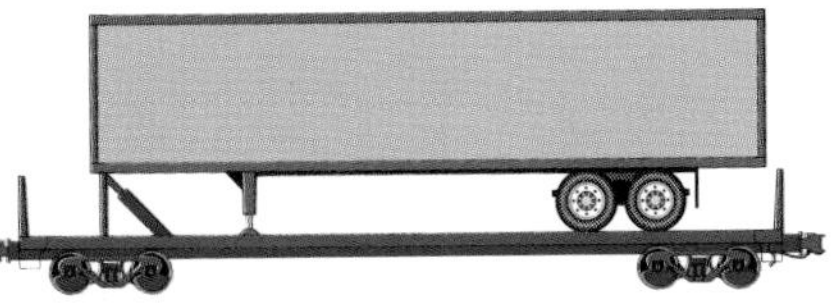

wagon^M rail^M-route^F

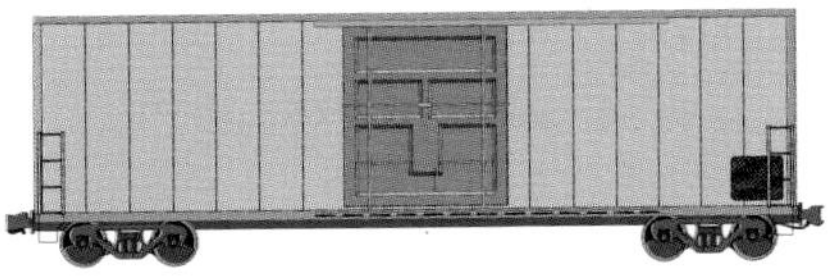

wagon^M réfrigérant

wagon^M de queue^F

LE PASSAGE[M] À NIVEAU[M]

sonnerie[F] de passage[M] à niveau[M]

croix[F] de Saint-André

mât[M]

visière[F]

feu[M] clignotant

écran[M] de visibilité[F]

panneau[M] nombre[M] de voies[F]

feu[M] de lisse[F]

contrepoids[M]

lisse[F]

support[M] de lisse[F]

commande[F] de barrières[F]

base[F]

LE TRAIN[M] À GRANDE VITESSE[F] (T.G.V.)

caténaire[F]

pantographe[M]

cabine[F] de conduite[F]

motrice[F]

phare[M] central

projecteur[M]

feu[M] de position[F]

compartiment voyageurs[M]

chasse-pierres[M]

ballast[M]

selle[F] de rail[M]

traverse[F]

rail[M]

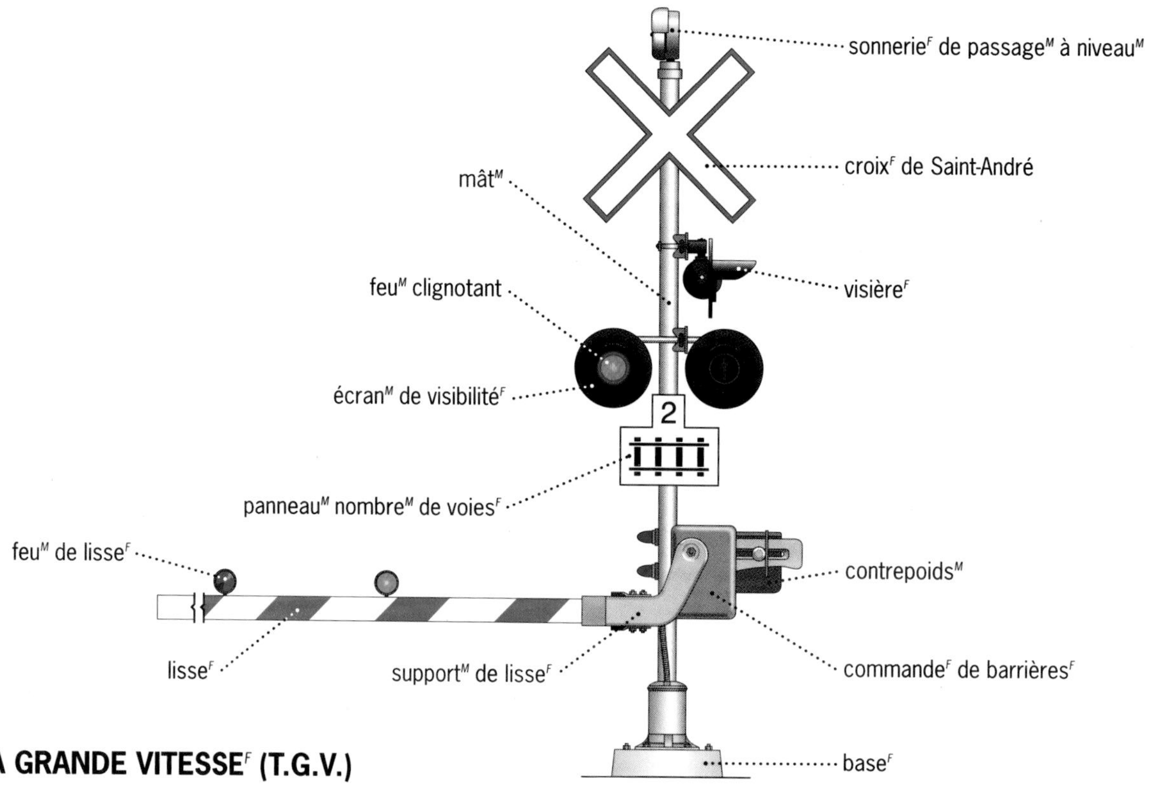

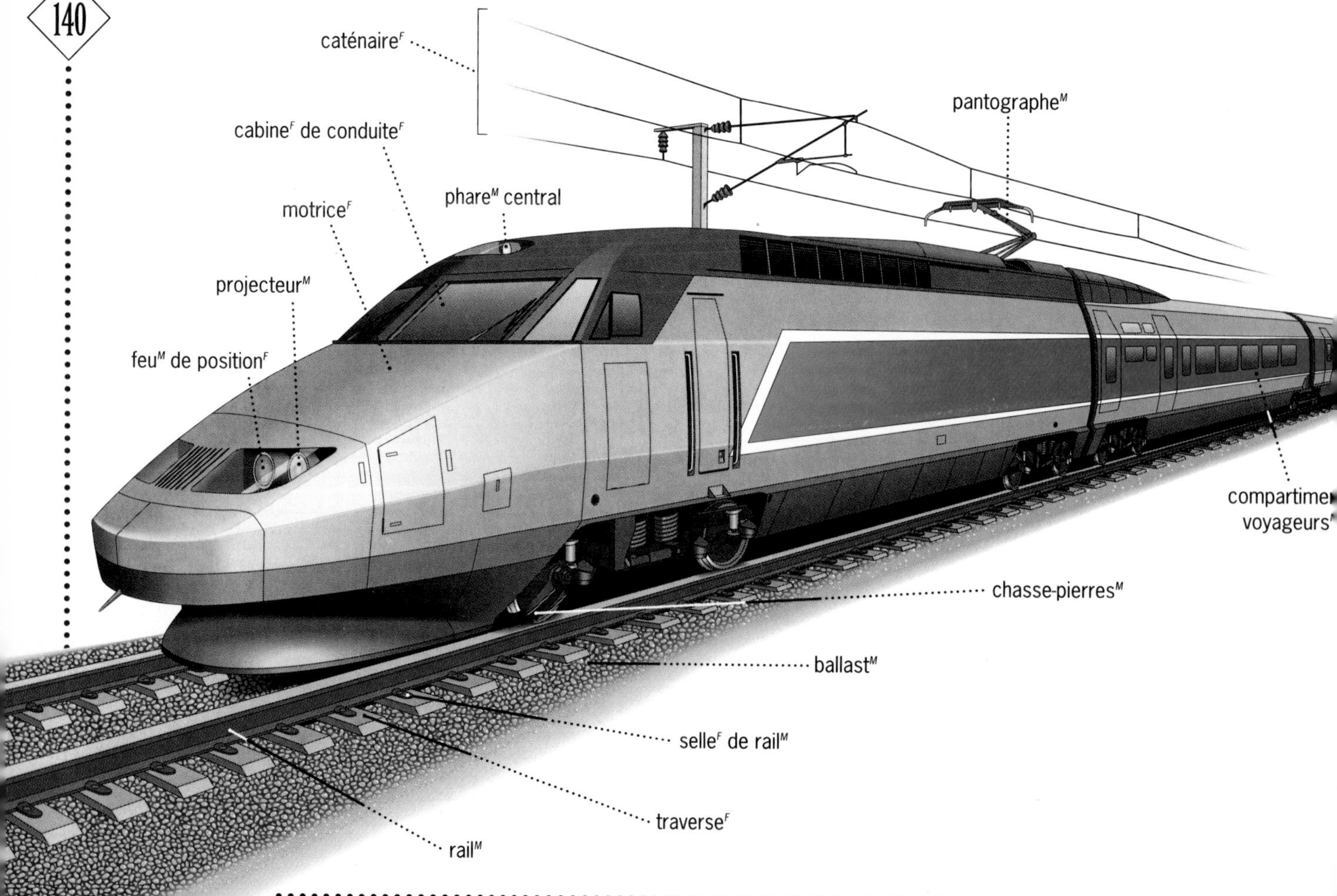

LE QUATRE-MÂTS^M BARQUE^F

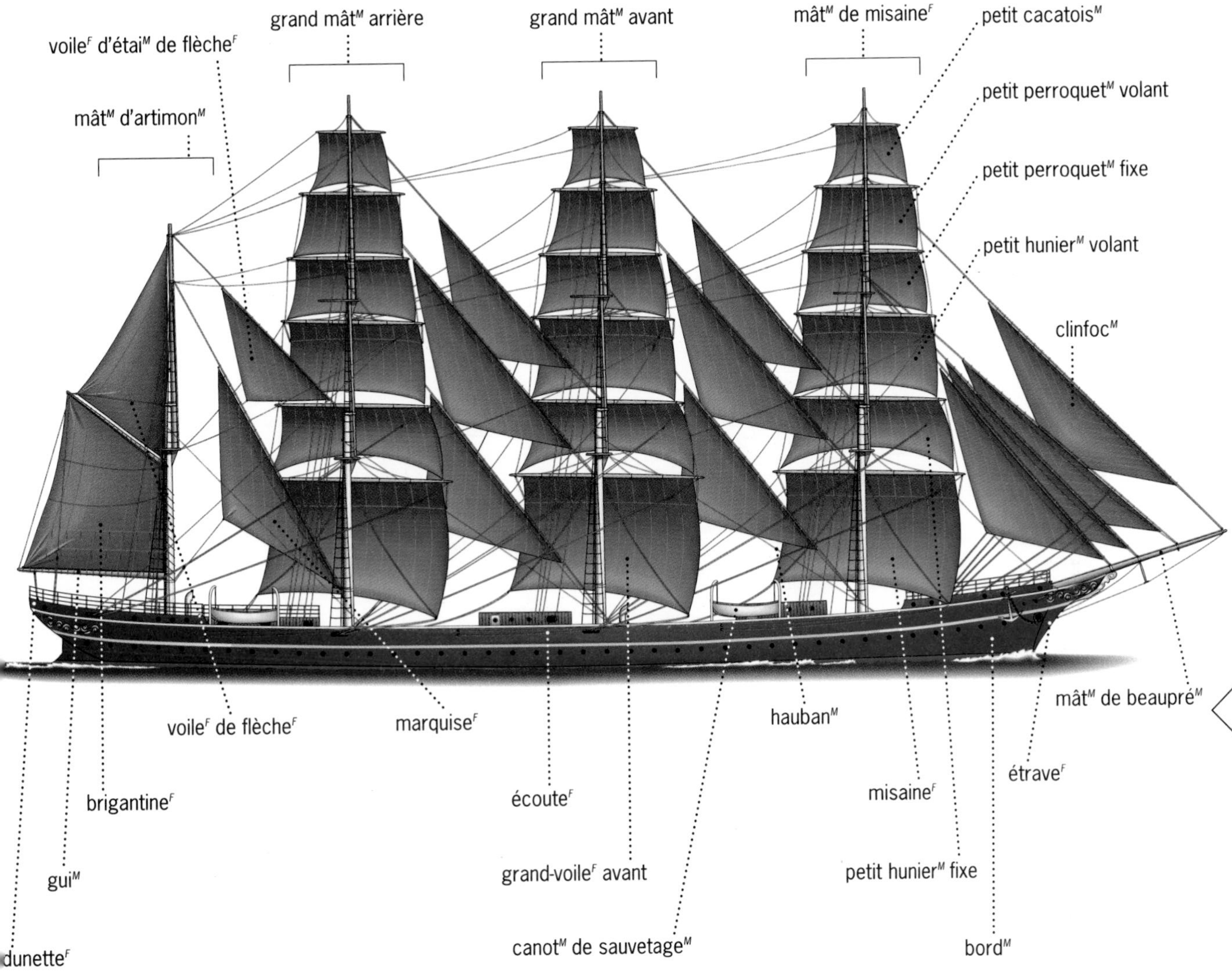

voile^F d'étai^M de flèche^F

grand mât^M arrière

grand mât^M avant

mât^M de misaine^F

petit cacatois^M

mât^M d'artimon^M

petit perroquet^M volant

petit perroquet^M fixe

petit hunier^M volant

clinfoc^M

voile^F de flèche^F

marquise^F

hauban^M

mât^M de beaupré^M

141

brigantine^F

écoute^F

misaine^F

étrave^F

gui^M

grand-voile^F avant

petit hunier^M fixe

dunette^F

canot^M de sauvetage^M

bord^M

L'AÉROGLISSEUR^M

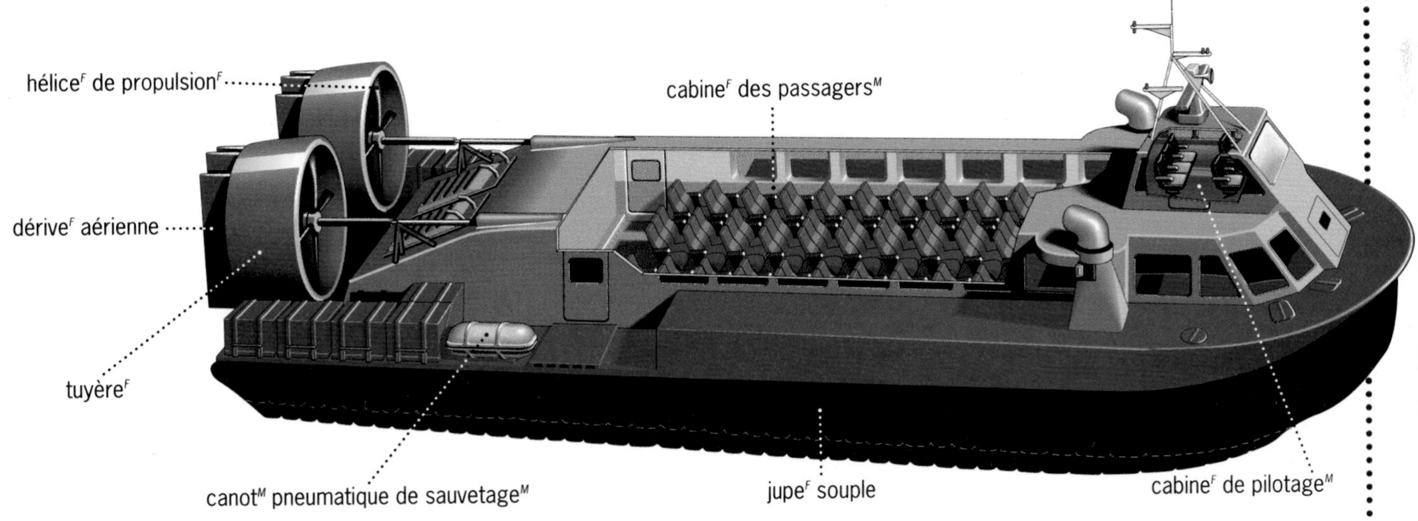

hélice^F de propulsion^F

cabine^F des passagers^M

dérive^F aérienne

tuyère^F

canot^M pneumatique de sauvetage^M

jupe^F souple

cabine^F de pilotage^M

LE PAQUEBOT[M]

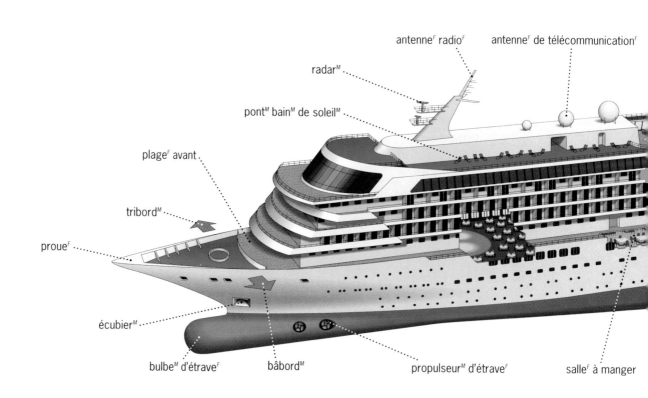

antenne[F] radio[F]

antenne[F] de télécommunication[F]

radar[M]

pont[M] bain[M] de soleil[M]

plage[F] avant

tribord[M]

proue[F]

écubier[M]

bulbe[M] d'étrave[F]

bâbord[M]

propulseur[M] d'étrave[F]

salle[F] à manger

LE PORT[M] MARITIME

terminal[M] de vrac[M]

portique[M] de chargement[M]
de conteneurs[M]

bassin[M] de radoub[M]

quai[M]

terminal[M] à céréales[F]

écluse[F]

silos[M]

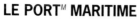

grue[F] sur ponton[M]

navire[M] porte-conteneurs[M]

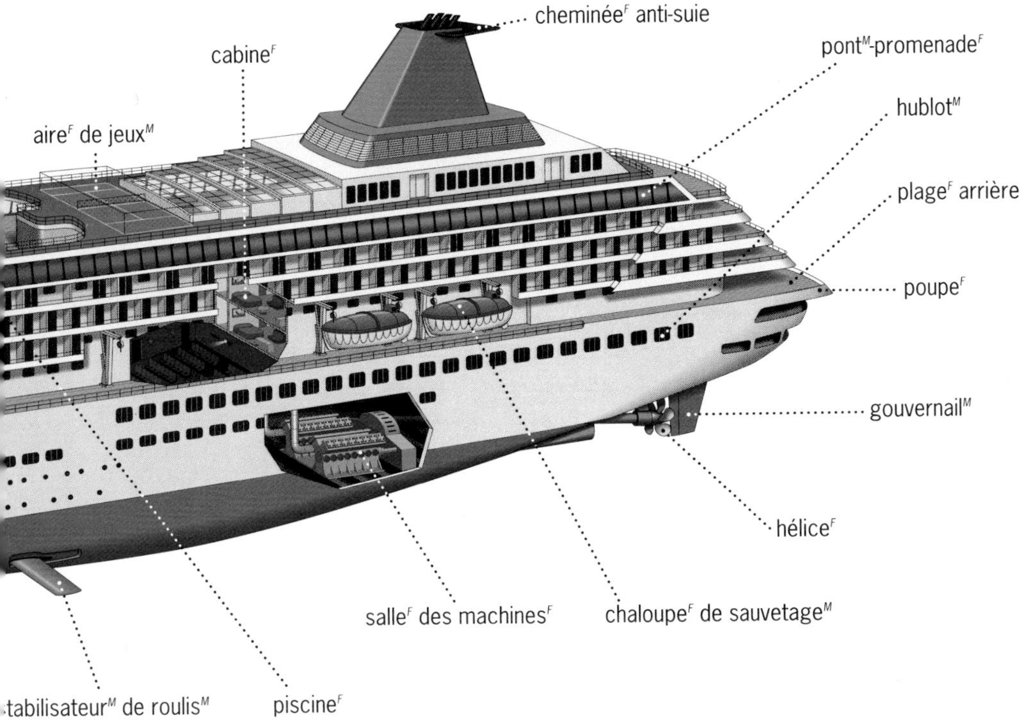

cheminée^F anti-suie

cabine^F

pont^M-promenade^F

hublot^M

aire^F de jeux^M

plage^F arrière

poupe^F

gouvernail^M

hélice^F

salle^F des machines^F

chaloupe^F de sauvetage^M

stabilisateur^M de roulis^M

piscine^F

143

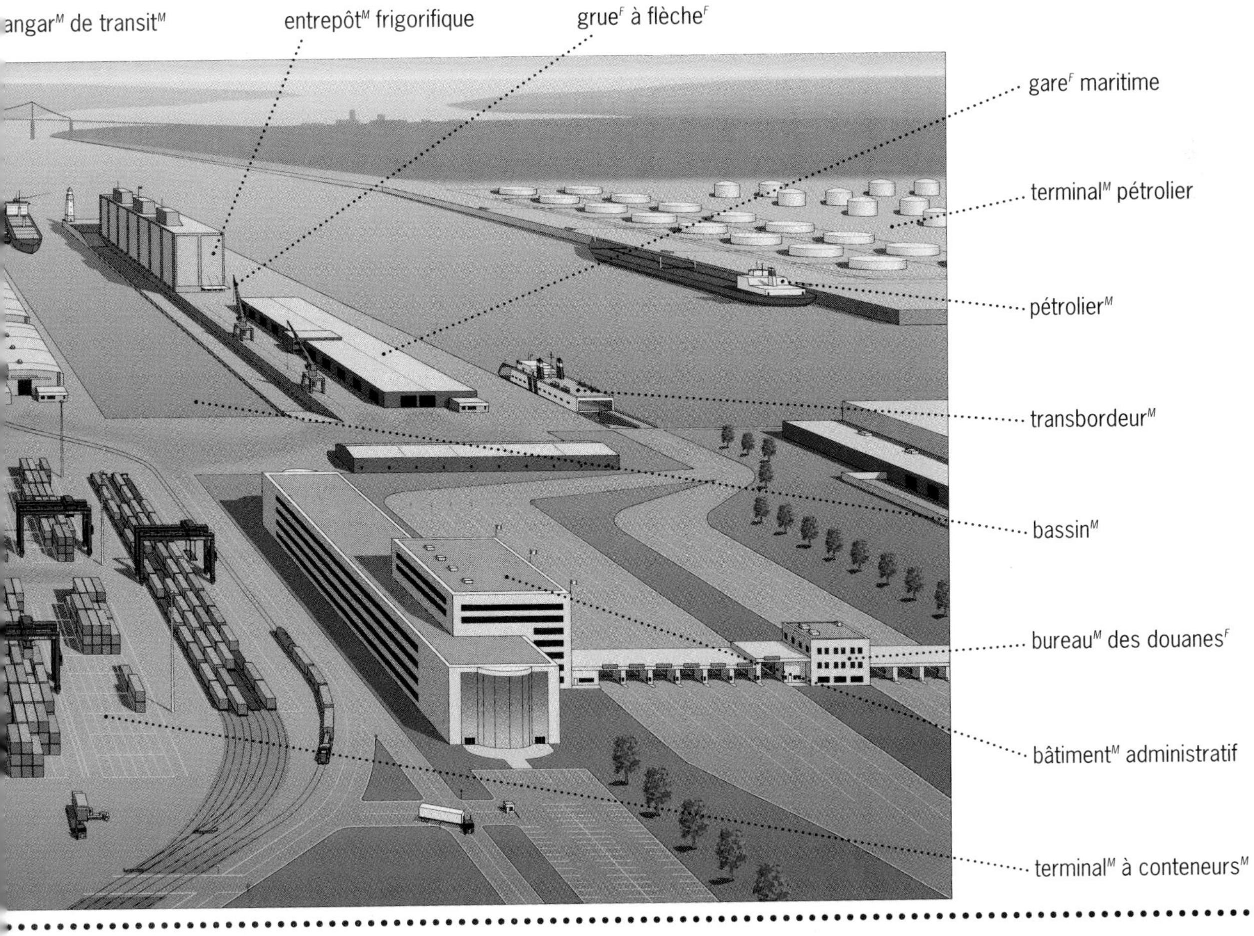

hangar^M de transit^M

entrepôt^M frigorifique

grue^F à flèche^F

gare^F maritime

terminal^M pétrolier

pétrolier^M

transbordeur^M

bassin^M

bureau^M des douanes^F

bâtiment^M administratif

terminal^M à conteneurs^M

L'AVION^M

TYPES^M DE VOILURES^F

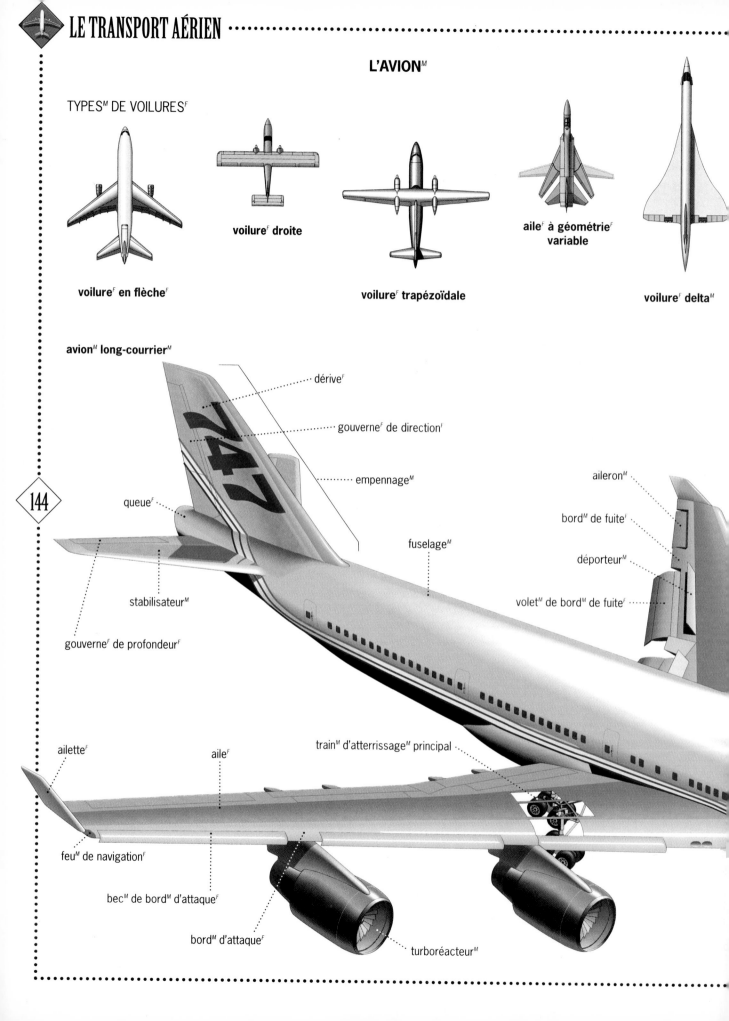

voilure^F droite

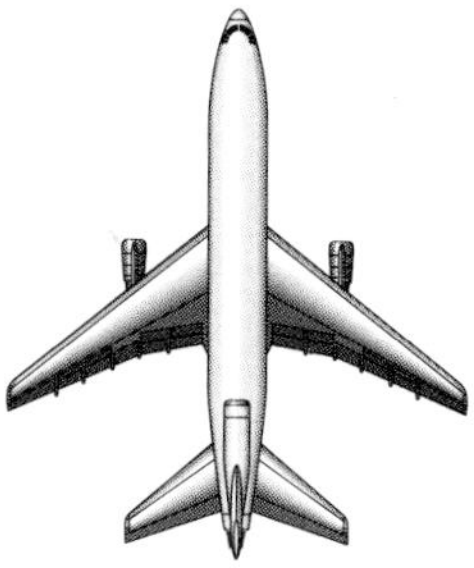

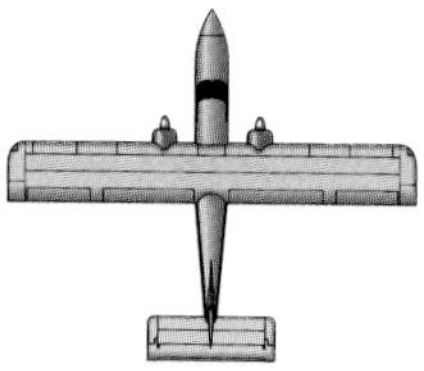

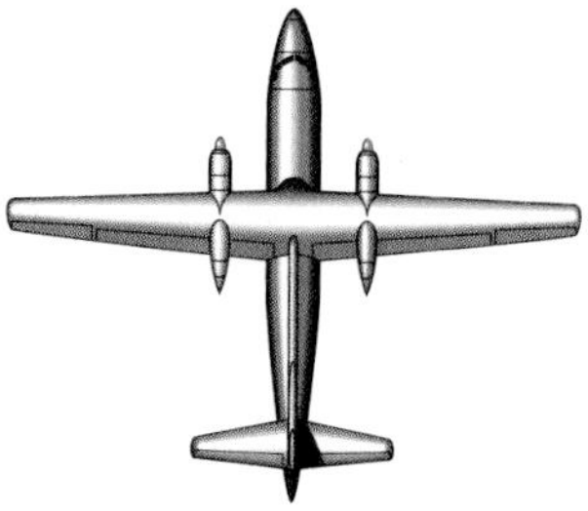

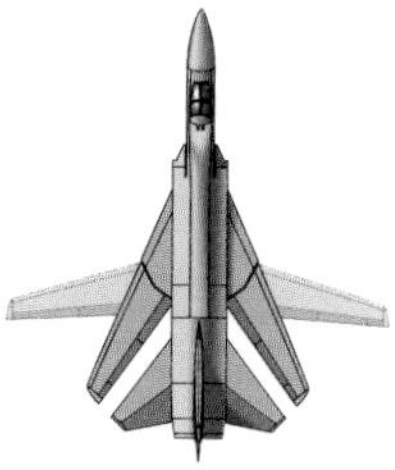

aile^F à géométrie^F variable

voilure^F en flèche^F

voilure^F trapézoïdale

voilure^F delta^M

avion^M long-courrier^M

dérive^F

gouverne^F de direction^F

empennage^M

aileron^M

queue^F

bord^M de fuite^F

fuselage^M

déporteur^M

stabilisateur^M

volet^M de bord^M de fuite^F

gouverne^F de profondeur^F

ailette^F

aile^F

train^M d'atterrissage^M principal

feu^M de navigation^F

bec^M de bord^M d'attaque^F

bord^M d'attaque^F

turboréacteur^M

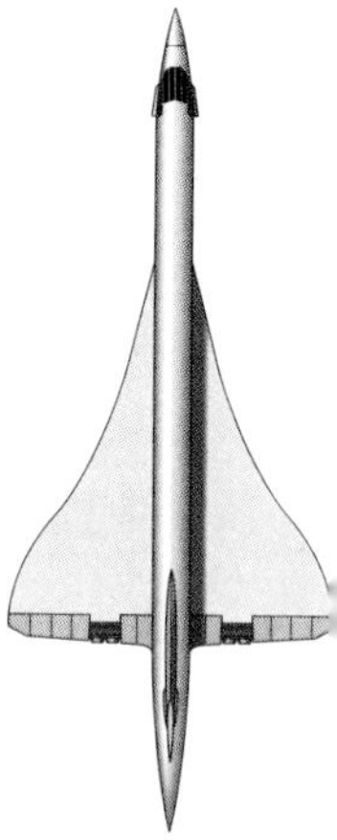

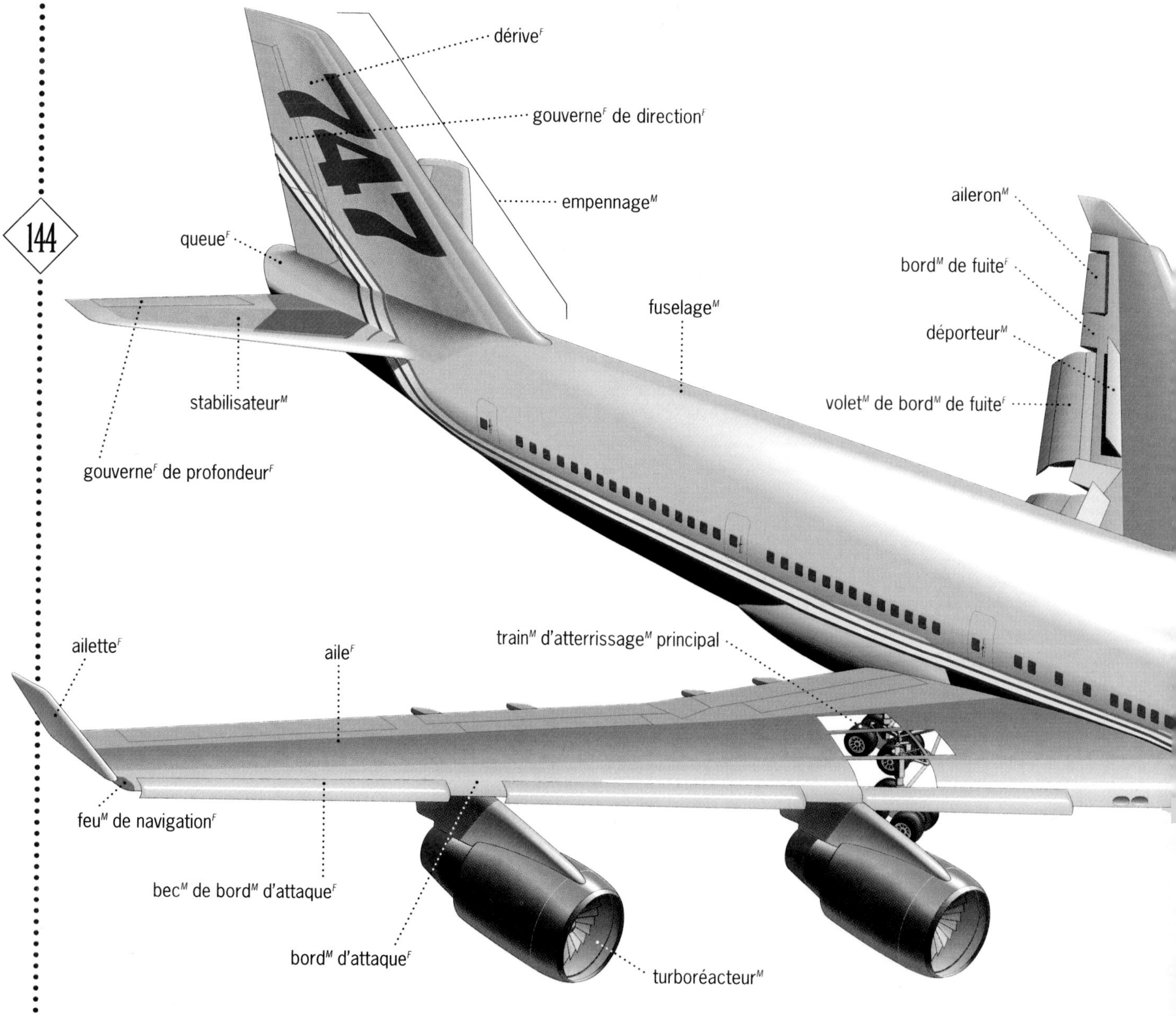

L'HÉLICOPTÈRE[M]

rotor[M] anticouple

dérive[F]

pale[F] de rotor[M]

moyeu[M] rotor[M]

stabilisateur[M]

mât[M] rotor[M]

poutre[F] de queue[F]

tête[F] de rotor[M]

feu[M] de position[F]

béquille[F]

poste[M] de pilotage[M]

tuyère[F]

soute[F] à bagages[M]

entrée[F] d'air[M]

antenne[F]

réservoir[M] à carburant[M]

manche[M] à balai[M]

hublot[M] d'atterrissage[M]

patin[M]

cabine[F]

phare[M] d'atterrissage[M]

marchepied[M]

antenne[F]

poste[M] de pilotage[M]

nez[M]

hublot[M]

radar[M] météorologique

porte[F]

train[M] d'atterrissage[M] avant

TYPES[M] D'EMPENNAGES[M]

empennage[M] bas

empennage[M] surélevé

empennage[M] en T

stabilisateur[M] à triple plan[M] vertical

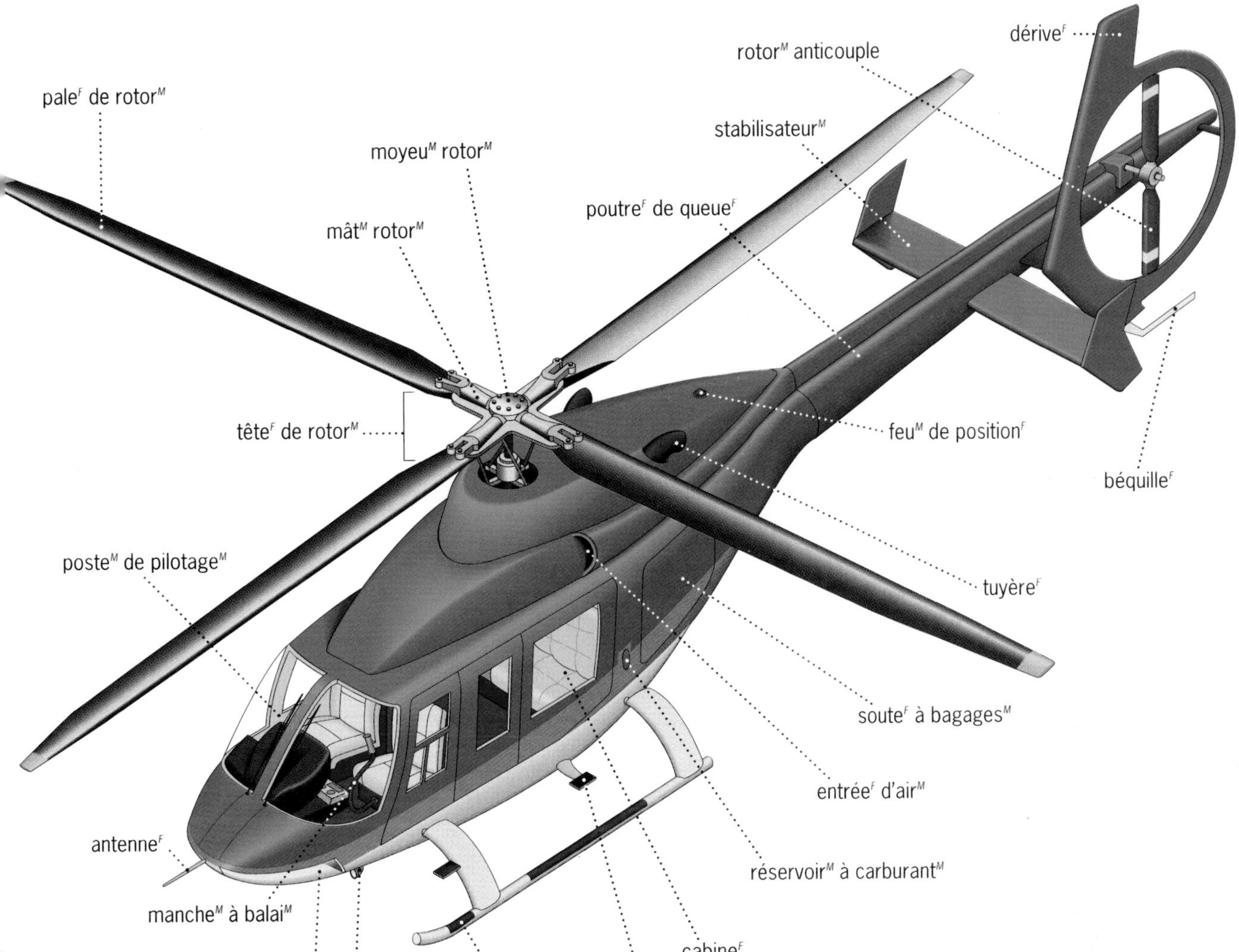

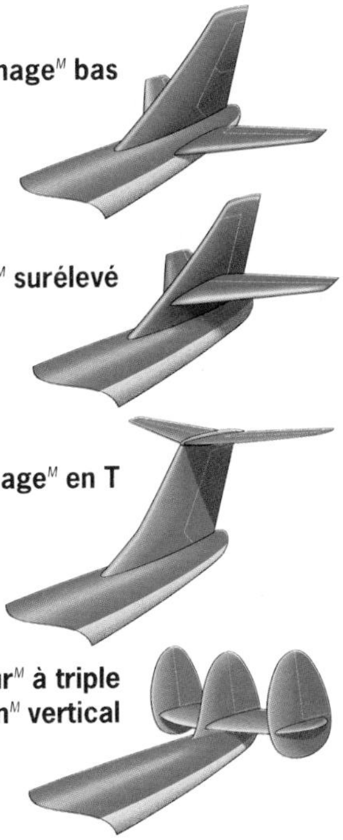

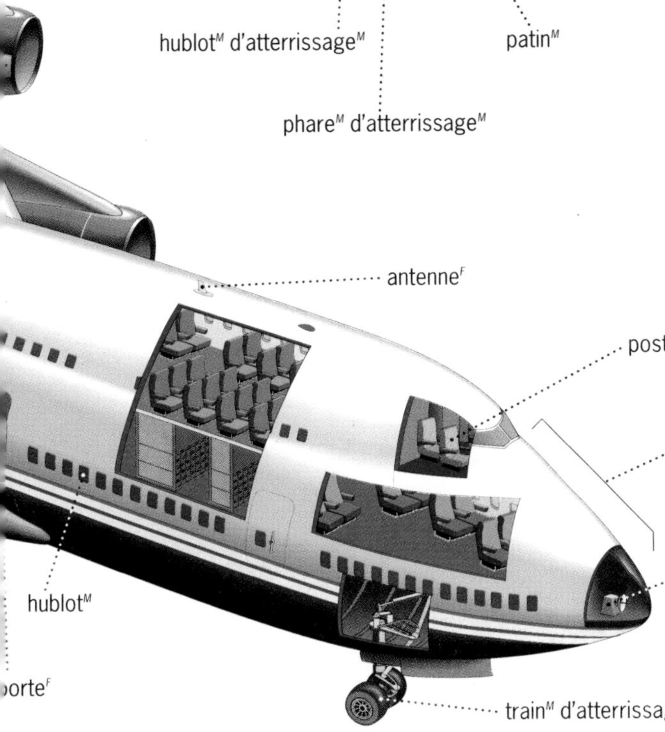

L'AÉROPORT^M

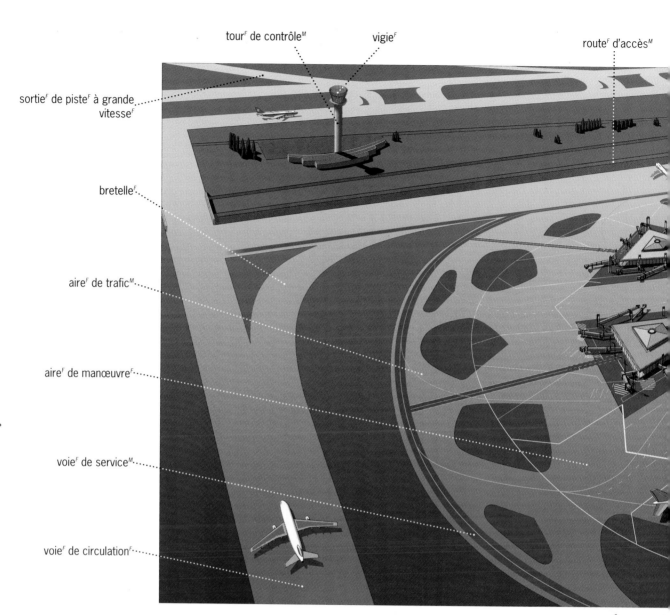

tour^F de contrôle^M

vigie^F

route^F d'accès^M

sortie^F de piste^F à grande vitesse^F

bretelle^F

aire^F de trafic^M

aire^F de manœuvre^F

voie^F de service^M

voie^F de circulation^F

146

ÉQUIPEMENTS^M AÉROPORTUAIRES

barre^F de tractage^M

tracteur^M de piste^F

plate-forme^F élévatrice automotrice

escalier^M d'accès^M

convoyeur^M à bagages^M

cale^F

hangar^M

aire^F de stationnement^M

aérogare^F de passagers^M

quai^M d'embarquement^M

aérogare^F satellite^M

passerelle^F télescopique

aire^F de service^M

marques^F de circulation^F

147

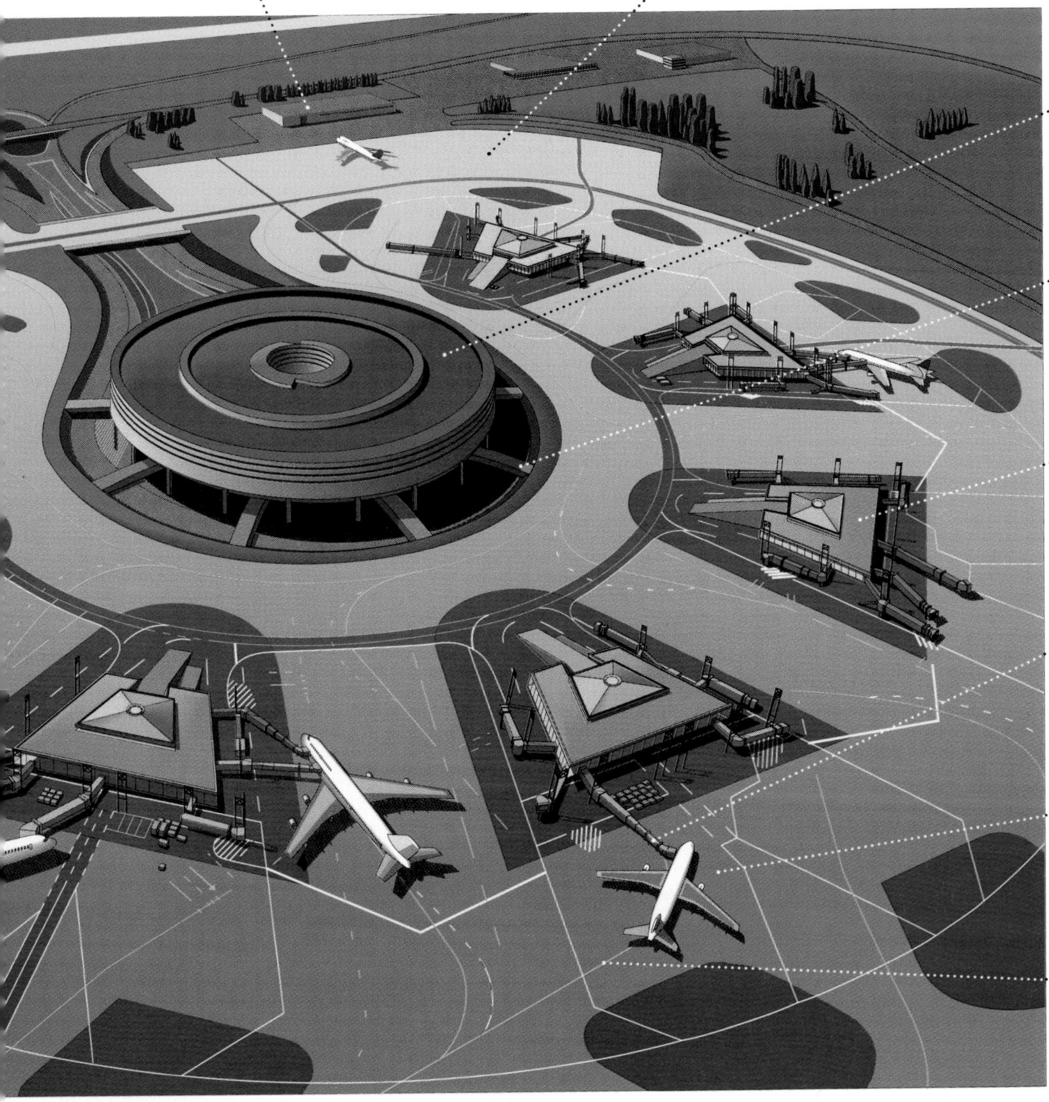

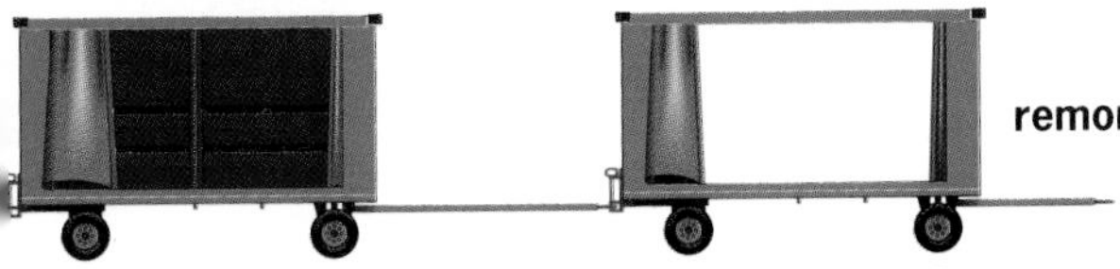

remorque^F à bagages^M

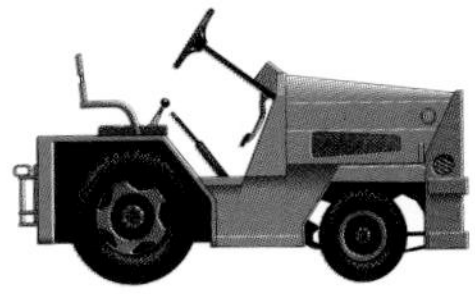

tracteur^M

camion^M commissariat^M

transbordeur^M

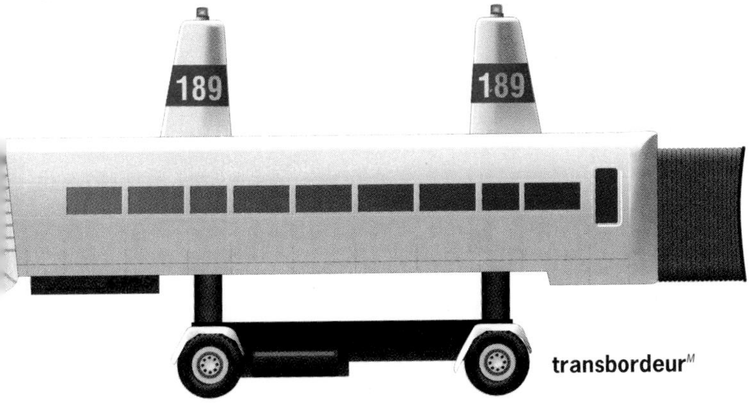

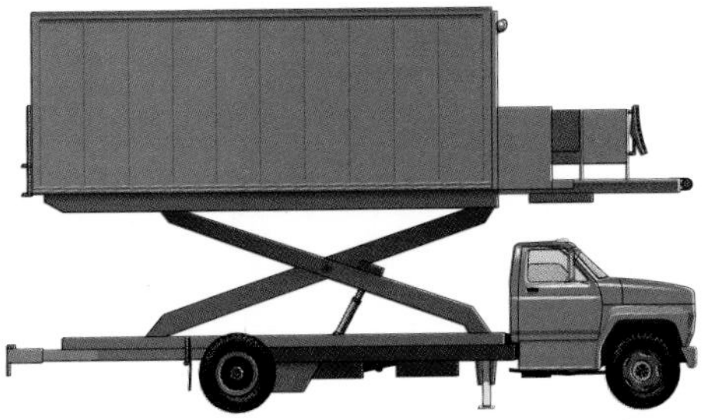

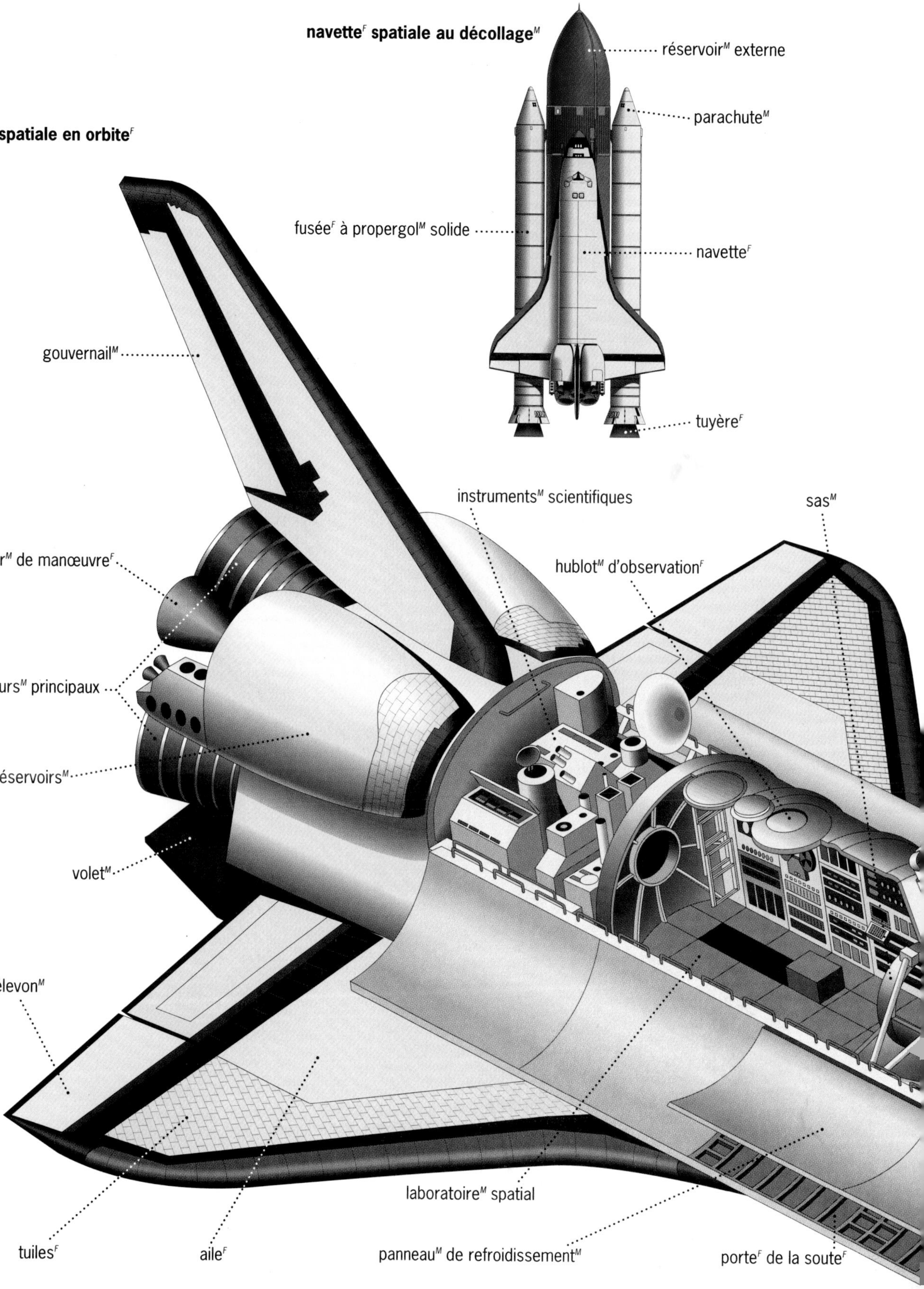

LA NAVETTE^F SPATIALE

navette^F spatiale au décollage^M

réservoir^M externe

parachute^M

fusée^F à propergol^M solide

navette^F

tuyère^F

navette^F spatiale en orbite^F

gouvernail^M

instruments^M scientifiques

sas^M

moteur^M de manœuvre^F

hublot^M d'observation^F

moteurs^M principaux

réservoirs^M

volet^M

élevon^M

tuiles^F

aile^F

laboratoire^M spatial

panneau^M de refroidissement^M

porte^F de la soute^F

148

LE SCAPHANDRE^M SPATIAL

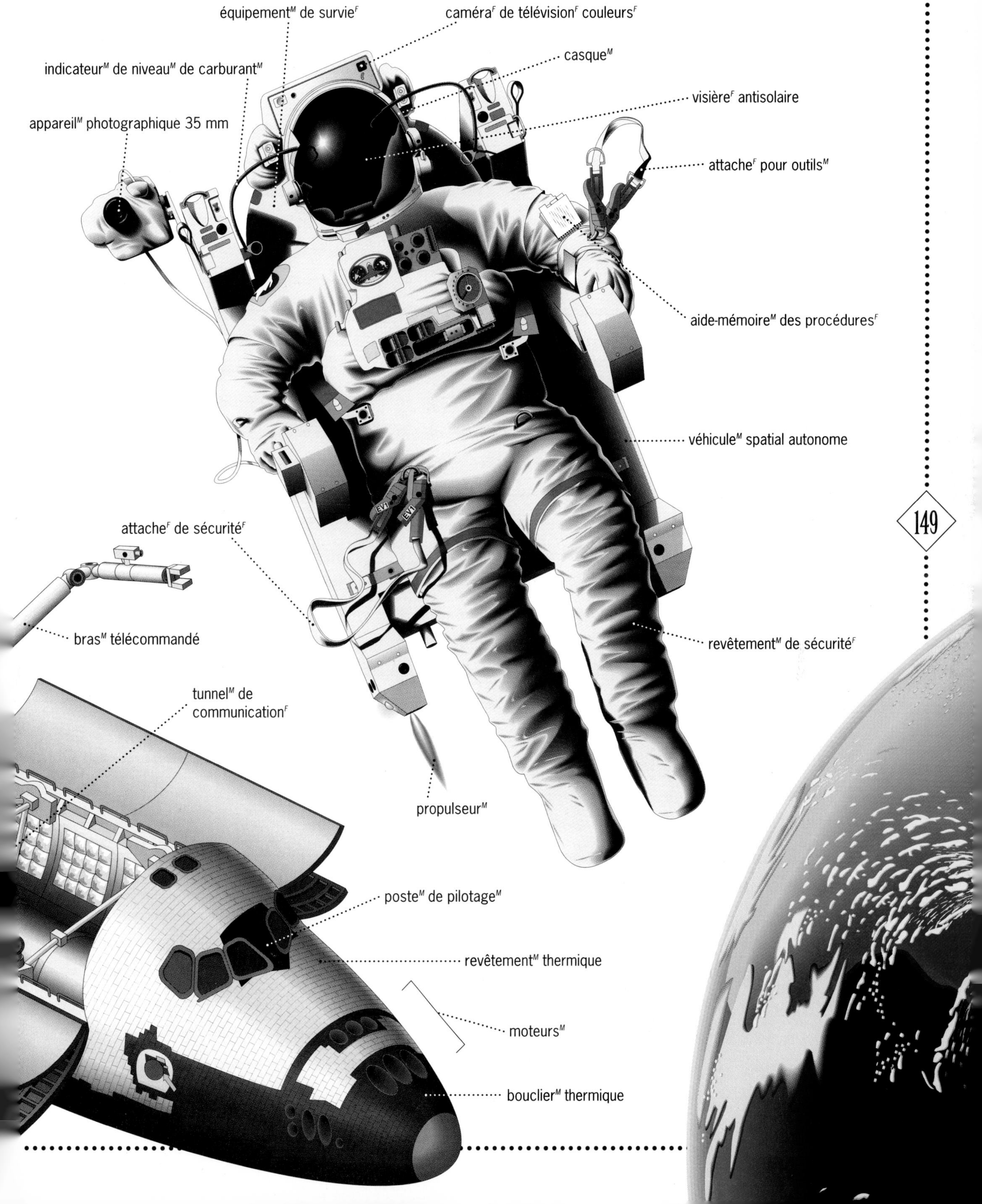

équipement^M de survie^F

caméra^F de télévision^F couleurs^F

indicateur^M de niveau^M de carburant^M

casque^M

appareil^M photographique 35 mm

visière^F antisolaire

attache^F pour outils^M

aide-mémoire^M des procédures^F

véhicule^M spatial autonome

attache^F de sécurité^F

bras^M télécommandé

revêtement^M de sécurité^F

tunnel^M de communication^F

propulseur^M

poste^M de pilotage^M

revêtement^M thermique

moteurs^M

bouclier^M thermique

LES FOURNITURES^F SCOLAIRES

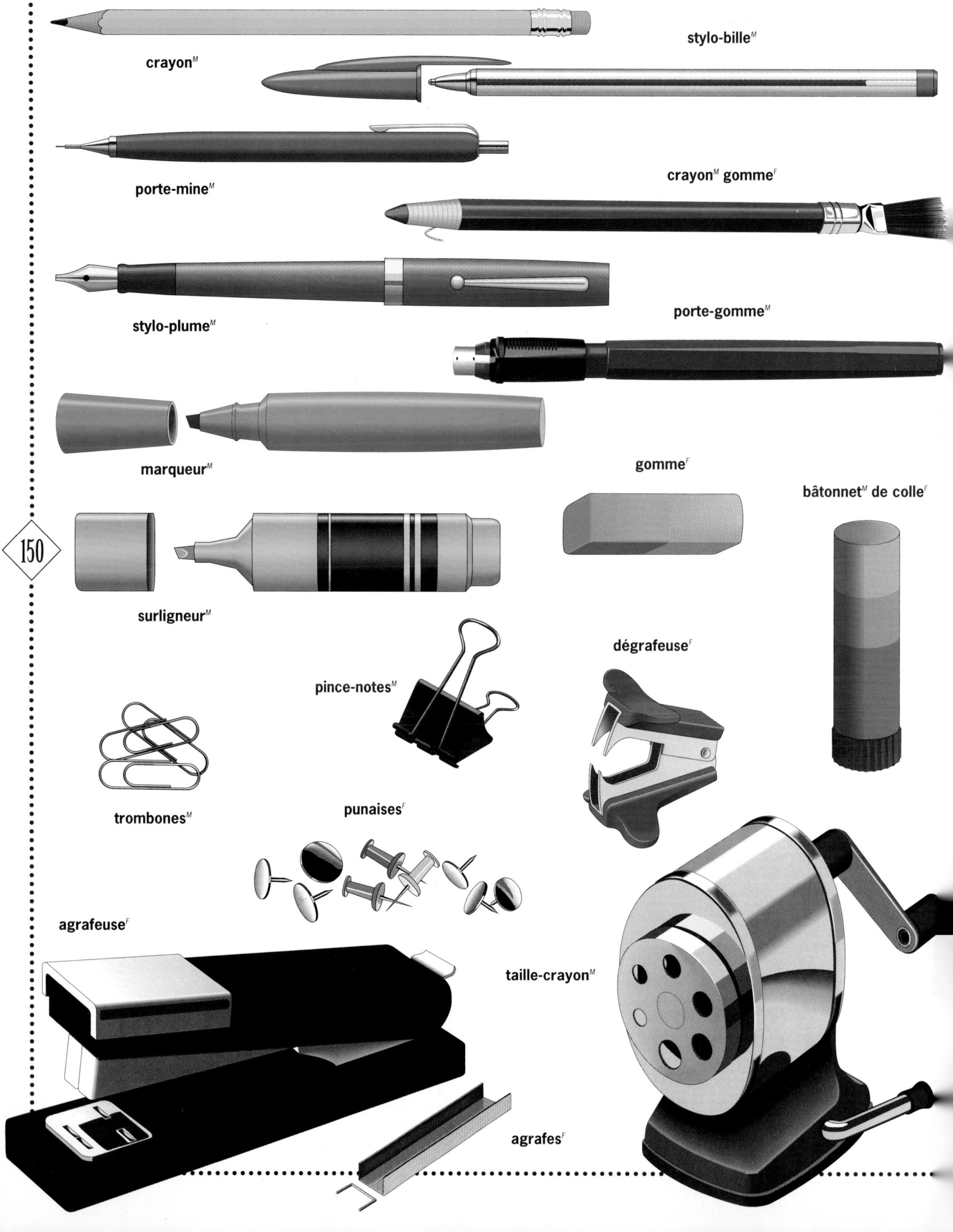

crayon^M

stylo-bille^M

porte-mine^M

crayon^M gomme^F

stylo-plume^M

porte-gomme^M

marqueur^M

gomme^F

bâtonnet^M de colle^F

150

surligneur^M

dégrafeuse^F

pince-notes^M

trombones^M

punaises^F

agrafeuse^F

taille-crayon^M

agrafes^F

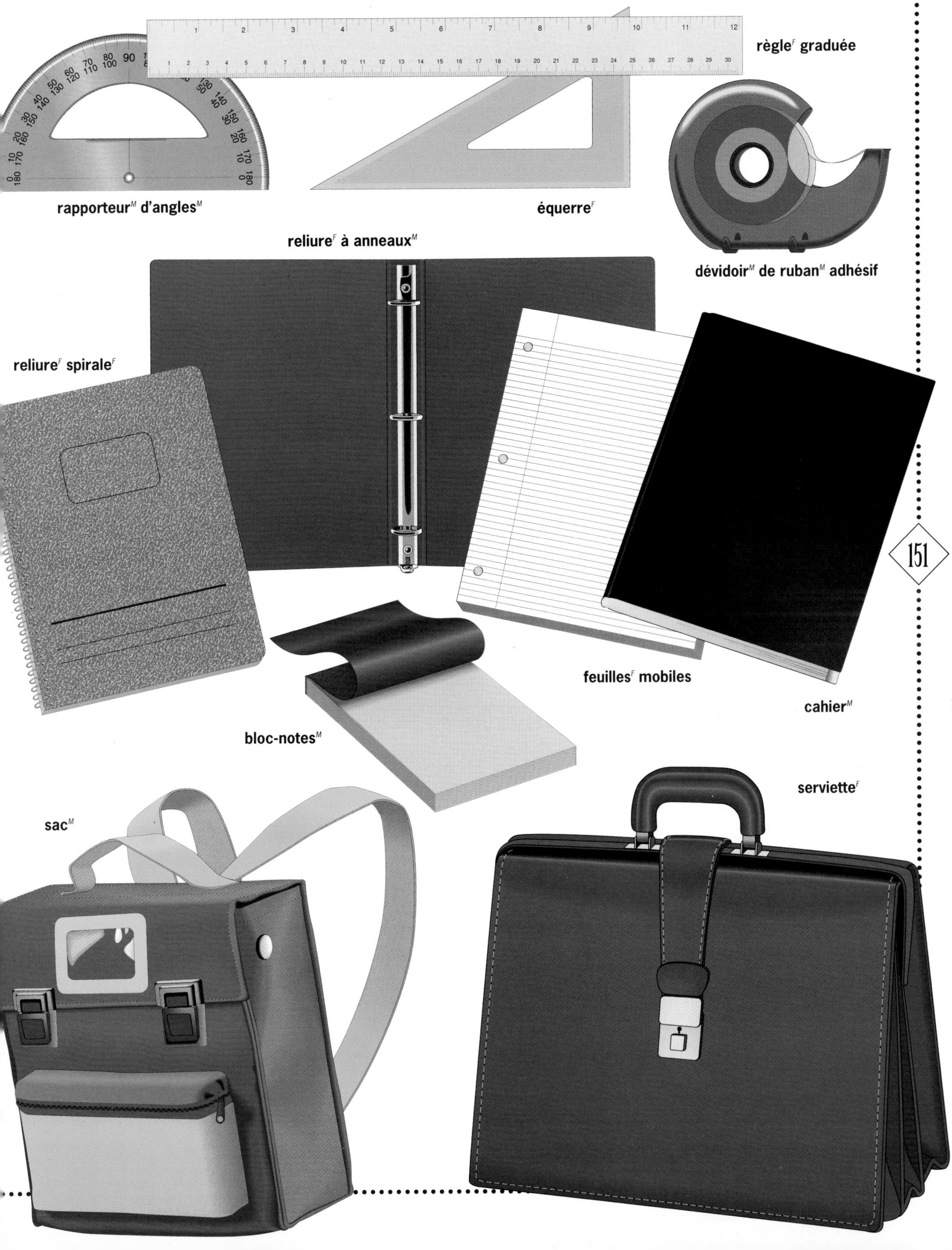

règle^F graduée

rapporteur^M d'angles^M

équerre^F

dévidoir^M de ruban^M adhésif

reliure^F à anneaux^M

reliure^F spirale^F

feuilles^F mobiles

cahier^M

bloc-notes^M

serviette^F

sac^M

151

LE MATÉRIEL^M SCOLAIRE

tableau^M noir

rétroprojecteur^M

miroir^M

tête^F de projection^F

lentille^F

globe^M terrestre

demi-méridien^M

platine^F de projection^F

globe^M

axe^M de rotation^F

support^M

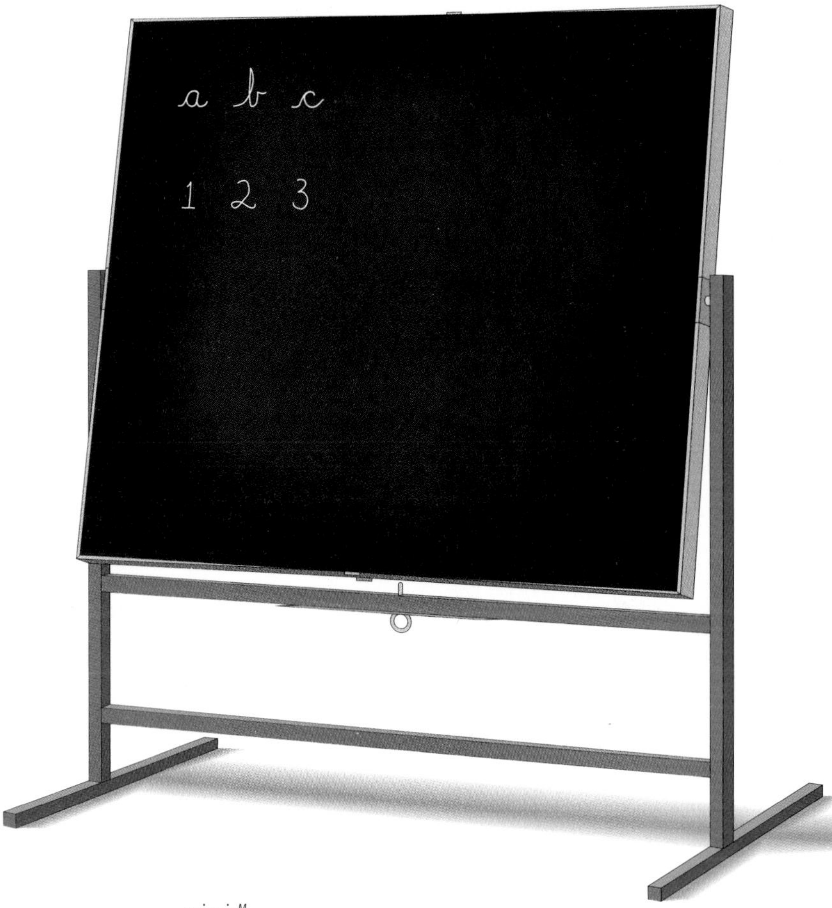

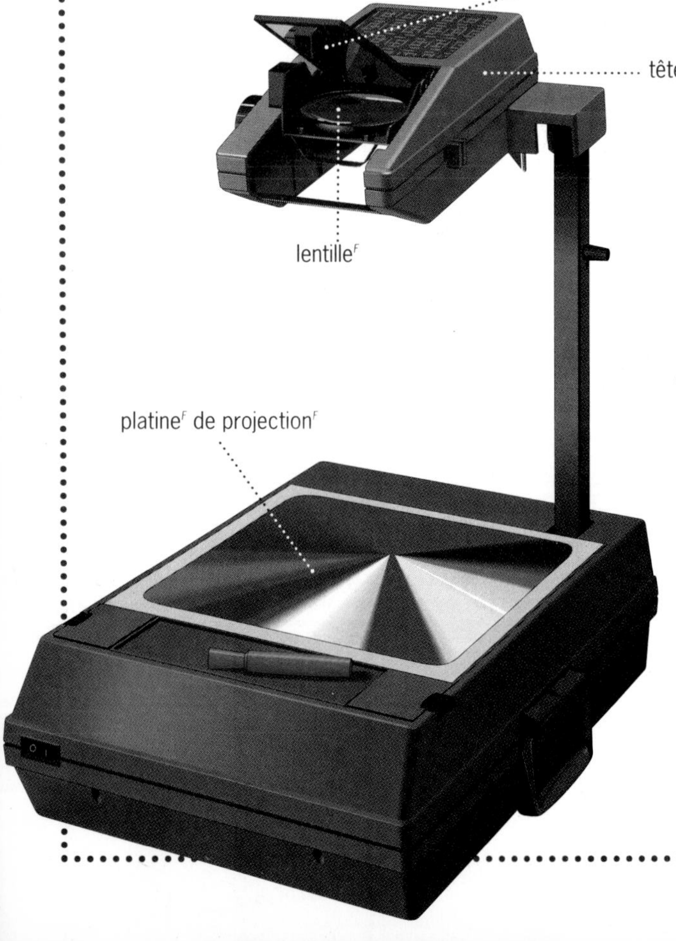

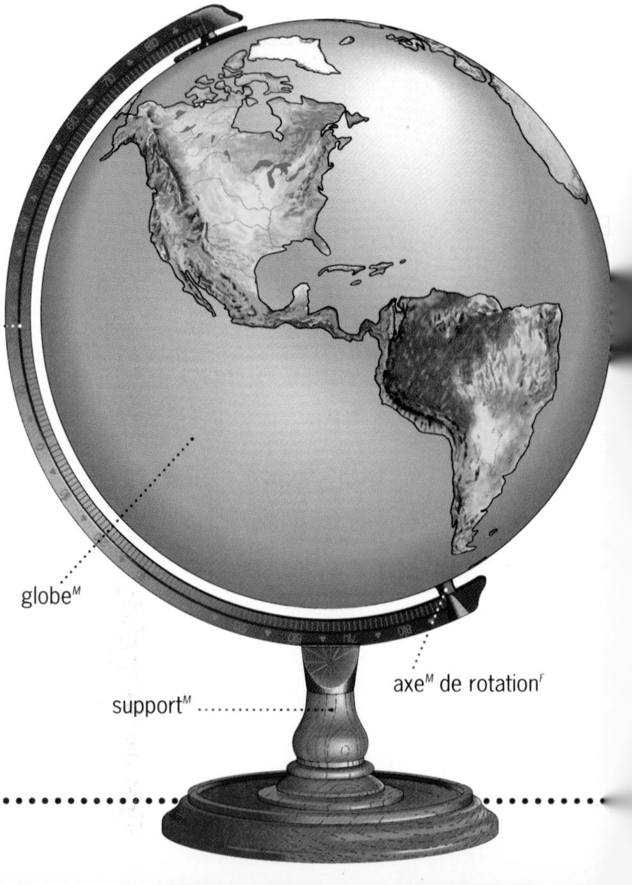

projecteur^M **de diapositives**^{F}

commutateur^M

diapositive^F

couvercle^M du chargeur^M

panier^M de projection^F

commande^F de marche^F avant

logement^M de rangement^M

objectif^M

réglage^M en hauteur^F

commande^F de marche^F rrière

télécommande^F

bouton^M de mise^F au point^M manuelle

interrupteur^M de mise^F au point^M automatique

commande^F de sélection^F manuelle

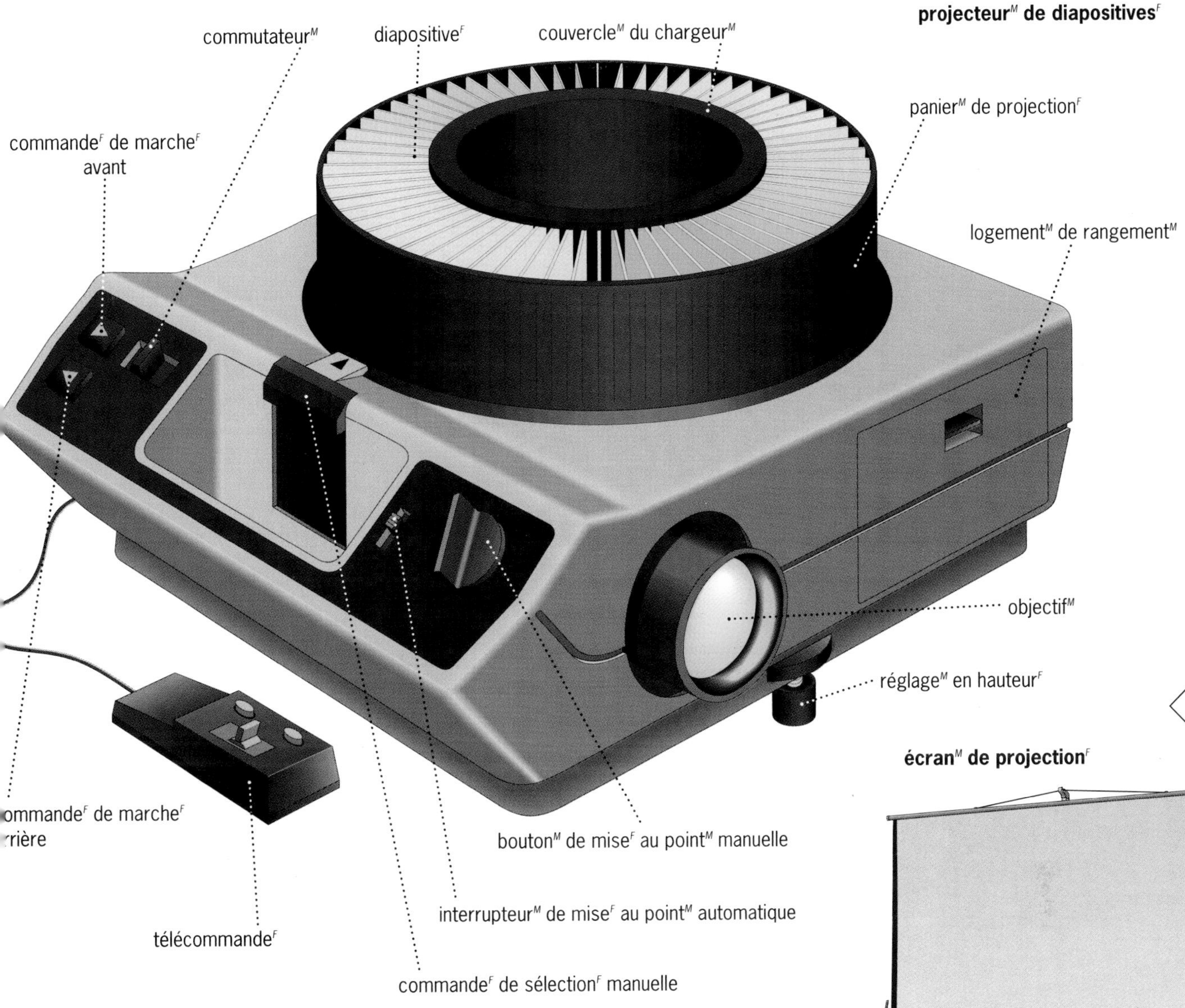

écran^M **de projection**^{F}

DIAPOSITIVE^F

phototype^M

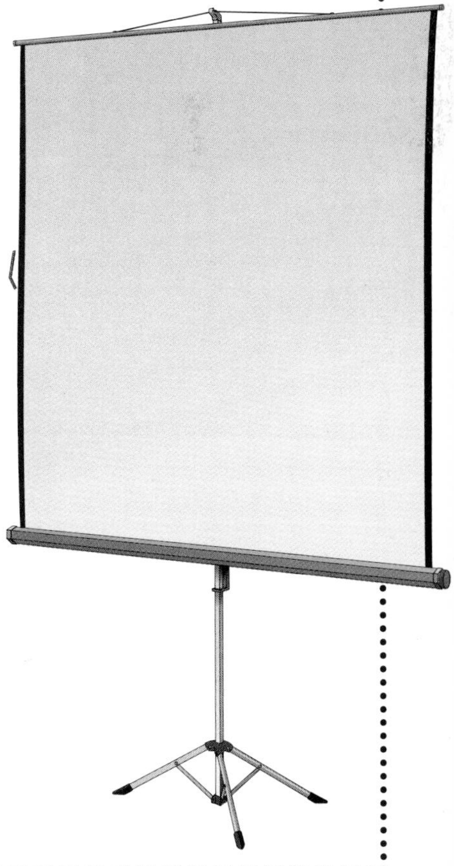

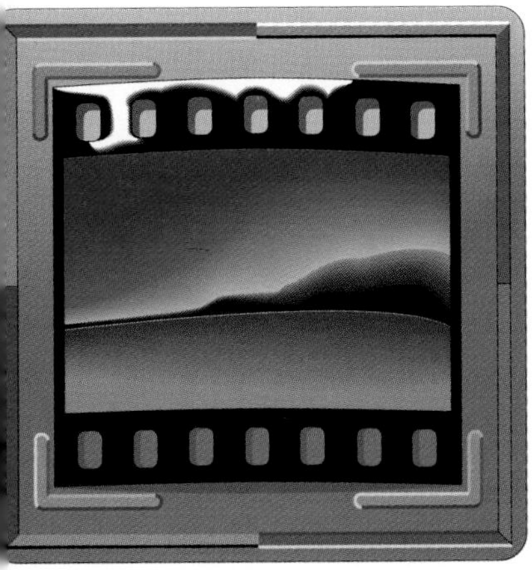

cadre-cache^M

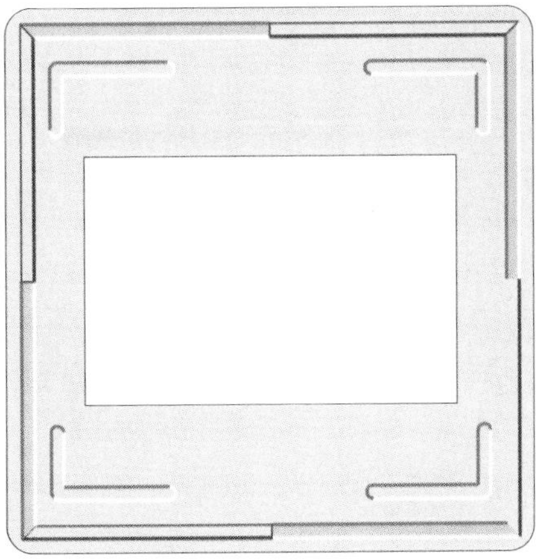

L'ÉCOLE

LE MATÉRIEL^M SCOLAIRE

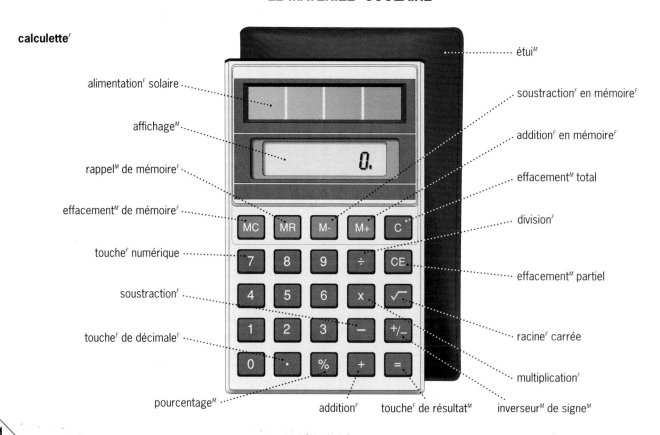

calculette^F

- alimentation^F solaire
- affichage^M
- rappel^M de mémoire^F
- effacement^M de mémoire^F
- touche^F numérique
- soustraction^F
- touche^F de décimale^F
- pourcentage^M
- addition^F
- touche^F de résultat^M

- étui^M
- soustraction^F en mémoire^F
- addition^F en mémoire^F
- effacement^M total
- division^F
- effacement^M partiel
- racine^F carrée
- multiplication^F
- inverseur^M de signe^M

154

micro-ordinateur^M

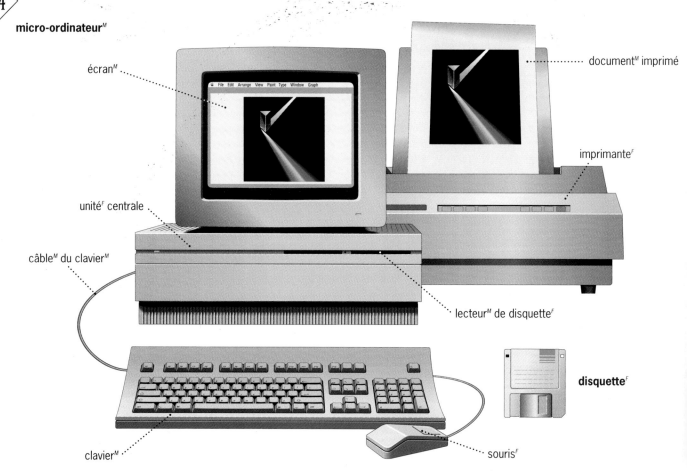

- écran^M
- unité^F centrale
- câble^M du clavier^M
- clavier^M

- document^M imprimé
- imprimante^F
- lecteur^M de disquette^F
- **disquette**^F
- souris^F

loupe^F

microscope^M

oculaire^M

tube^M porte-oculaire^M

vis^F macrométrique

vis^F micrométrique

tourelle^F porte-objectifs^M

objectif^M

potence^F

éprouvette^F

valet^M

lame^F porte-objet^M

platine^F

condenseur^M

miroir^M

pied^M

155

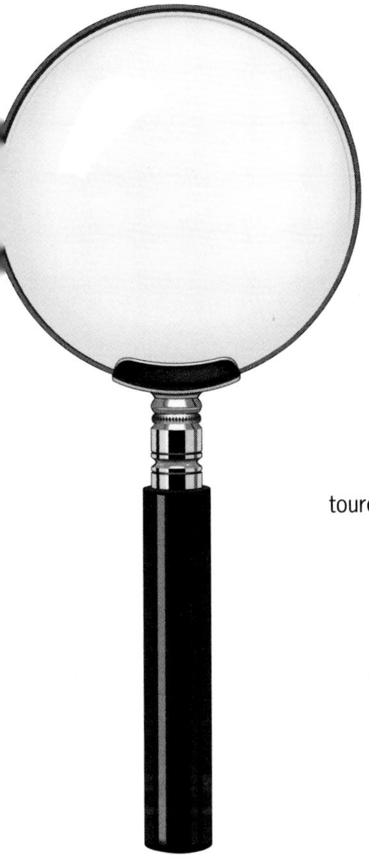

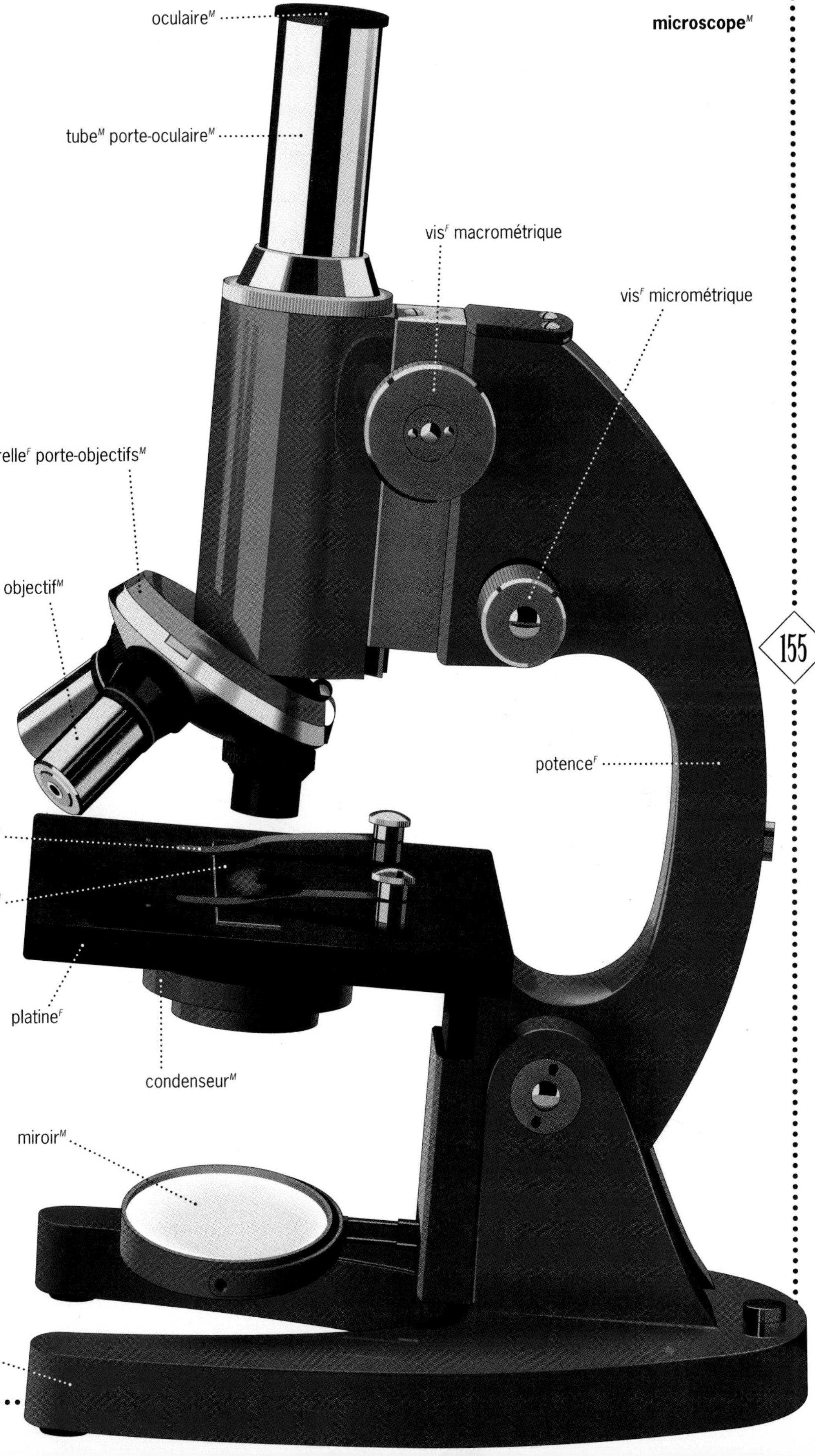

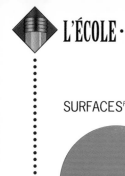

LA GÉOMÉTRIE^F

SURFACES^F

cercle^M   **carré**^M   **triangle**^M   **losange**^M

rectangle^M   **trapèze**^M   **parallélogramme**^M

156

VOLUMES^M

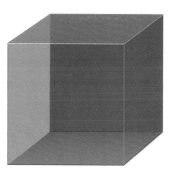

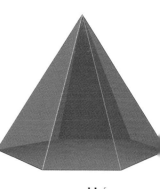

sphère^F   **cube**^M   **cône**^M   **pyramide**^F

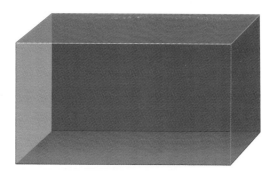
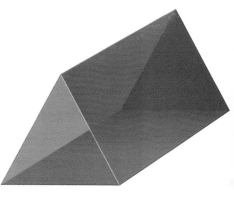

cylindre^M   **parallélépipède**^M   **prisme**^M

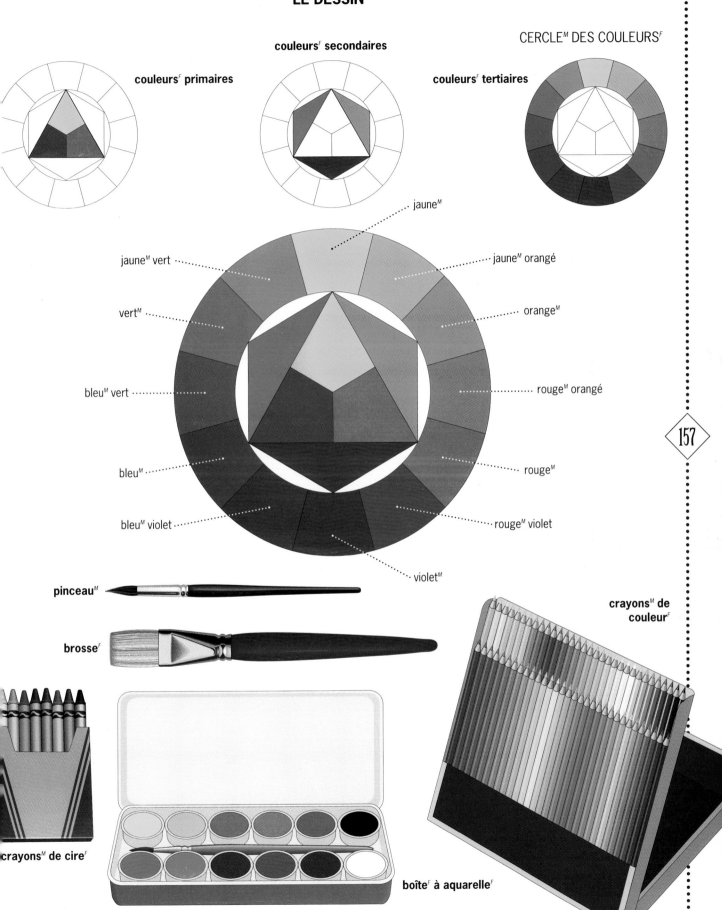

LE DESSIN^M

couleurs^F secondaires

CERCLE^M DES COULEURS^F

couleurs^F primaires

couleurs^F tertiaires

jaune^M

jaune^M vert

jaune^M orangé

vert^M

orange^M

bleu^M vert

rouge^M orangé

bleu^M

rouge^M

bleu^M violet

rouge^M violet

violet^M

pinceau^M

crayons^M **de couleur**^F

brosse^F

crayons^M **de cire**^F

boîte^F **à aquarelle**^F

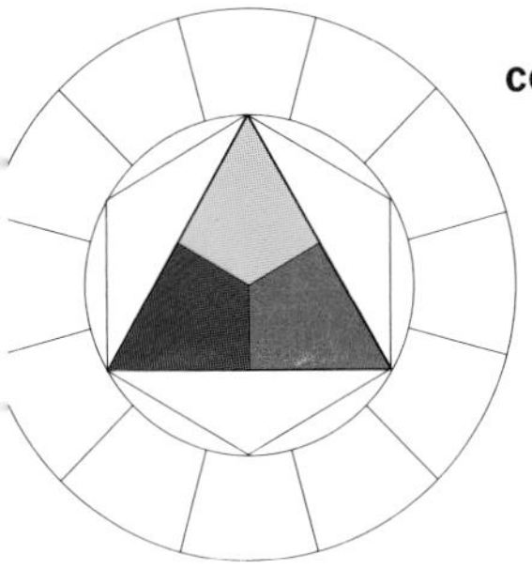

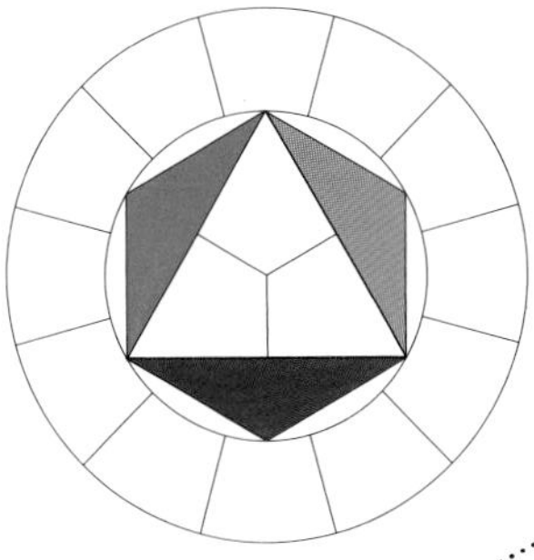

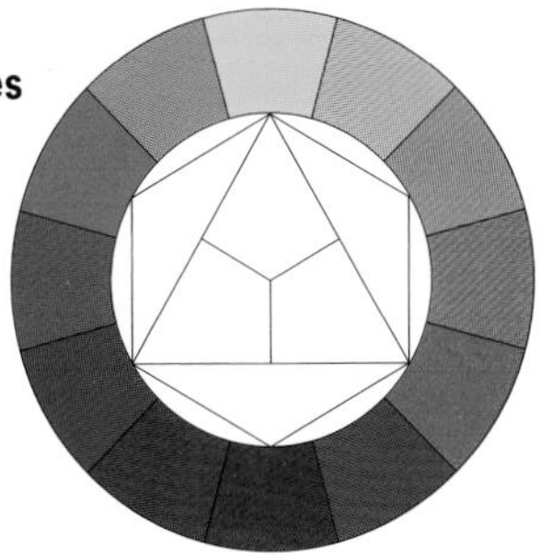

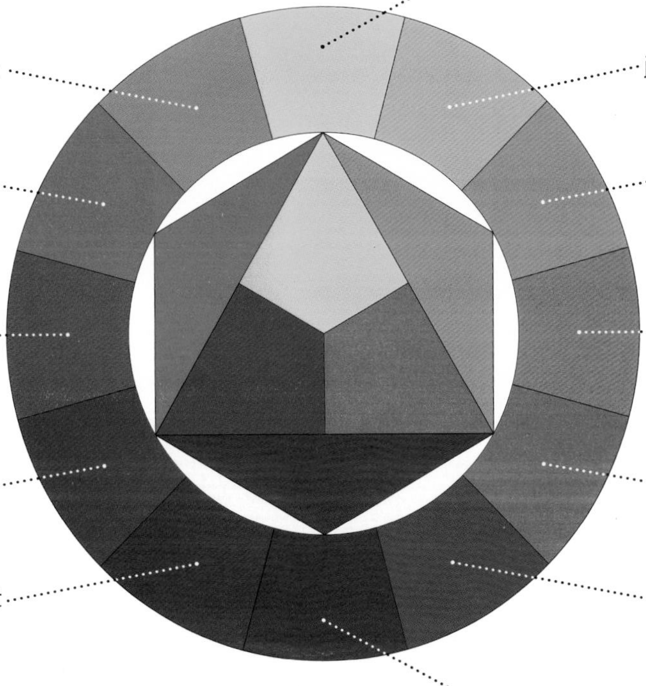

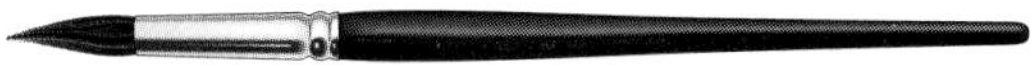

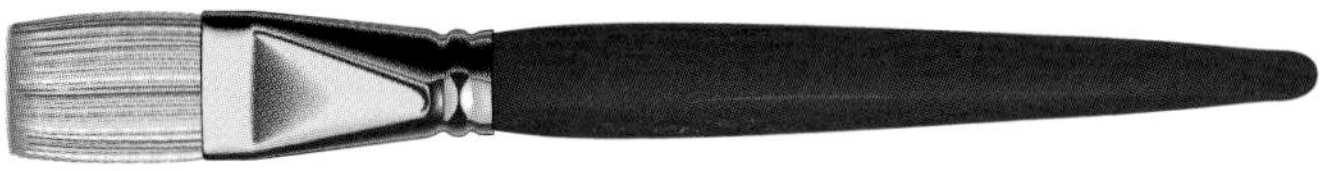

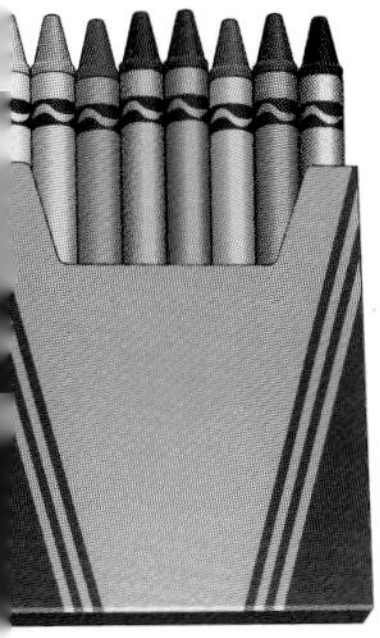

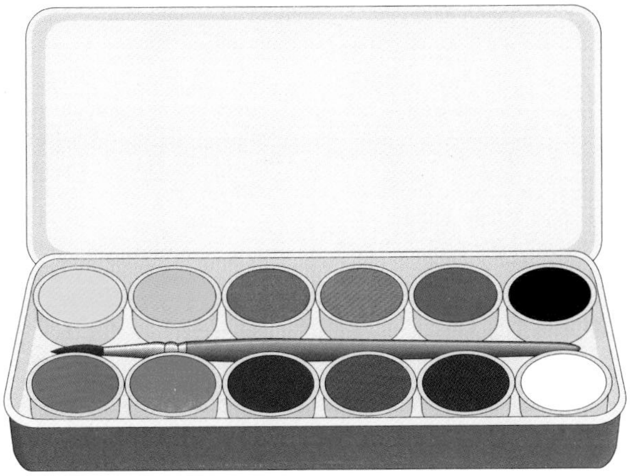

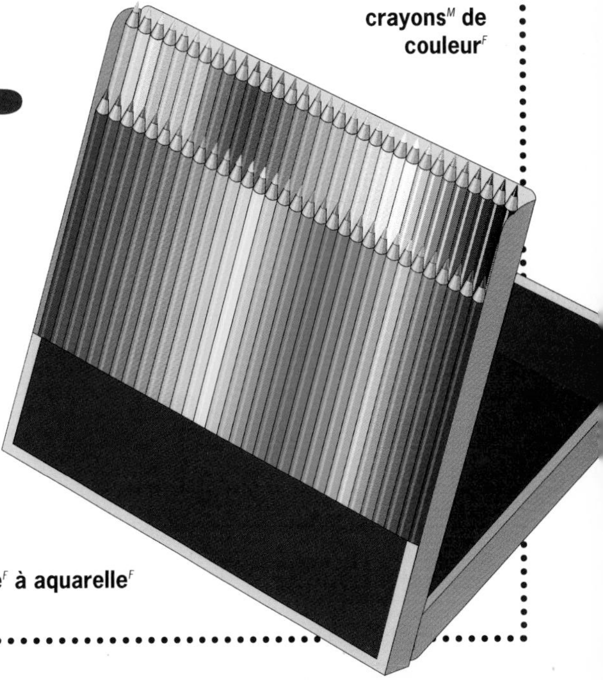

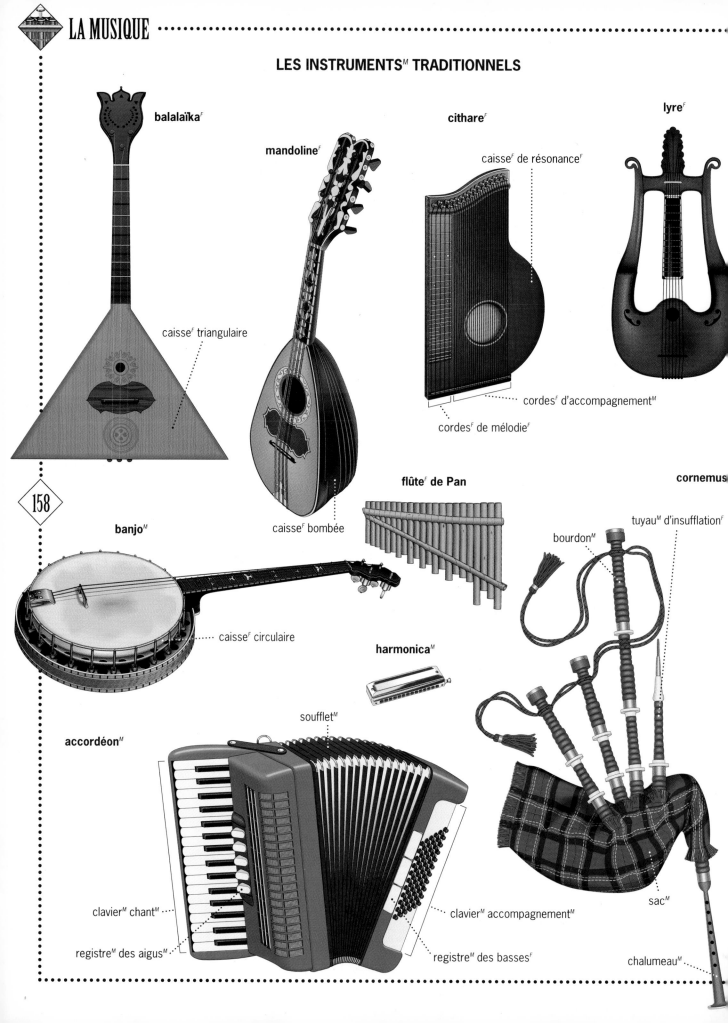

LA MUSIQUE

LES INSTRUMENTS^M TRADITIONNELS

balalaïka^F

caisse^F triangulaire

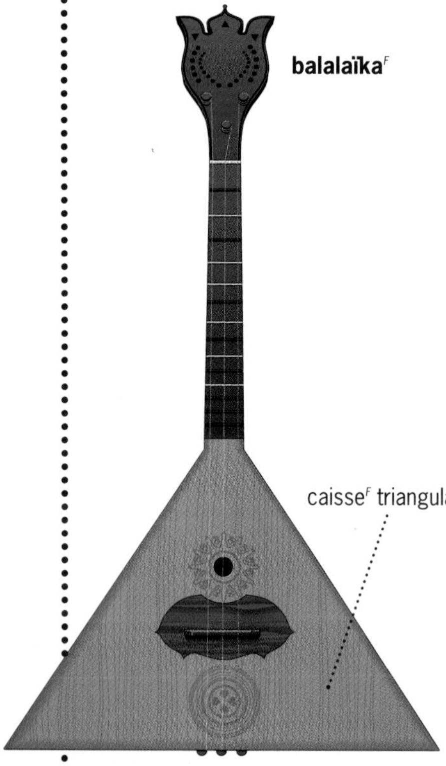

mandoline^F

cithare^F

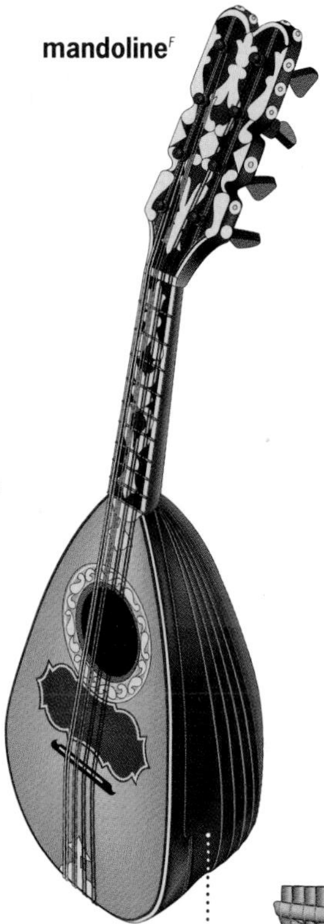

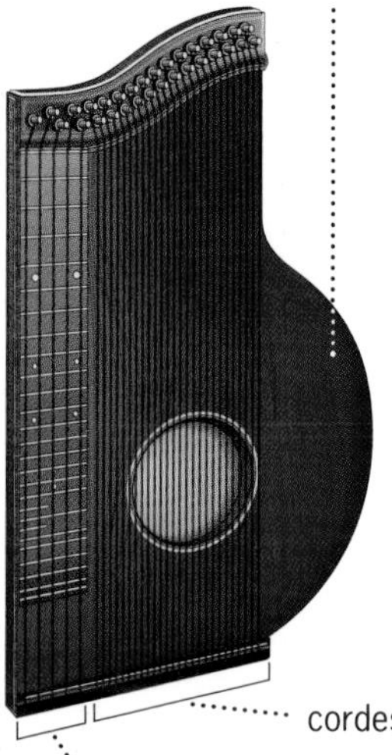

caisse^F de résonance^F

lyre^F

cordes^F d'accompagnement^M

cordes^F de mélodie^F

caisse^F bombée

158

banjo^M

caisse^F circulaire

flûte^F de Pan

harmonica^M

cornemus

tuyau^M d'insufflation^F

bourdon^M

soufflet^M

accordéon^M

clavier^M chant^M

clavier^M accompagnement^M

registre^M des aigus^M

registre^M des basses^F

sac^M

chalumeau^M

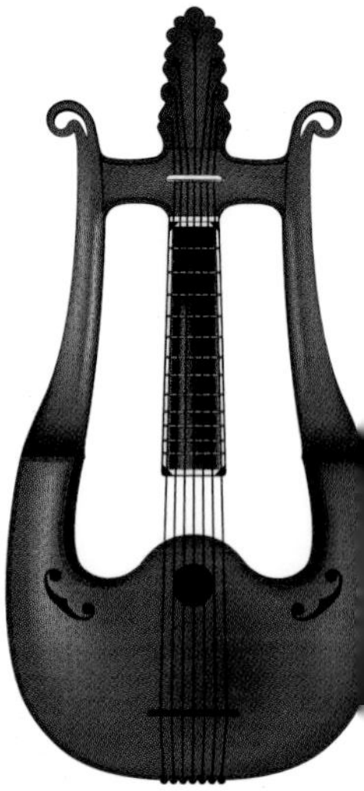

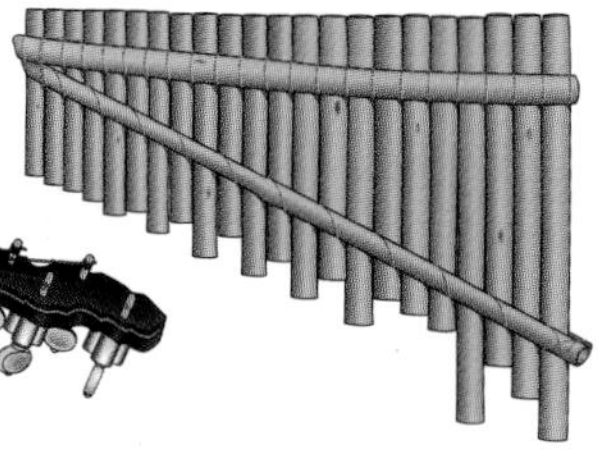

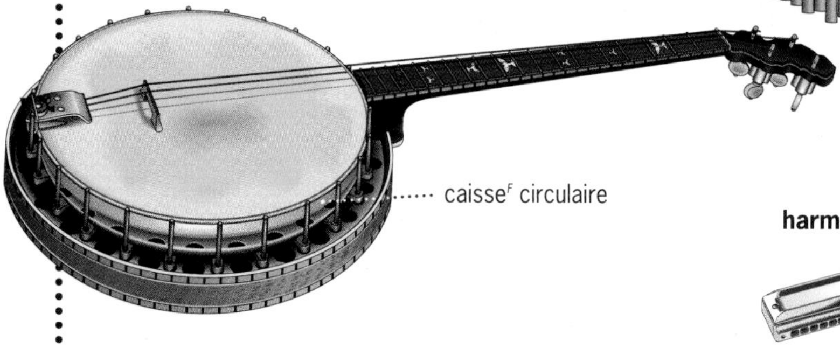

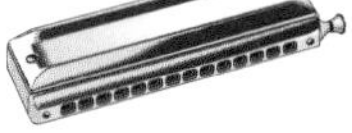

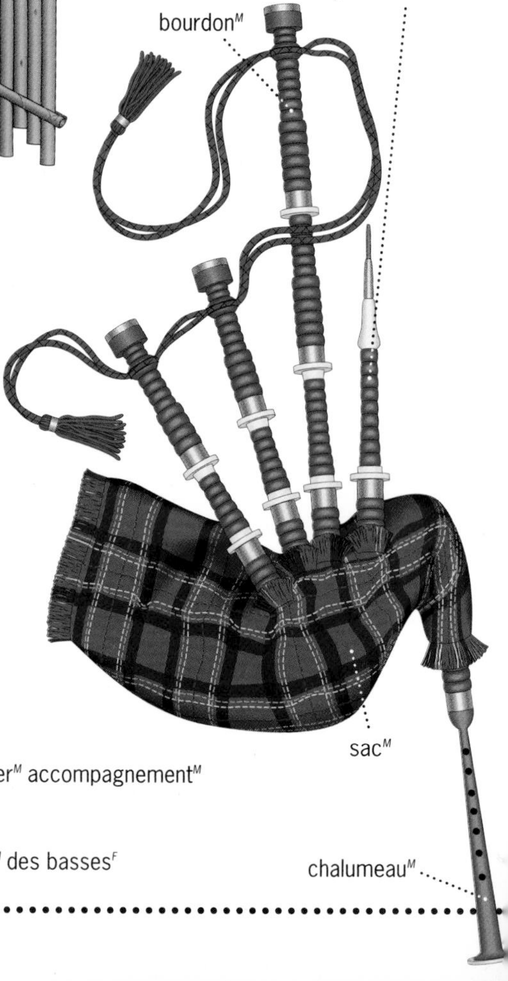

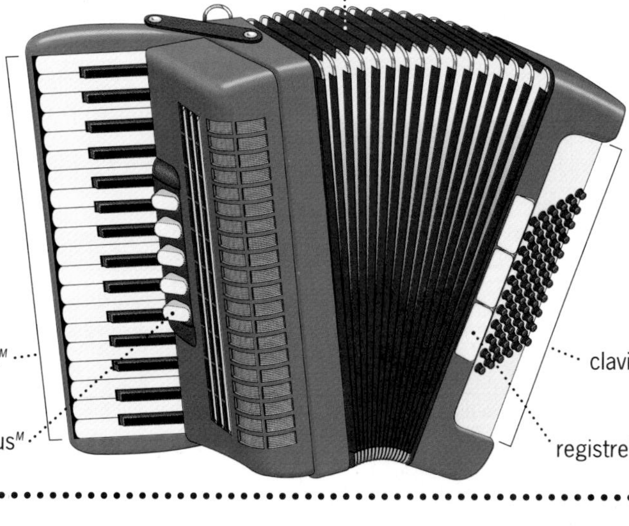

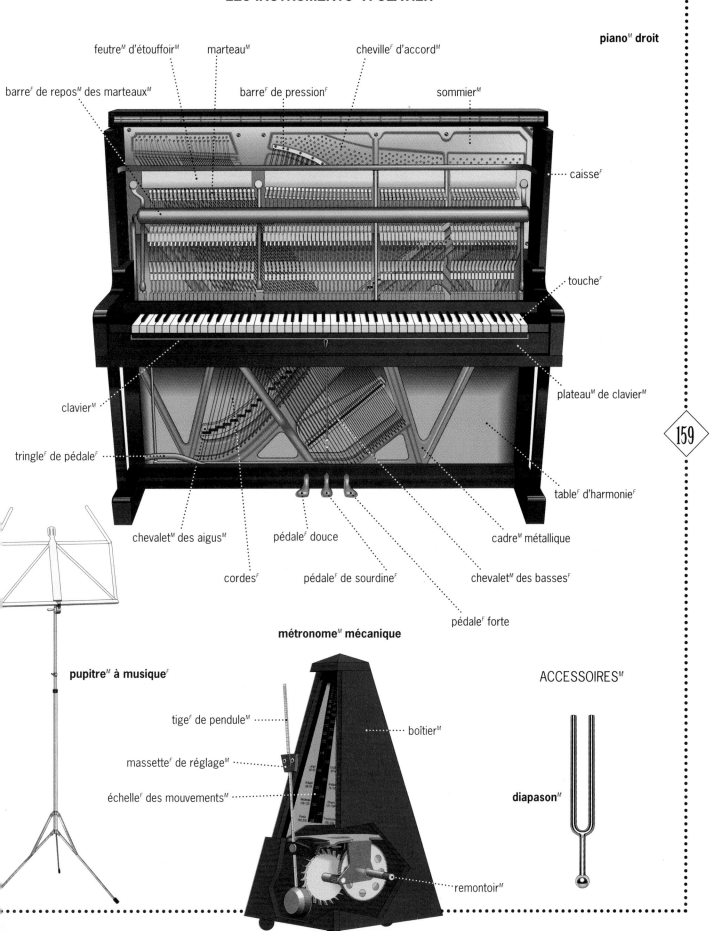

LES INSTRUMENTS^M À CLAVIER^M

piano^M droit

feutre^M d'étouffoir^M

marteau^M

cheville^F d'accord^M

barre^F de repos^M des marteaux^M

barre^F de pression^F

sommier^M

caisse^F

touche^F

plateau^M de clavier^M

clavier^M

tringle^F de pédale^F

table^F d'harmonie^F

chevalet^M des aigus^M

pédale^F douce

cadre^M métallique

cordes^F

pédale^F de sourdine^F

chevalet^M des basses^F

pédale^F forte

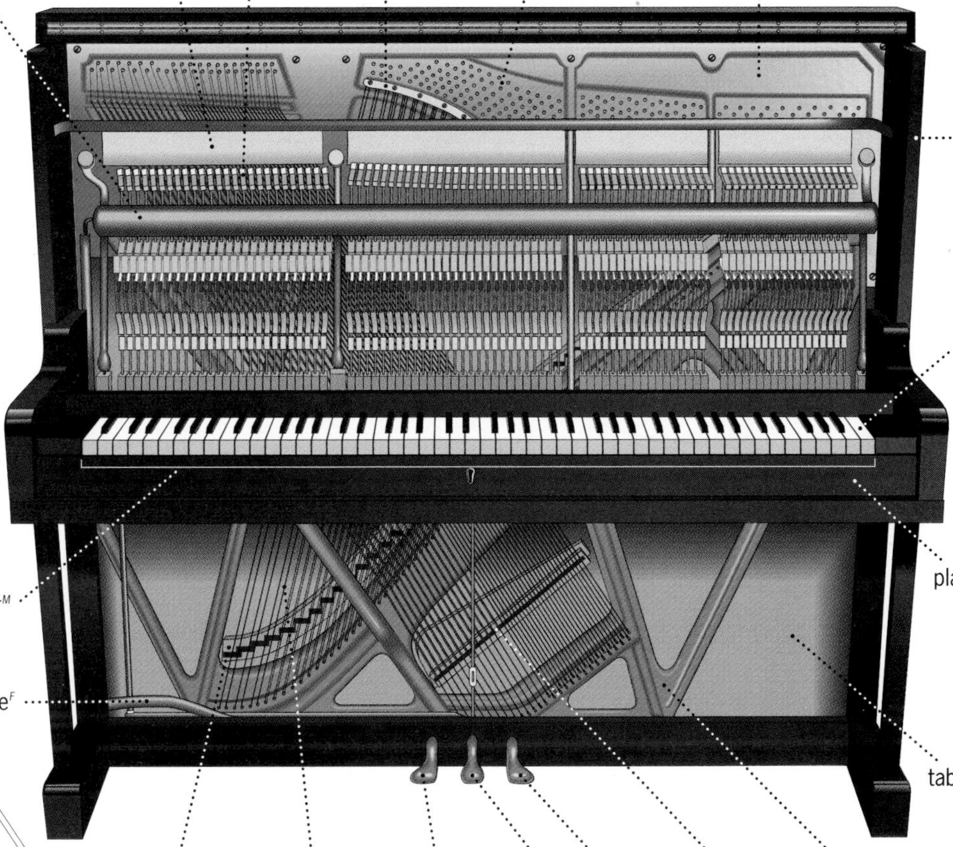

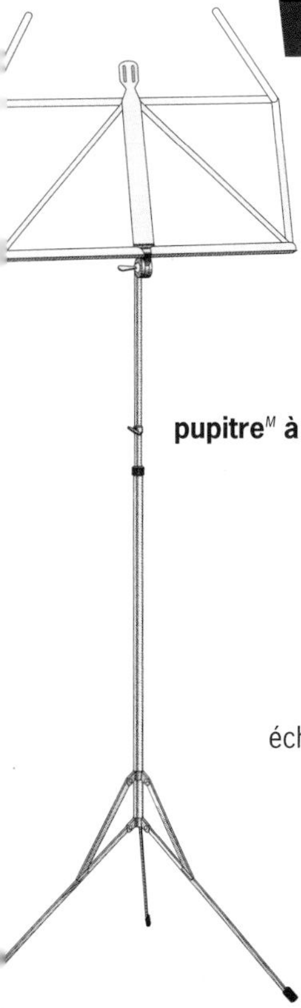

métronome^M mécanique

pupitre^M à musique^F

ACCESSOIRES^M

tige^F de pendule^M

boîtier^M

massette^F de réglage^M

échelle^F des mouvements^M

diapason^M

remontoir^M

159

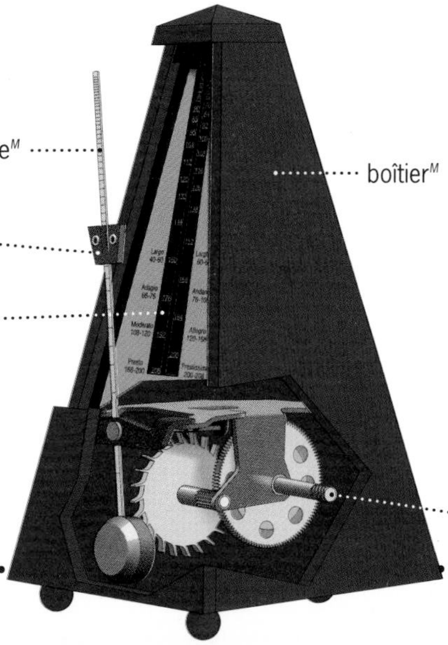

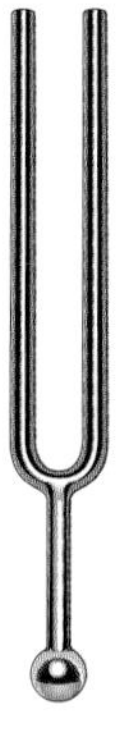

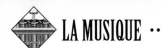

LA NOTATION^F MUSICALE

portée^F

lignes^F supplémentaires ··········

interligne^M   ligne^F

clés^F

········ clé^F de sol^M   clé^F de fa^M   clé^F d'ut^M

mesures^F

barre^F de mesure^F

mesure^F à deux temps^M   mesure^F à quatre temps^M   barre^F de reprise^F

mesure^F à trois temps^M

gamme^F

do^M   ré^M   mi^M   fa^M   sol^M   la^M   si^M   do^M

intervalles^M

unisson^M   tierce^F   quinte^F   septième^F

seconde^F   quarte^F   sixte^F   octave^F

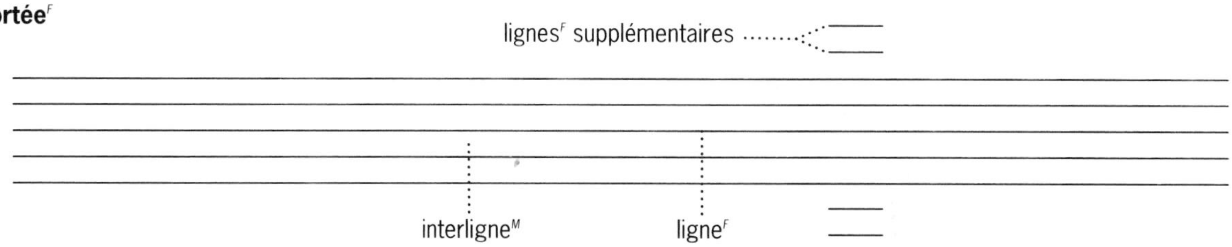

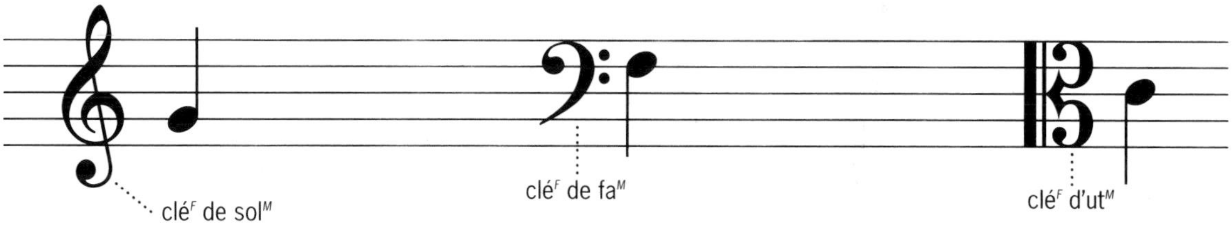

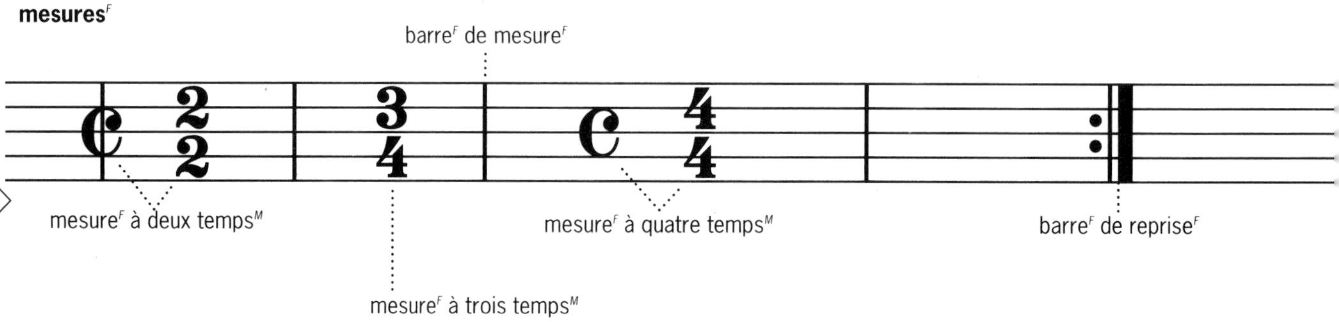

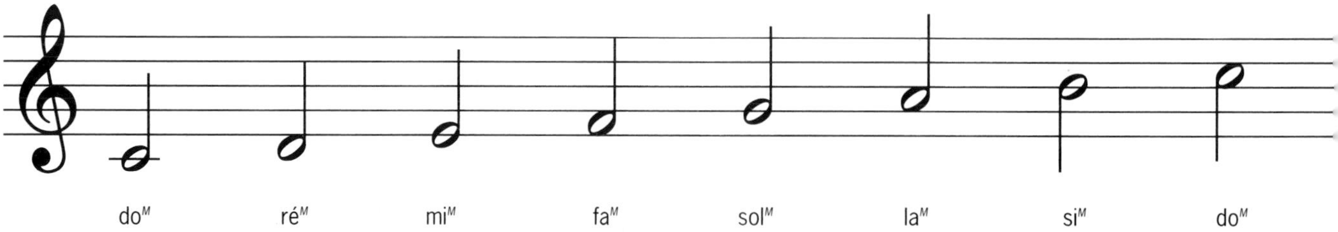

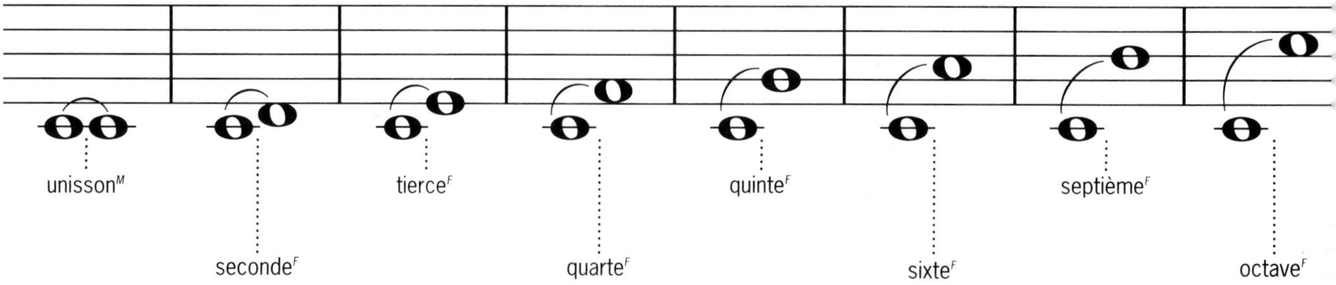

valeur^F des notes^F

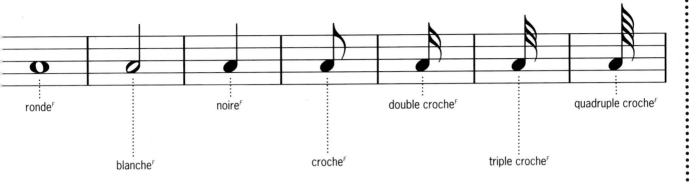

ronde^F

blanche^F

noire^F

croche^F

double croche^F

triple croche^F

quadruple croche^F

valeur^F des silences^M

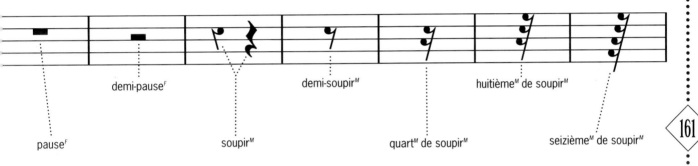

pause^F

demi-pause^F

soupir^M

demi-soupir^M

quart^M de soupir^M

huitième^M de soupir^M

seizième^M de soupir^M

altérations^F

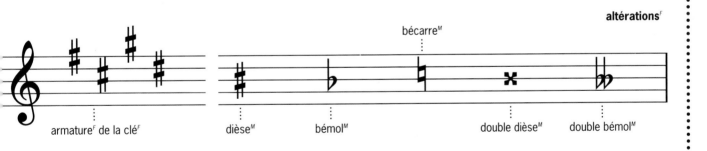

bécarre^M

armature^F de la clé^F

dièse^M

bémol^M

double dièse^M

double bémol^M

ornements^M

appoggiature^F

trille^M

gruppetto^M

mordant^M

LES INSTRUMENTS^M À CORDES^F

archet^M

tête^F

mèche^F

baguette^F

corde^F

échancrure^F

poignée^F

talon^M

hausse^F

vis^F

violon^M

volute^F

chevillier^M

cheville^F

touche^F

table^F d'harmonie^F

chevalet^M

ouïe^F

cordier^M

mentonnière^F

bouton^M

guitare^F **acoustique**

cheville^F

tête^F

sillet^M

frette^F

repère^M de touch

manche^M

talon^M

rosace^F

caisse^F

chevalet^M

table^F d'harmonie^F

FAMILLE^F DU VIOLON^M

violon^M

violoncelle^M

alto^M

contrebasse^F

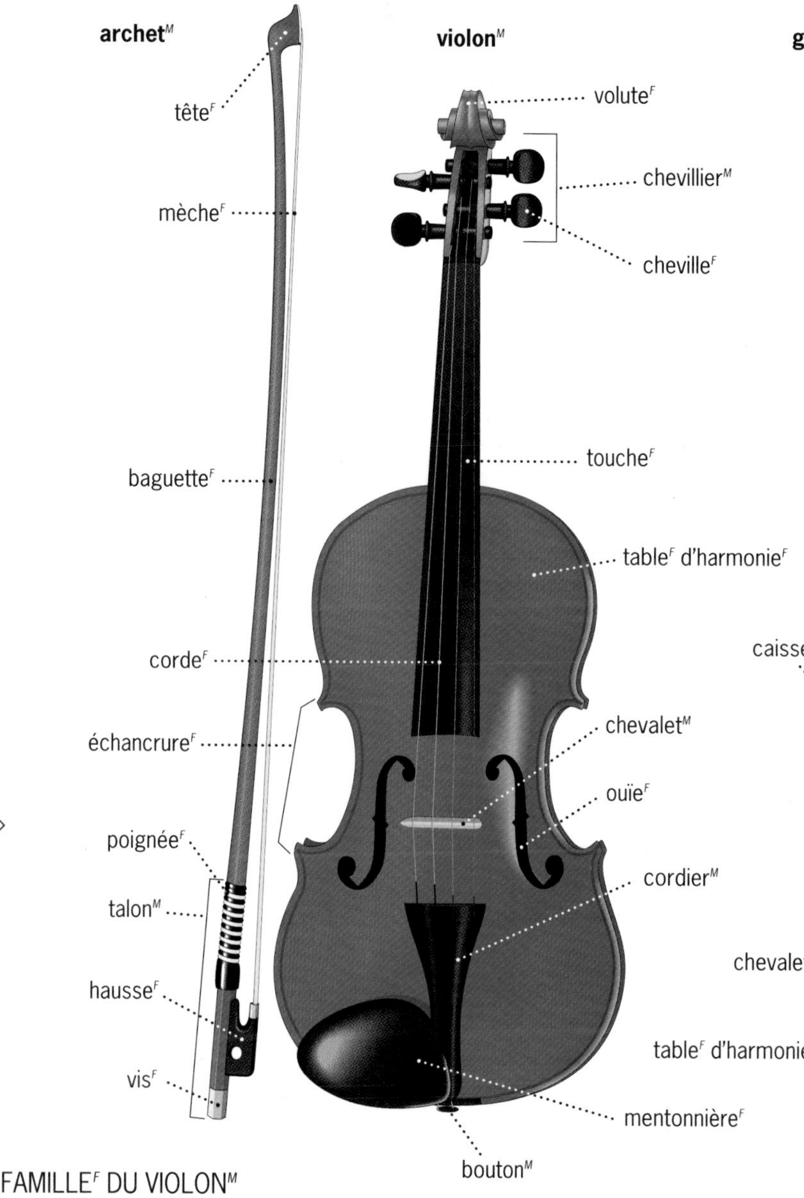

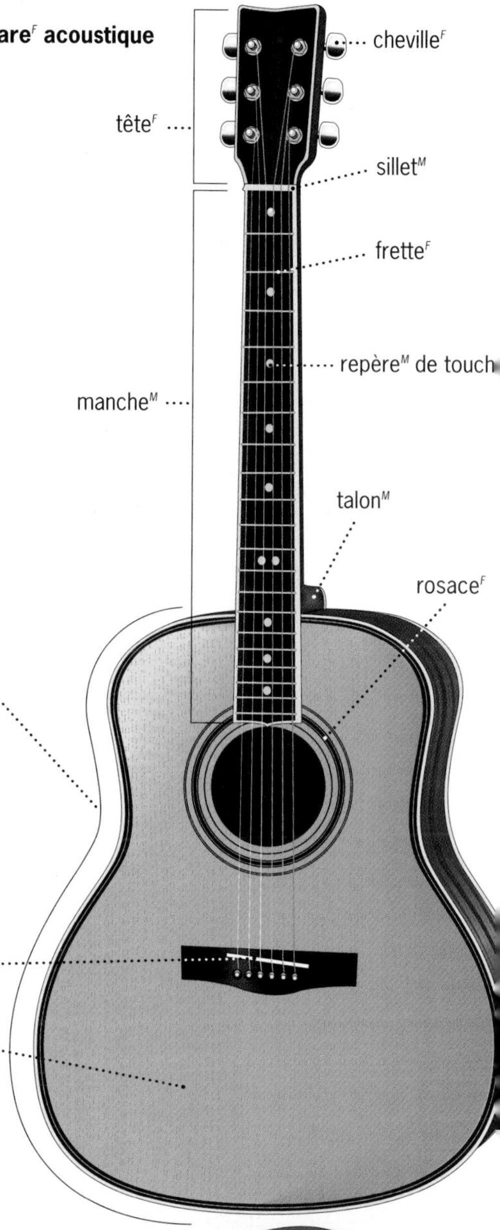

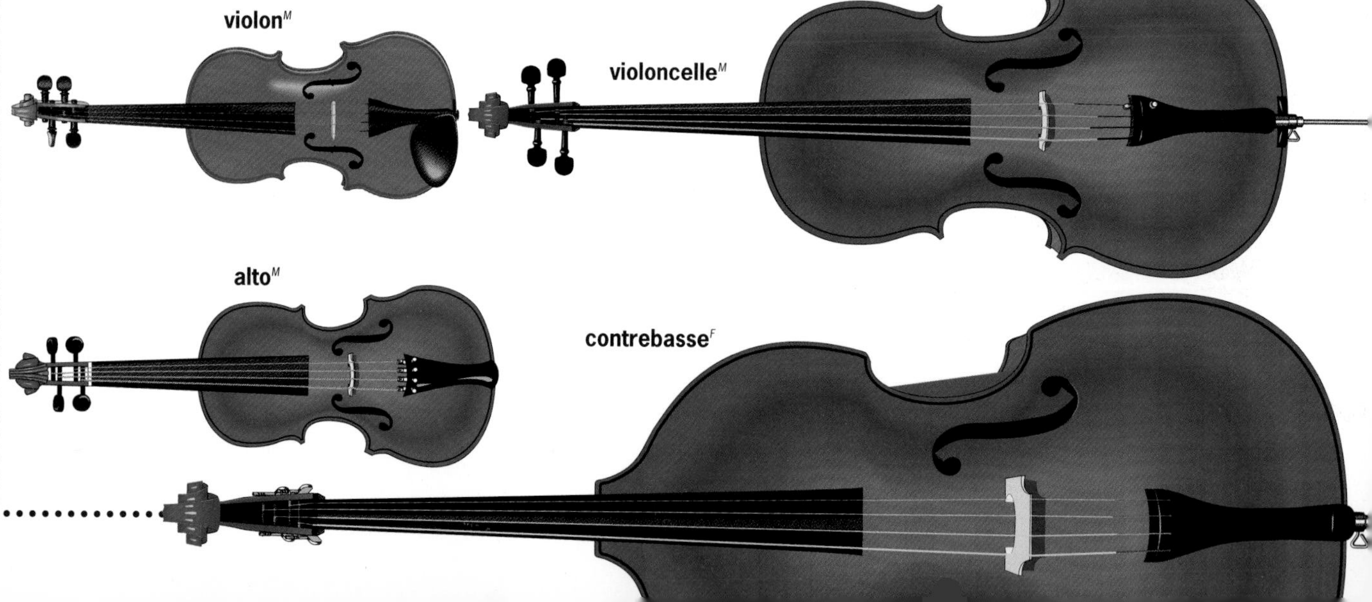

guitare^F électrique

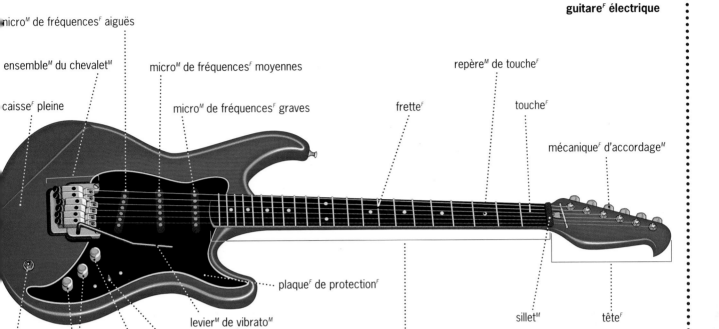

micro^M de fréquences^F aiguës

ensemble^M du chevalet^M

micro^M de fréquences^F moyennes

caisse^F pleine

micro^M de fréquences^F graves

repère^M de touche^F

frette^F

touche^F

mécanique^F d'accordage^M

plaque^F de protection^F

levier^M de vibrato^M

sélecteur^M de micro^M

sillet^M

tête^F

manche^M

réglage^M de la tonalité^F

réglage^M du volume^M

ck^M de sortie^F

163

guitare^F basse

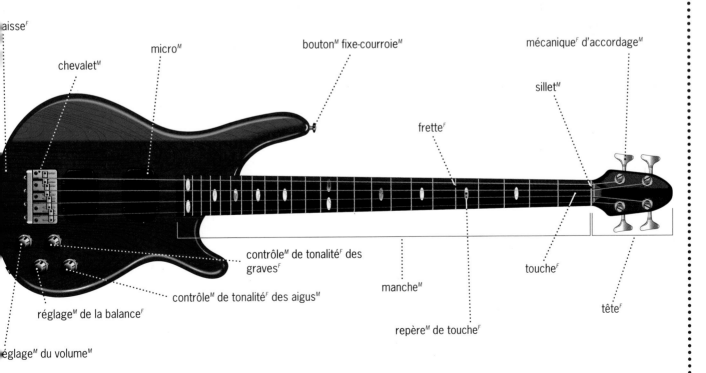

aisse^F

chevalet^M

micro^M

bouton^M fixe-courroie^M

mécanique^F d'accordage^M

sillet^M

frette^F

touche^F

contrôle^M de tonalité^F des graves^F

contrôle^M de tonalité^F des aigus^M

réglage^M de la balance^F

manche^M

tête^F

repère^M de touche^F

églage^M du volume^M

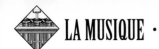

LA MUSIQUE

LES INSTRUMENTS^M À VENT^M

trompette^F

bouton^M de piston^M

crochet^M de petit doigt^M

bague^F

pavillon^M

embouchure^F

crochet^M de pouce^M

coulisse^F d'accord^M

coulisse^F du premier piston^M

coulisse^F du troisième piston^M

coulisse^F du deuxième piston^M

piston^M

soupape^F d'évacuation^F

corps^M de piston^M

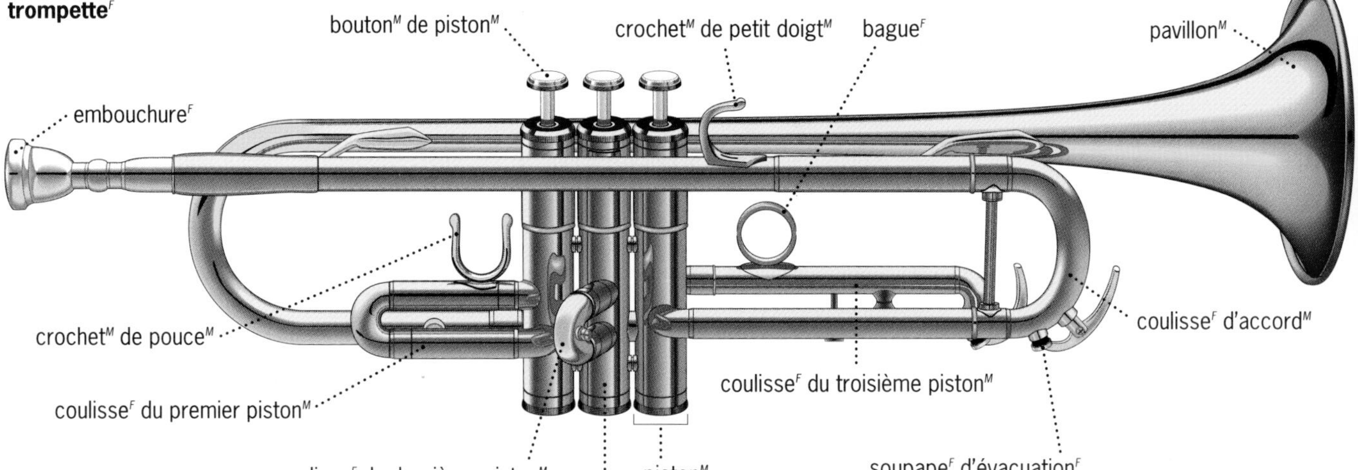

FAMILLE^F DES CUIVRES^M

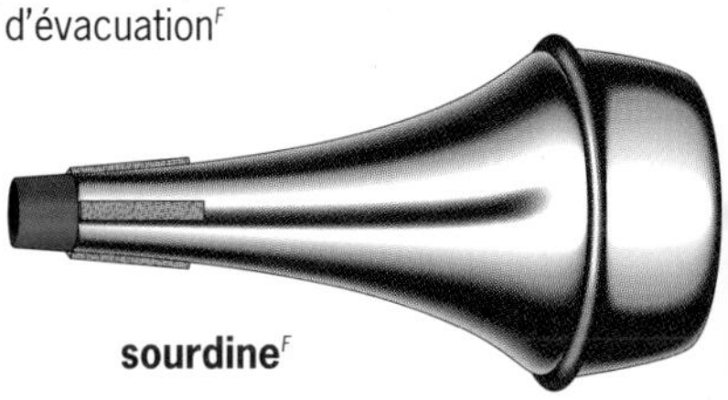

sourdine^F

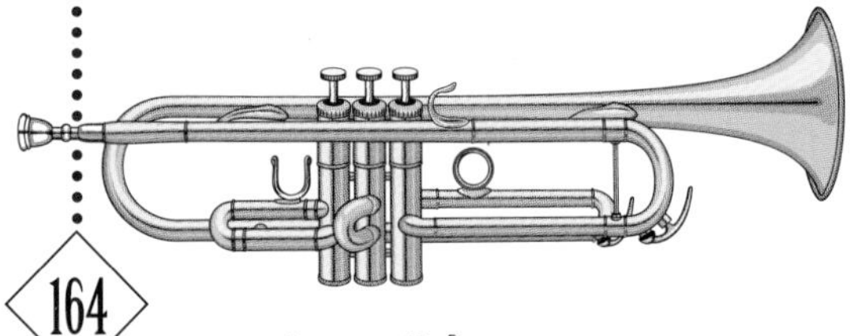

trompette^F

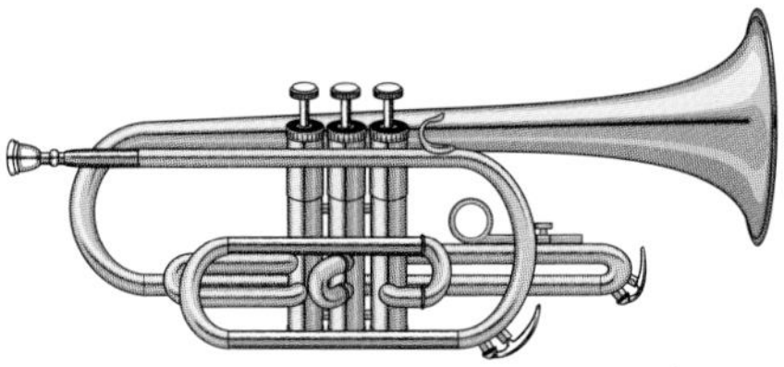

cornet^M **à pistons**^M

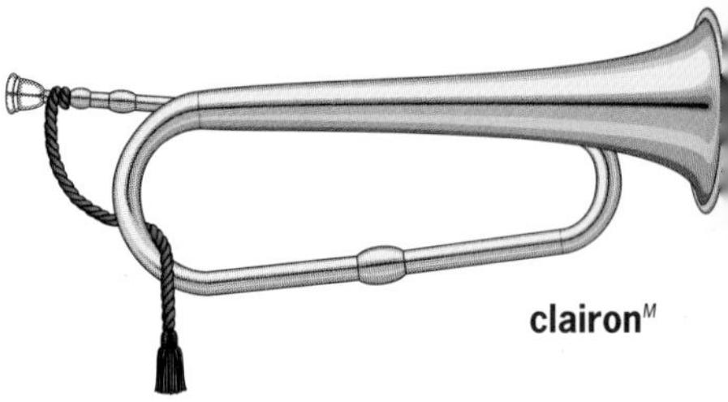

clairon^M

trombone^M

tuba^M

saxhorn^M

cor^M **d'harmonie**^F

164

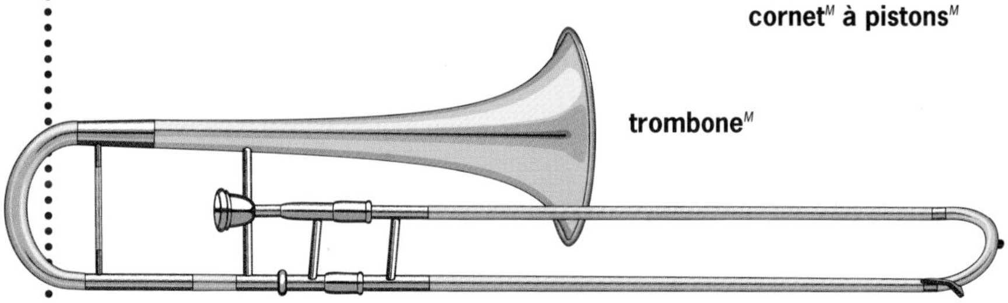

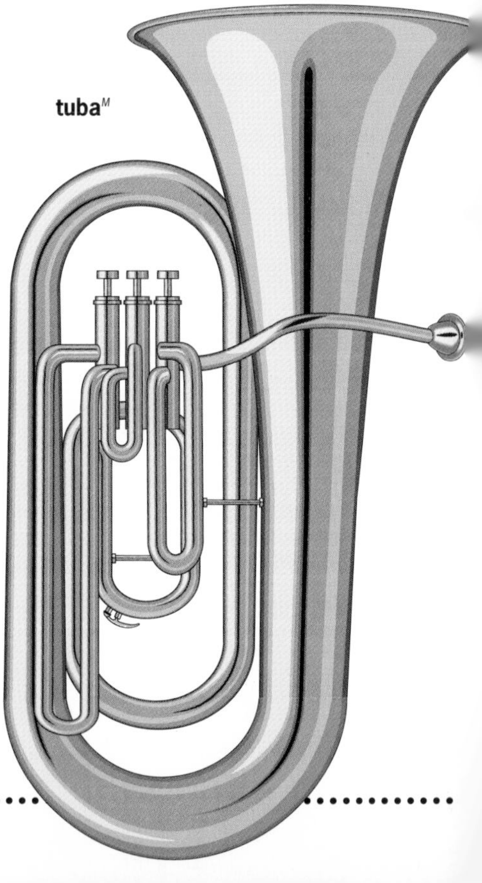

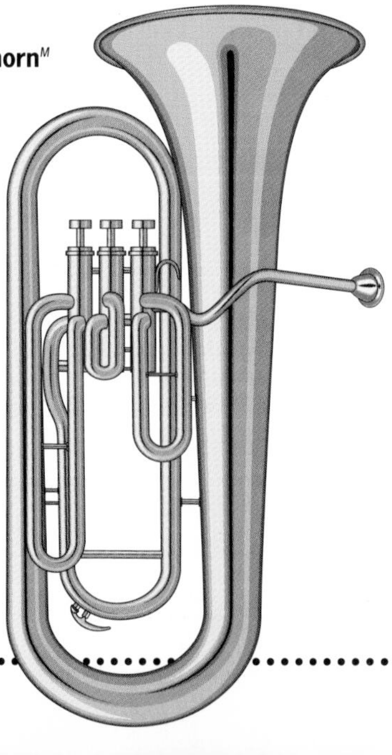

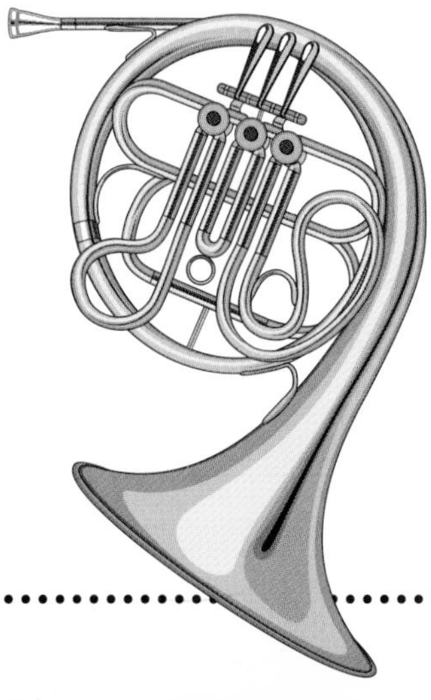

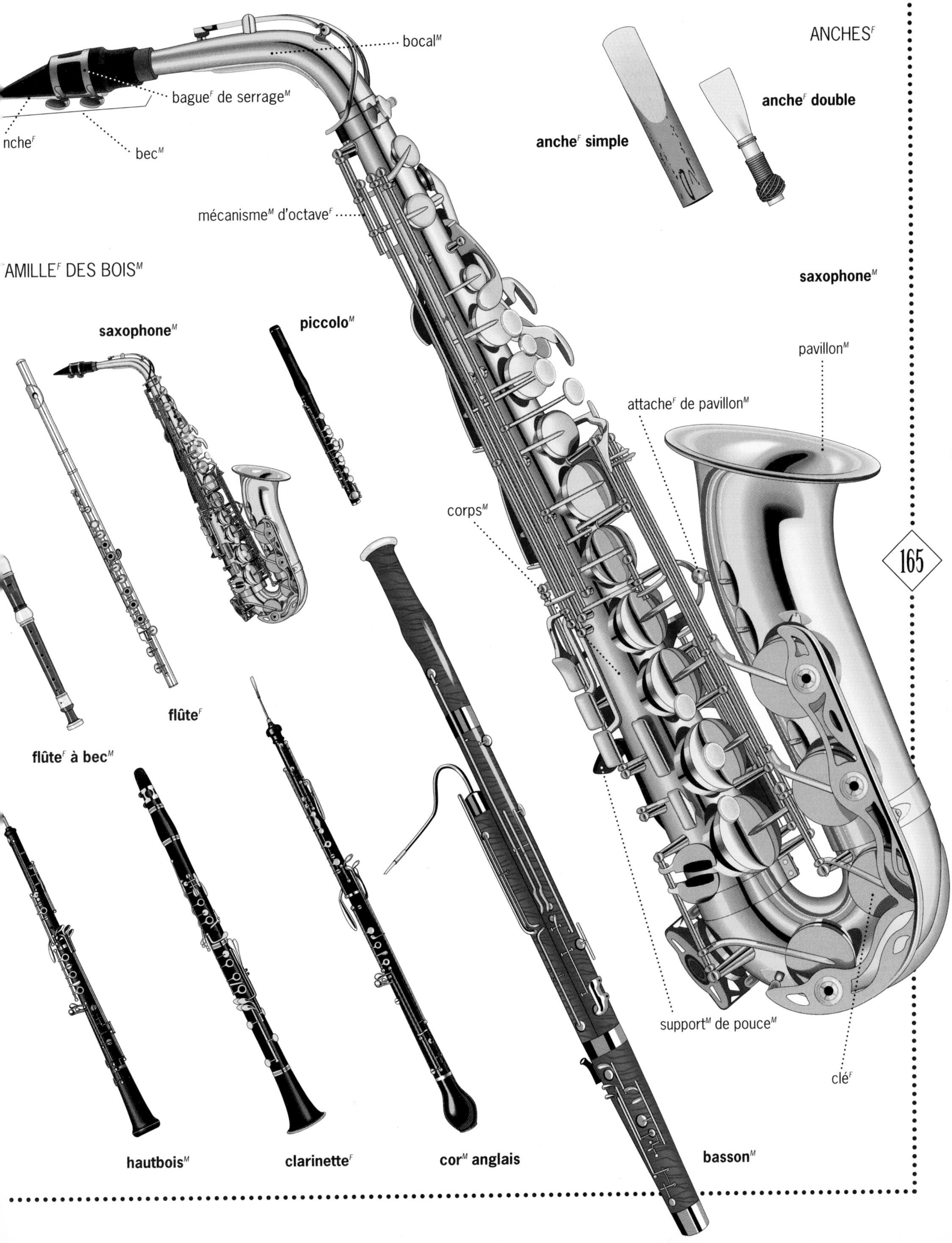

bocal^M

bague^F de serrage^M

nche^F

bec^M

mécanisme^M d'octave^F

ANCHES^F

anche^F double

anche^F simple

saxophone^M

pavillon^M

AMILLE^F DES BOIS^M

saxophone^M

piccolo^M

attache^F de pavillon^M

corps^M

flûte^F

flûte^F à bec^M

clé^F

support^M de pouce^M

hautbois^M

clarinette^F

cor^M anglais

basson^M

LA MUSIQUE

LES INSTRUMENTS^M À PERCUSSION^F

batterie^F

cymbale^F suspendue

tom-tom^M

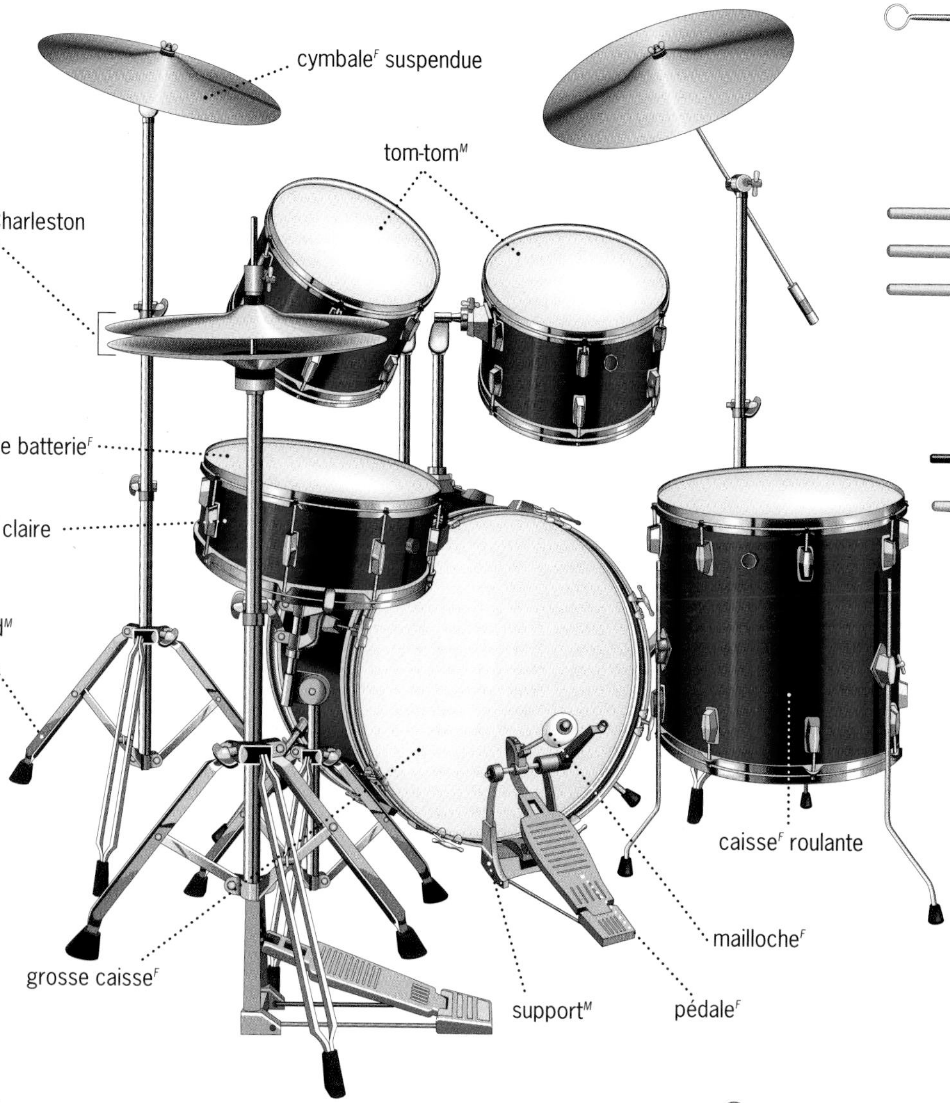

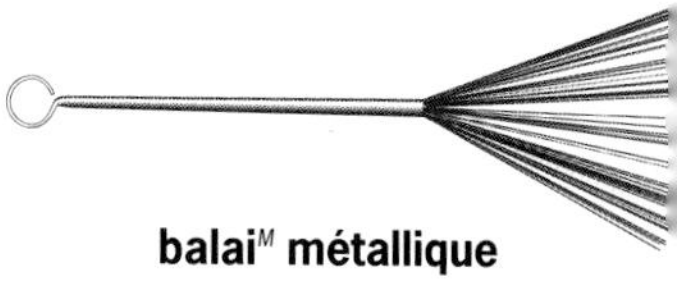

balai^M métallique

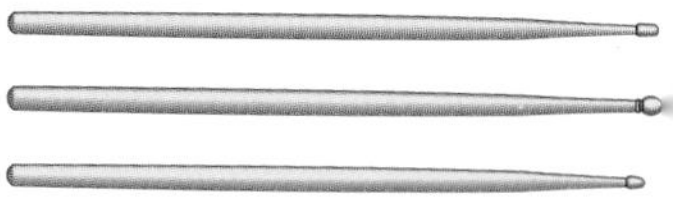

cymbale^F Charleston

baguettes^F

peau^F de batterie^F

caisse^F claire

mailloches^F

trépied^M

166

triangle^M

caisse^F roulante

malloche^F

grosse caisse^F

support^M

pédale^F

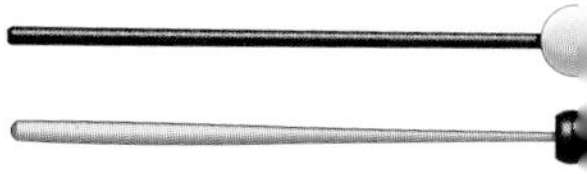

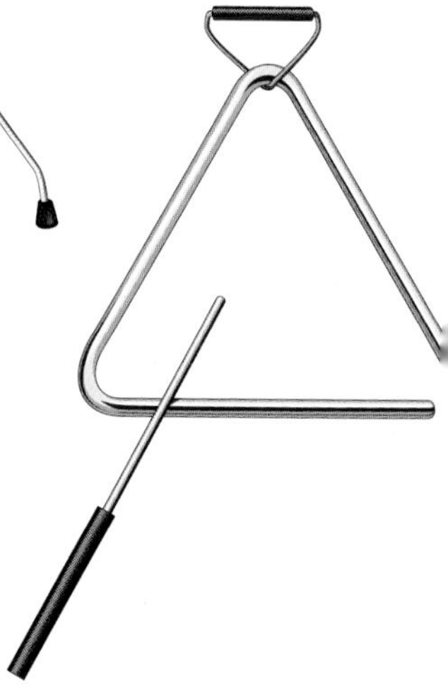

sistre^M

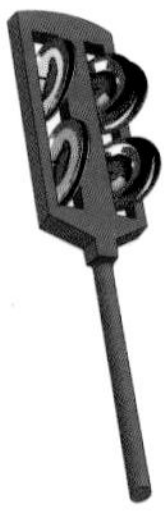

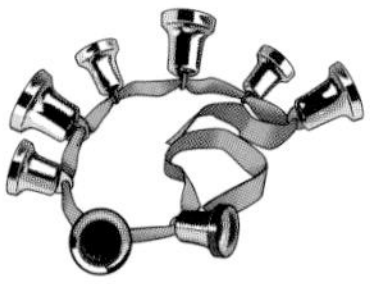

clochettes^F

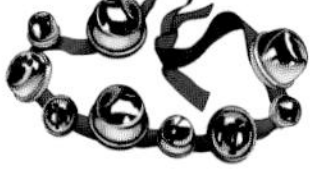

grelots^M

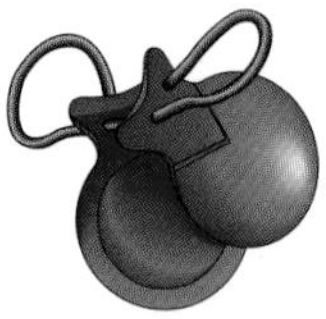

castagnettes^F

bongo^M

maracas^M

xylophone^M

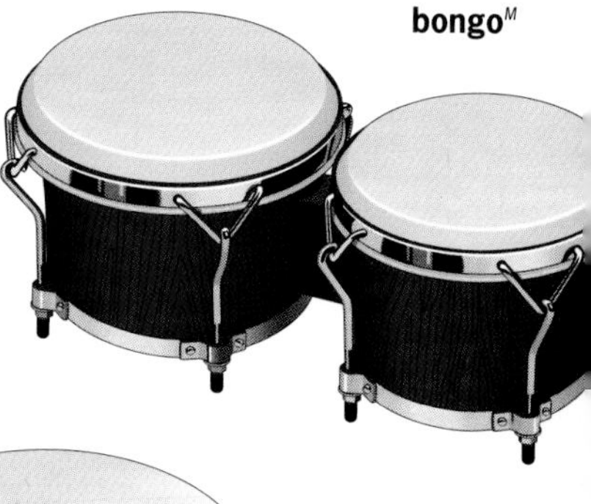

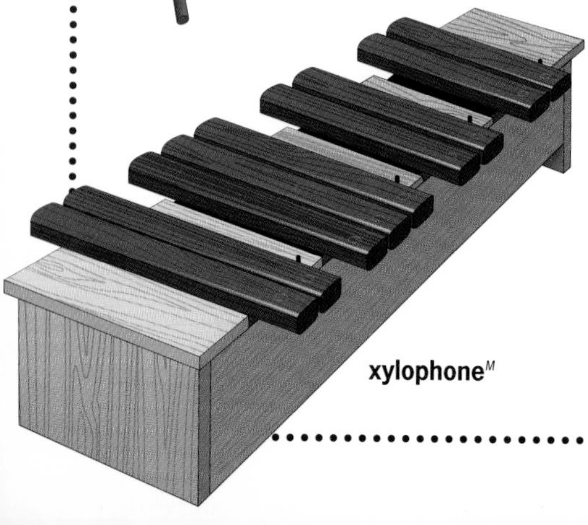

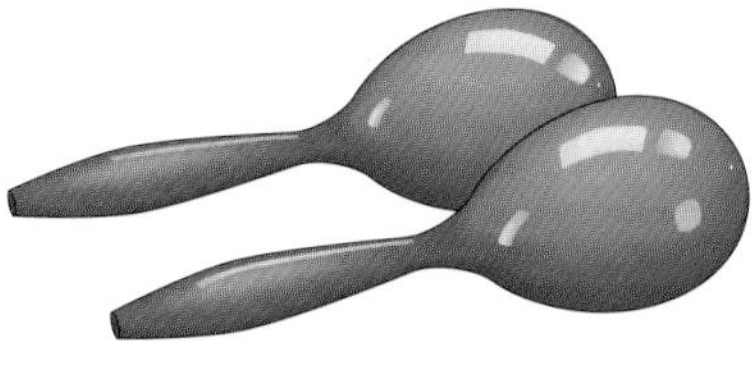

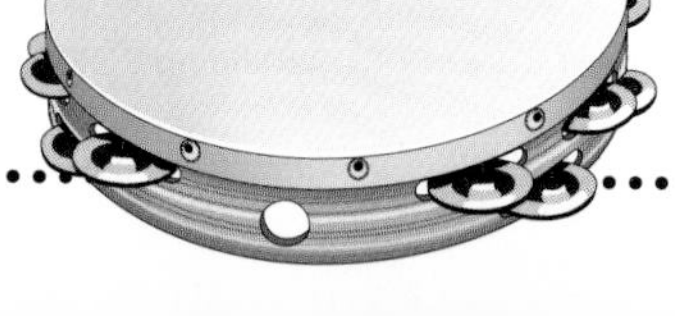

tambourin^M

L'ORCHESTRE^M SYMPHONIQUE

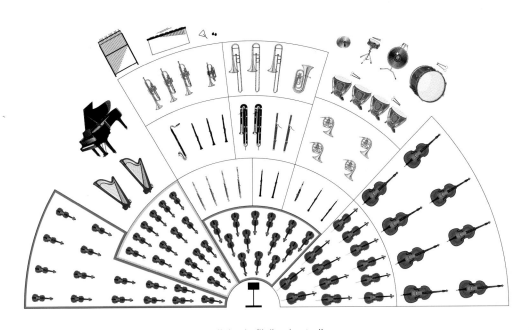

pupitre^M du chef^M d'orchestre^M

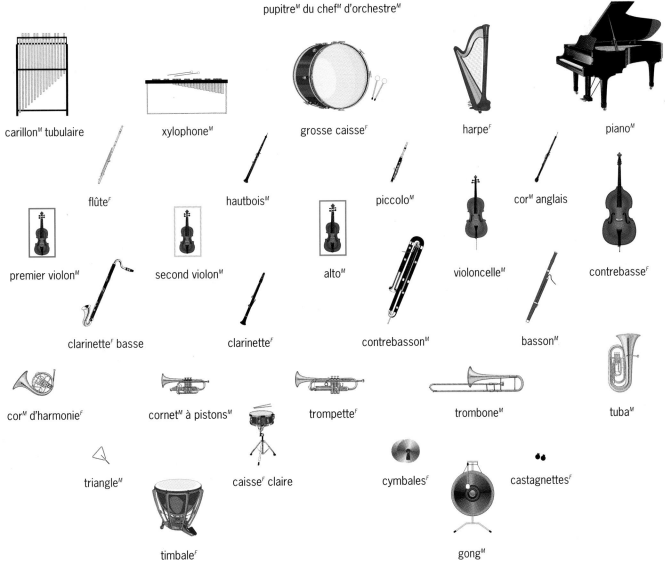

carillon^M tubulaire

xylophone^M

grosse caisse^F

harpe^F

piano^M

flûte^F

hautbois^M

piccolo^M

cor^M anglais

premier violon^M

second violon^M

alto^M

violoncelle^M

contrebasse^F

clarinette^F basse

clarinette^F

contrebasson^M

basson^M

cor^M d'harmonie^F

cornet^M à pistons^M

trompette^F

trombone^M

tuba^M

triangle^M

caisse^F claire

cymbales^F

castagnettes^F

timbale^F

gong^M

LE BASEBALL^M

gant^M

pommeau^M

bâton^M

panier^M

patte^F

manche^M

pouce^M

surface^F de frappe^F

doigt^M

balle^F de baseball^M

71 – 74 mm

paume^F

talon^M

lacet^M

casque^M de frappeur^M

frappeur

chandail^M d'équipe^F

receveur^M

grille^F

protège-gorge^M

gant^M de frappeur^M

masque^M

chandail^M de dessous^M

pantalon^M

gant^M de receveur^M

protecteur^M de poitrine^F

chaussette^F-étrier^M

protège-tibia^M

protège-orteils^M

genouillère^F

chaussure^F à crampons^M

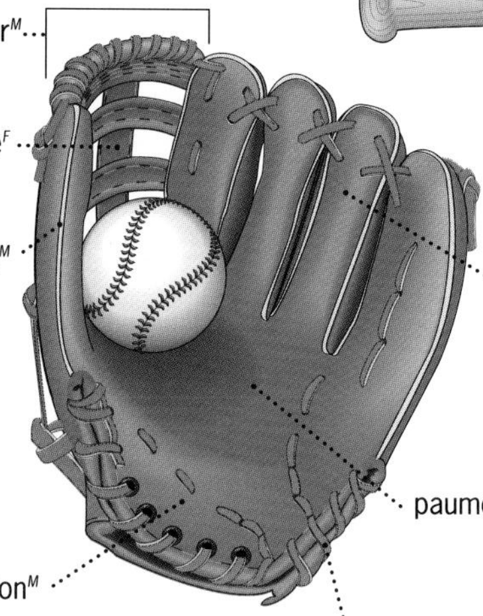

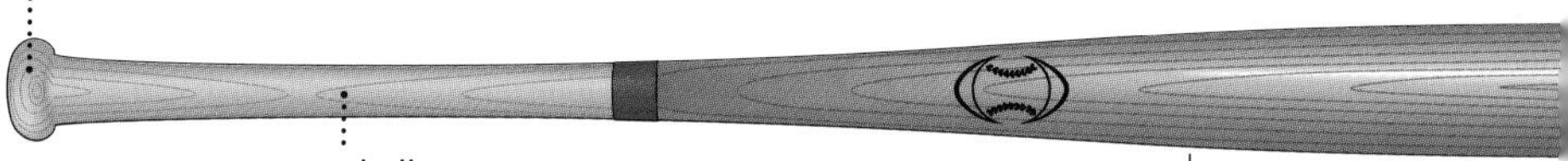

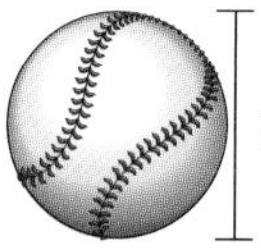

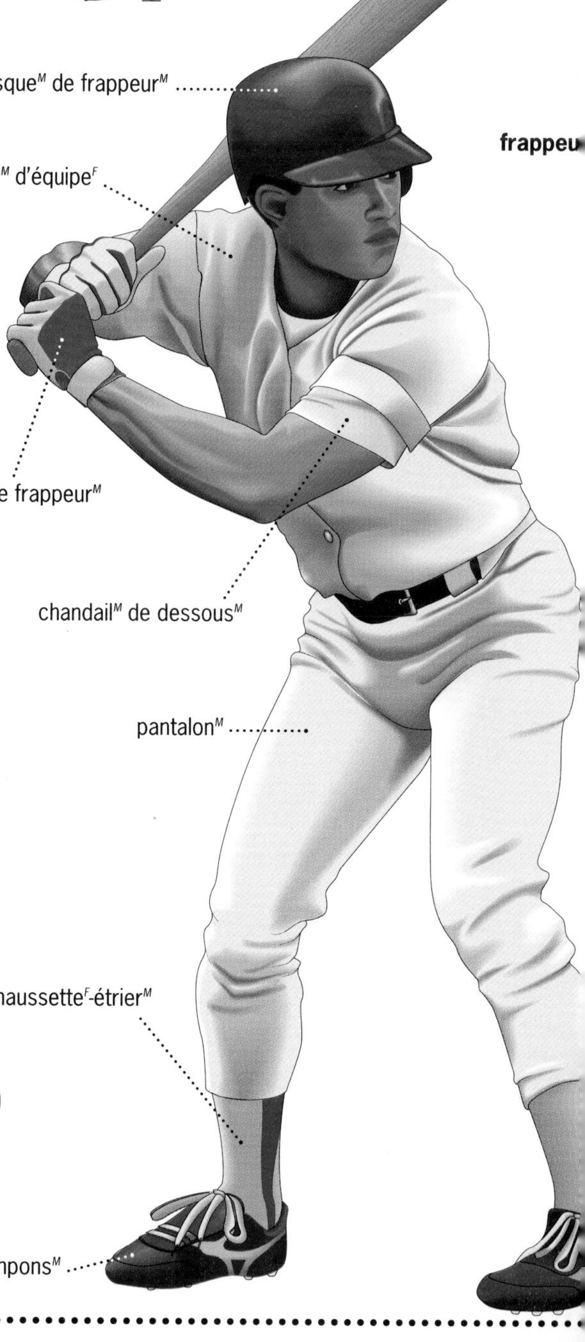

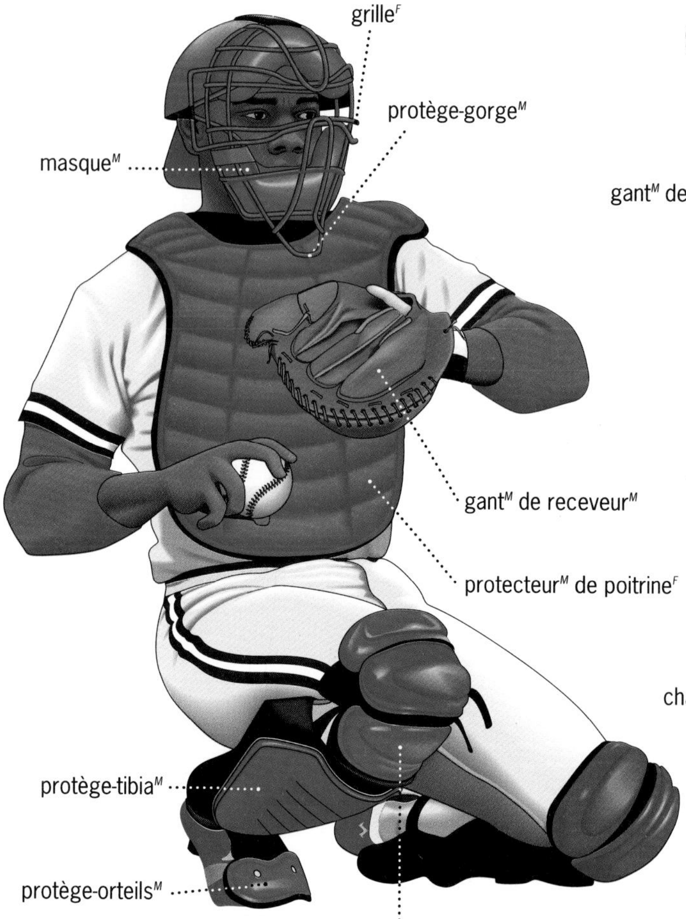

terrain^M

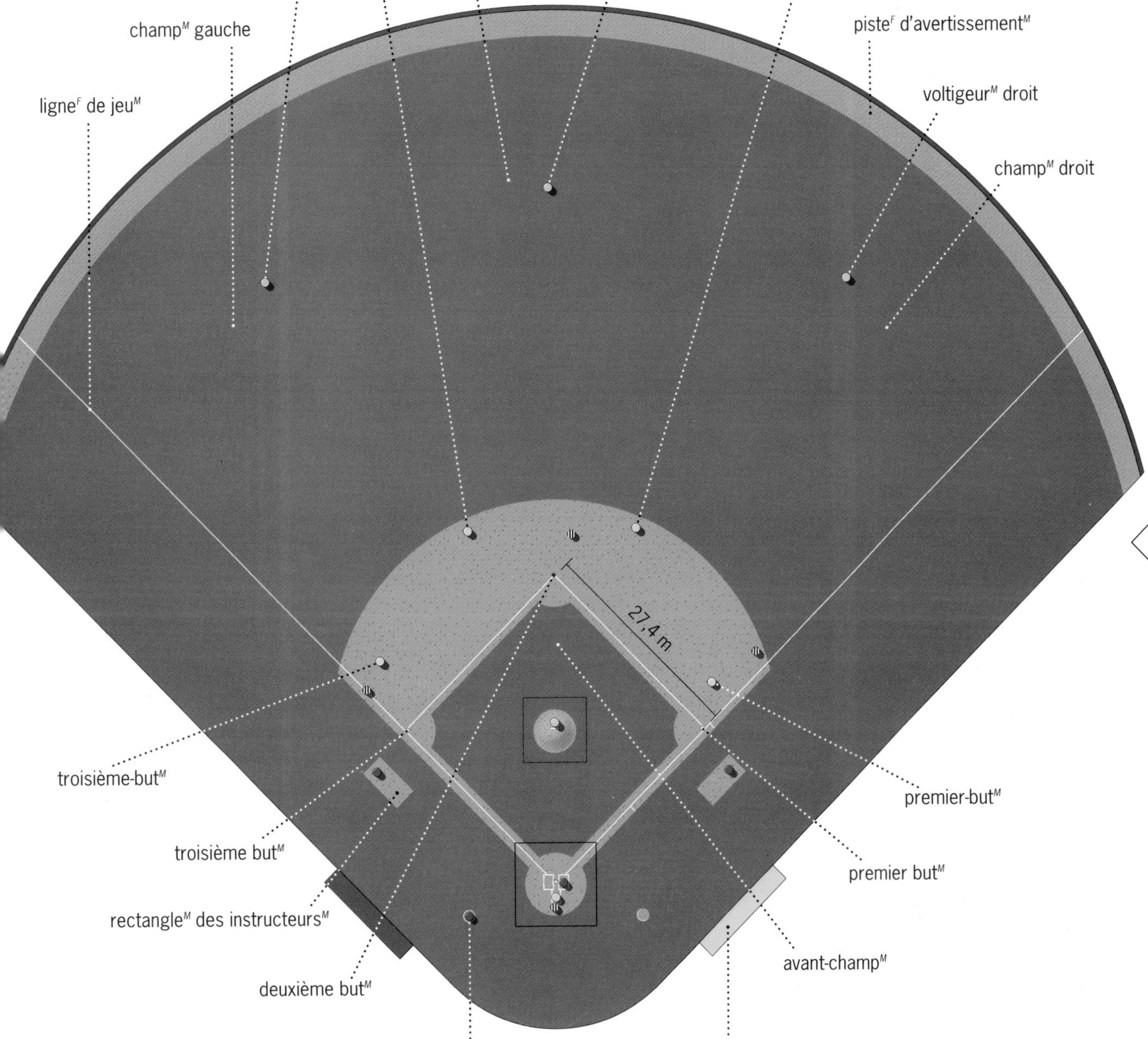

arrêt-court^M

champ^M centre^M

voltigeur^M gauche

voltigeur^M de centre^M

deuxième-but^M

champ^M gauche

piste^F d'avertissement^M

voltigeur^M droit

ligne^F de jeu^M

champ^M droit

27,4 m

troisième-but^M

premier-but^M

troisième but^M

premier but^M

rectangle^M des instructeurs^M

deuxième but^M

avant-champ^M

cercle^M d'attente^F

abri^M des joueurs^M

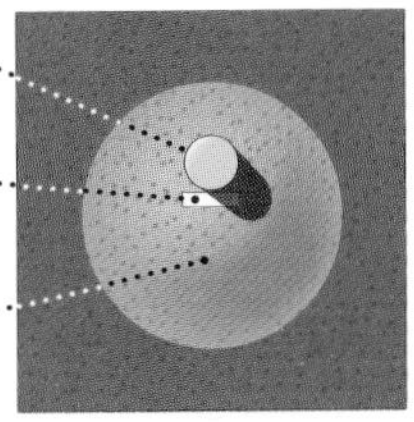

marbre^M

lanceur^M

frappeur^M

plaque^F du lanceur^M

receveur^M

monticule^M

arbitre^M en chef^M

169

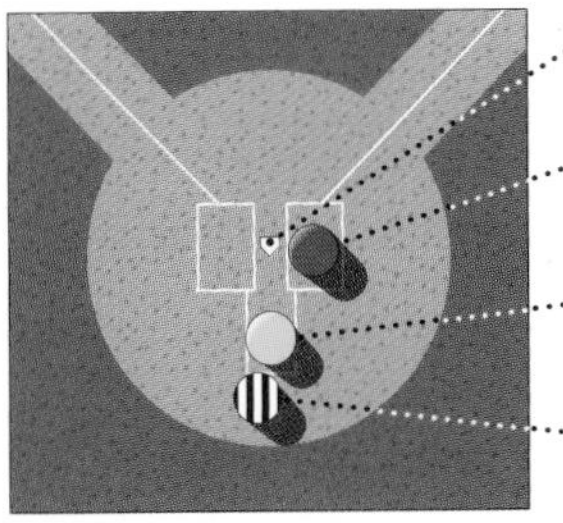

LE FOOTBALL[M] AMÉRICAIN

footballeur[M]

casque[M]

jugulaire[F]

numéro[M] du joueur[M]

chandail[M] d'équipe[F]

bracelet[M]

pantalon[M]

chaussette[F]

chaussure[F] à crampons[M]

ballon[M] de footba

279 – 286 mm

équipement[M] de protectio

casque[M]

masque[M]

épaulière[F]

plastron[M]

brassard[M]

protège-côtes[M]

coudière[F]

protège-hanche[M]

protecteur[M] lombaire

coquille[F]

cuissard[M]

genouillère[F]

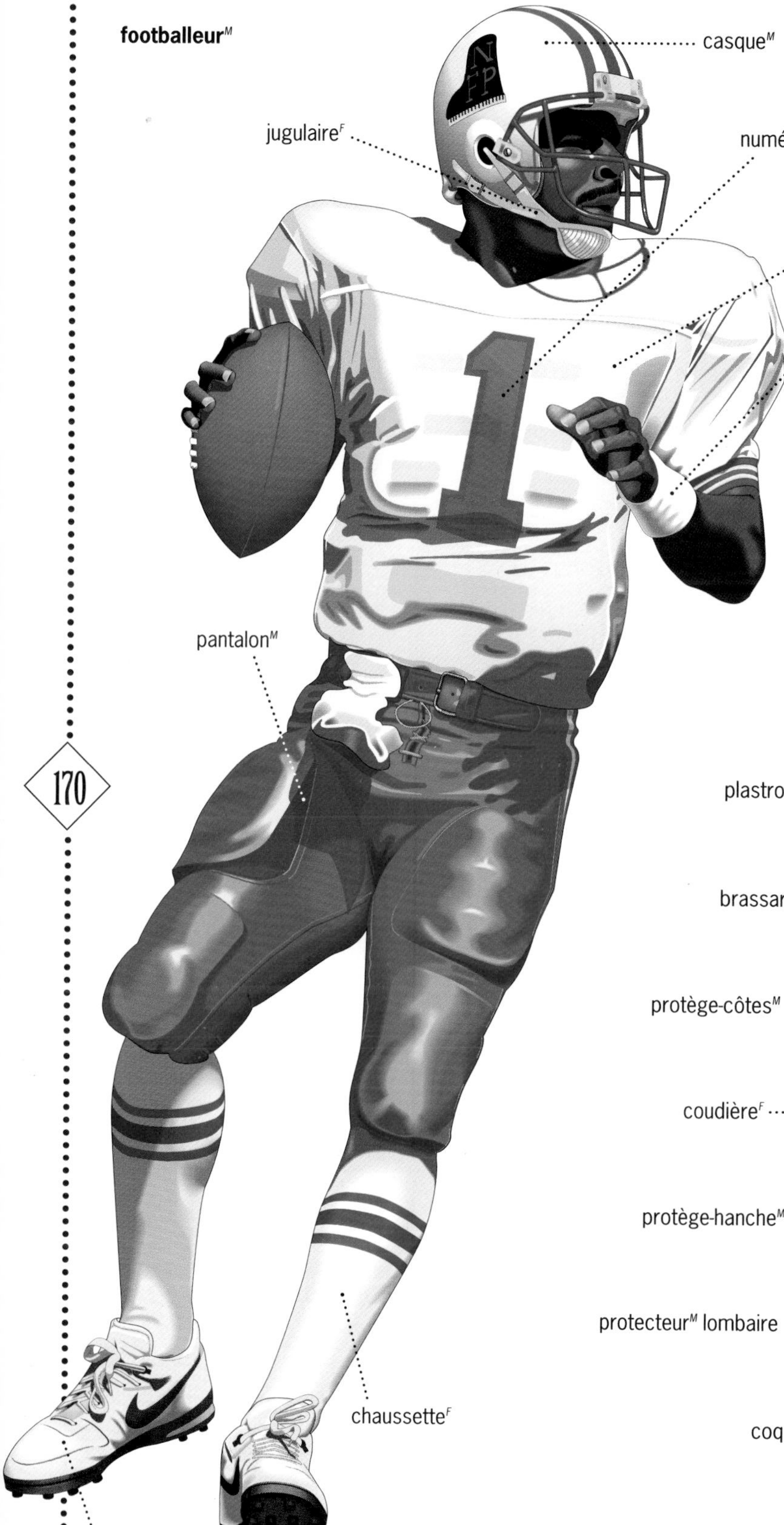

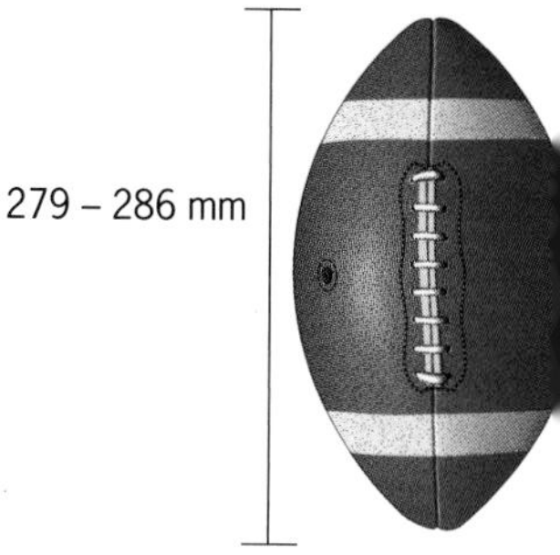

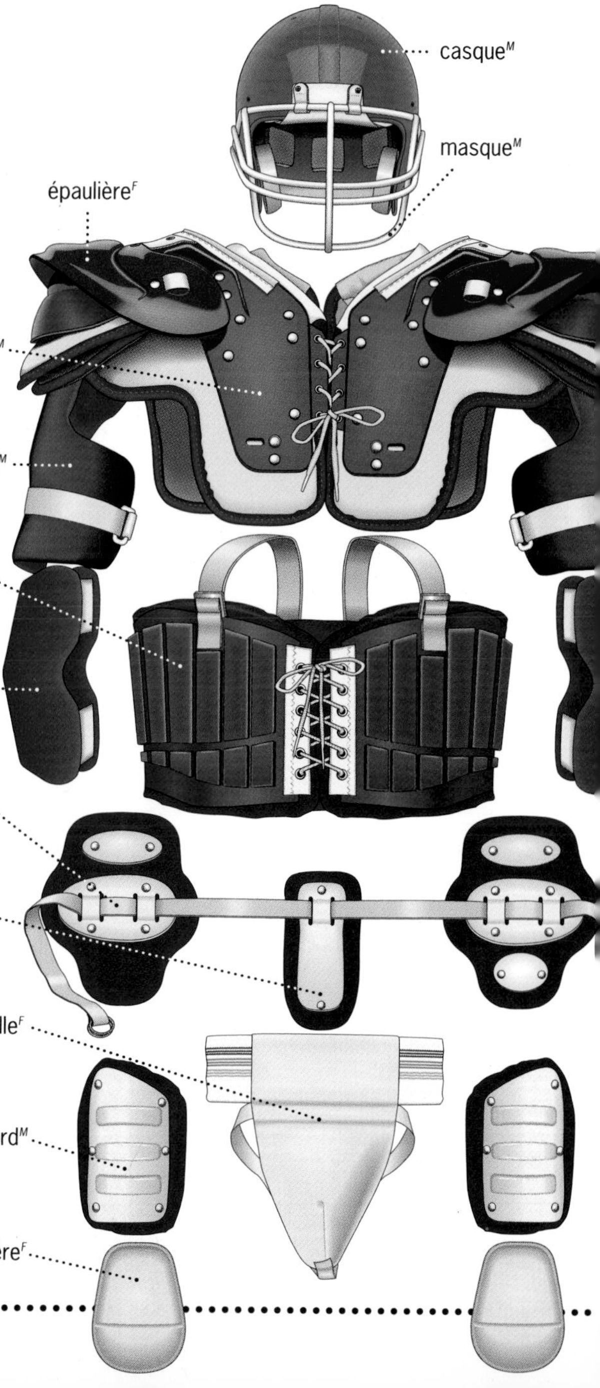

second juge^M de ligne^F

mêlée^F

ATTAQUE^F

DÉFENSE^F

ailier^M rapproché

arbitre^M en chef^M

bloqueur^M gauche

demi^M gauche

garde^M gauche

arrière^M

quart-arrière^M

centre^M

demi^M droit

garde^M droit

bloqueur^M droit

ailier^M éloigné

premier juge^M de ligne^F

zone^F neutre

demi^M de coin^M droit

secondeur^M extérieur droit

demi^M de sûreté^F droit

ailier^M défensif droit

arbitre^M

secondeur^M au centre^M

demi^M de sûreté^F gauche

juge^M de champ^M arrière

plaqueur^M droit

plaqueur^M gauche

secondeur^M extérieur gauche

ailier^M défensif gauche

ligne^F de mêlée^F

demi^M de coin^M gauche

terrain^M **de football**^{M} **américain**

trait^M de mise^F au jeu^M

ligne^F de but^M

ligne^F de fond^M

poteau^M de but^M

ligne^F de centre^M

banc^M des joueurs^M

ligne^F des verges^F

but^M

zone^F de but^M

ligne^F de touche^F

49 m

9,1 m

91,4 m

171

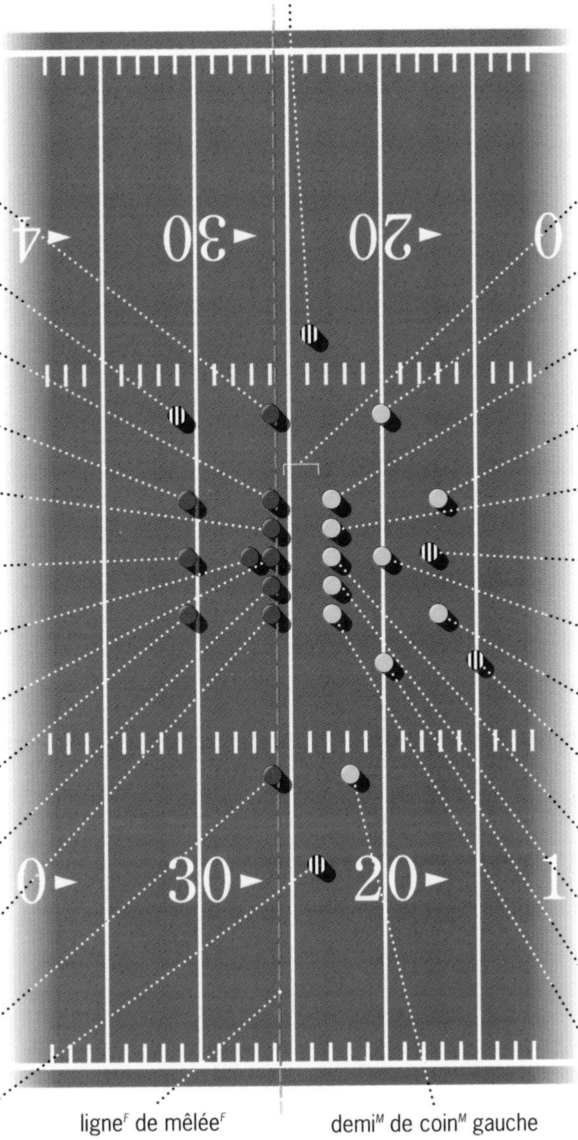

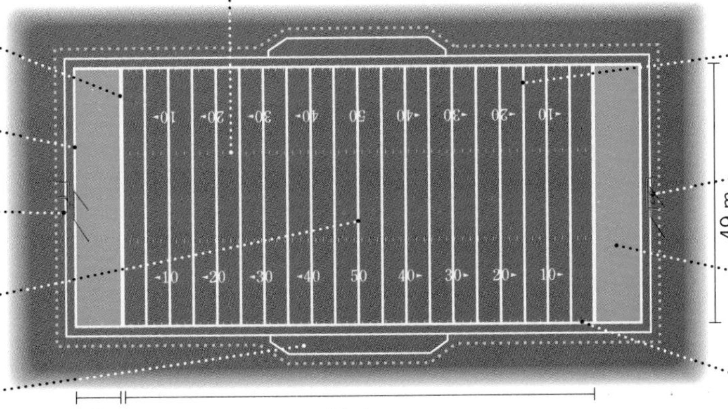

LE FOOTBALL^M

footballeur^M

ballon^M **de football**^M

chandail^M d'équipe^F

218 mm

short^M

protège-tibia^M

chaussure^F de football^M

172

crampons^M
interchangeables

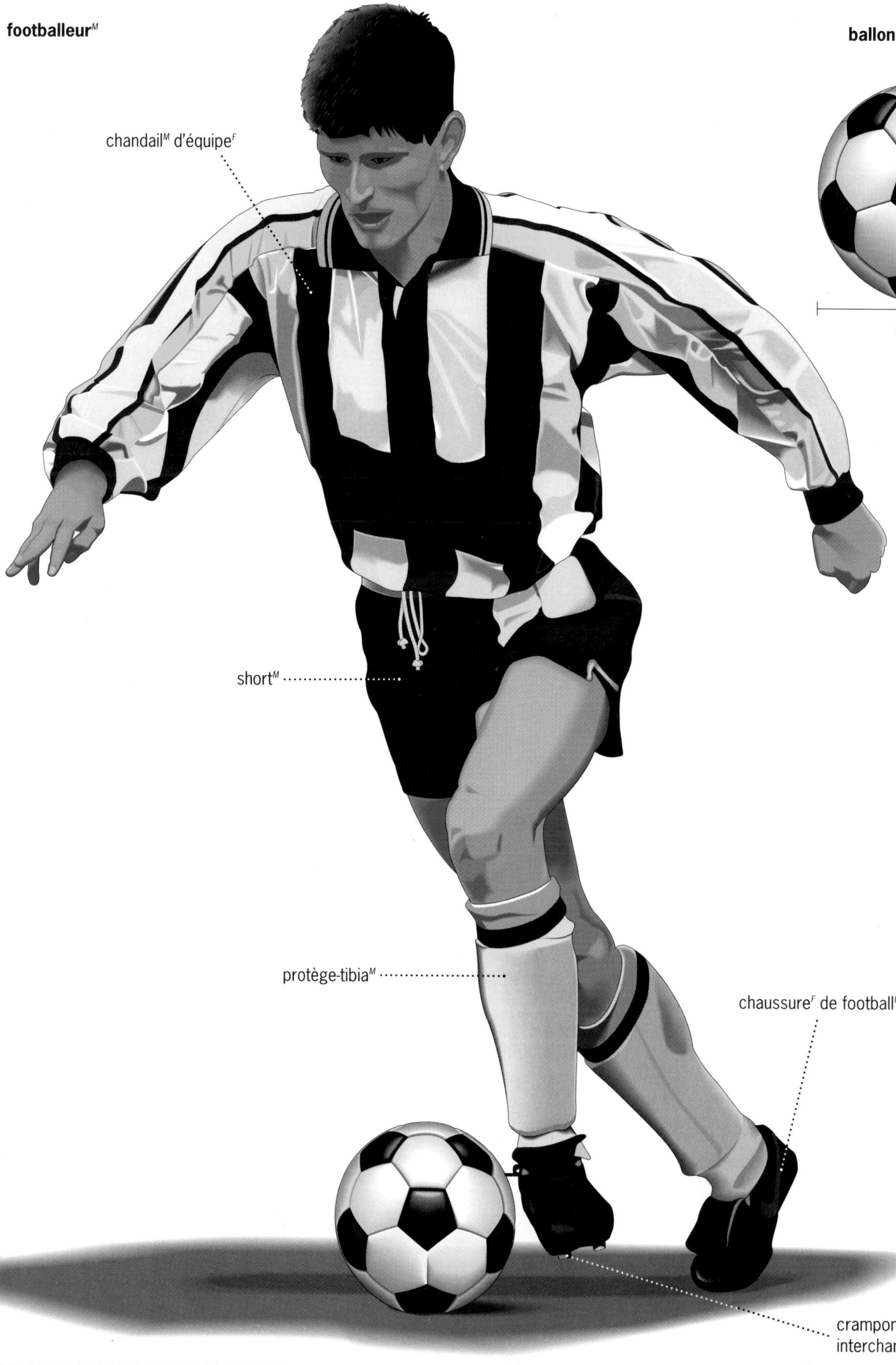

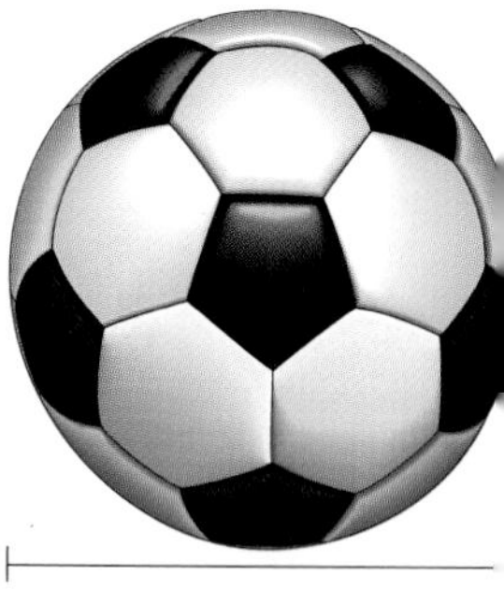

terrain^M

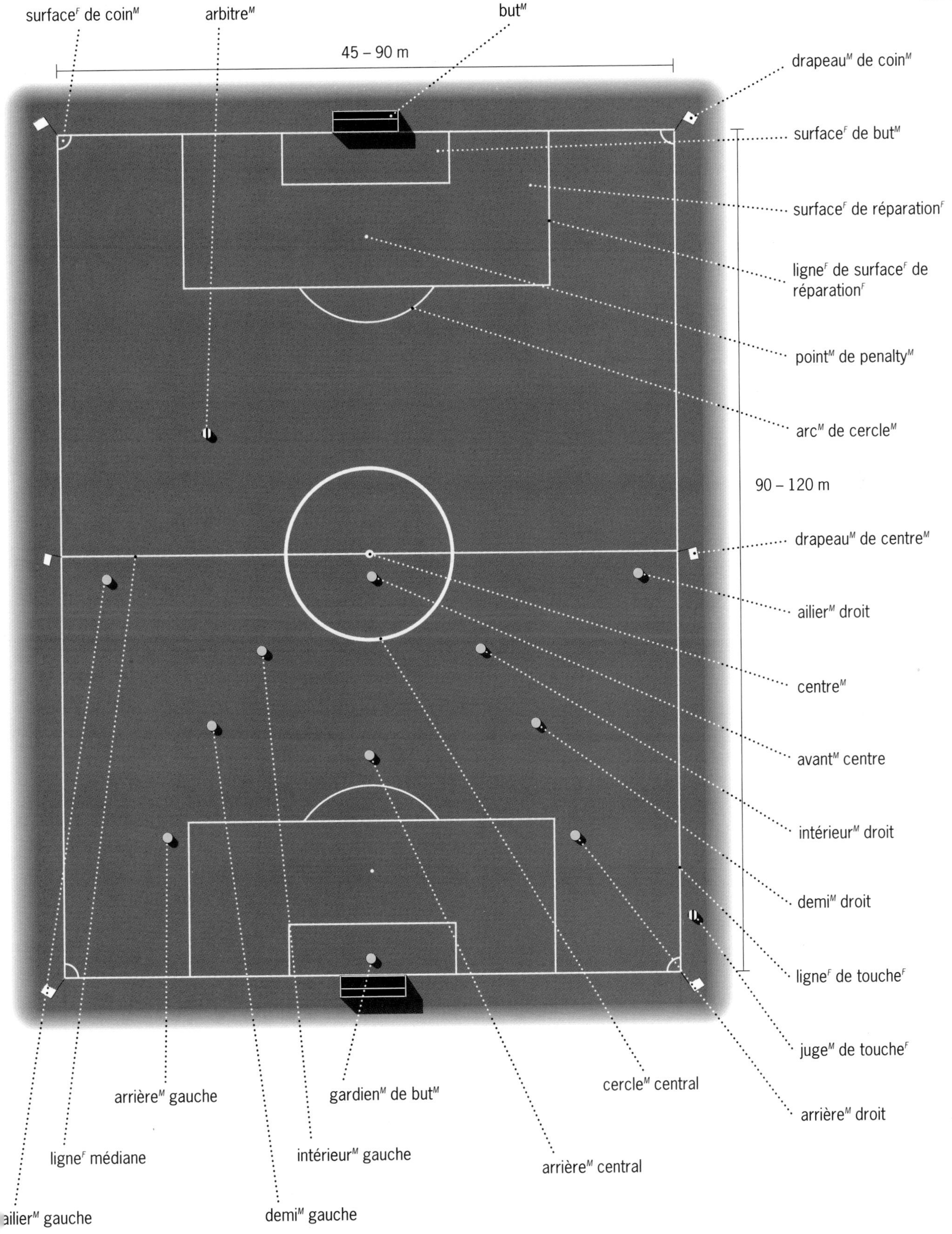

surface^F de coin^M

arbitre^M

but^M

45 – 90 m

drapeau^M de coin^M

surface^F de but^M

surface^F de réparation^F

ligne^F de surface^F de réparation^F

point^M de penalty^M

arc^M de cercle^M

90 – 120 m

drapeau^M de centre^M

ailier^M droit

centre^M

avant^M centre

intérieur^M droit

demi^M droit

ligne^F de touche^F

juge^M de touche^F

arrière^M droit

arrière^M gauche

gardien^M de but^M

cercle^M central

ligne^F médiane

intérieur^M gauche

arrière^M central

ailier^M gauche

demi^M gauche

LE CRICKET^M

joueur^M de cricket^M

batte^F

gant^M

garde-guichet^M

batteur^M

équipe^F au champ^M

livrée^F

terrain

arbitre^M

lanceur^M

batteur^M

arbitre^M

174

guichet^M

barrette^F

piquet^M

jambière^F

batte^F

manche^M

plat^M

chaussure^F de cricket^M

balle^F de cricket^M

70 – 73 mm

crampons^M

rainure^F

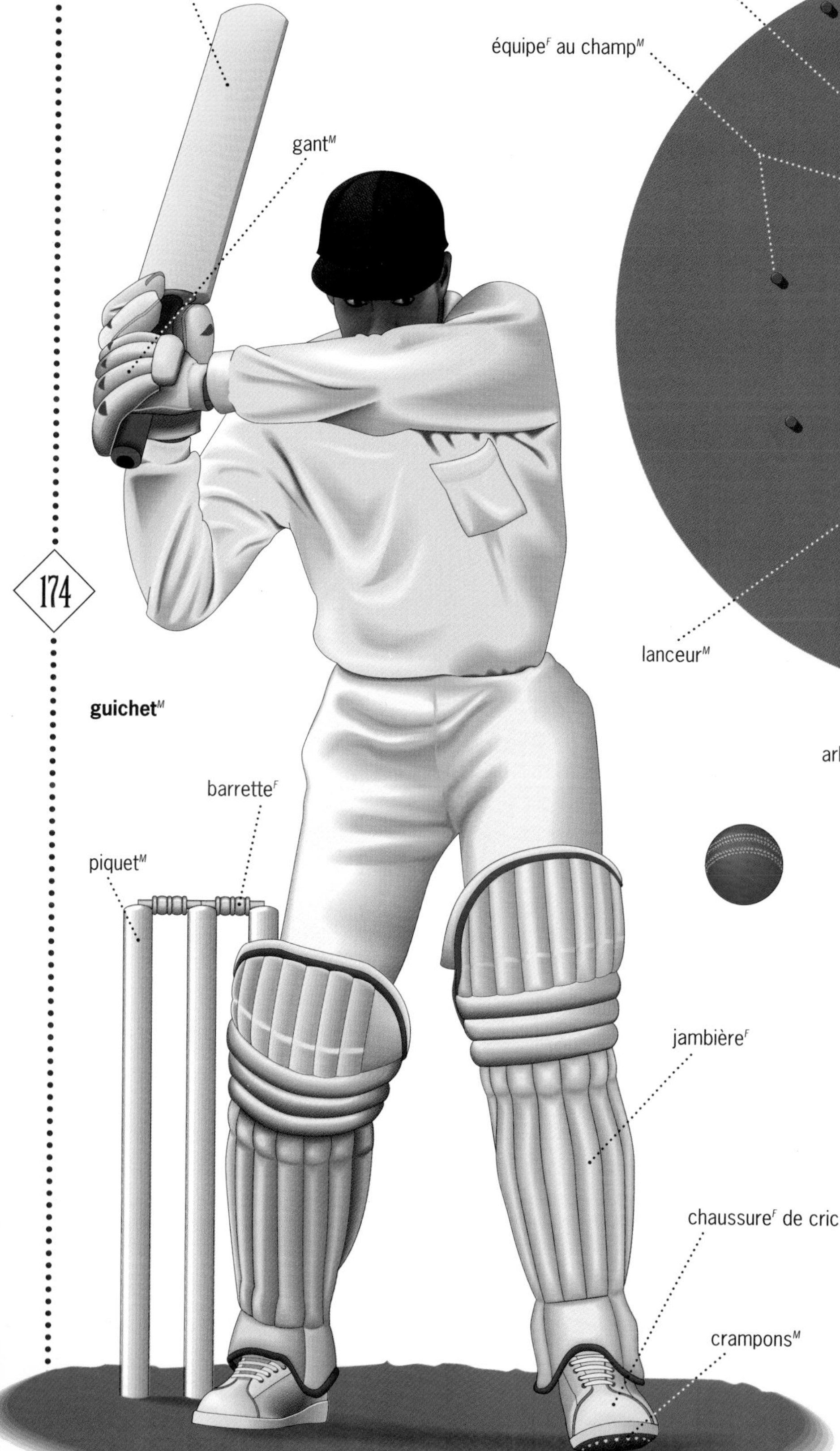

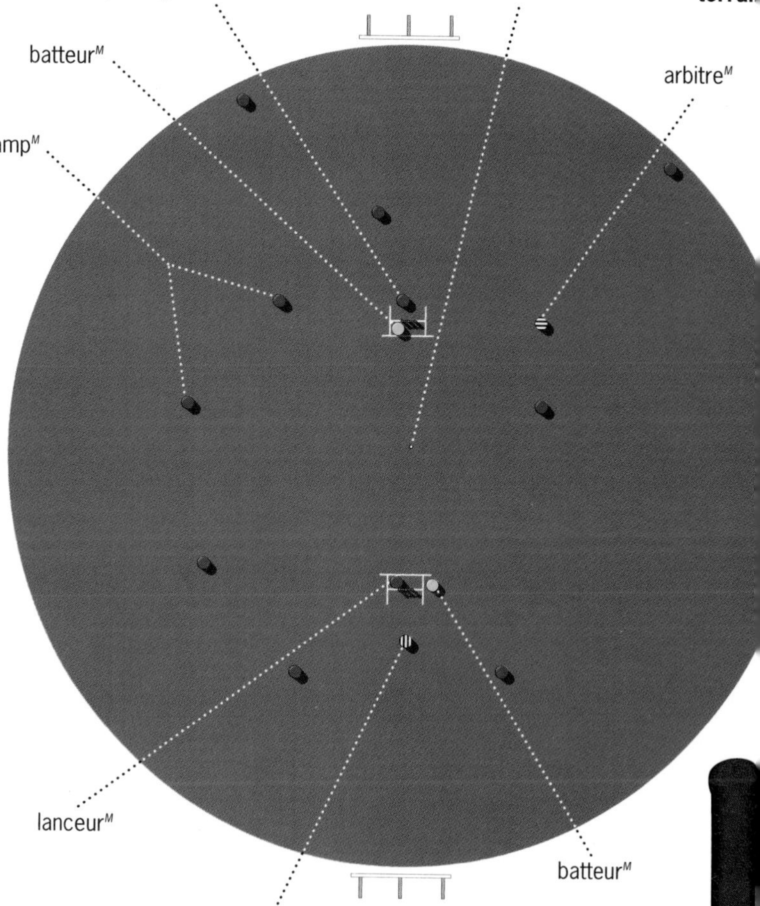

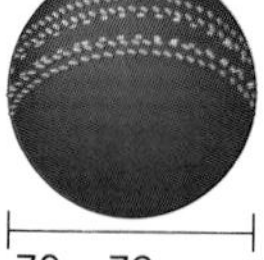

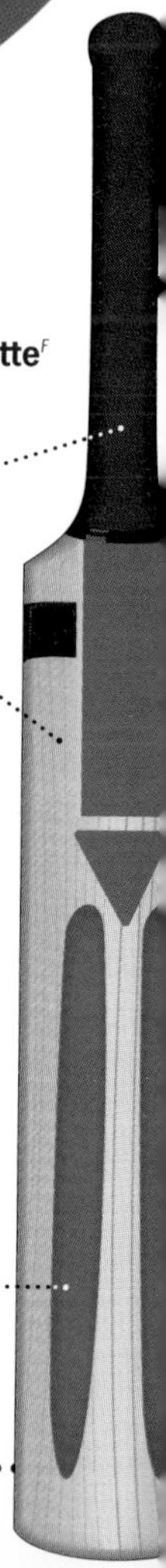

LE HOCKEY^M SUR GAZON^M

54,9 m

drapeau^M de coin^M

cercle^M d'envoi^M

ligne^F des 22,9 mètres^M

ligne^F de touche^F

ligne^F de centre^M

avant^M centre

avant^M gauche

avant^M droit

ailier^M gauche

91,4 m

demi^M gauche

ailier^M droit

arrière^M gauche

demi^M droit

gardien^M de but^M

demi^M centre

but^M

arrière^M droit

ligne^F de but^M

balle^F de hockey^M

crosse^F

66 – 74 mm

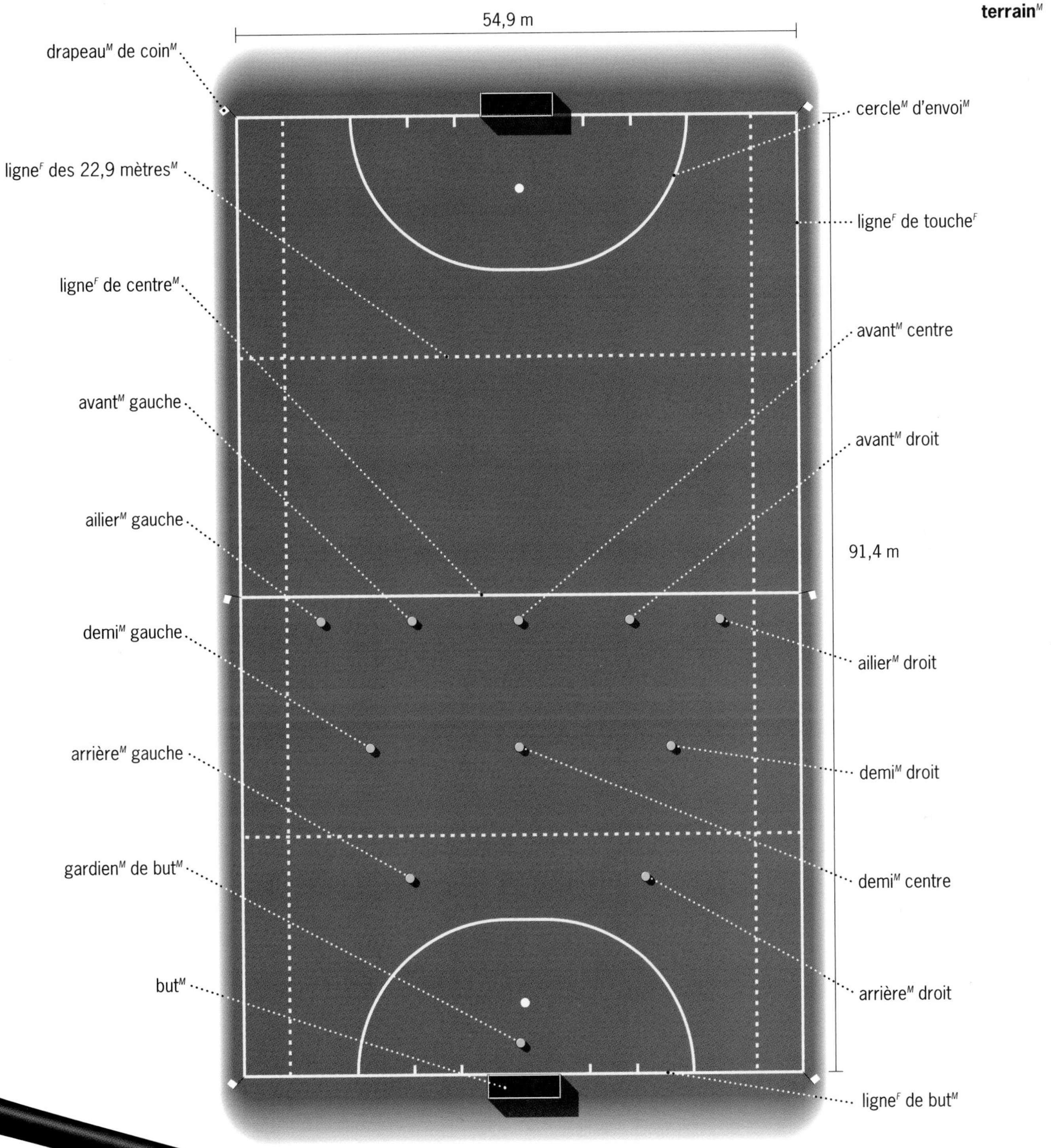

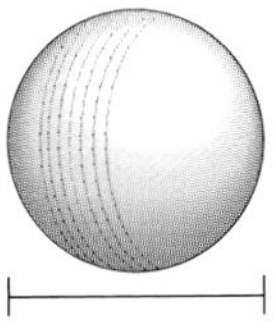

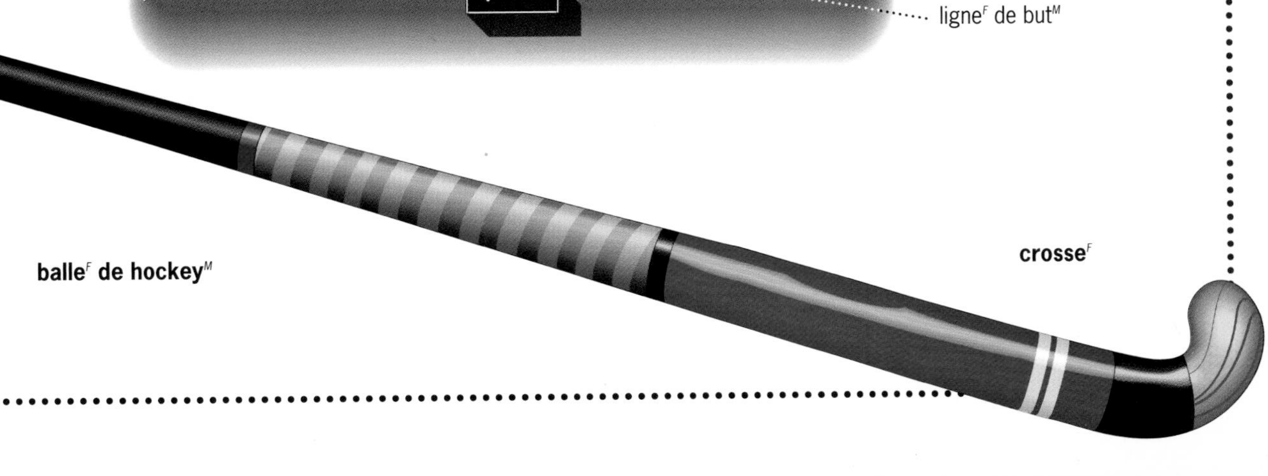

LE HOCKEY^M SUR GLACE^F

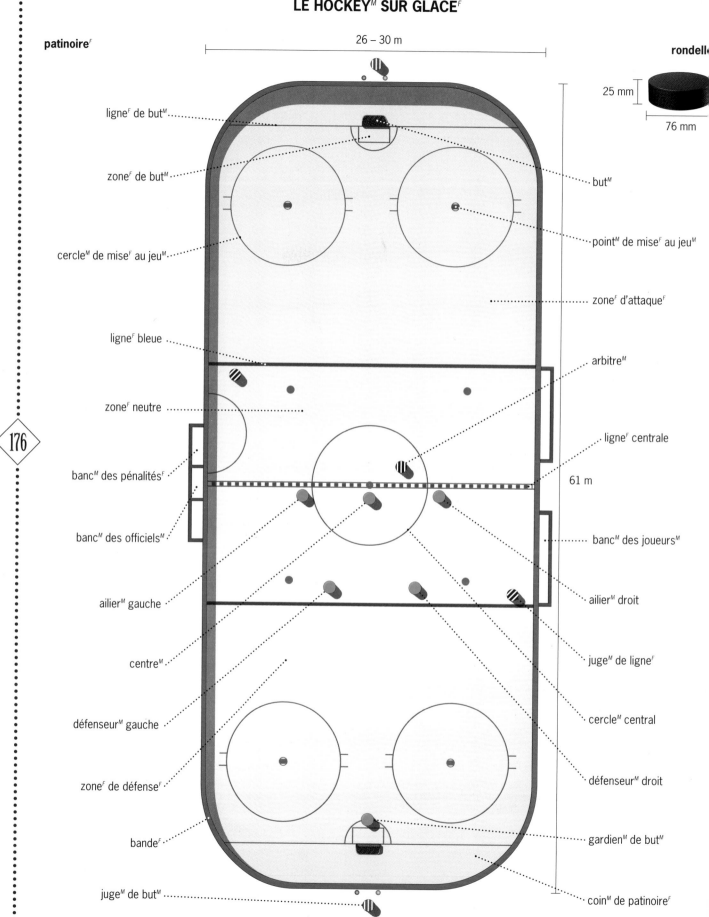

patinoire^F

26 – 30 m

rondelle

25 mm

76 mm

ligne^F de but^M

zone^F de but^M

but^M

cercle^M de mise^F au jeu^M

point^M de mise^F au jeu^M

zone^F d'attaque^F

ligne^F bleue

arbitre^M

zone^F neutre

ligne^F centrale

banc^M des pénalités^F

61 m

banc^M des officiels^M

banc^M des joueurs^M

ailier^M gauche

ailier^M droit

centre^M

juge^M de ligne^F

défenseur^M gauche

cercle^M central

zone^F de défense^F

défenseur^M droit

bande^F

gardien^M de but^M

juge^M de but^M

coin^M de patinoire^F

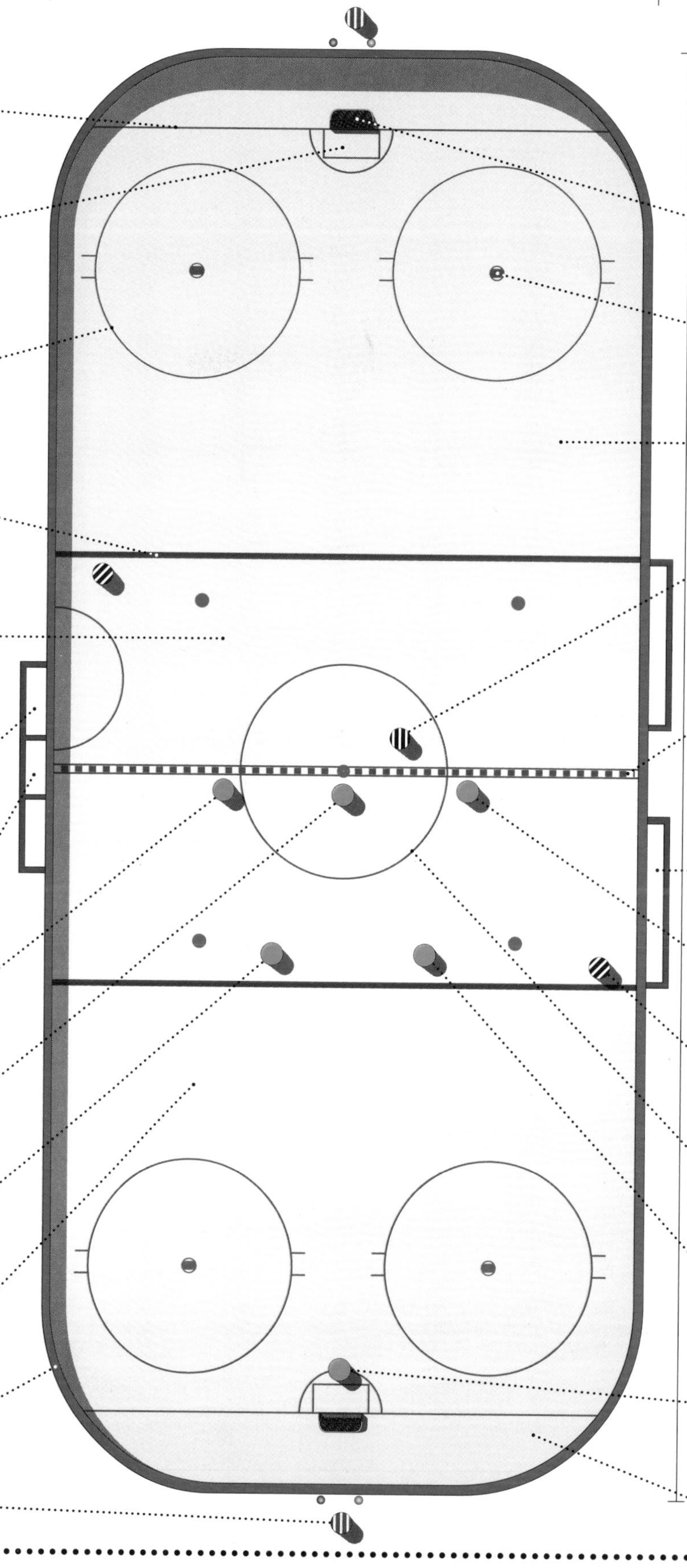

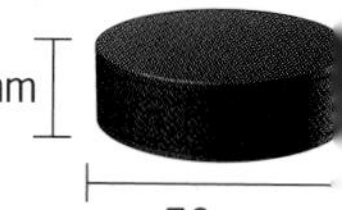

âton^M de joueur^M

embout^M

épaulière^F

gaine^F de protection^F

coquille^F

protège-tibia^M

manche^M

lame^F

talon^M

hockeyeur^M

casque^M

protège-coude^M

manchette^F

gant^M

genouillère^F

patin^M

gardien^M de but^M

masque^M

protège-gorge^M

brassard^M

plastron^M

bouclier^M

culotte^F

gant^M attrape-rondelle^M

jambière^F de gardien^M de but^M

patin^M

bâton^M de gardien^M de but^M

lame^F

177

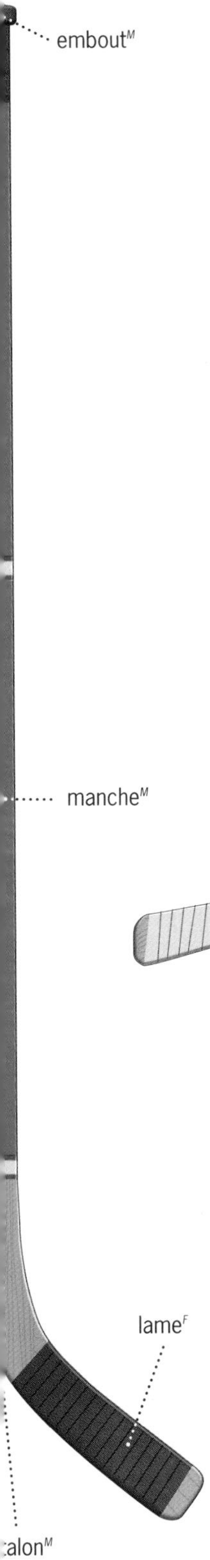

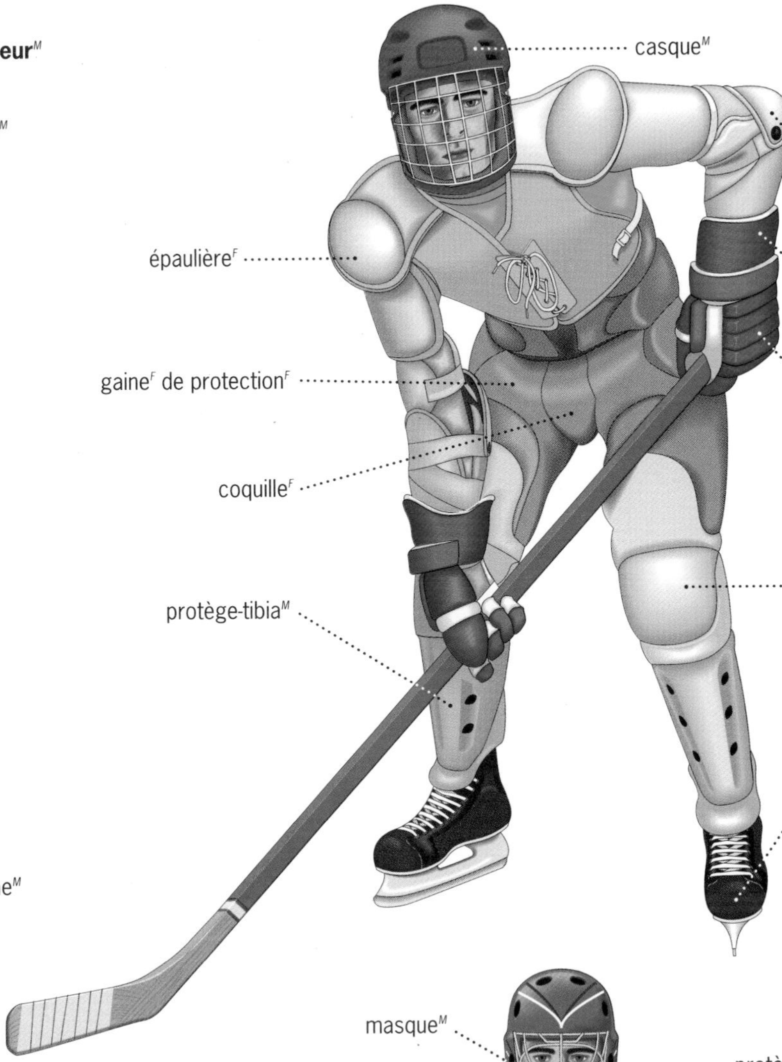

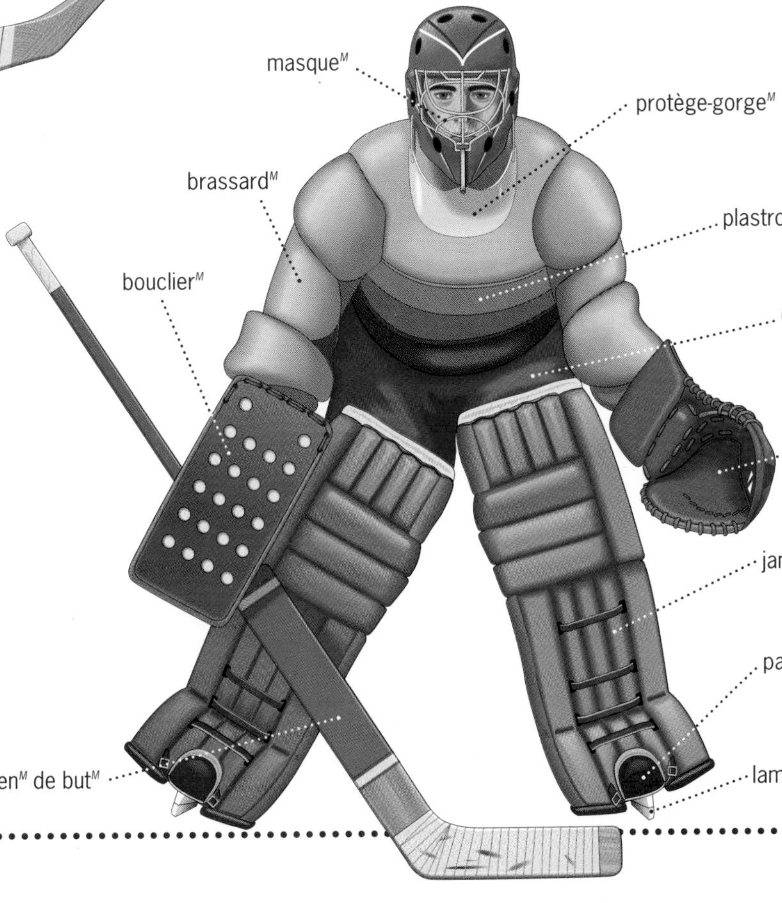

LE BASKETBALL^M

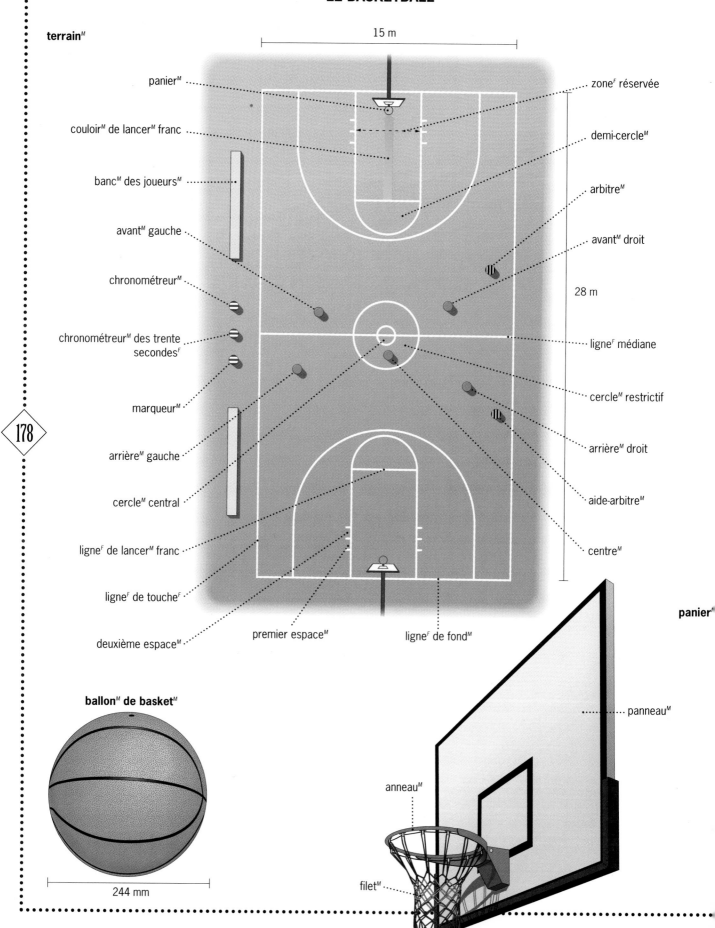

terrain^M

15 m

panier^M

couloir^M de lancer^M franc

banc^M des joueurs^M

avant^M gauche

chronométreur^M

chronométreur^M des trente secondes^F

marqueur^M

arrière^M gauche

cercle^M central

ligne^F de lancer^M franc

ligne^F de touche^F

deuxième espace^M

premier espace^M

ligne^F de fond^M

zone^F réservée

demi-cercle^M

arbitre^M

avant^M droit

28 m

ligne^F médiane

cercle^M restrictif

arrière^M droit

aide-arbitre^M

centre^M

ballon^M de basket^M

244 mm

panier^M

panneau^M

anneau^M

filet^M

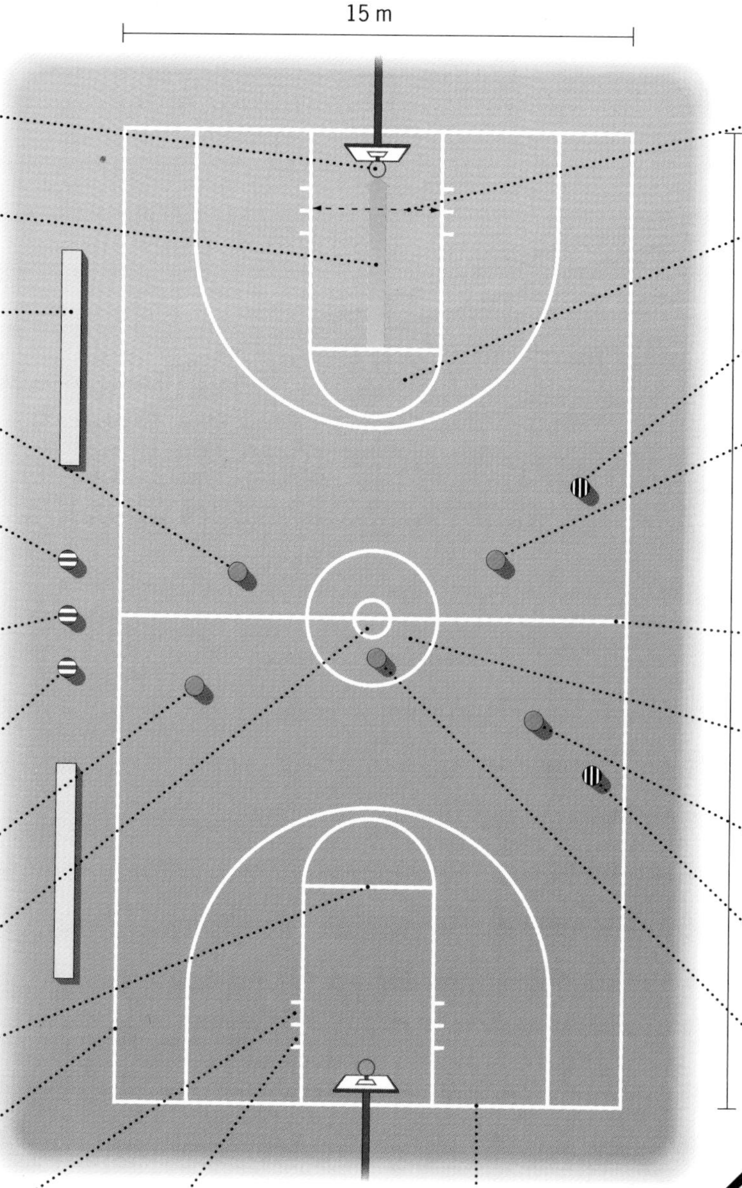

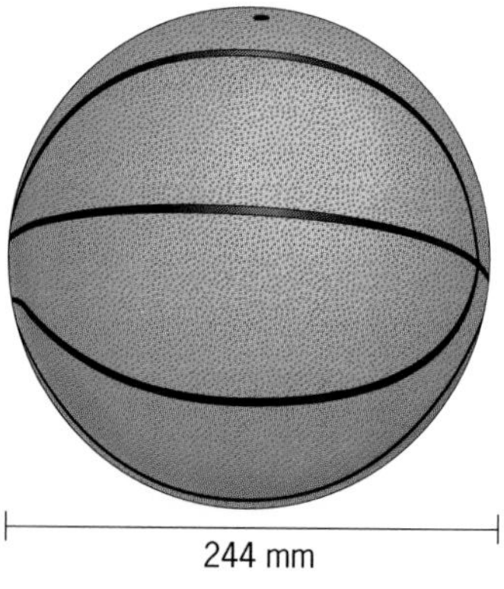

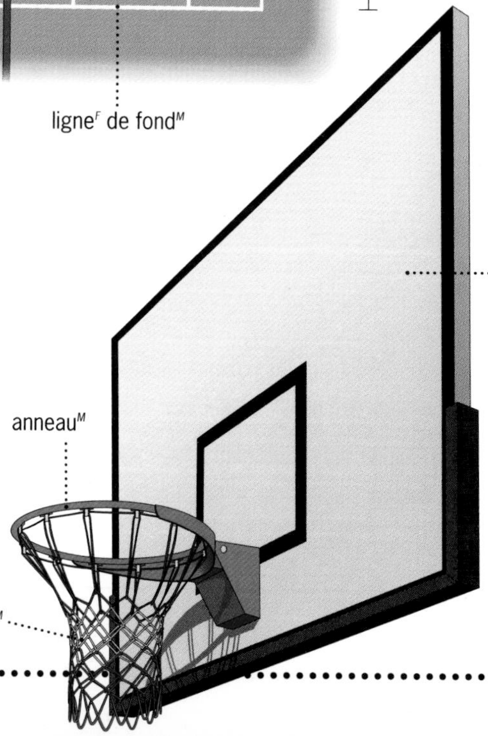

LE VOLLEYBALL^M

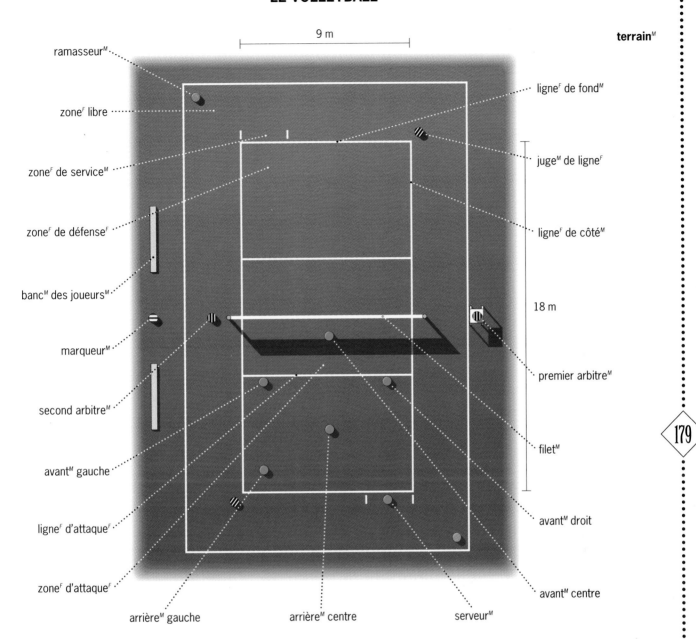

ramasseur^M

zone^F libre

zone^F de service^M

zone^F de défense^F

banc^M des joueurs^M

marqueur^M

second arbitre^M

avant^M gauche

ligne^F d'attaque^F

zone^F d'attaque^F

arrière^M gauche

arrière^M centre

serveur^M

9 m

18 m

ligne^F de fond^M

juge^M de ligne^F

ligne^F de côté^M

premier arbitre^M

filet^M

avant^M droit

avant^M centre

terrain^M

179

filet^M

ballon^M de volleyball^M

206 – 213 mm

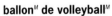

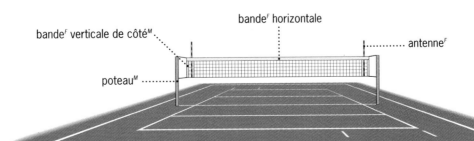

bande^F horizontale

bande^F verticale de côté^M

antenne^F

poteau^M

LE TENNIS^M

terrain^M

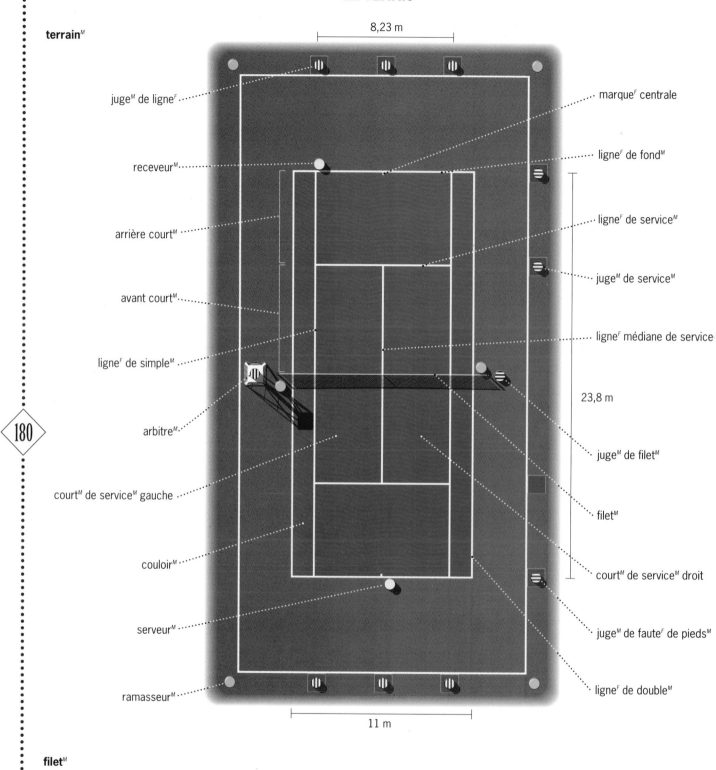

8,23 m

juge^M de ligne^F

marque^F centrale

receveur^M

ligne^F de fond^M

arrière court^M

ligne^F de service^M

juge^M de service^M

avant court^M

ligne^F médiane de service

ligne^F de simple^M

23,8 m

arbitre^M

juge^M de filet^M

court^M de service^M gauche

filet^M

couloir^M

court^M de service^M droit

serveur^M

juge^M de faute^F de pieds^M

ramasseur^M

ligne^F de double^M

11 m

filet^M

sangle^F

poteau^M de simple^M

bande^F de filet^M

poteau^M de double^M

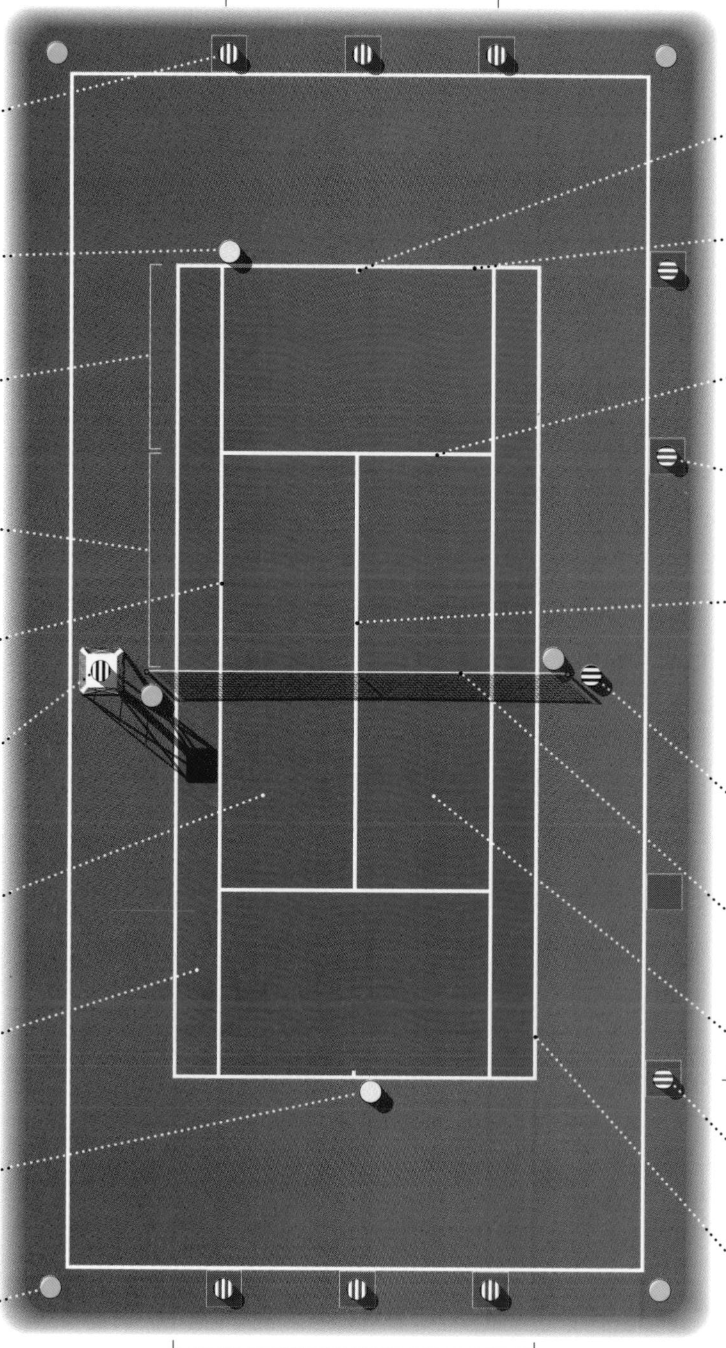

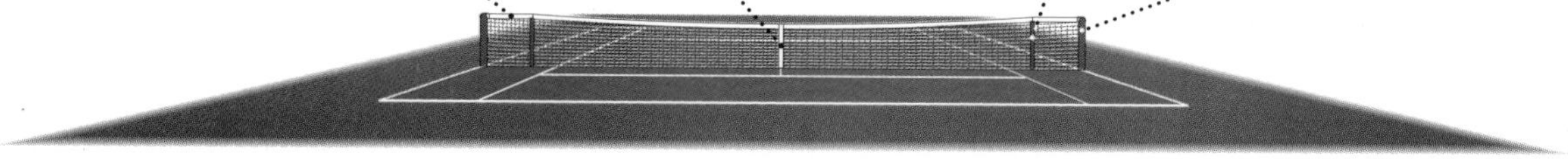

balle^F de tennis^M

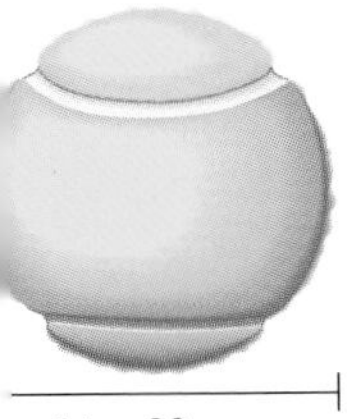

64 – 68 mm

joueuse^F de tennis^M

bandeau^M

polo^M

bracelet^M

jupette^F

chaussure^F de tennis^M

chaussette^F

raquette^F de tennis^M

talon^M

poignée^F

manche^M

cœur^M

épaule^F

tête^F

cadre^M

tamis^M

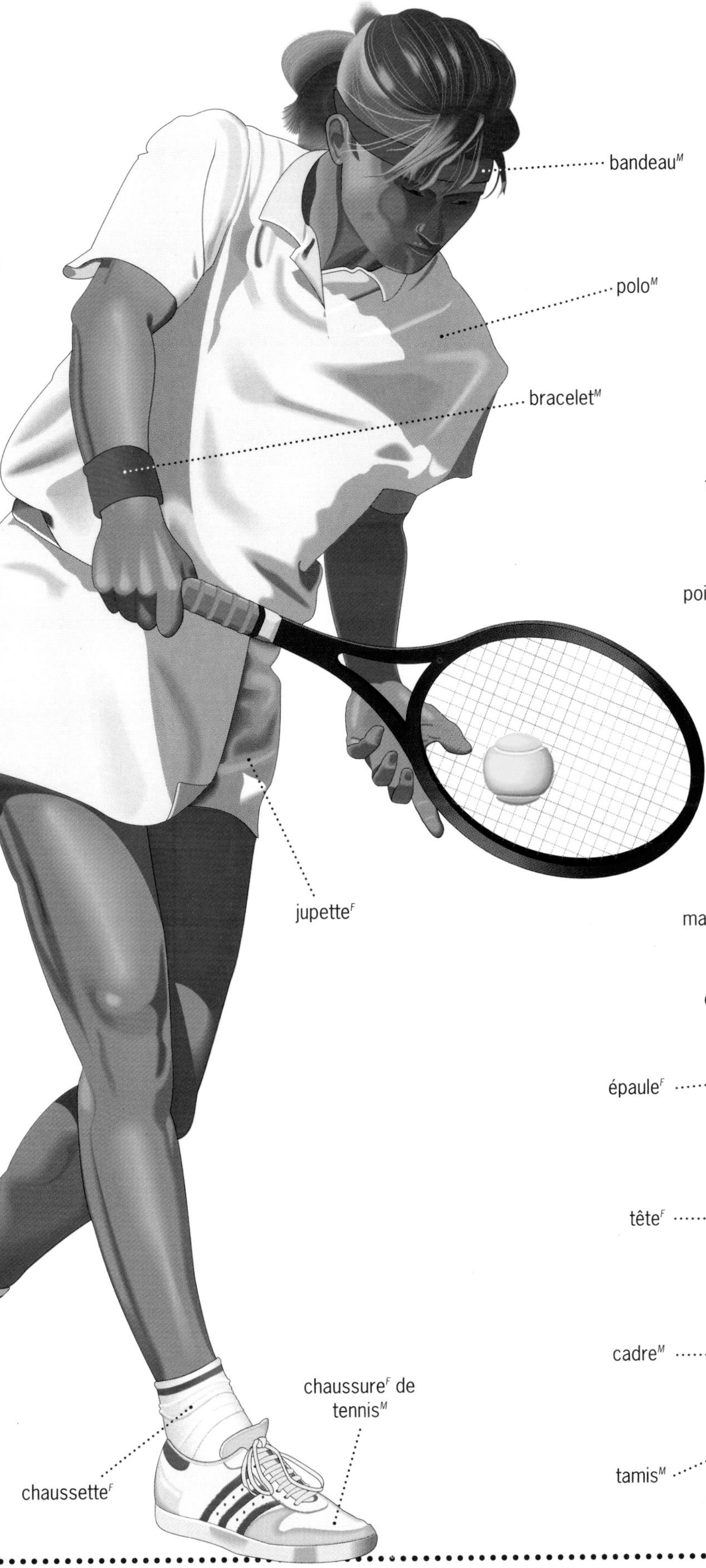

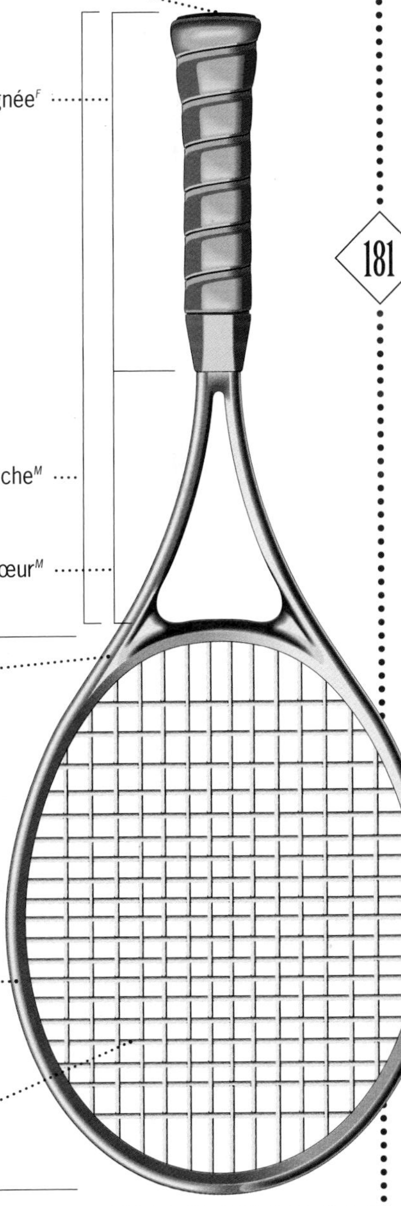

LA NATATION^F

bassin^M de compétition^F

chronométreur^M principal

juge^M de classement^M

enregistreur^M

mur^M d'extrémité^F

arbitre^M

juge^M de nages^F

bassin^M

repère^M de virage^M de dos^M

couloir^M

juge^M de virages^M

chronométreur^M de couloir^M

juge^M de départ^M

numéro^M de couloir^M

plot^M de départ^M

50 m

mur^M latéral

ligne^F de fond^M

corde^F de couloir^M

mur^M de virage^M

23 m

182

plot^M de départ^M

plate-forme^F

colonne^F

barre^F de départ^M (dos^M)

mur^M de départ^M

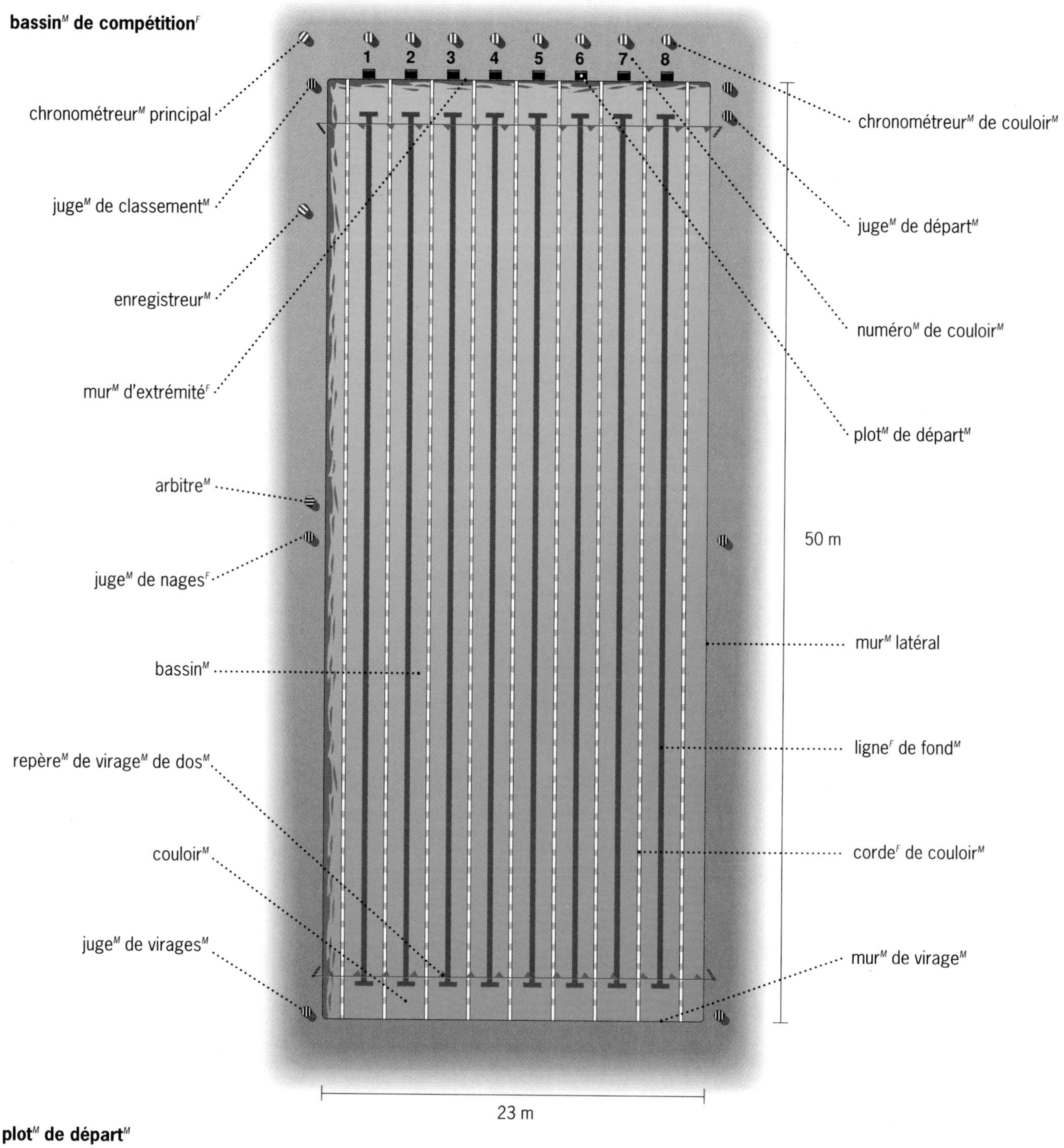

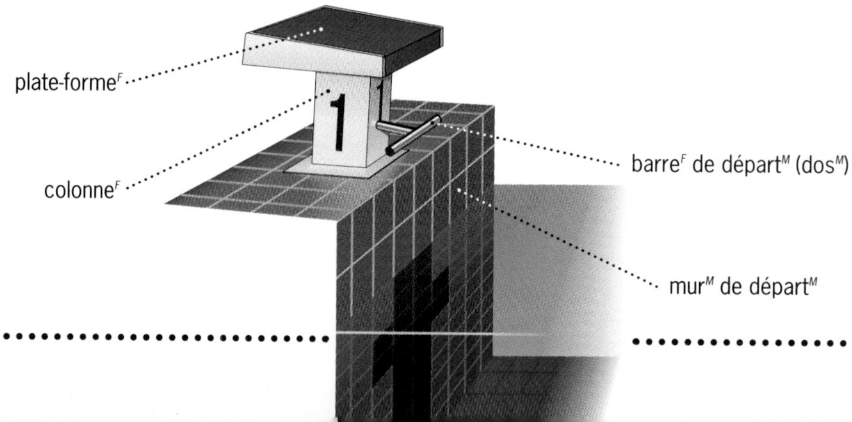

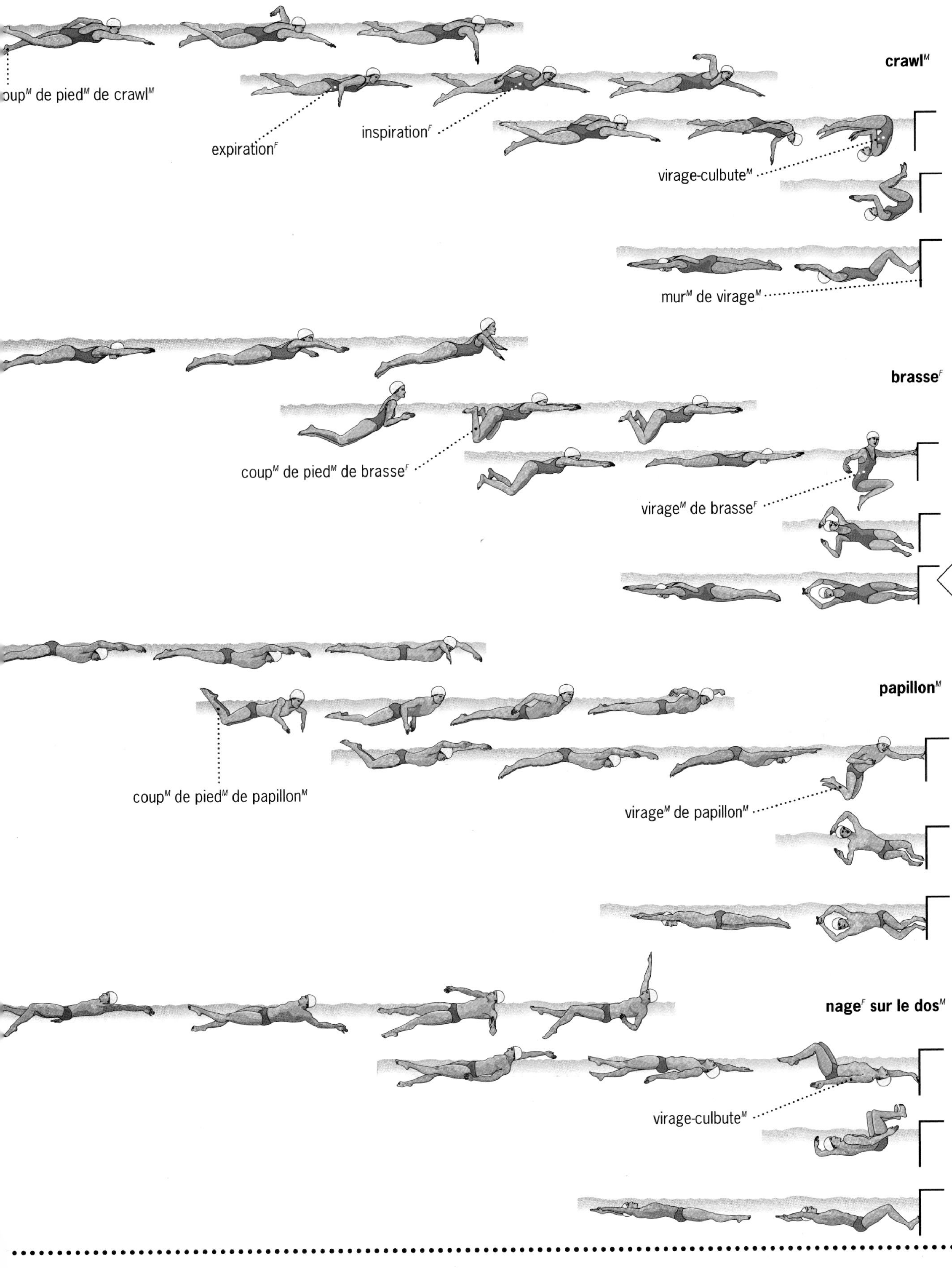

crawl^M

coup^M de pied^M de crawl^M

expiration^F

inspiration^F

virage-culbute^M

mur^M de virage^M

brasse^F

coup^M de pied^M de brasse^F

virage^M de brasse^F

183

papillon^M

coup^M de pied^M de papillon^M

virage^M de papillon^M

nage^F sur le dos^M

virage-culbute^M

LA PLANCHE^F À VOILE^F

voile^F

tête^F de mât^M

fourreau^M

guindant^M

latte^F

gousset^M de latte^F

fenêtre^F

wishbone^M

mât^M

tire-veille^M

point^M d'écoute^F

point^M d'amure^F

pied^M de mât^M

arceau^M

flotteur^M

aileron^M

dérive^F

proue^F

poupe^F

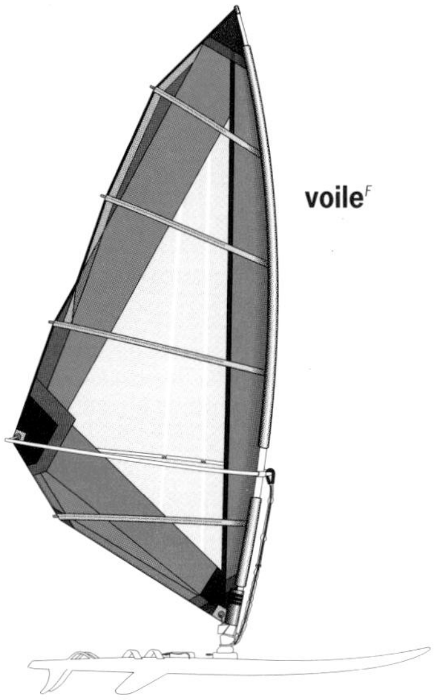

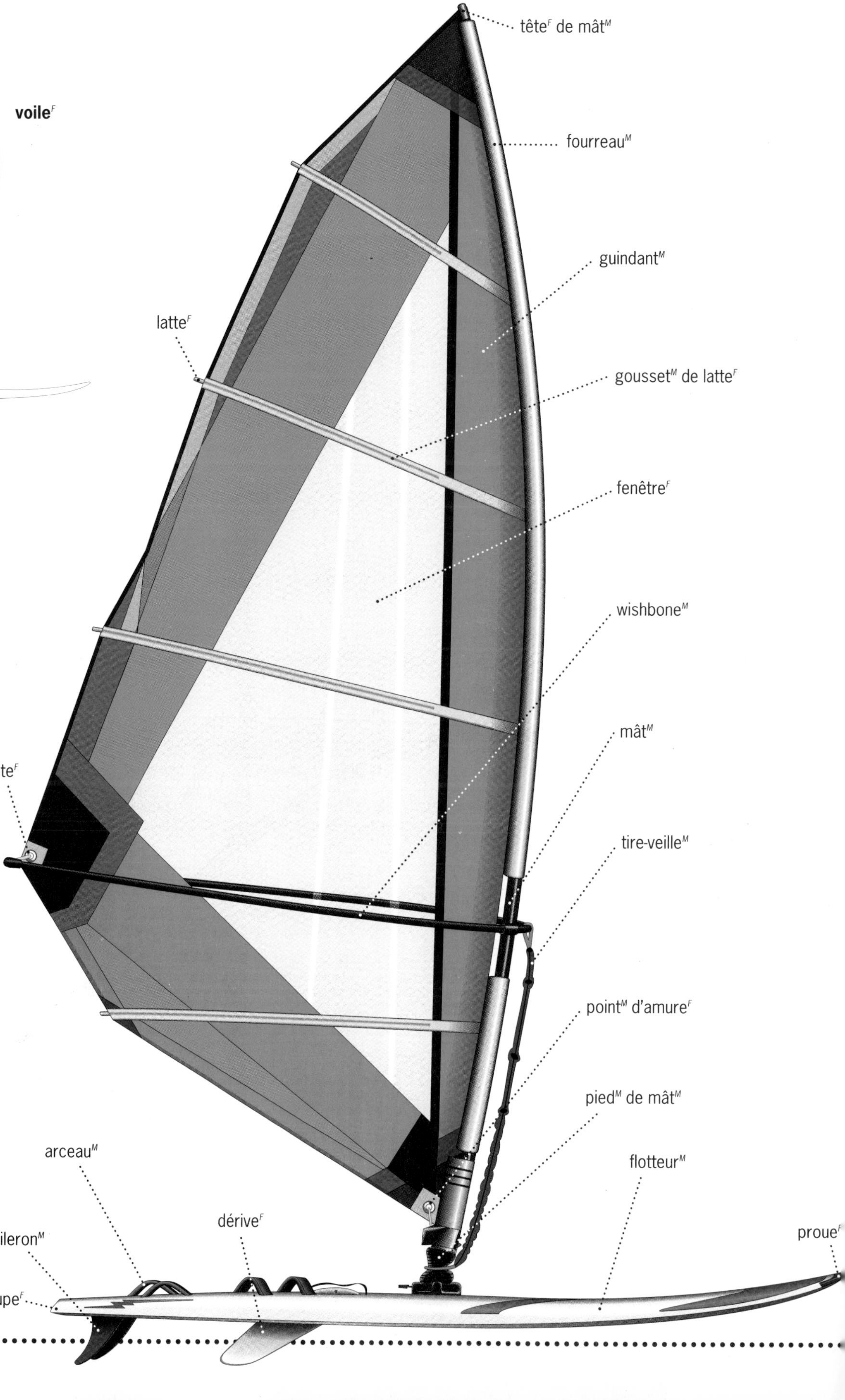

LE PATINAGE^M

patin^M à roulettes^F

chausson^M intérieur

coque^F supérieure

patin^M de course^F

boucle^F de réglage^M

chaussure^F

essieu^M

roulette^F

bloc-essieu^M

frein^M de talon^M

patin^M de hockey^M

protège-tendon^M

chaussure^F

patin^M de figure^F

languette^F

crochet^M

tige^F

renfort^M de pointe^F

œillet^M

pointe^F

chaussure^F

lacet^M

lame^F

montant^M

protège-lame^M

carre^F

semelle^F

lame^F

dent^F

185

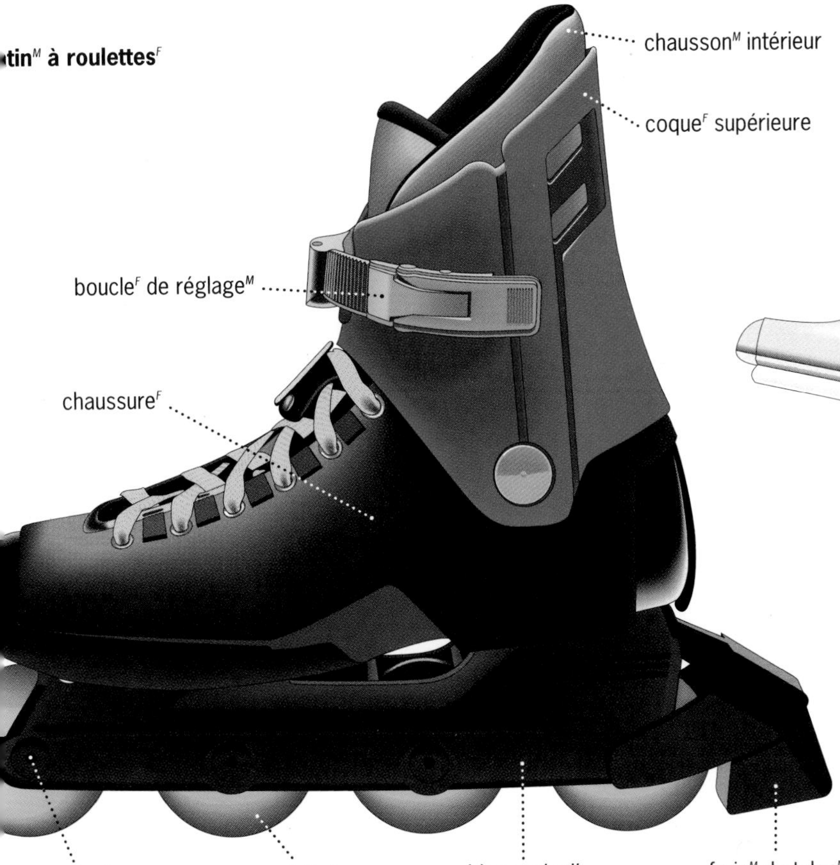

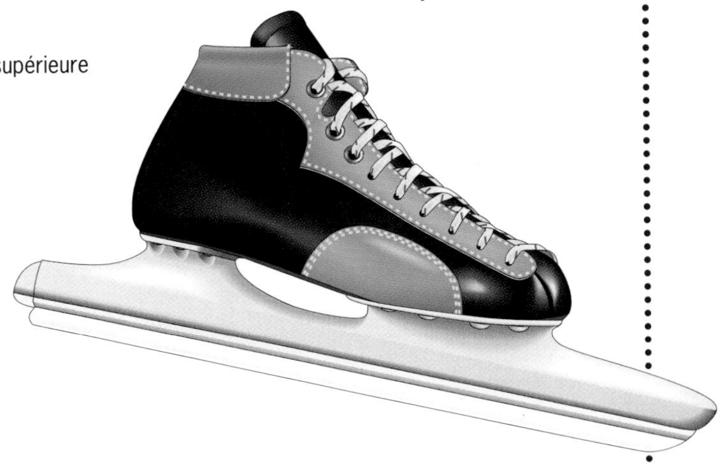

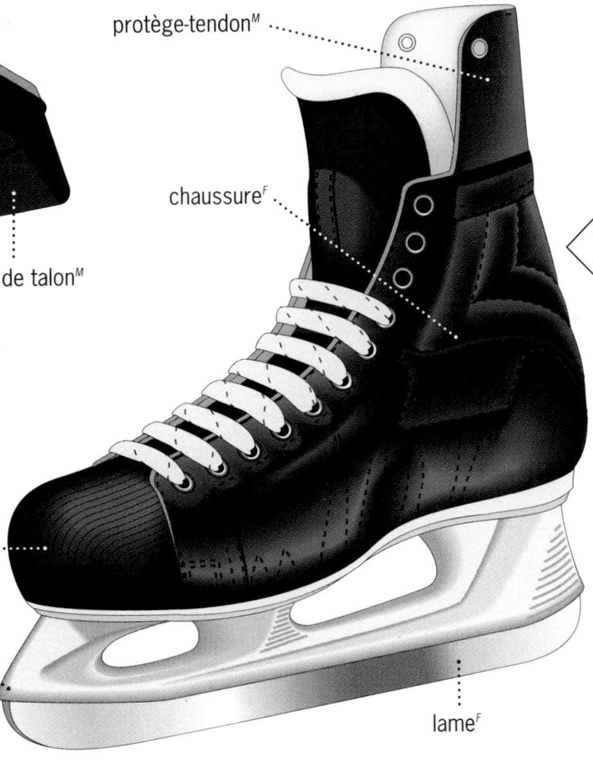

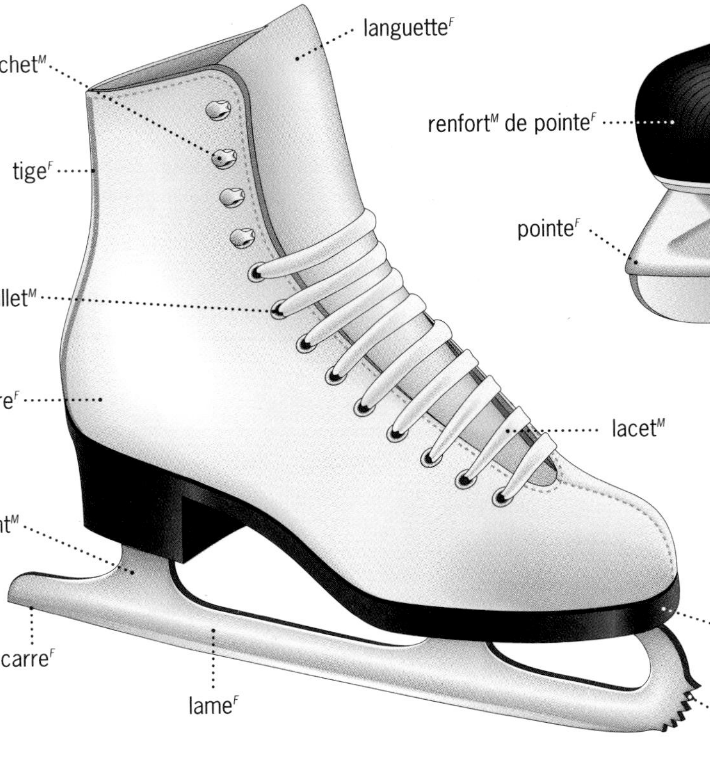

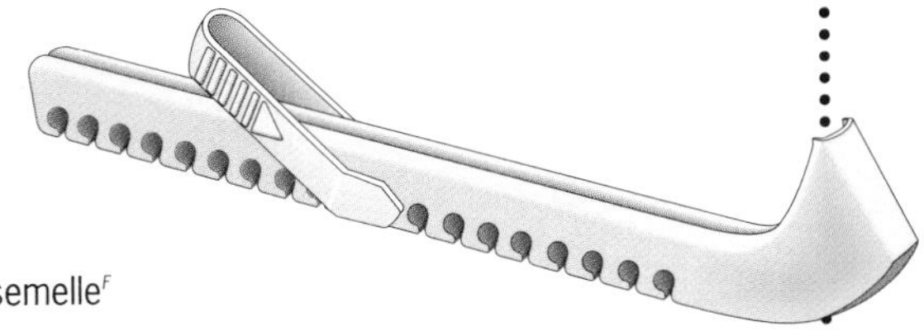

LE SKI^M

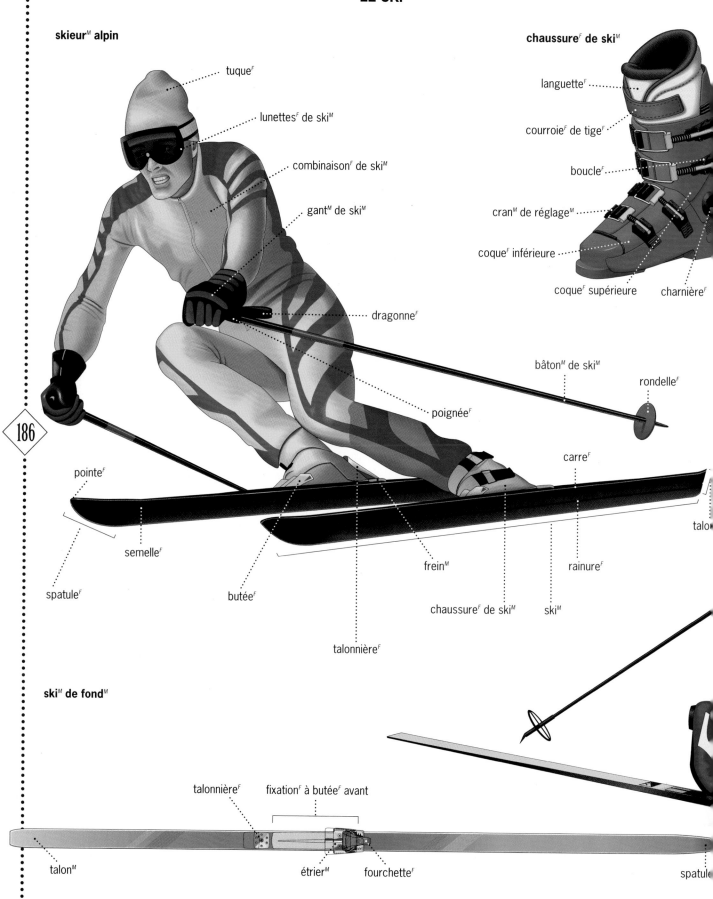

skieur^M alpin

tuque^F

lunettes^F de ski^M

combinaison^F de ski^M

gant^M de ski^M

dragonne^F

poignée^F

chaussure^F de ski^M

languette^F

courroie^F de tige^F

boucle^F

cran^M de réglage^M

coque^F inférieure

coque^F supérieure

charnière^F

bâton^M de ski^M

rondelle^F

carre^F

talo

pointe^F

semelle^F

spatule^F

butée^F

frein^M

rainure^F

chaussure^F de ski^M

ski^M

talonnière^F

ski^M de fond^M

186

talonnière^F

fixation^F à butée^F avant

talon^M

étrier^M

fourchette^F

spatule

fixation^F de sécurité^F

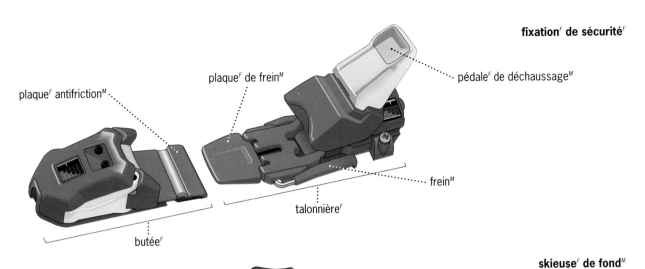

plaque^F de frein^M

pédale^F de déchaussage^M

plaque^F antifriction^M

frein^M

talonnière^F

butée^F

skieuse^F de fond^M

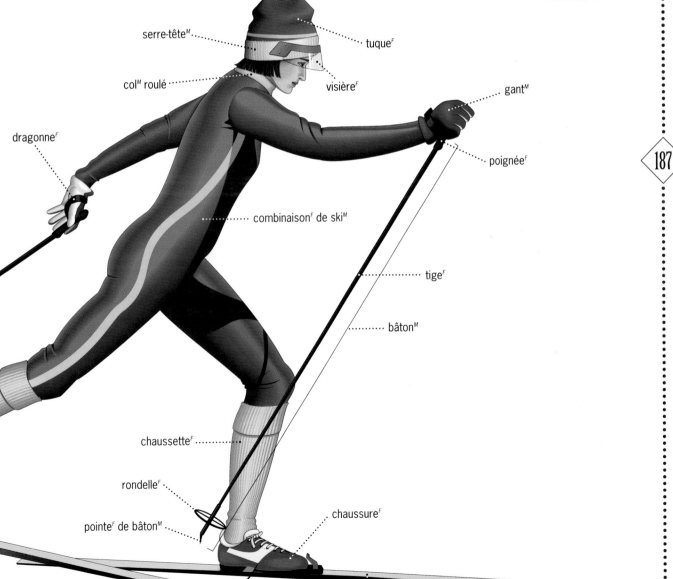

serre-tête^M

tuque^F

col^M roulé

visière^F

gant^M

dragonne^F

poignée^F

combinaison^F de ski^M

tige^F

bâton^M

chaussette^F

rondelle^F

chaussure^F

pointe^F de bâton^M

ski^M de fond^M

LA GYMNASTIQUE^F

cheval^M d'arçons^M

cheval^M

piètement^M

cou^M

selle^F

croupe^F

arçon^M

système^M d'ancrage^M

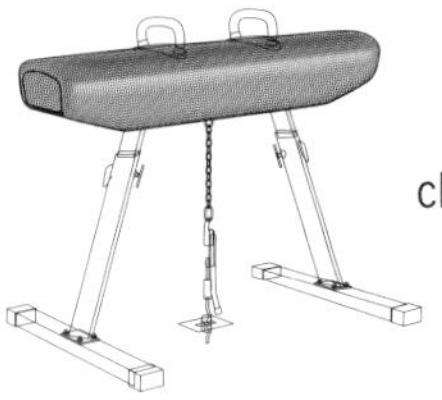

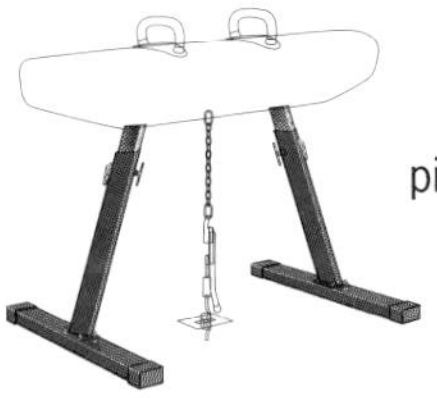

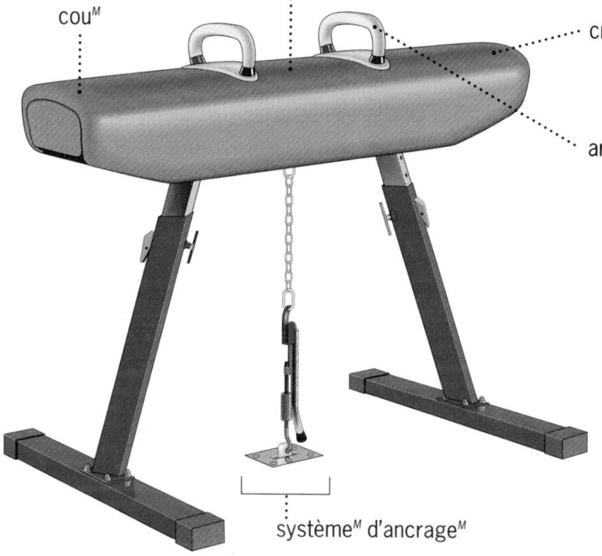

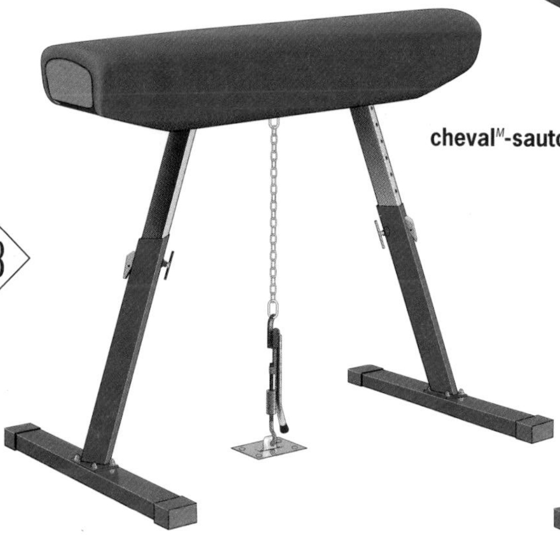

cheval^M-sautoir^M

poutre^F d'équilibr

tremplin^M

trampoline^F

coussin^M de protection^F

toile^F de saut^M

pied^M

ressort^M

cadre^M

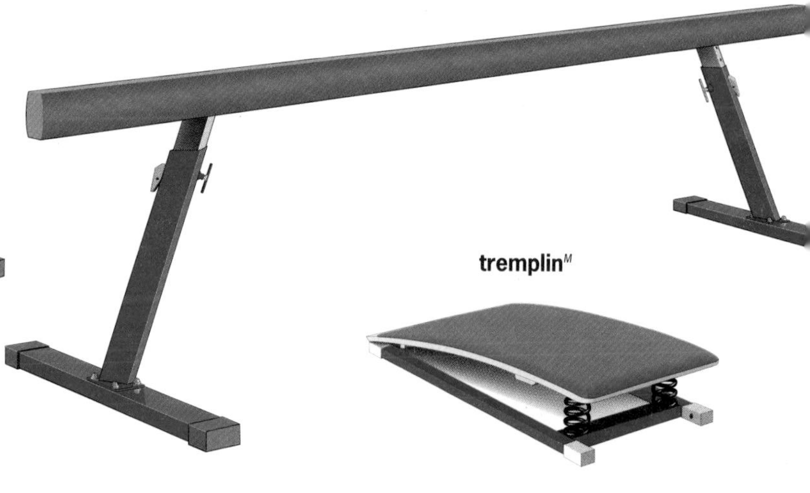

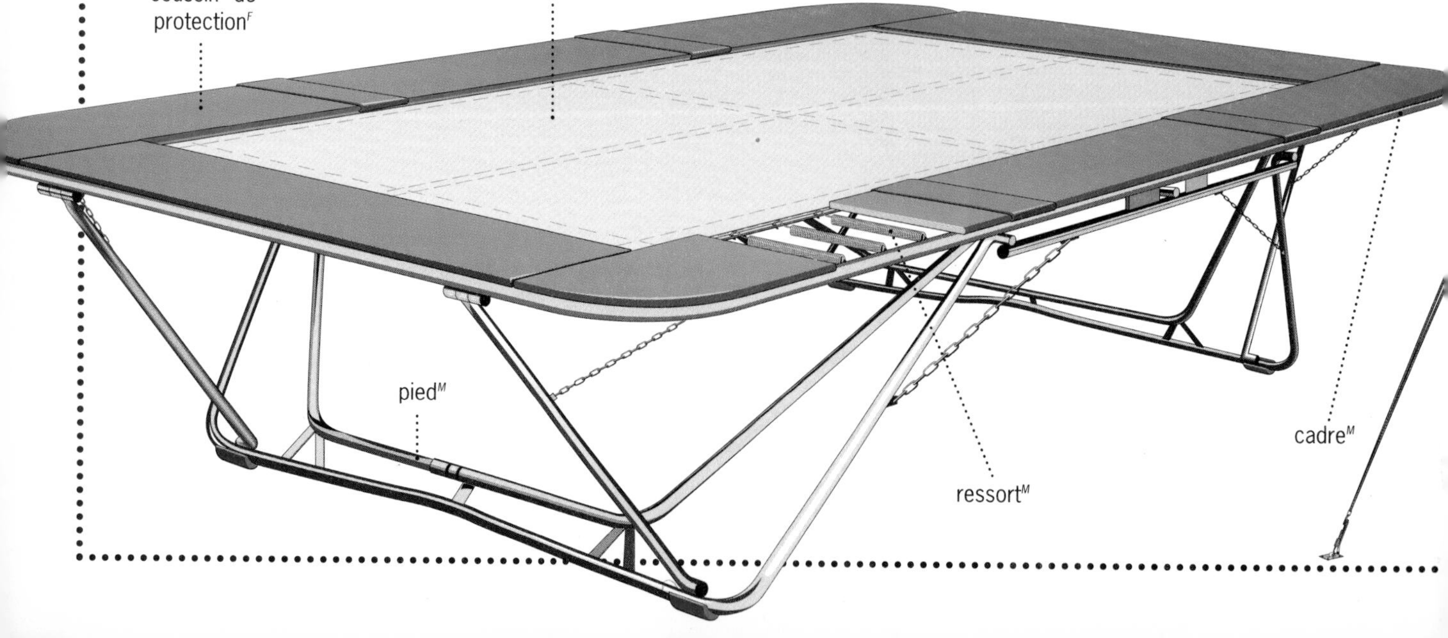

barres^F asymétriques

barre^F fixe

barre^F d'acier^M

montant^M

anneaux^M

portique^M

câble^M

barres^F parallèles

anneau^M

système^M d'ancrage^M

189

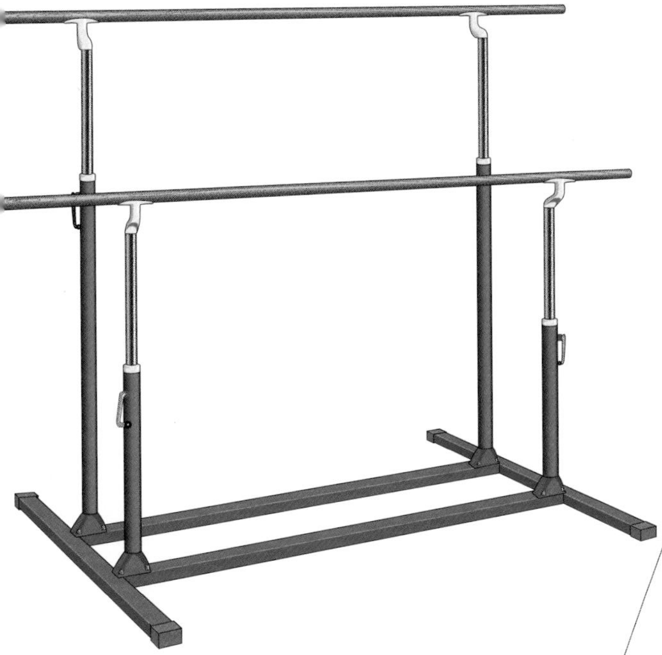

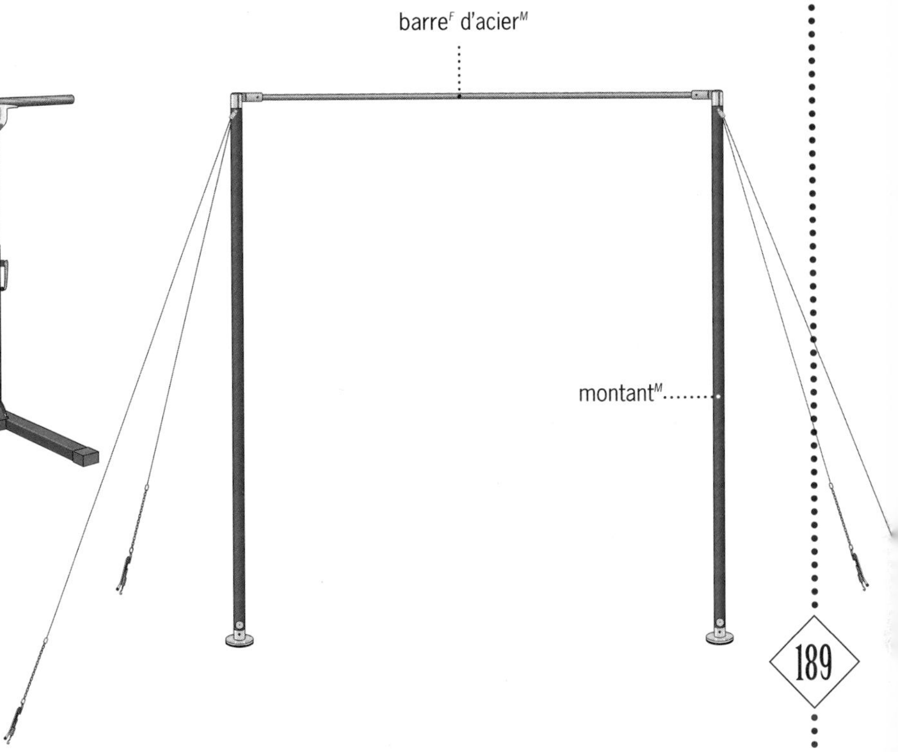

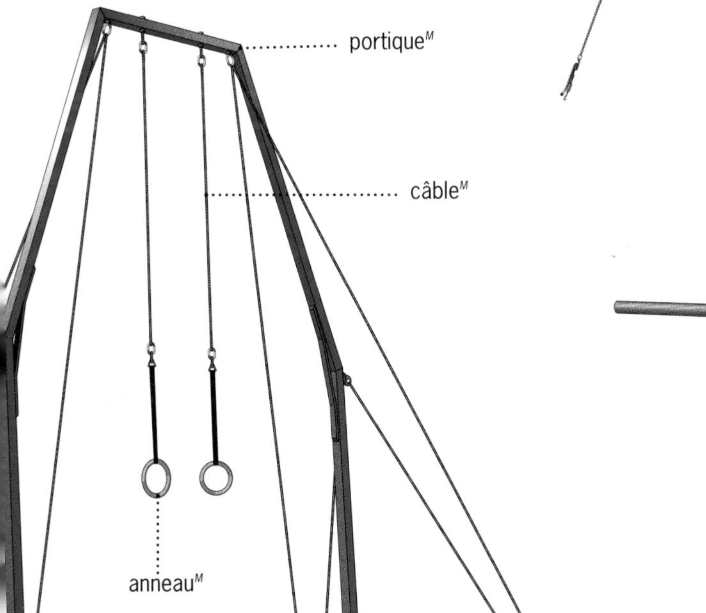

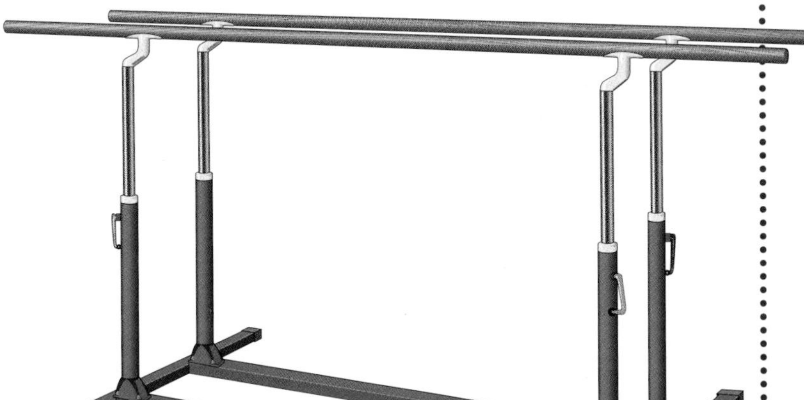

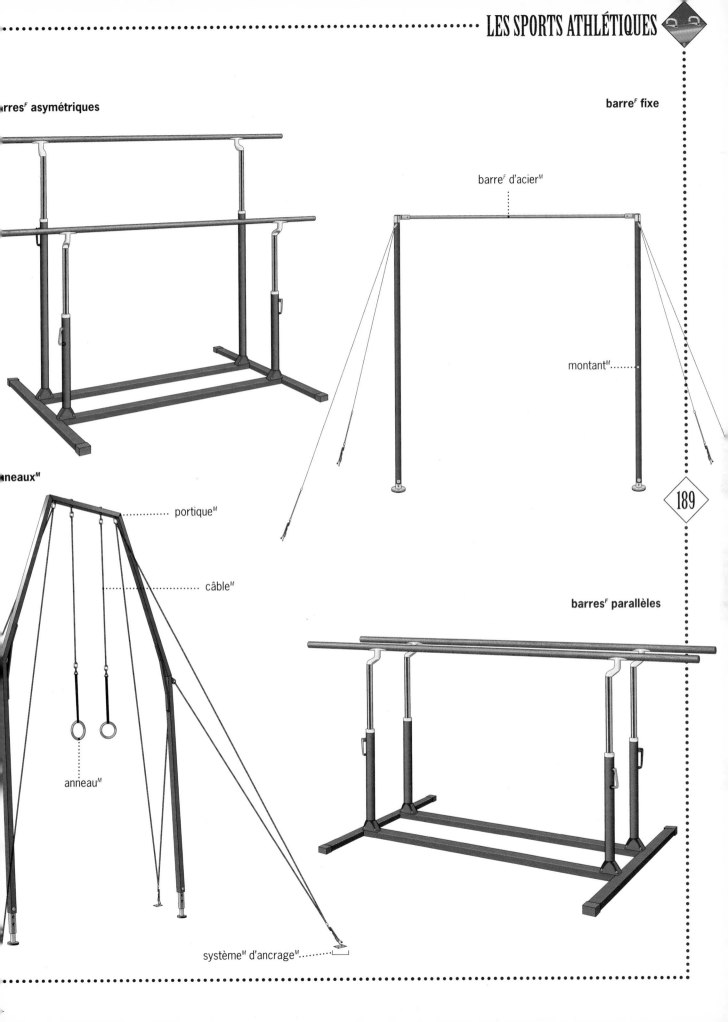

LES TENTES[F]

tente[F] deux places[F]

double toit[M]

porte[F]

auvent[M]

hauban[M]

piquet[M]

tendeur[M]

fermeture[F] à glissière[F]

tente[F] intérieure

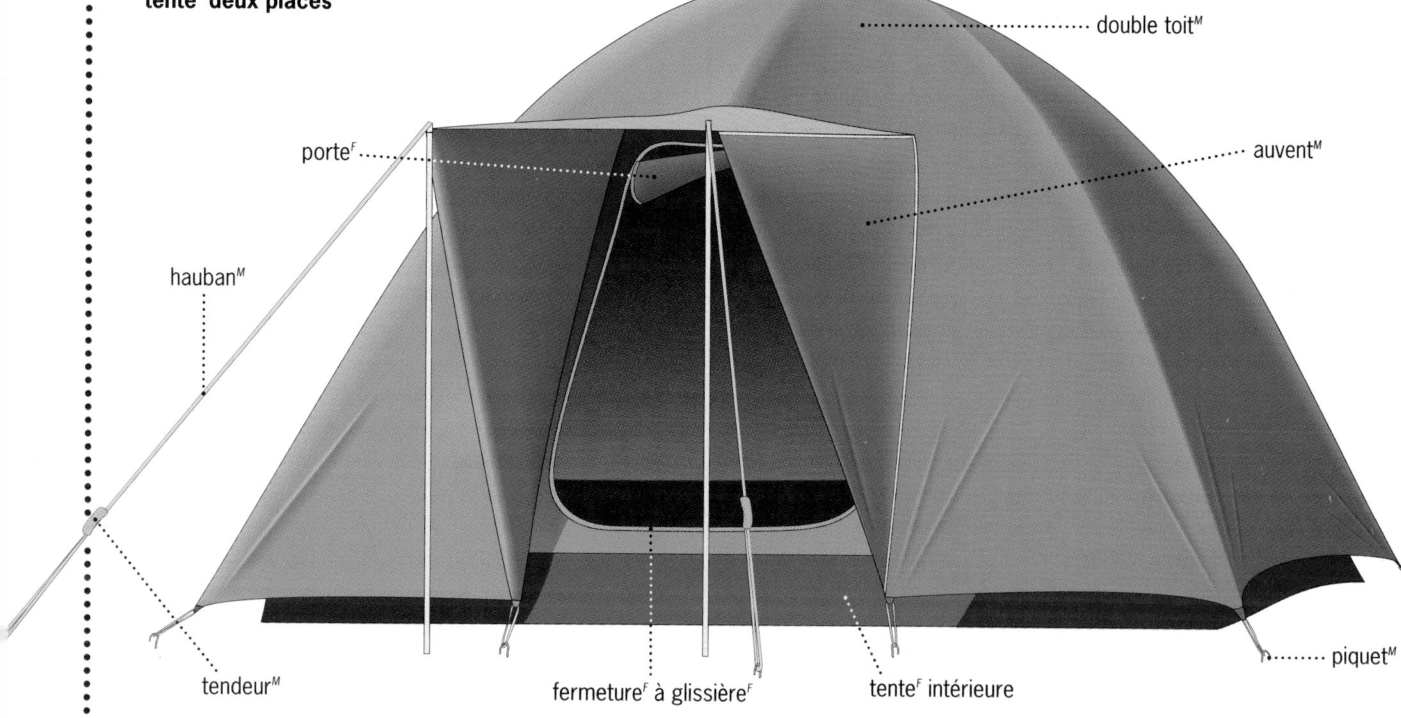

PRINCIPAUX TYPES[M] DE TENTES[F]

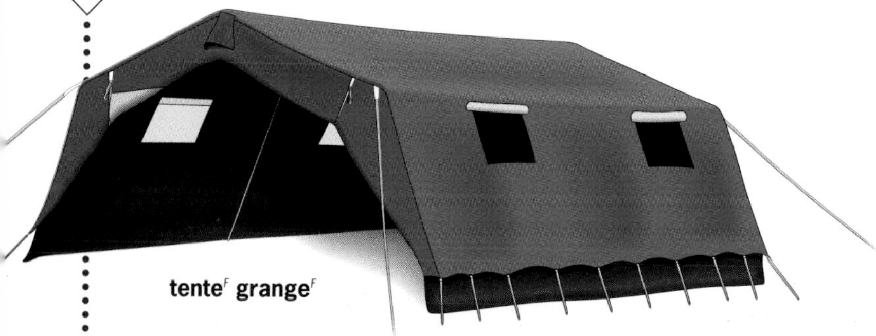

tente[F] grange[F]

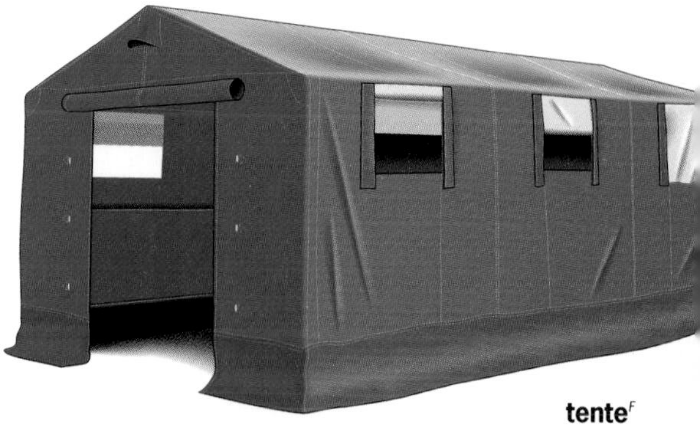

tente[F] rectangulaire

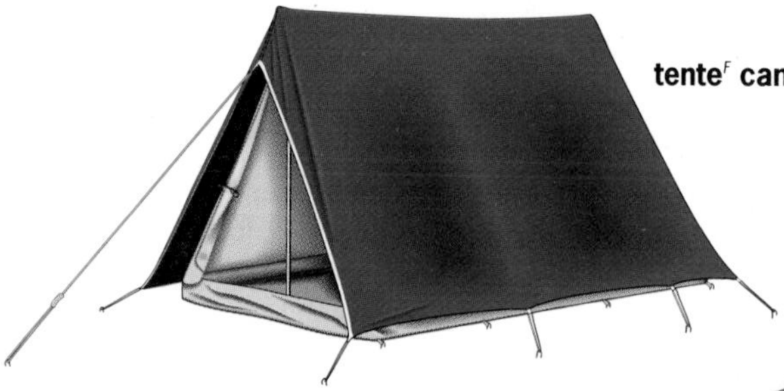

tente[F] canadienne

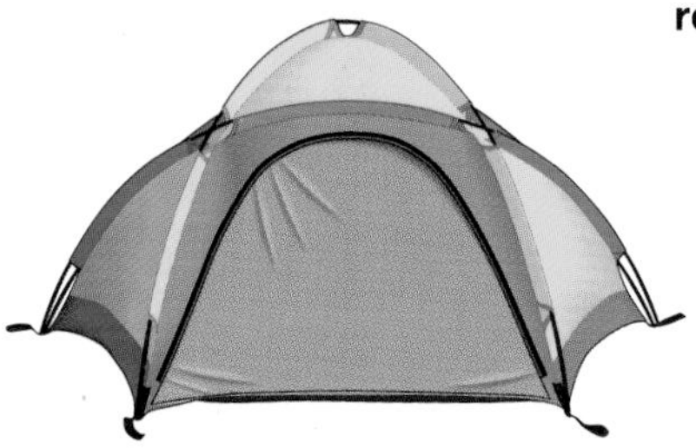

tente[F] dôme[M]

tente[F] igloo[M]

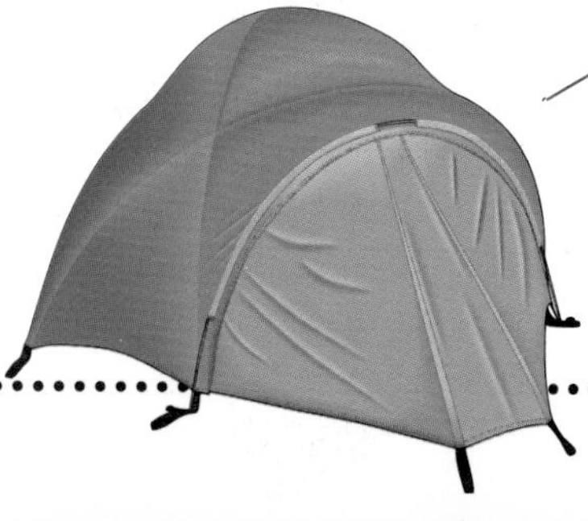

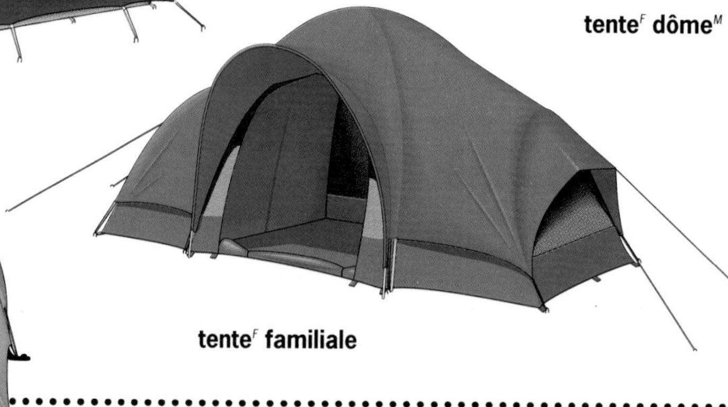

tente[F] familiale

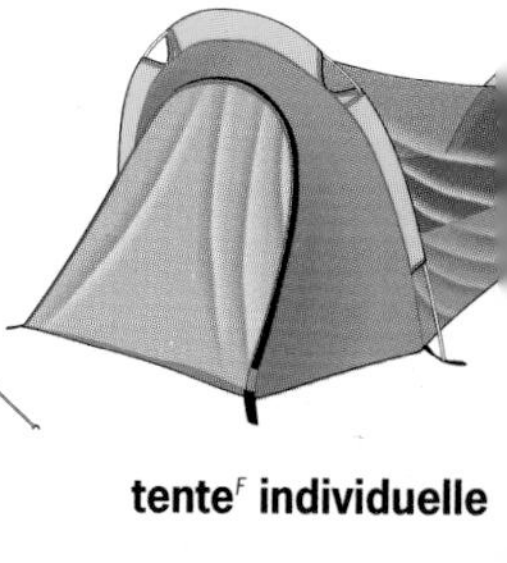

tente[F] individuelle

L'ÉQUIPEMENT^M DE COUCHAGE^M

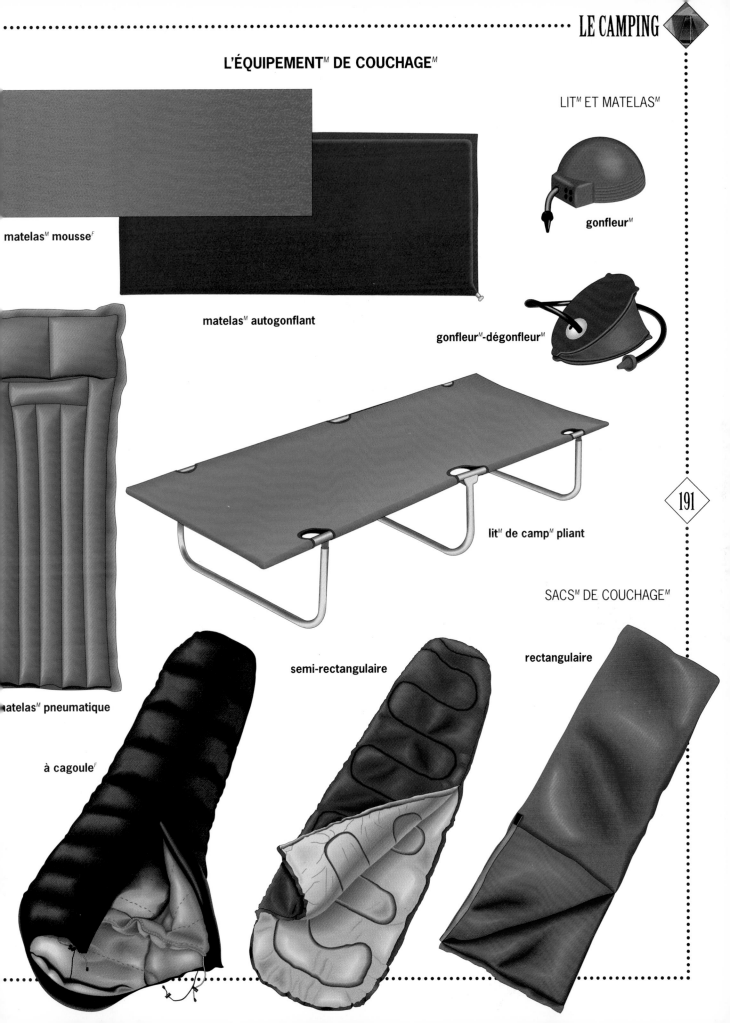

LIT^M ET MATELAS^M

matelas^M mousse^F

gonfleur^M

matelas^M autogonflant

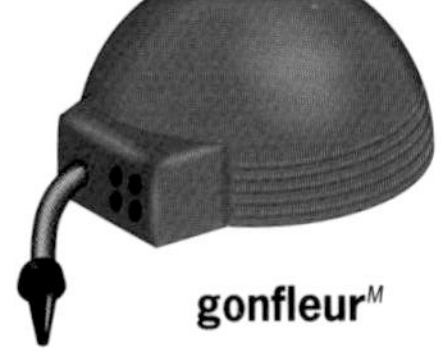

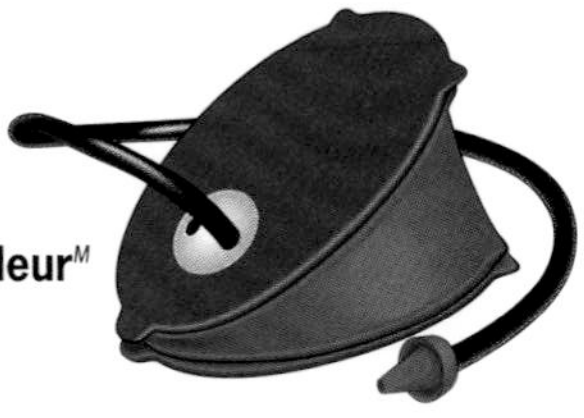

gonfleur^M-dégonfleur^M

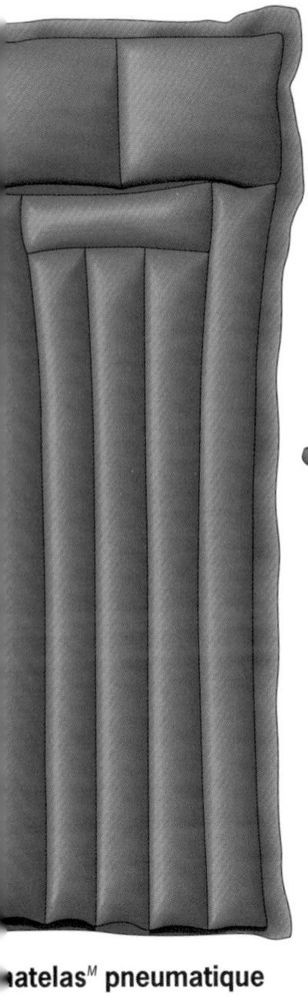

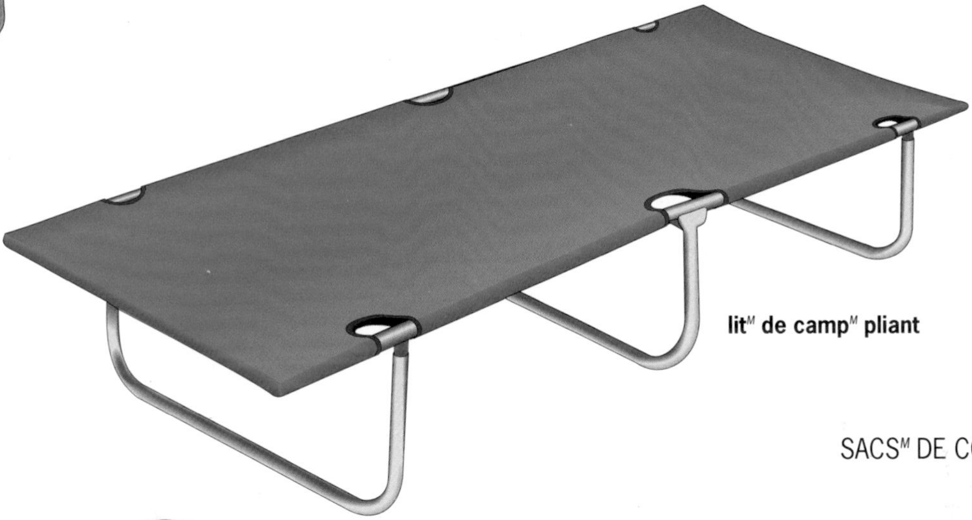

lit^M de camp^M pliant

SACS^M DE COUCHAGE^M

rectangulaire

semi-rectangulaire

matelas^M pneumatique

à cagoule^F

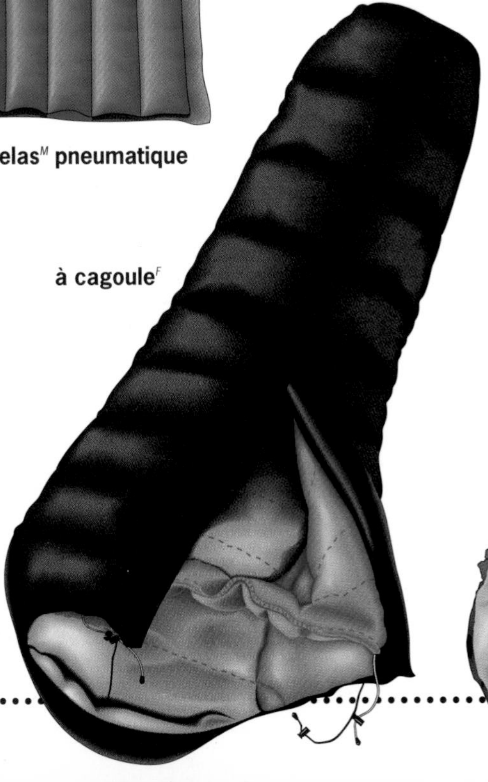

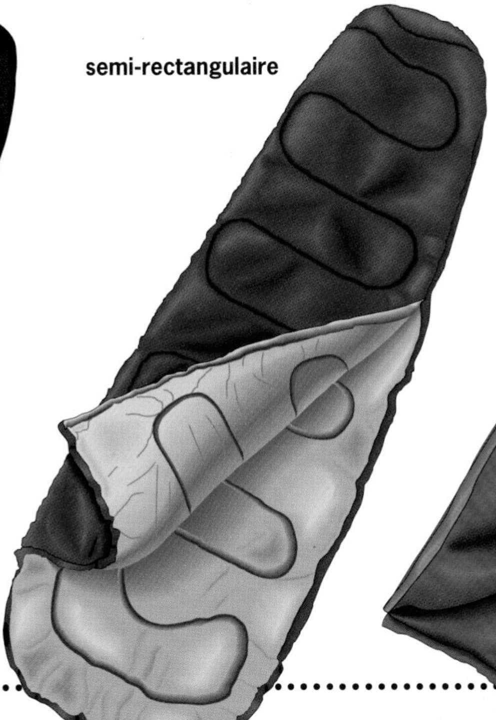

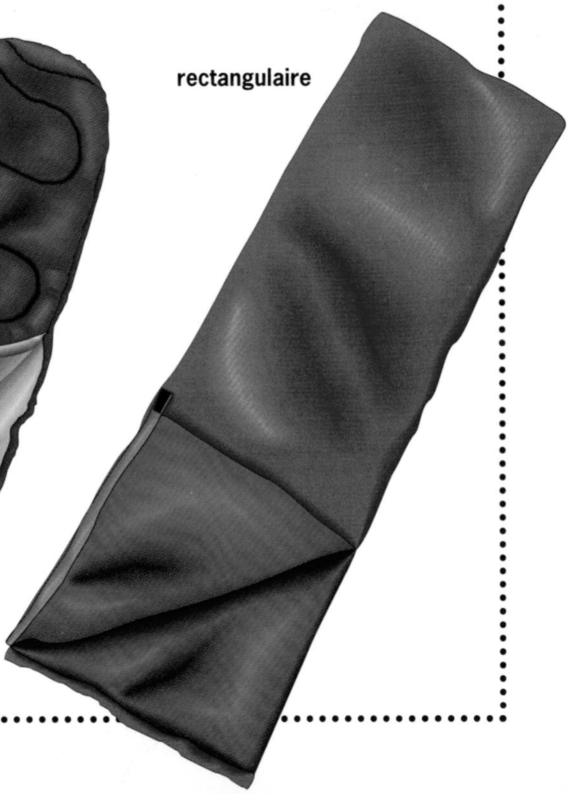

LE MATÉRIEL^M DE CAMPING^M

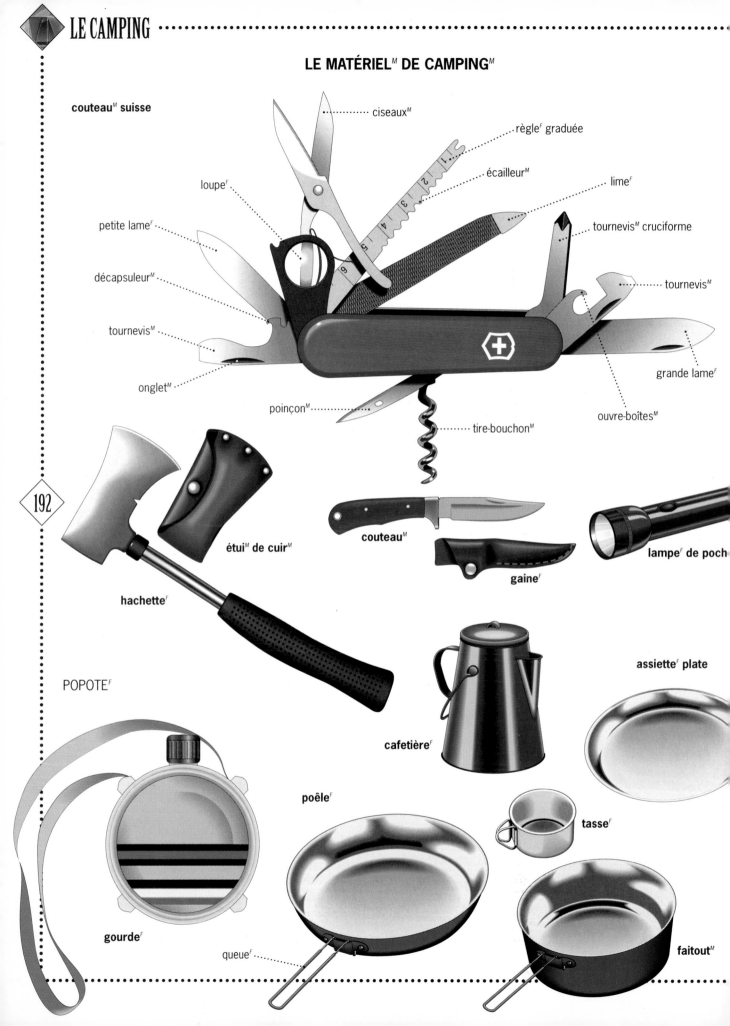

couteau^M suisse

ciseaux^M

règle^F graduée

loupe^F

écailleur^M

lime^F

petite lame^F

tournevis^M cruciforme

décapsuleur^M

tournevis^M

tournevis^M

onglet^M

grande lame^F

poinçon^M

ouvre-boîtes^M

tire-bouchon^M

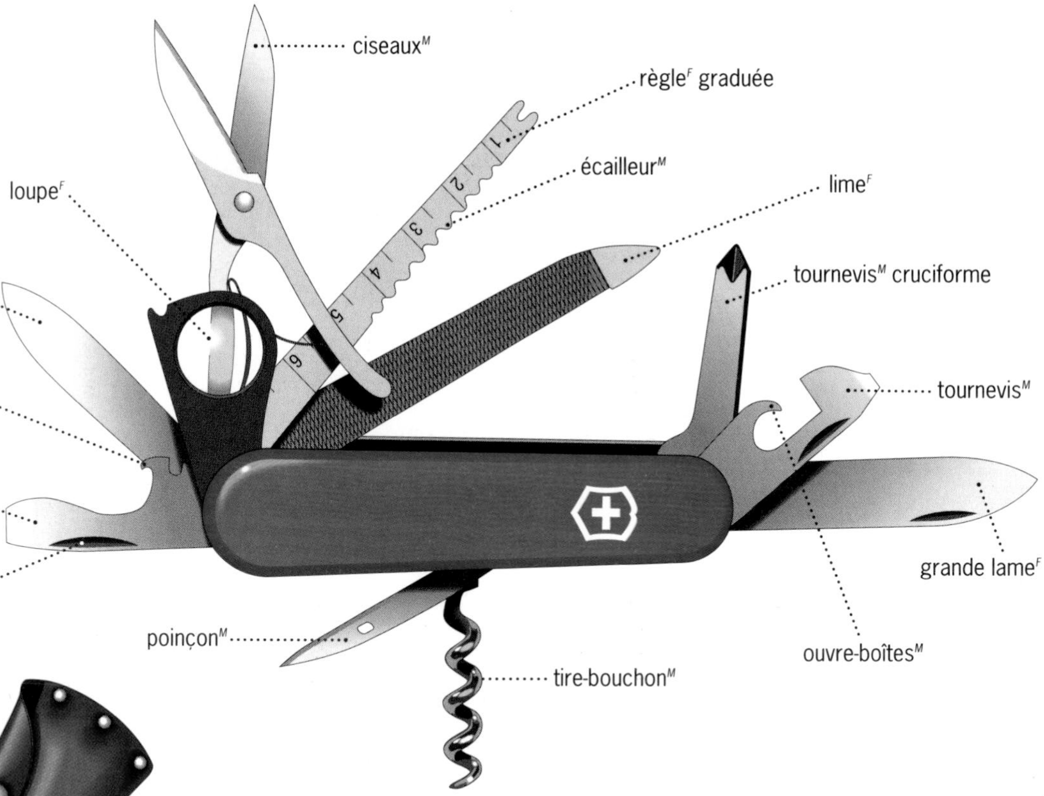

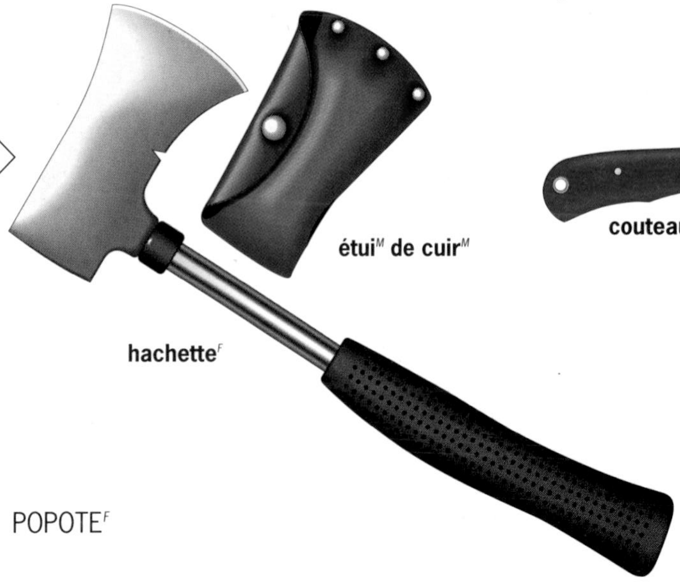

étui^M de cuir^M

couteau^M

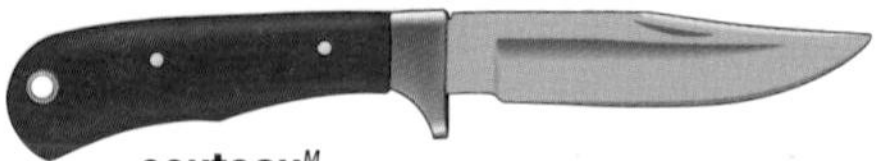

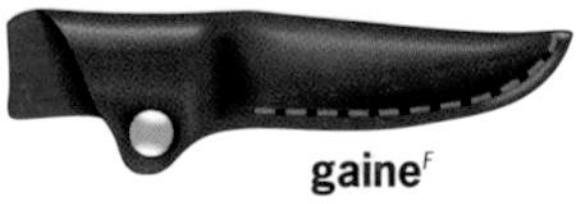

lampe^F de poch

gaine^F

hachette^F

POPOTE^F

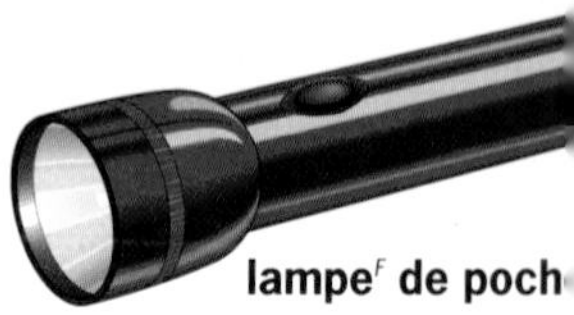

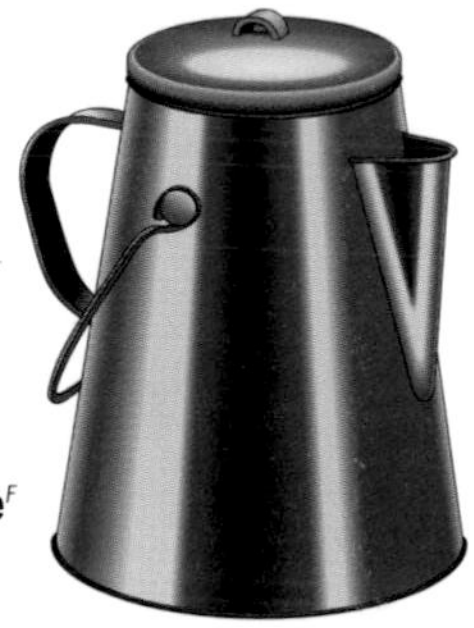

assiette^F plate

cafetière^F

poêle^F

tasse^F

gourde^F

queue^F

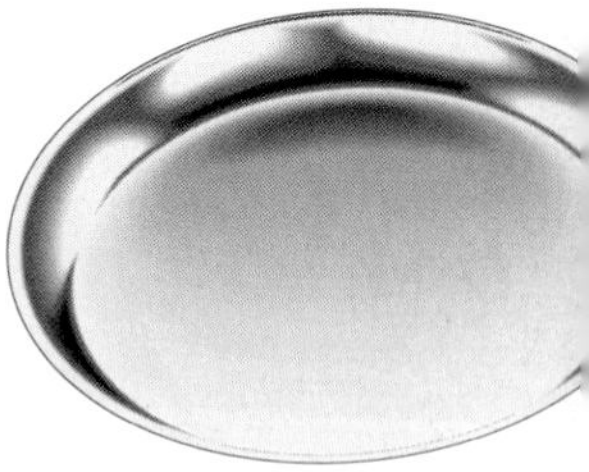

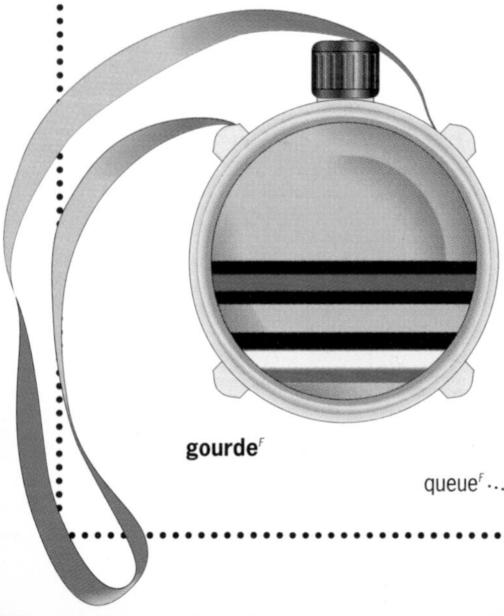

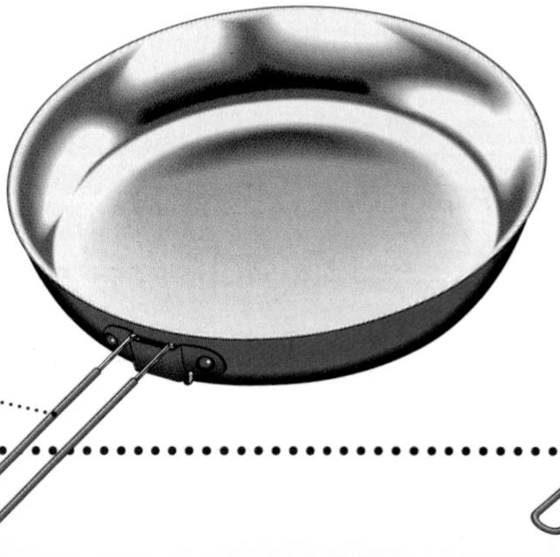

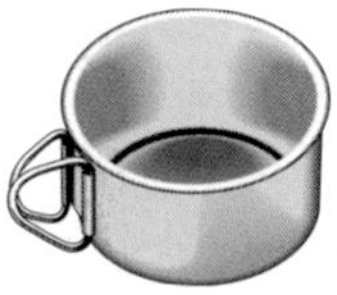

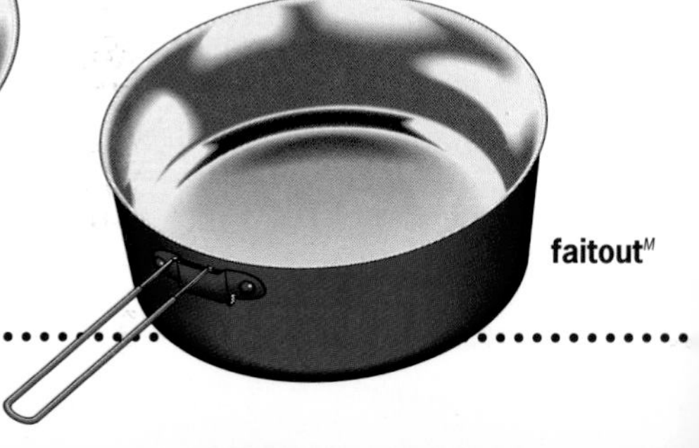

faitout^M

sac^M à dos^M

rabat^M

bretelle^F

sangle^F de compression^F

armature^F intégrée

ceinture^F

boucle^F de réglage^M

passe-sangle^M

sangle^F de fermeture^F

trousse^F de secours^M

boussole^F magnétique

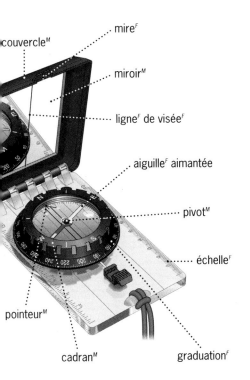

mire^F

couvercle^M

miroir^M

ligne^F de visée^F

aiguille^F aimantée

pivot^M

échelle^F

pointeur^M

cadran^M

graduation^F

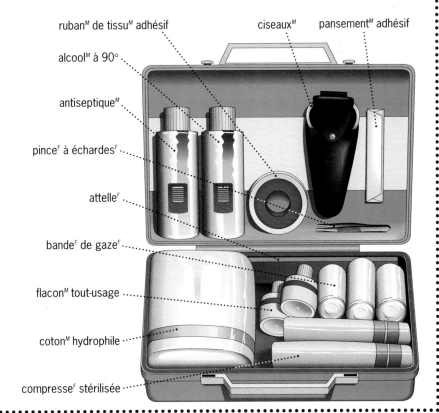

ruban^M de tissu^M adhésif

ciseaux^M

pansement^M adhésif

alcool^M à 90°

antiseptique^M

pince^F à échardes^F

attelle^F

bande^F de gaze^F

flacon^M tout-usage

coton^M hydrophile

compresse^F stérilisée

LES CARTES^F

cœur^M

carreau^M

trèfle^M

pique^M

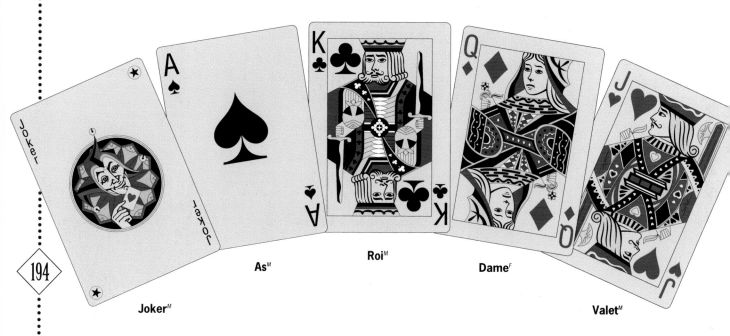

Joker^M

As^M

Roi^M

Dame^F

Valet^M

194

LES DÉS^M

dé^M à poker^M

dé^M régulier

LES DOMINOS

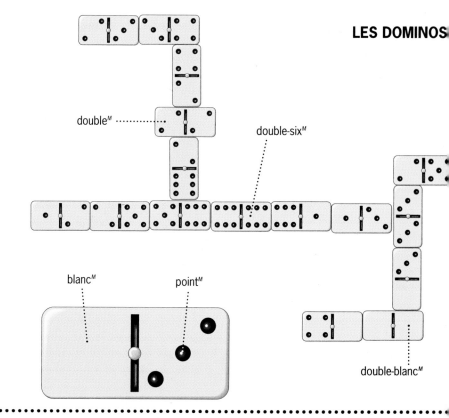

double^M

double-six^M

blanc^M

point^M

double-blanc^M

LES ÉCHECS^M

échiquier^M

PIÈCES^F

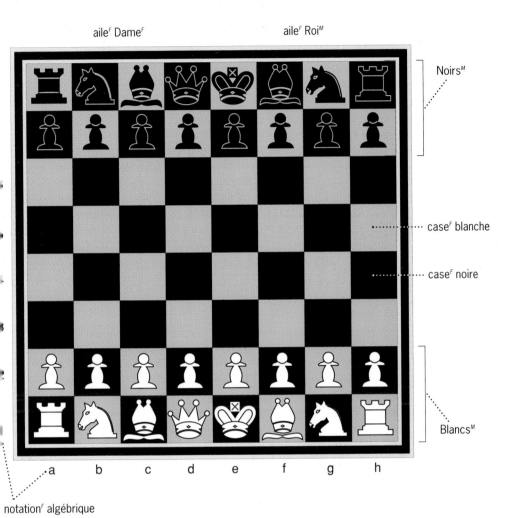

aile^F Dame^F

aile^F Roi^M

Noirs^M

case^F blanche

case^F noire

Blancs^M

a   b   c   d   e   f   g   h

notation^F algébrique

Pion^M   **Cavalier**^M

Fou^M   **Tour**^F

195

types^M **de déplacements**^M

déplacement^M vertical

déplacement^M diagonal

déplacement^M en équerre^F

déplacement^M horizontal

Dame^F   **Roi**^M

LE JACQUET^M

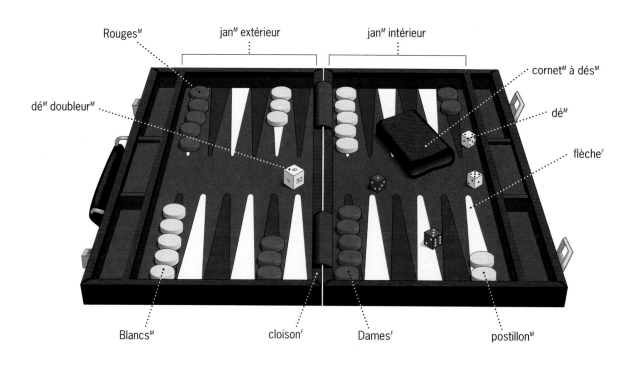

Rouges^M

jan^M extérieur

jan^M intérieur

cornet^M à dés^M

dé^M doubleur^M

dé^M

flèche^F

Blancs^M

cloison^F

Dames^F

postillon^M

LE JEU^M DE DAMES^F

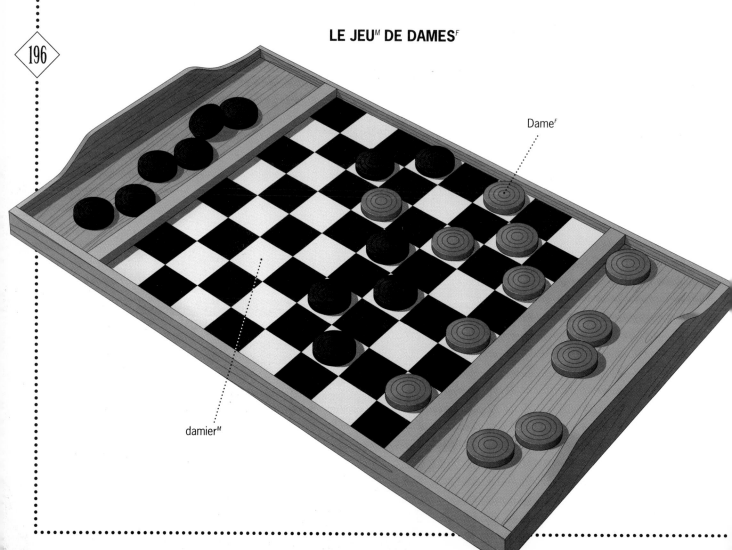

Dame^F

damier^M

LE SYSTÈME^M DE JEU^M VIDÉO

écran^M

cartouche^F de jeu^M

console^F de traitement^M

bouton^M de fonction^F

bloc^M de commande^F

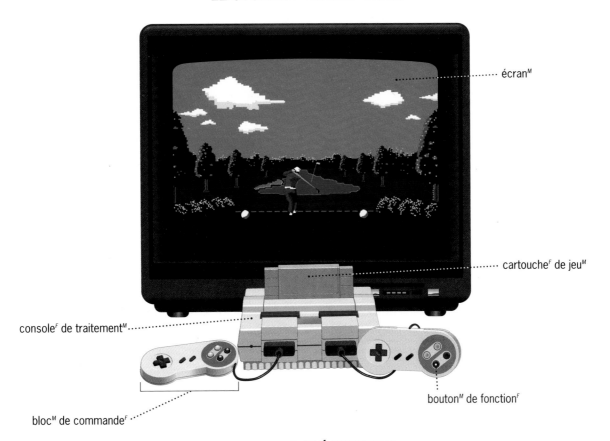

LE JEU^M DE FLÉCHETTES^F

fléchette^F

cible^F

empennage^M

valeur^F des segments^M

fût^M

score^M doublé

score^M triplé

corps^M

50 points^M

25 points^M

pointe^F

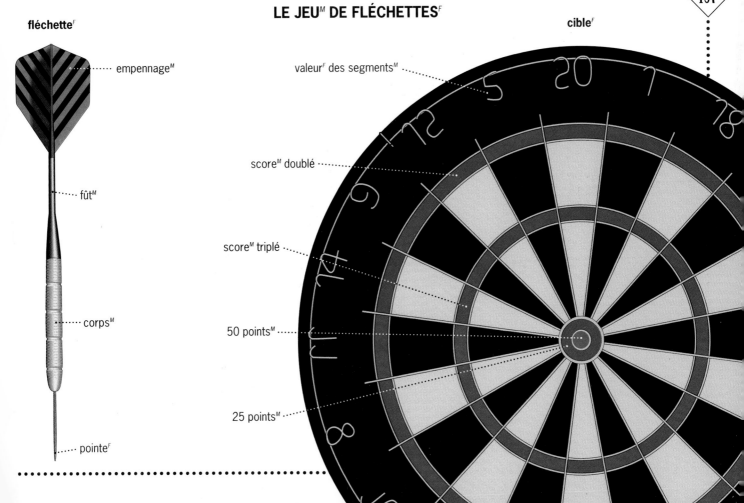

LES APPAREILS DE MESURE

LA MESURE^F DU TEMPS^M

chronomètre^M

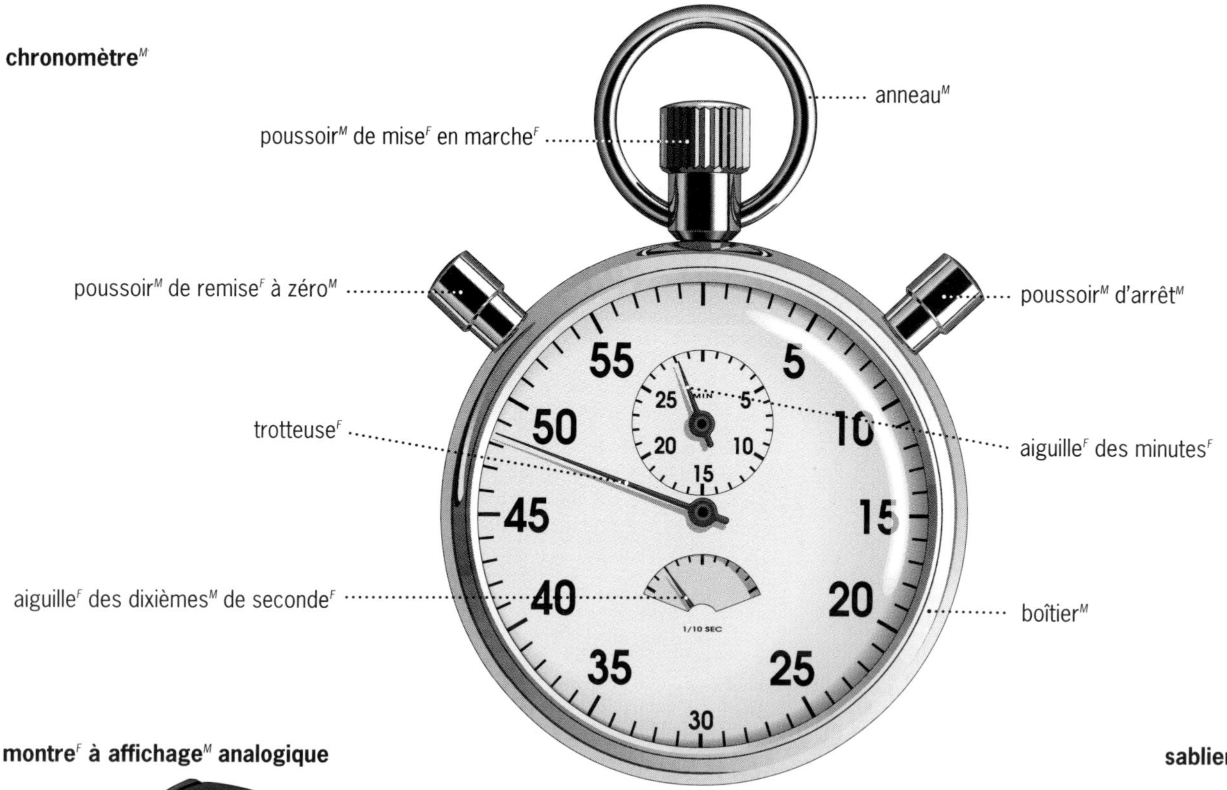

anneau^M

poussoir^M de mise^F en marche^F

poussoir^M de remise^F à zéro^M

poussoir^M d'arrêt^M

trotteuse^F

aiguille^F des minutes^F

aiguille^F des dixièmes^M de seconde^F

boîtier^M

1/10 SEC

montre^F à affichage^M analogique

cadran^M

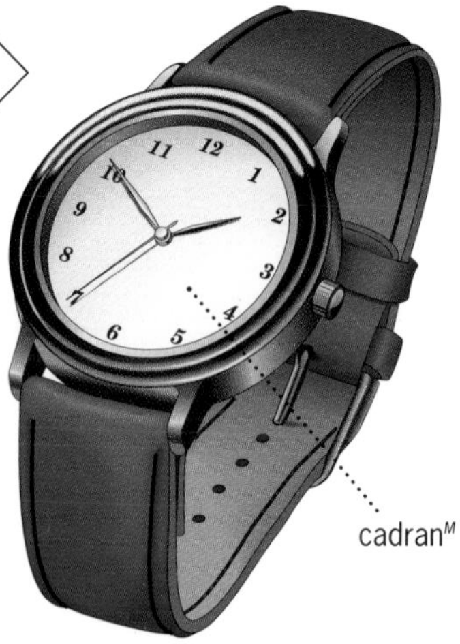

minuteur^M

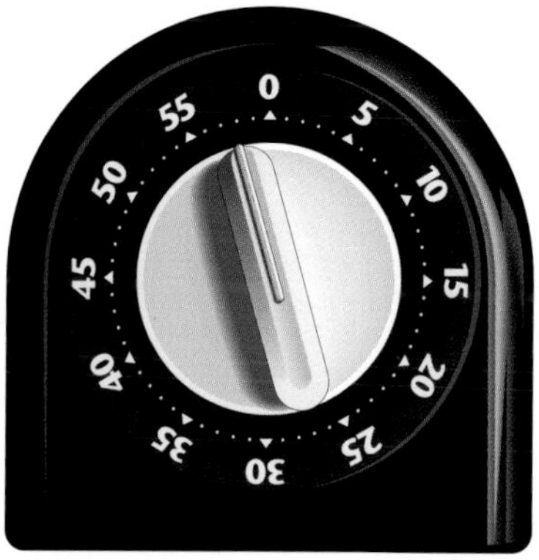

sablier^M

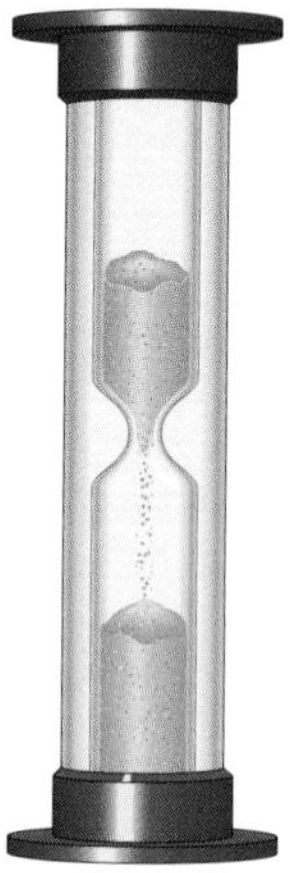

montre^F à affichage^M numérique

style^M

cadran^M solaire

ombre^F

cadran^M

cristaux^M liquides

198

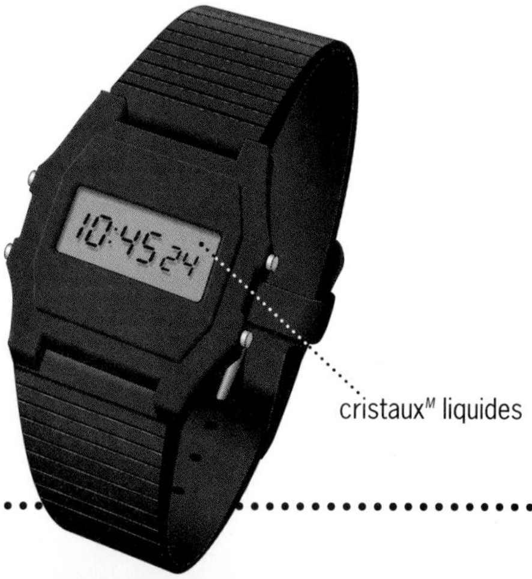

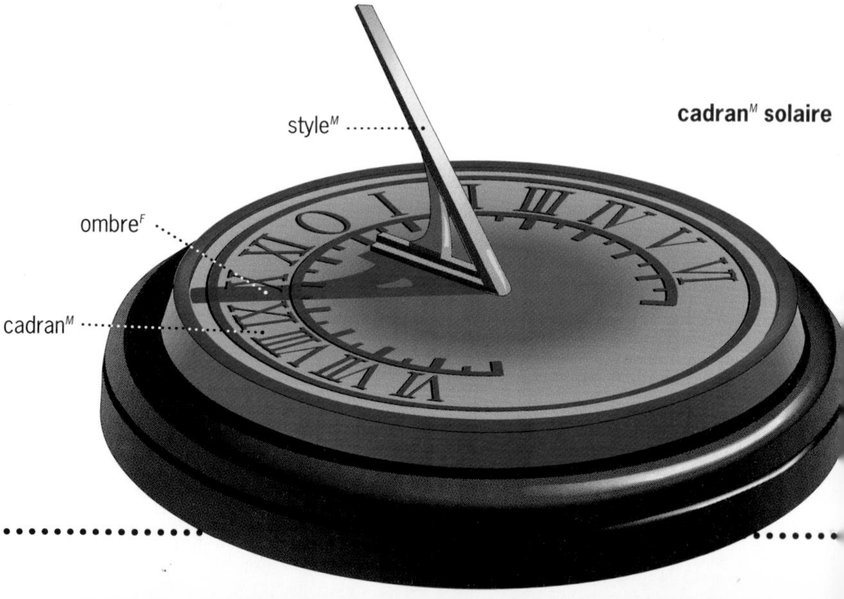

LA MESURE[F] DE LA TEMPÉRATURE[F]

thermostat[M] d'ambiance[F]

couvercle[M]

température[F] désirée

réglage[M] de la température[F]

aiguille[F]

température[F] ambiante

thermomètre[M]

thermomètre[M] médical

échelle[F] Celsius

chambre[F] d'expansion[F]

échelle[F] Fahrenheit

tube[M] capillaire

tige[F]

°C

graduation[F]

°F

colonne[F] de mercure[M]

colonne[F] d'alcool[M]

étranglement[M]

réservoir[M] d'alcool[M]

réservoir[M] de mercure[M]

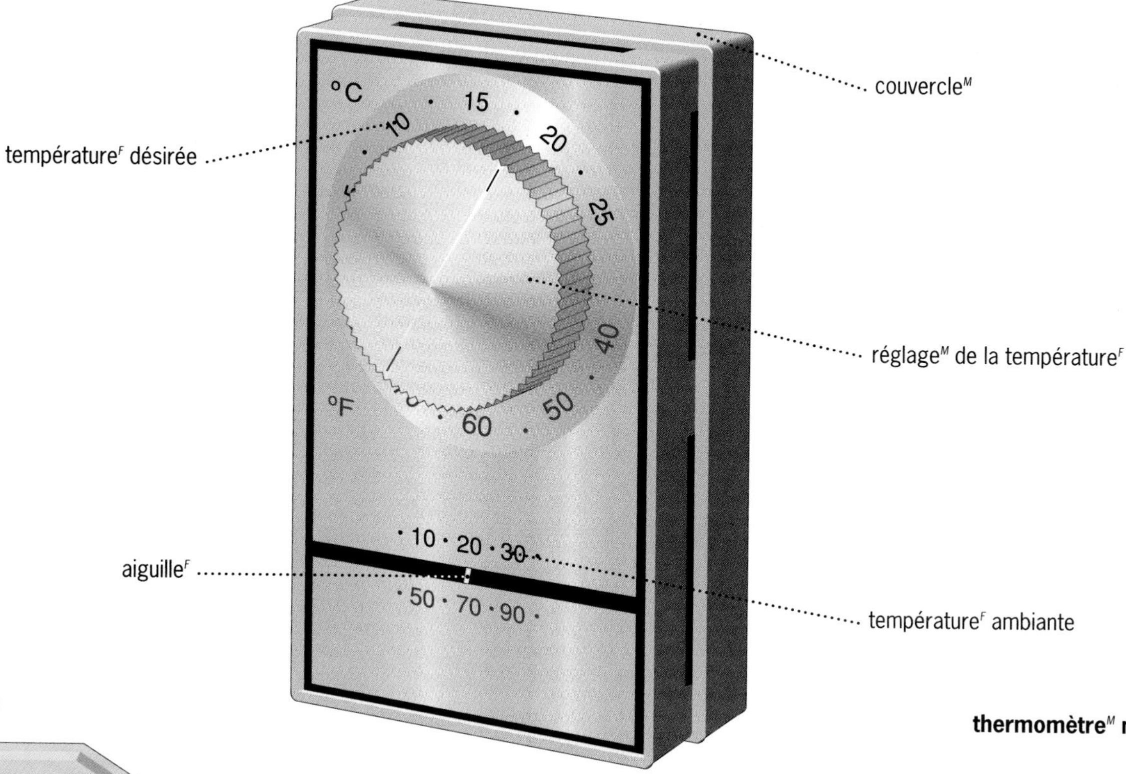

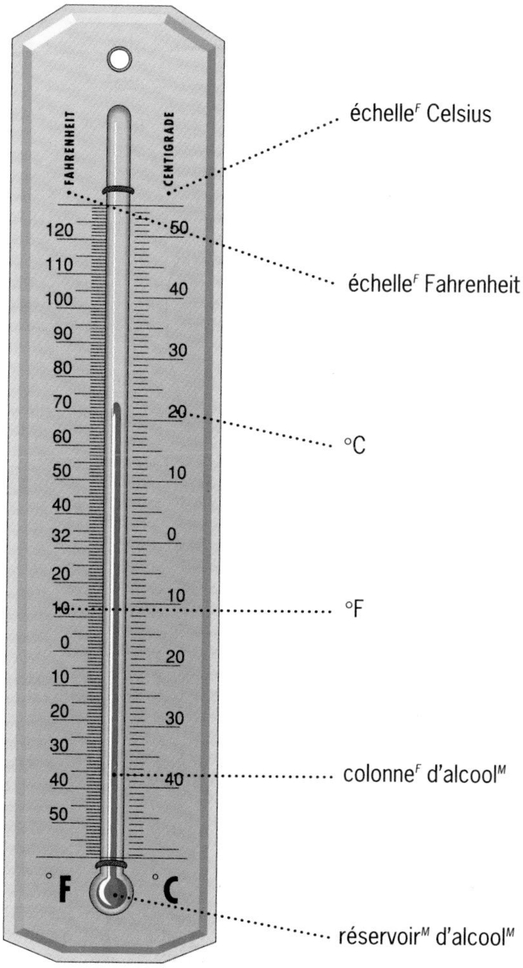

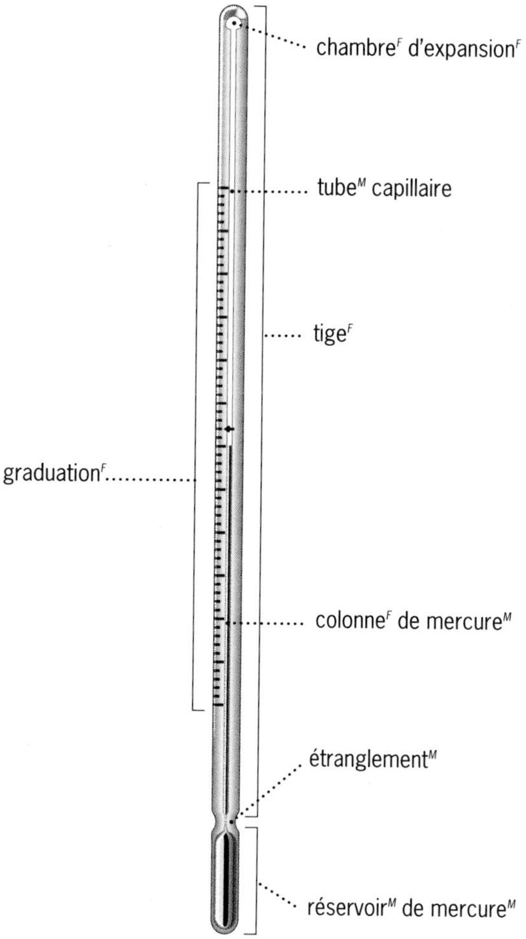

LA MESURE[F] DE LA MASSE[F]

balance[F] de Roberval

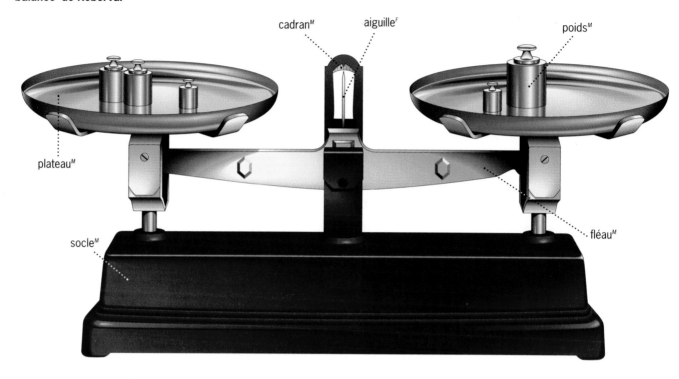

cadran[M]   aiguille[F]   poids[M]

plateau[M]

socle[M]

fléau[M]

200

balance[F] romaine

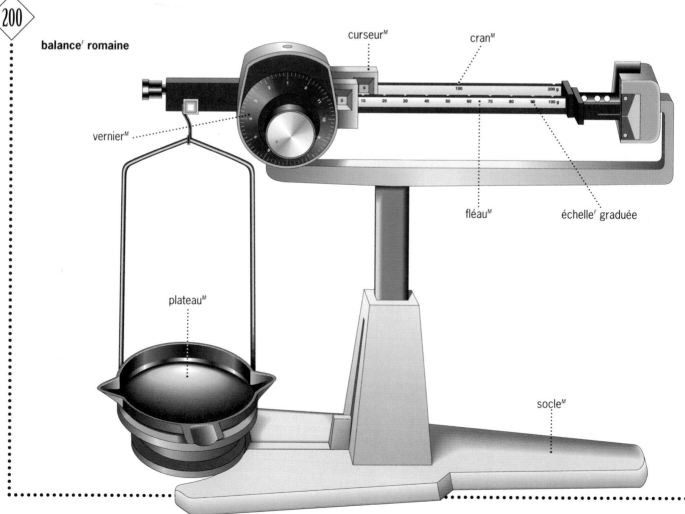

curseur[M]   cran[M]

vernier[M]

plateau[M]

fléau[M]   échelle[F] graduée

socle[M]

LES APPAREILS DE MESURE

peson[M]

anneau[M]

index[M]

échelle[F] graduée

crochet[M]

plateau[M]

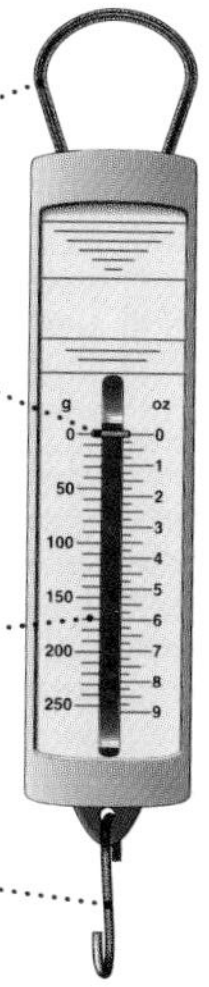

balance[F] électronique

POIDS/WEIGHT kg
0.200

poids[M]

PRIX/PRICE/kg $
8.00

prix[M] à l'unité[F]

TOTAL $
1.60

afficheur[M]

prix[M] à payer

codes[M] des produits[M]

clavier[M] numérique

touches[F] de fonctions[F]

étiquette[F]

pèse-personne[M]

balance[F] de cuisine[F]

201

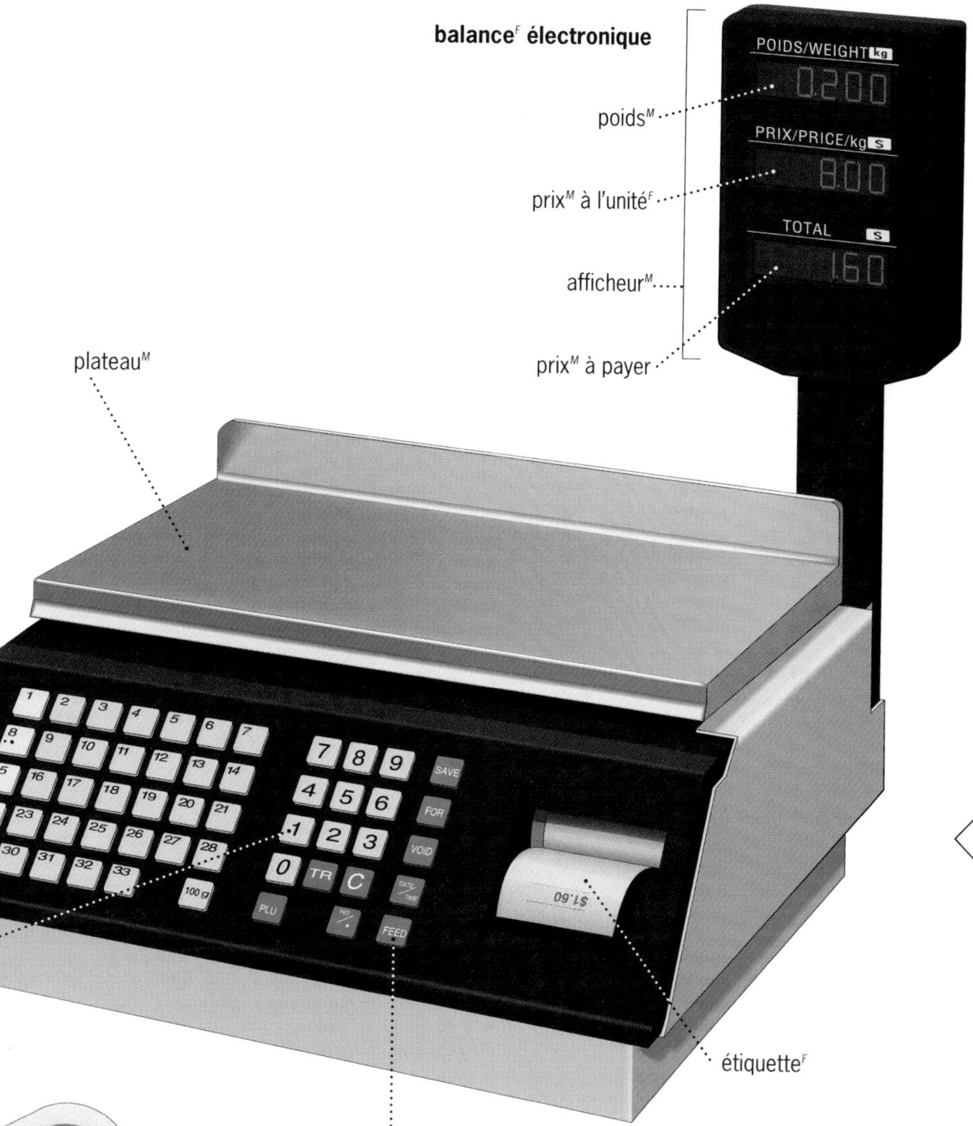

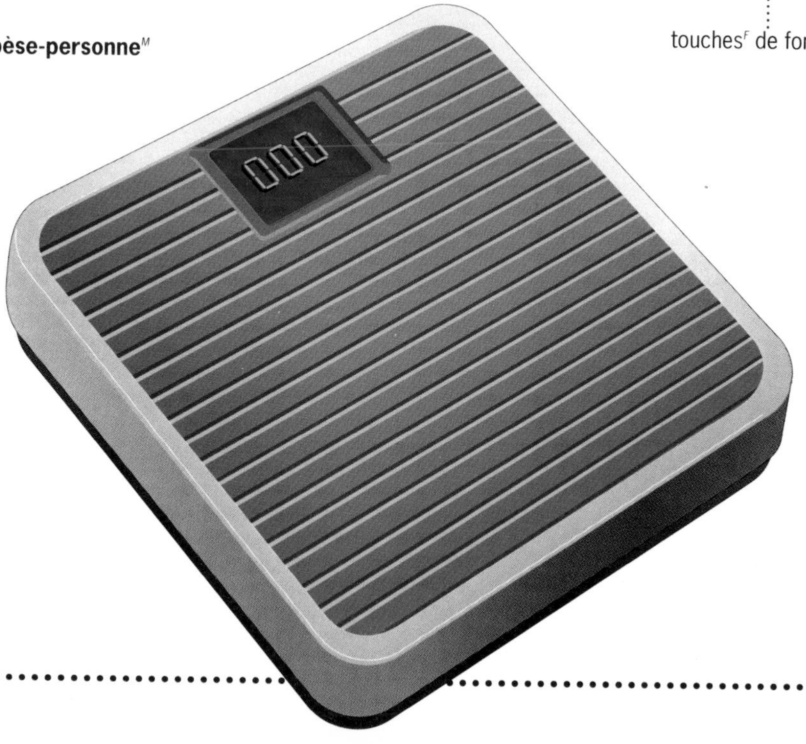

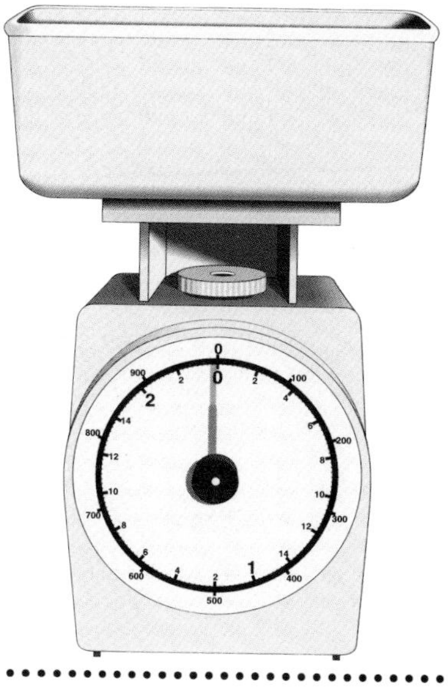

LE PÉTROLE[M]

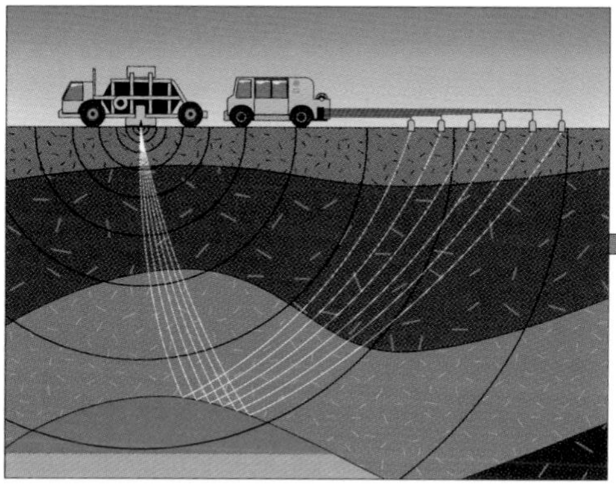

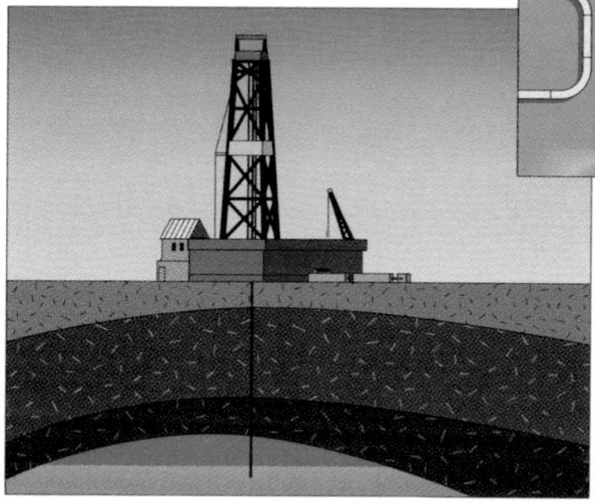

TRANSPORT[M] TERRESTRE

PROSPECTION[F]

prospection[F] terrestre

FORAGE[M]

appareil[M] de forage[M]

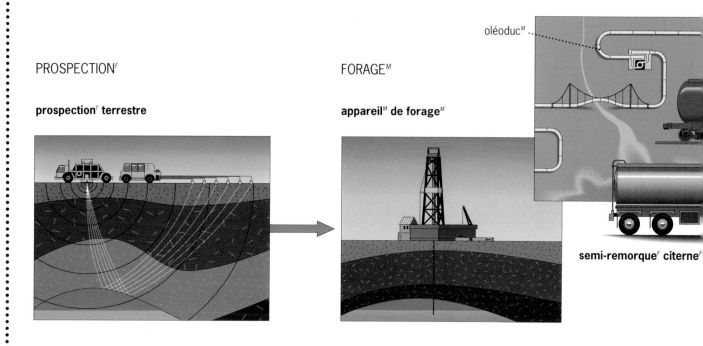

oléoduc[M]

semi-remorque[F] citerne[F]

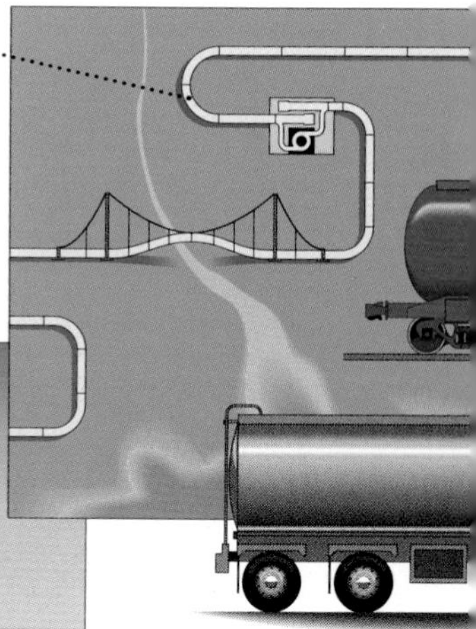

prospection[F] en mer[F]

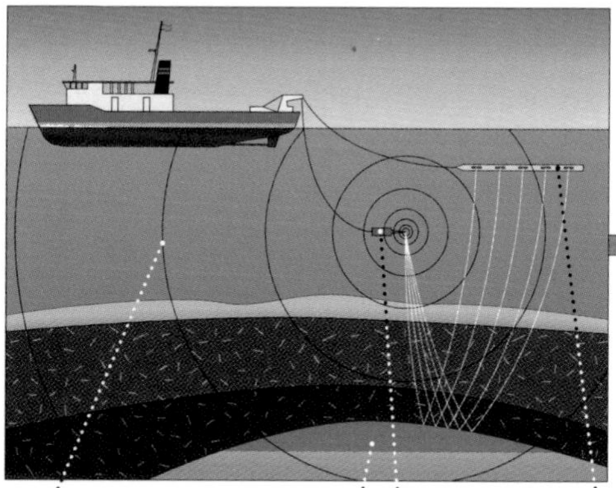

plate-forme[F] de production[F]

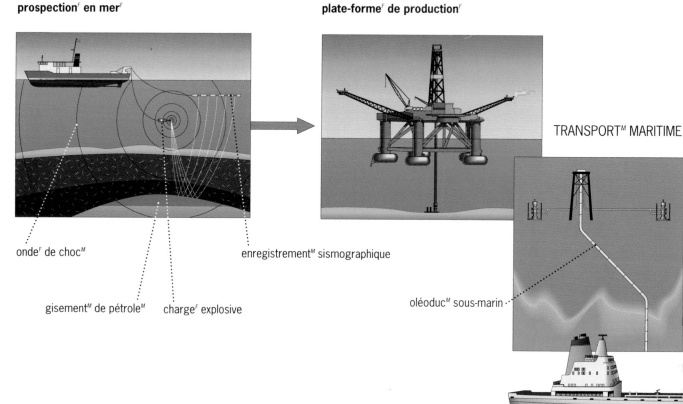

TRANSPORT[M] MARITIME

onde[F] de choc[M]

enregistrement[M] sismographique

gisement[M] de pétrole[M]   charge[F] explosive

oléoduc[M] sous-marin

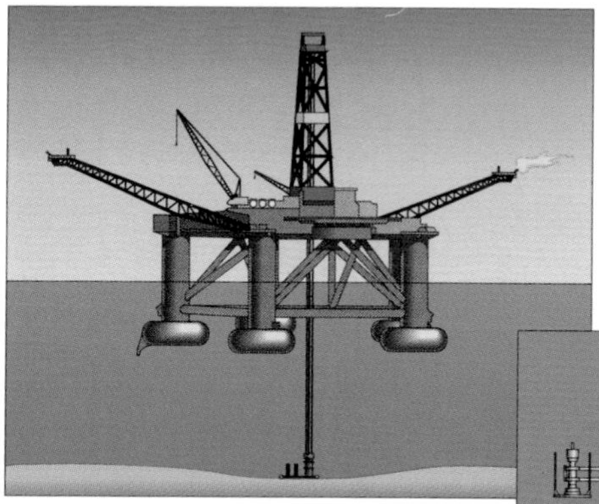

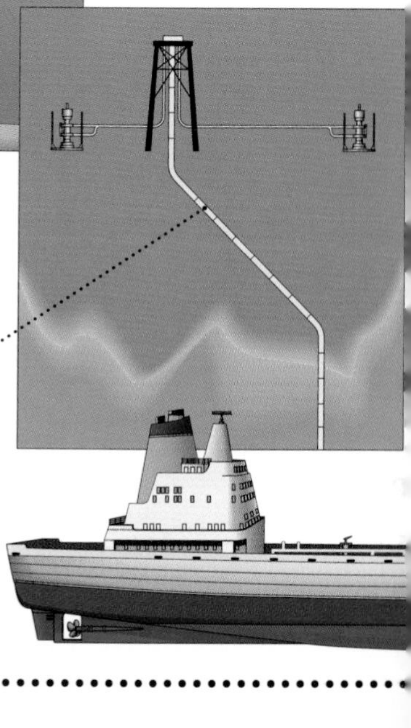

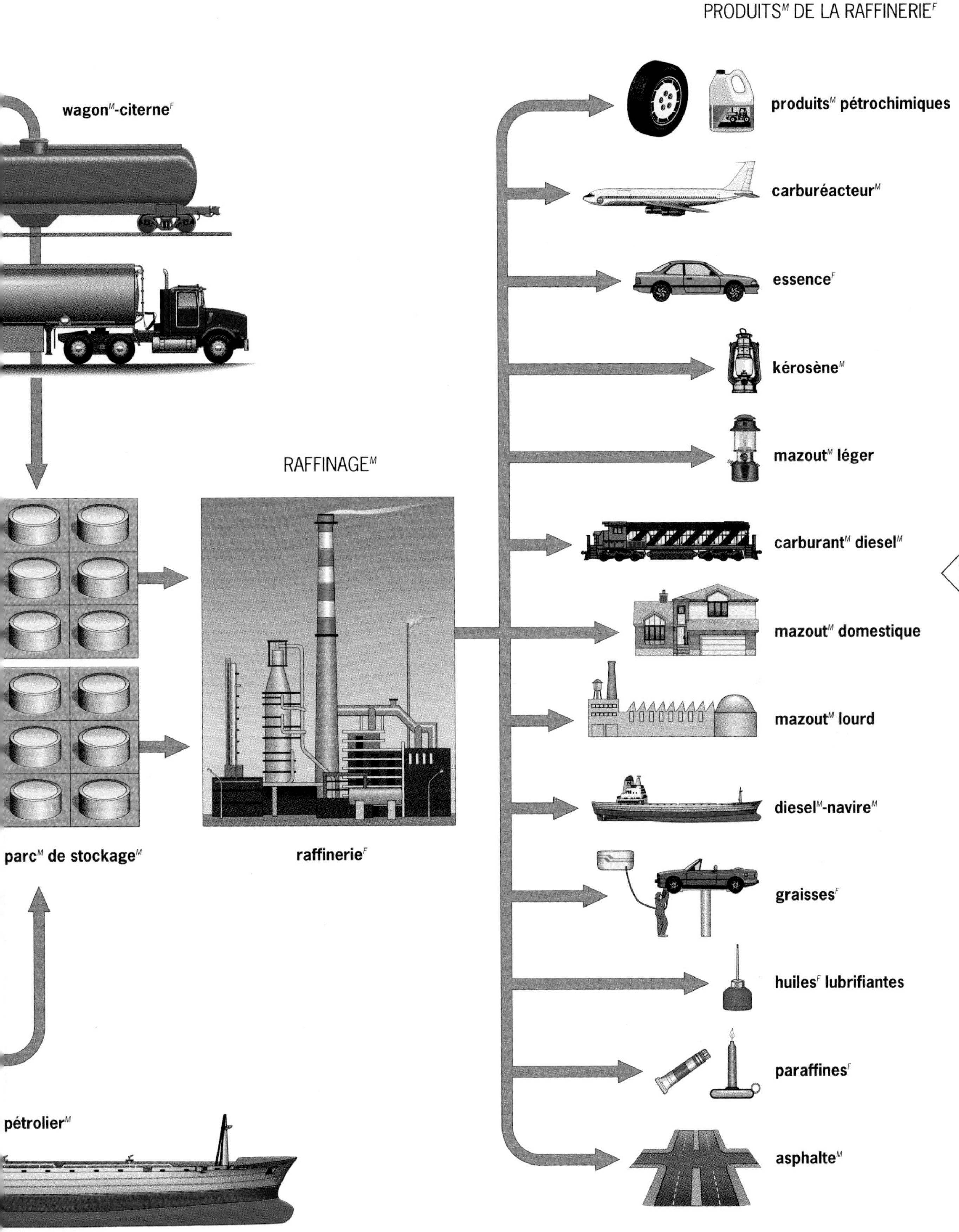

PRODUITS^M DE LA RAFFINERIE^F

wagon^M-citerne^F

produits^M pétrochimiques

carburéacteur^M

essence^F

kérosène^M

mazout^M léger

RAFFINAGE^M

carburant^M diesel^M

mazout^M domestique

mazout^M lourd

diesel^M-navire^M

parc^M de stockage^M

raffinerie^F

graisses^F

huiles^F lubrifiantes

paraffines^F

pétrolier^M

asphalte^M

203

L'ÉNERGIE[F] HYDROÉLECTRIQUE

complexe[M] hydroélectrique

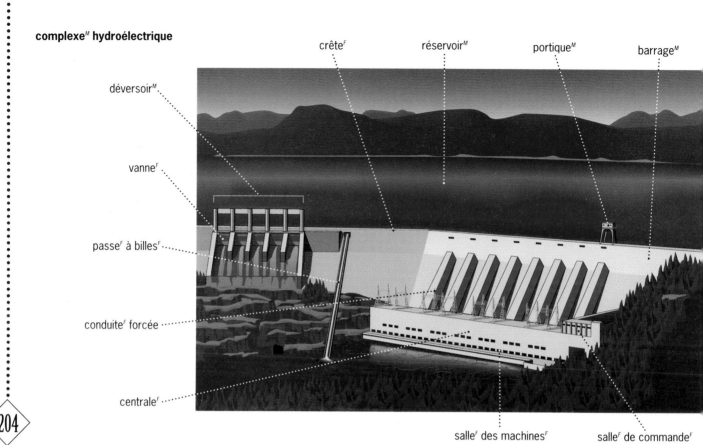

crête[F]   réservoir[M]   portique[M]   barrage[M]

déversoir[M]

vanne[F]

passe[F] à billes[F]

conduite[F] forcée

centrale[F]

salle[F] des machines[F]   salle[F] de commande[F]

coupe[F] d'une centrale[F] hydroélectrique

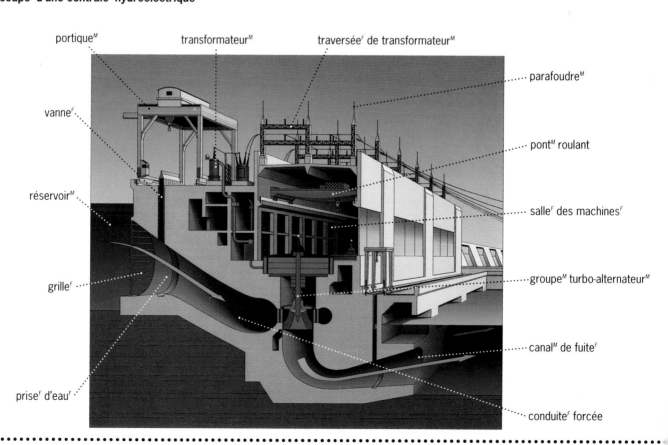

portique[M]   transformateur[M]   traversée[F] de transformateur[M]

vanne[F]

réservoir[M]

grille[F]

prise[F] d'eau[F]

parafoudre[M]

pont[M] roulant

salle[F] des machines[F]

groupe[M] turbo-alternateur[M]

canal[M] de fuite[F]

conduite[F] forcée

L'ÉNERGIE[F] HYDROÉLECTRIQUE

circuit^M **électrique**

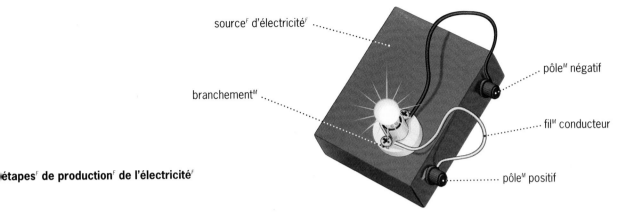

source^F d'électricité^F

branchement^M

pôle^M négatif

fil^M conducteur

pôle^M positif

étapes^F **de production**^F **de l'électricité**^F

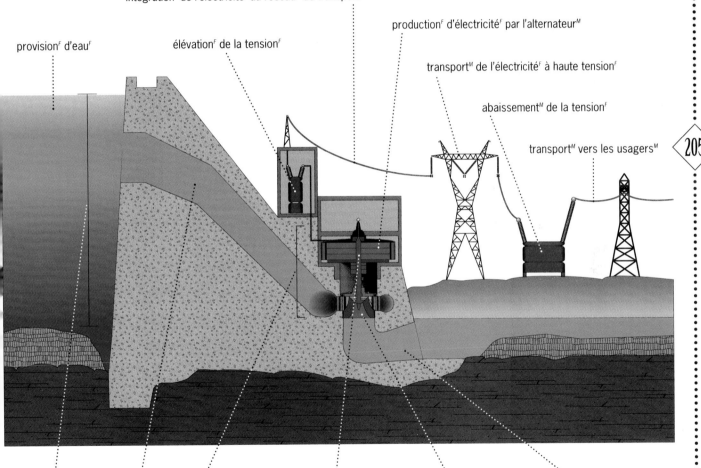

intégration^F de l'électricité^F au réseau^M de transport^M

production^F d'électricité^F par l'alternateur^M

provision^F d'eau^F

élévation^F de la tension^F

transport^M de l'électricité^F à haute tension^F

abaissement^M de la tension^F

transport^M vers les usagers^M

205

hauteur^F de chute^F

évacuation^F de l'eau^F turbinée

eau^F sous pression^F

transmission^F du mouvement^M au rotor^M

conversion^F du travail^M mécanique en électricité^F

mouvement^M rotatif de la turbine^F

L'ÉNERGIE^F NUCLÉAIRE

centrale^F nucléaire

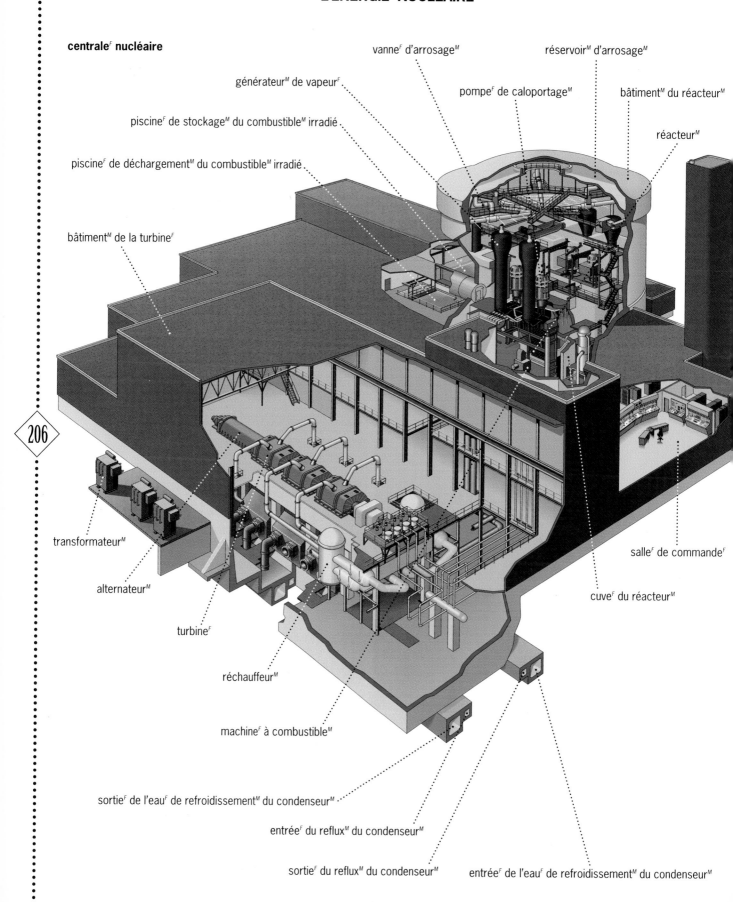

vanne^F d'arrosage^M

réservoir^M d'arrosage^M

générateur^M de vapeur^F

pompe^F de caloportage^M

bâtiment^M du réacteur^M

piscine^F de stockage^M du combustible^M irradié

réacteur^M

piscine^F de déchargement^M du combustible^M irradié

bâtiment^M de la turbine^F

transformateur^M

alternateur^M

turbine^F

réchauffeur^M

machine^F à combustible^M

salle^F de commande^F

cuve^F du réacteur^M

sortie^F de l'eau^F de refroidissement^M du condenseur^M

entrée^F du reflux^M du condenseur^M

sortie^F du reflux^M du condenseur^M

entrée^F de l'eau^F de refroidissement^M du condenseur^M

production^F **d'électricité**^F **par énergie**^F **nucléaire**

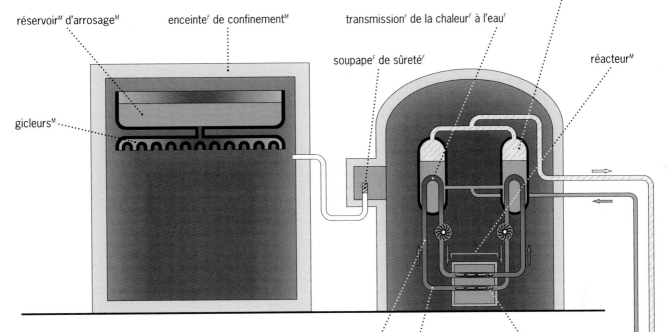

réservoir^M d'arrosage^M

enceinte^F de confinement^M

transformation^F de l'eau^F en vapeur^F

transmission^F de la chaleur^F à l'eau^F

soupape^F de sûreté^F

réacteur^M

gicleurs^M

acheminement^M de la chaleur^F au générateur^M de vapeur^F par le caloporteur^M

fission^F de l'uranium^M

production^F de chaleur^F

entraînement^M du rotor^M de l'alternateur^M

élévation^F de la tension^F

transport^M de l'électricité^F

entraînement^M de la turbine^F par la vapeur^F

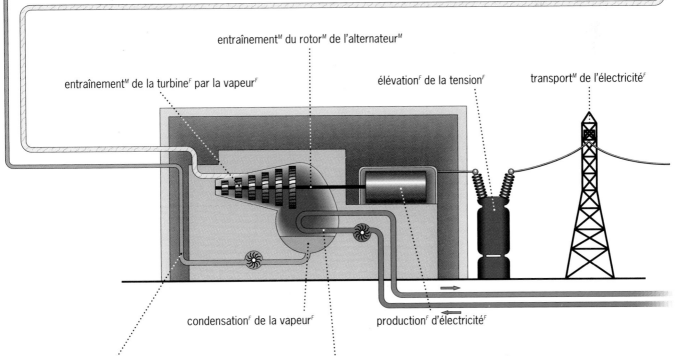

condensation^F de la vapeur^F

production^F d'électricité^F

retour^M de l'eau^F au générateur^M de vapeur^F

refroidissement^M de la vapeur^F par l'eau^F

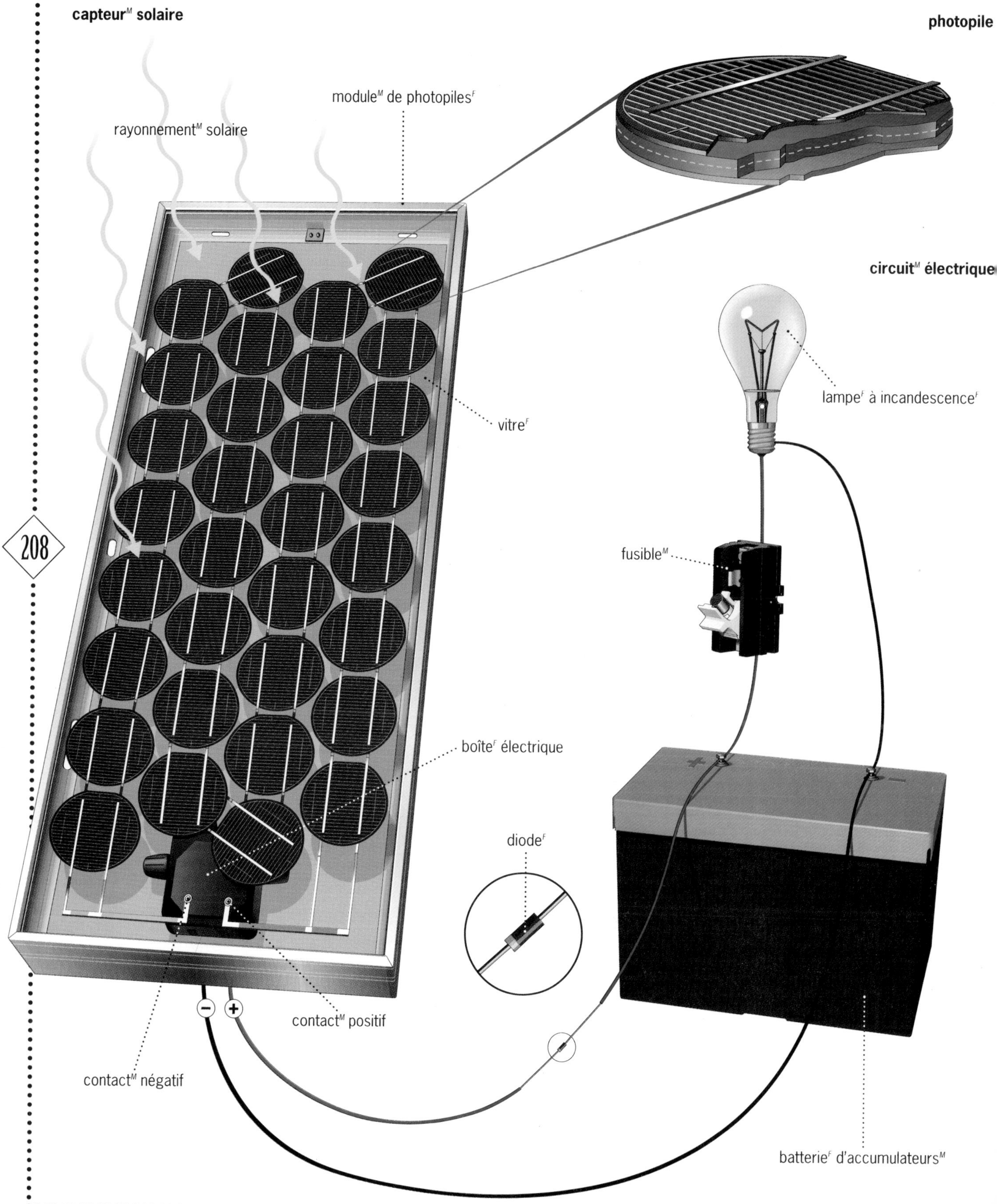

L'ÉNERGIE[F] SOLAIRE

capteur[M] solaire

photopile

module[M] de photopiles[F]

rayonnement[M] solaire

circuit[M] électrique

lampe[F] à incandescence[F]

vitre[F]

fusible[M]

boîte[F] électrique

diode[F]

contact[M] positif

contact[M] négatif

batterie[F] d'accumulateurs[M]

L'ÉNERGIE[F] ÉOLIENNE

éolienne[F] à axe[M] horizontal

- moyeu[M]
- nacelle[F]
- pale[F]
- tour[F]

éolienne[F] à axe[M] vertical

- pale[F]
- entretoise[F]
- rotor[M]
- aérofrein[M]
- axe[M] central
- socle[M]

moulin[M] à vent[M]

- bras[M]
- voile[F]
- gouvernail[M]
- latte[F]
- arbre[M]
- aile[F]
- tour[F]

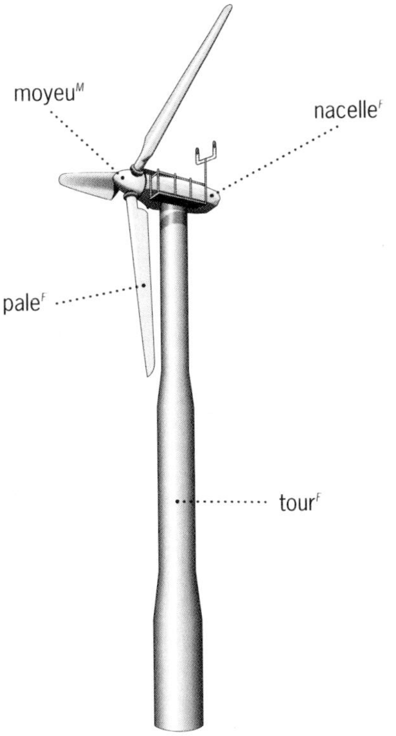

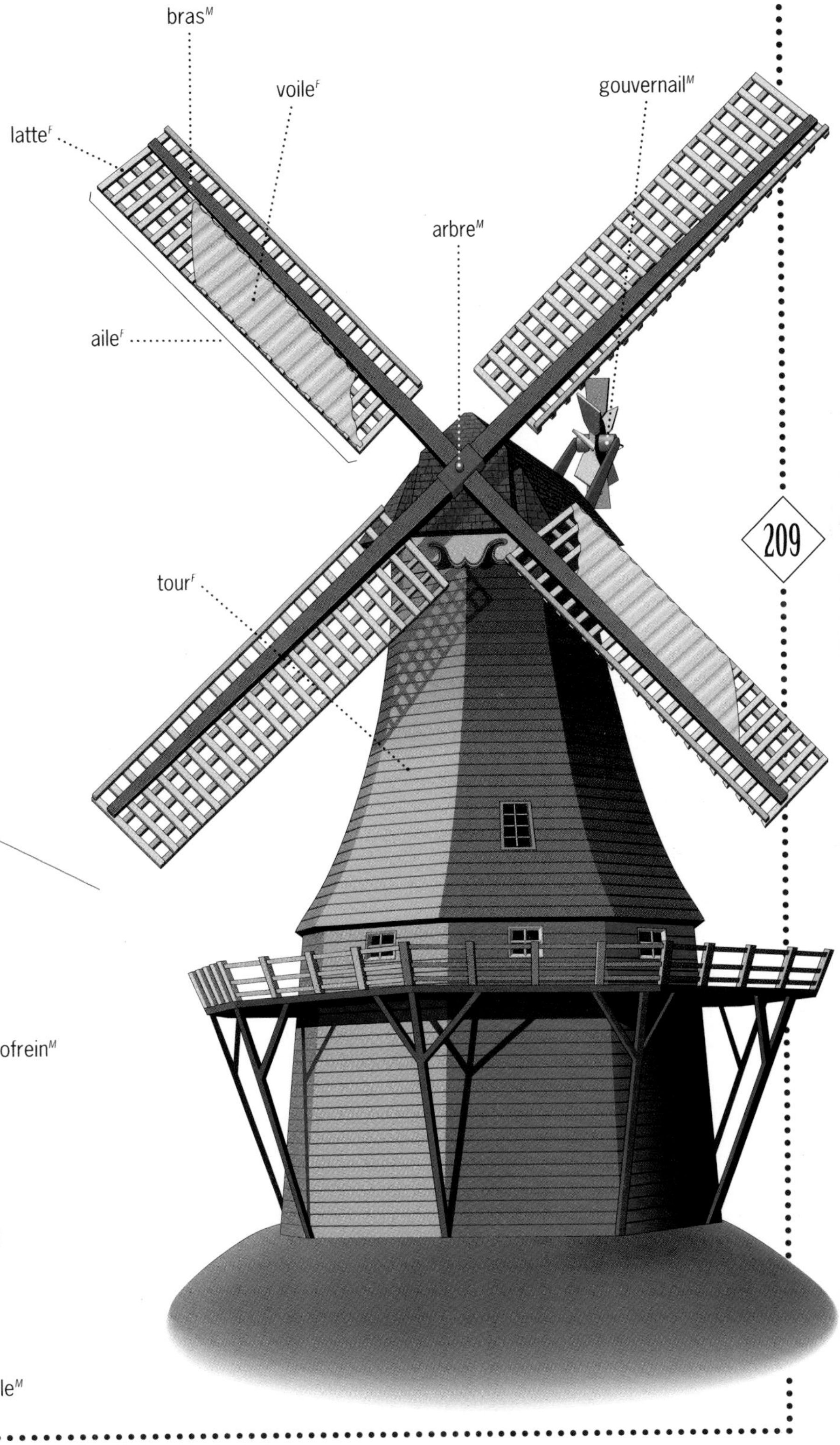

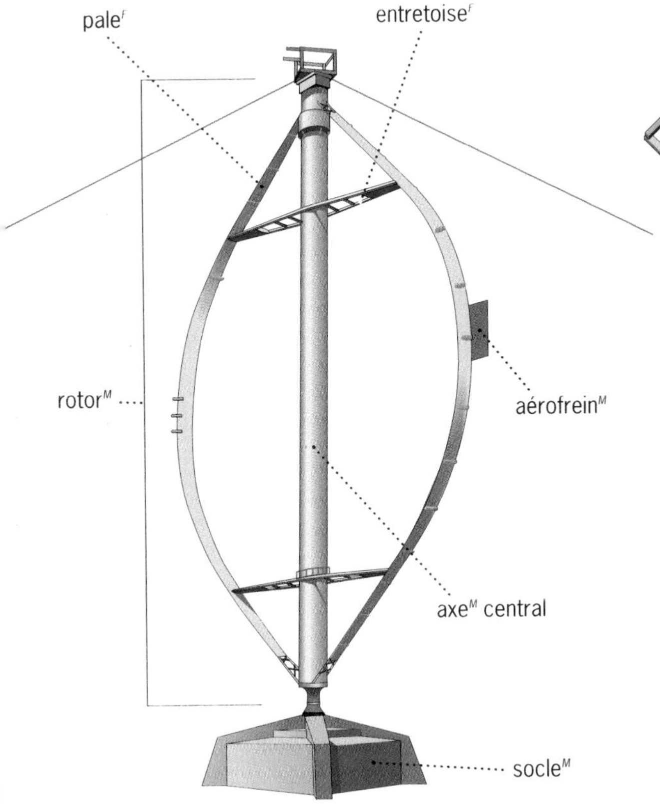

LA PRÉVENTION^F DES INCENDIES^M

tuyau^M de refoulement^M

extincteur^M

borne^F d'incendie^M

carré^M de manoeuvre^F ••••••••••

prise^F d'eau^F ••••••••

bouchon^M ••••••••

colonne^F ••••••••

grande échelle^F

vérin^M de dressage^M

tourelle^F

flèche^F télescopique

projecteur^M orientable

coffre^M de rangement^M

orifice^M d'alimentation^F

stabilisateur^M

panneau^M de commande^F

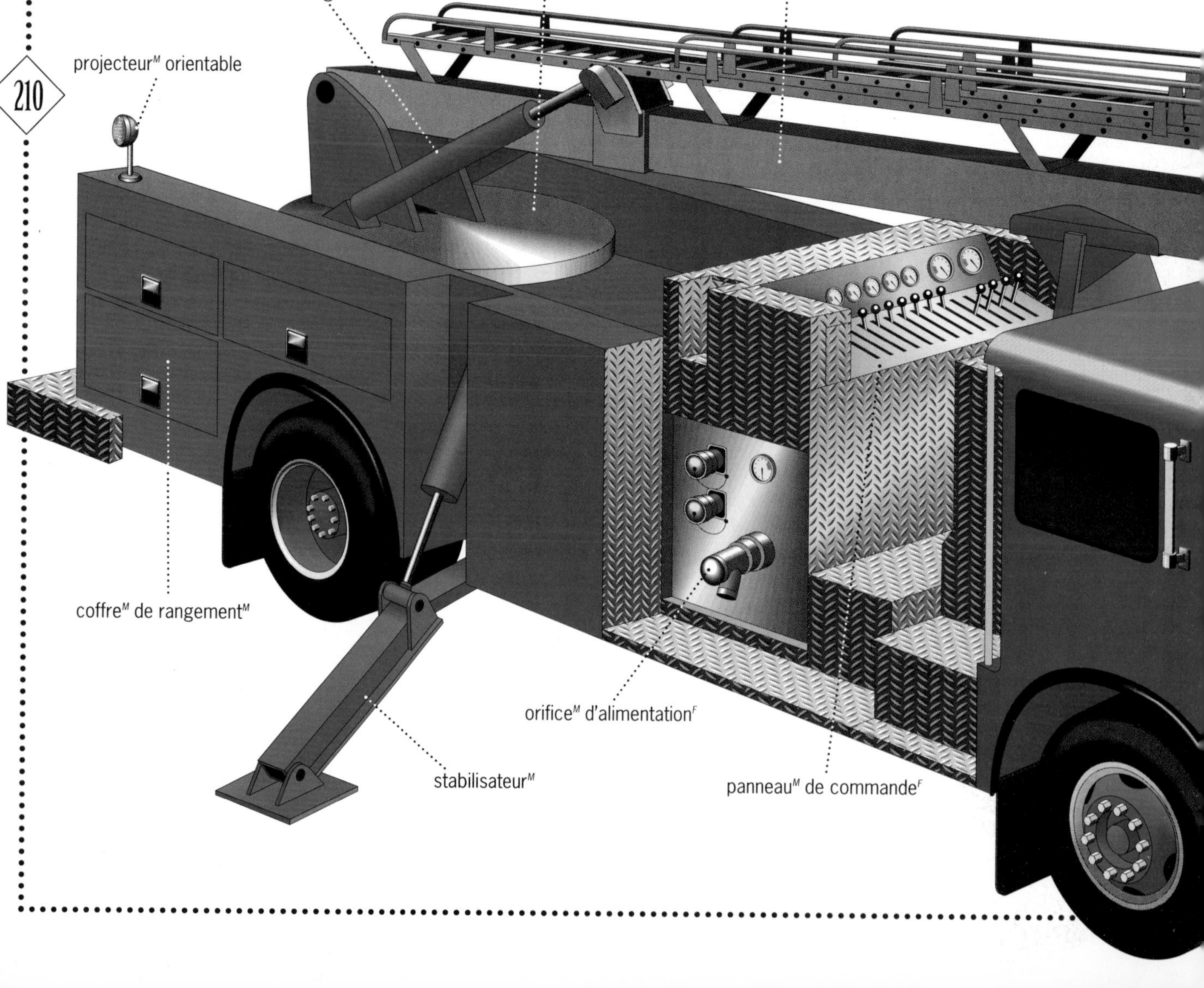

gaffe^F

sapeur-pompier^M

hache^F

bouteille^F d'air^M comprimé

casque^M

masque^M complet

appareil^M de protection^F respiratoire

parc^M à échelles^F

tube^M d'alimentation^F en air^M

gyrophare^M

échelle^F de tête^F

avertisseur^M sonore

211

lance^F à eau^F

vêtement^M ignifuge et hydrofuge

botte^F de caoutchouc^M

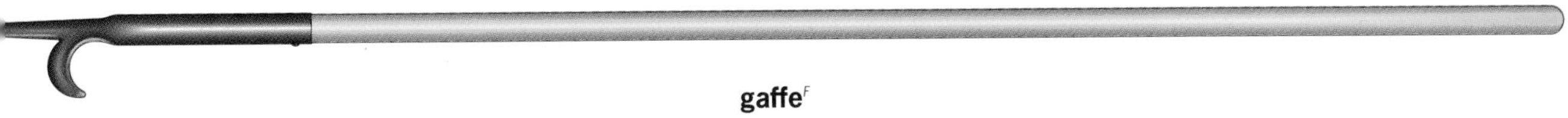

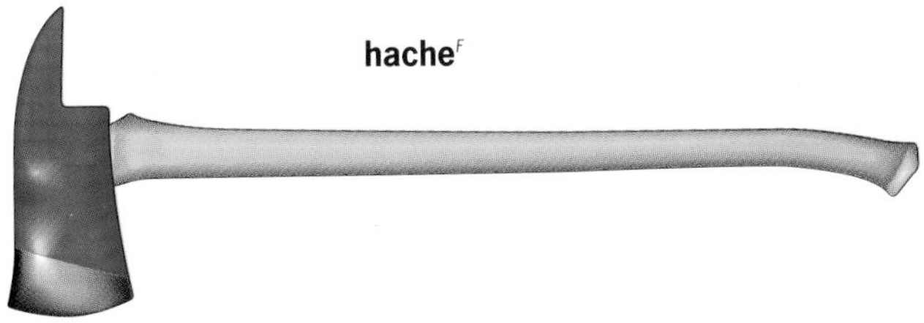

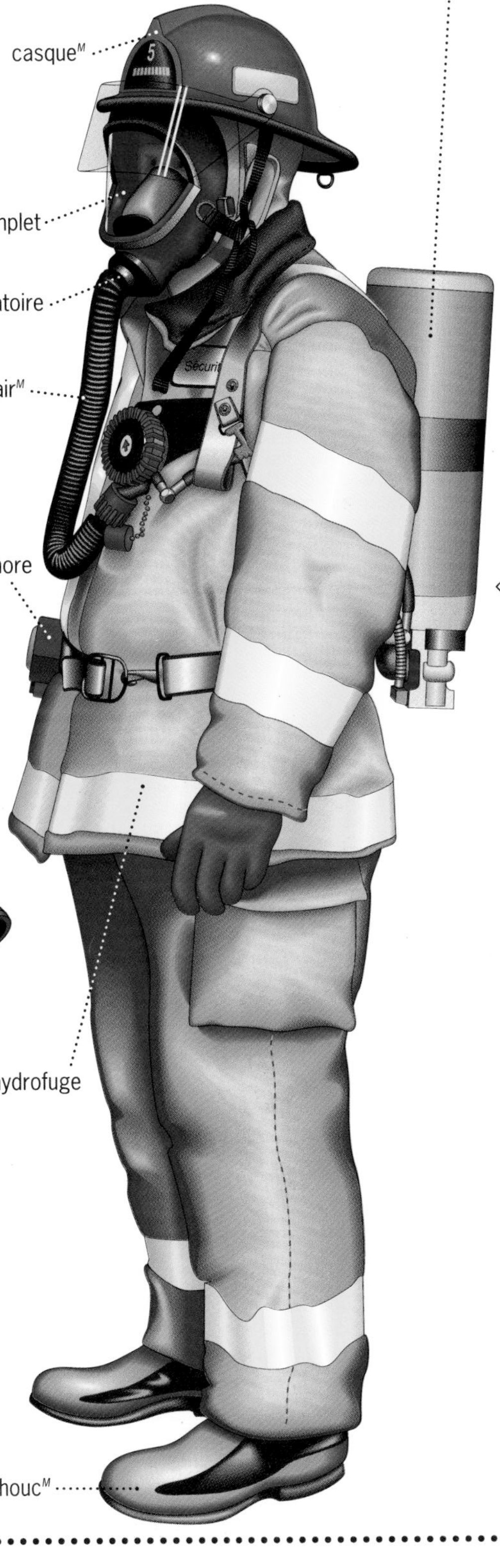

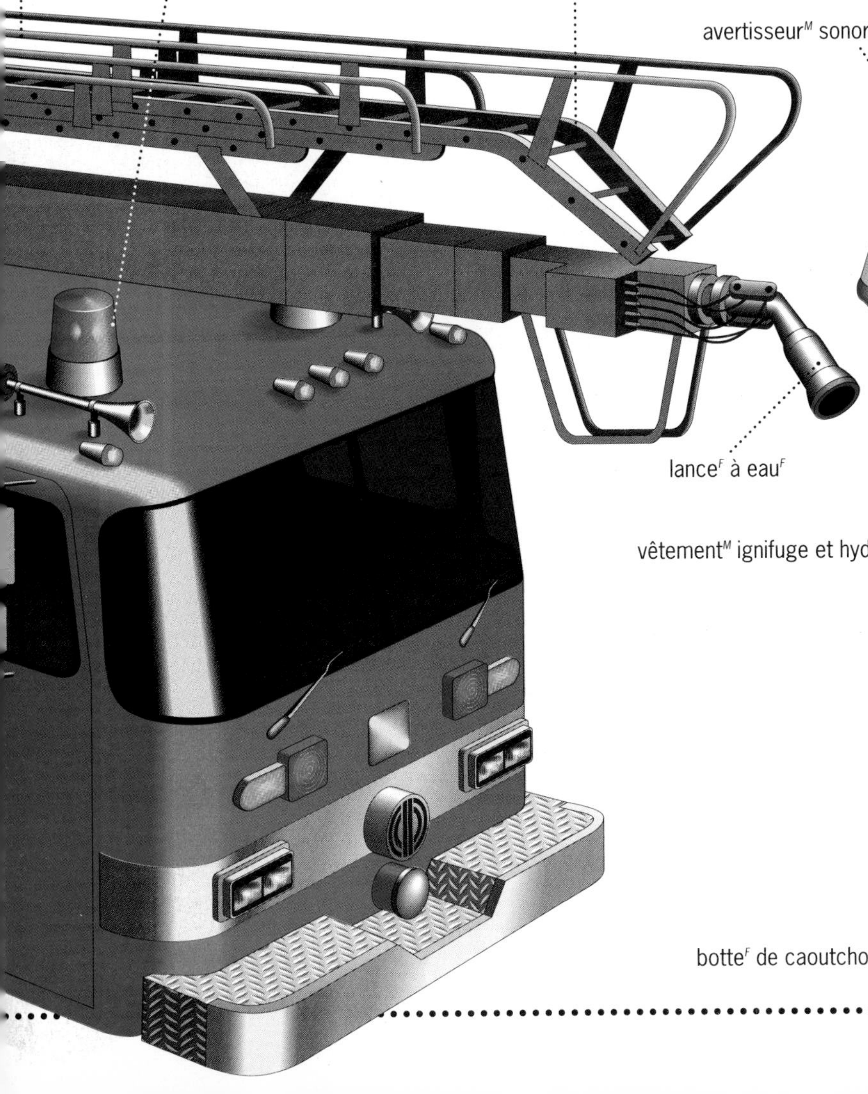

LA MACHINERIE[F] LOURDE

chargeuse-pelleteuse[F]

manœuvre[F] de la pelleteuse[F]

bras[M]

flèche[F]

vérin[M]

godet[M]

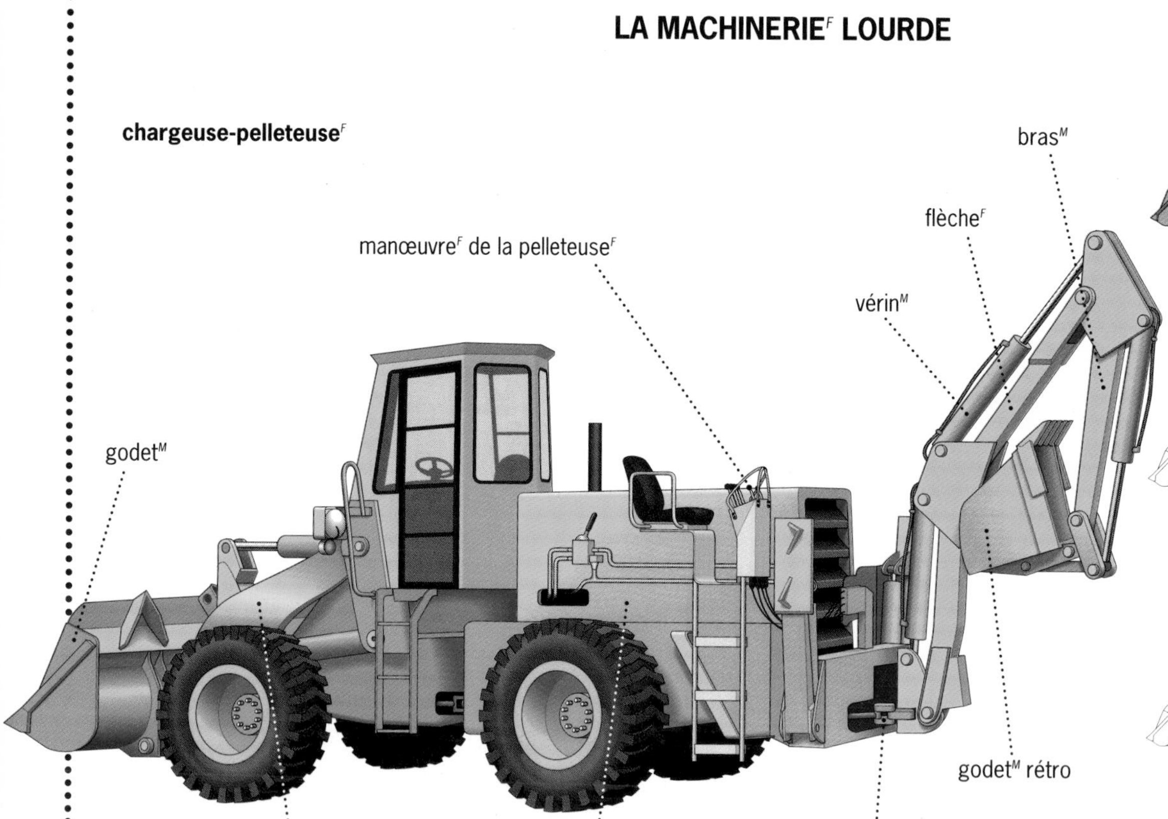

chargeuse[F] frontale

tracteur[M]

pelleteuse[F]

godet[M] rétro

bras[M] de levage[M]

moteur[M] diesel

articulation[F] de la pelleteuse[F]

bouteur[M]

filtre[M] à air[M]

moteur[M] diesel

tuyau[M] d'échappement[M]

cabine[F]

vérin[M]

lame[F]

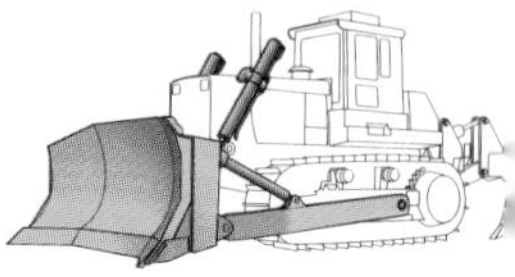

lame[F]

tracteur[M] à chenilles[F]

bord[M] tranchant

bras[M] du longeron[M]

chenille[F]

dent[F] de défonceuse[F]

défonceuse[F]

212

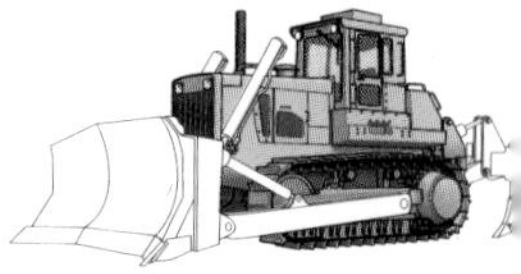

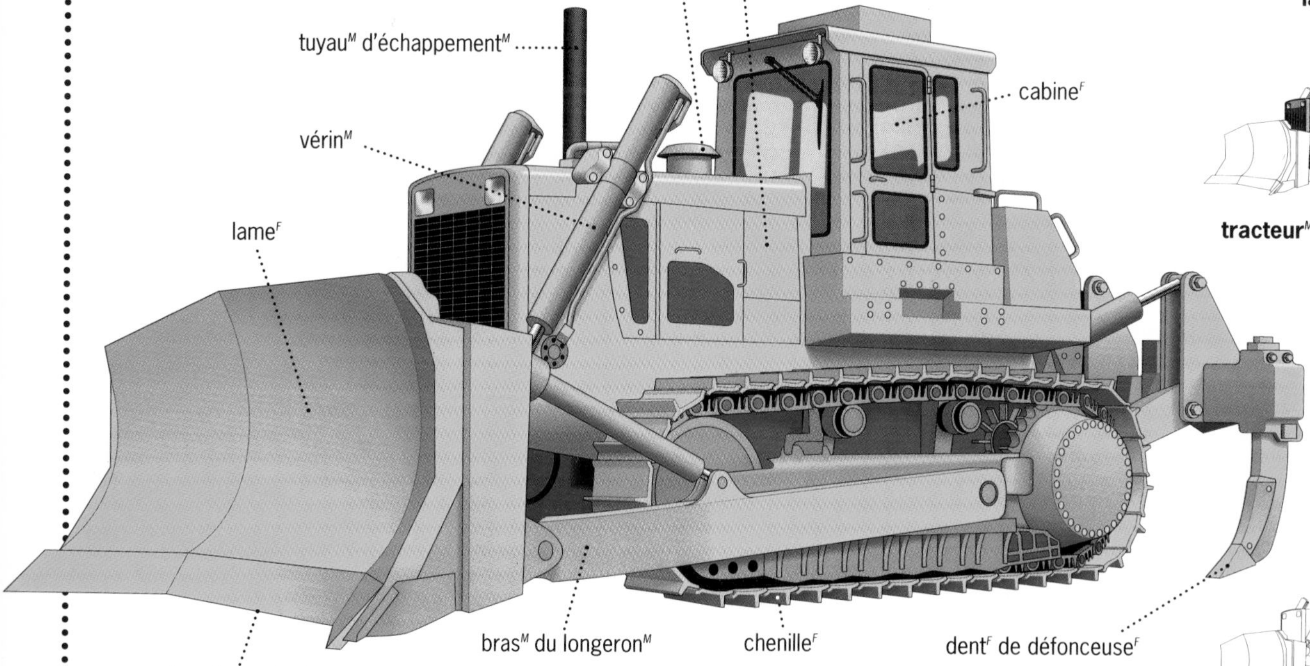

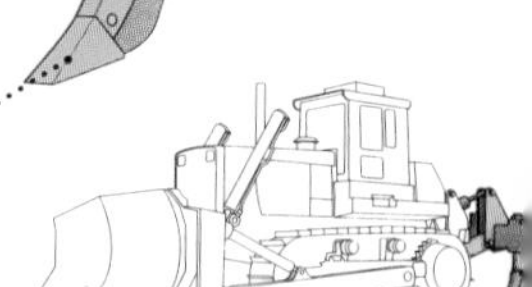

auvent^M

camion-benne^M

benne^F basculante

nervure^F

échelle^F

châssis^M

213

point^M d'articulation^F

pelle^F hydraulique

bras^M

flèche^F

vérin^M

contrepoids^M

tourelle^F

couronne^F d'orientation^F

godet^M chargeur

stabilisateur^M

châssis^M

dent^F

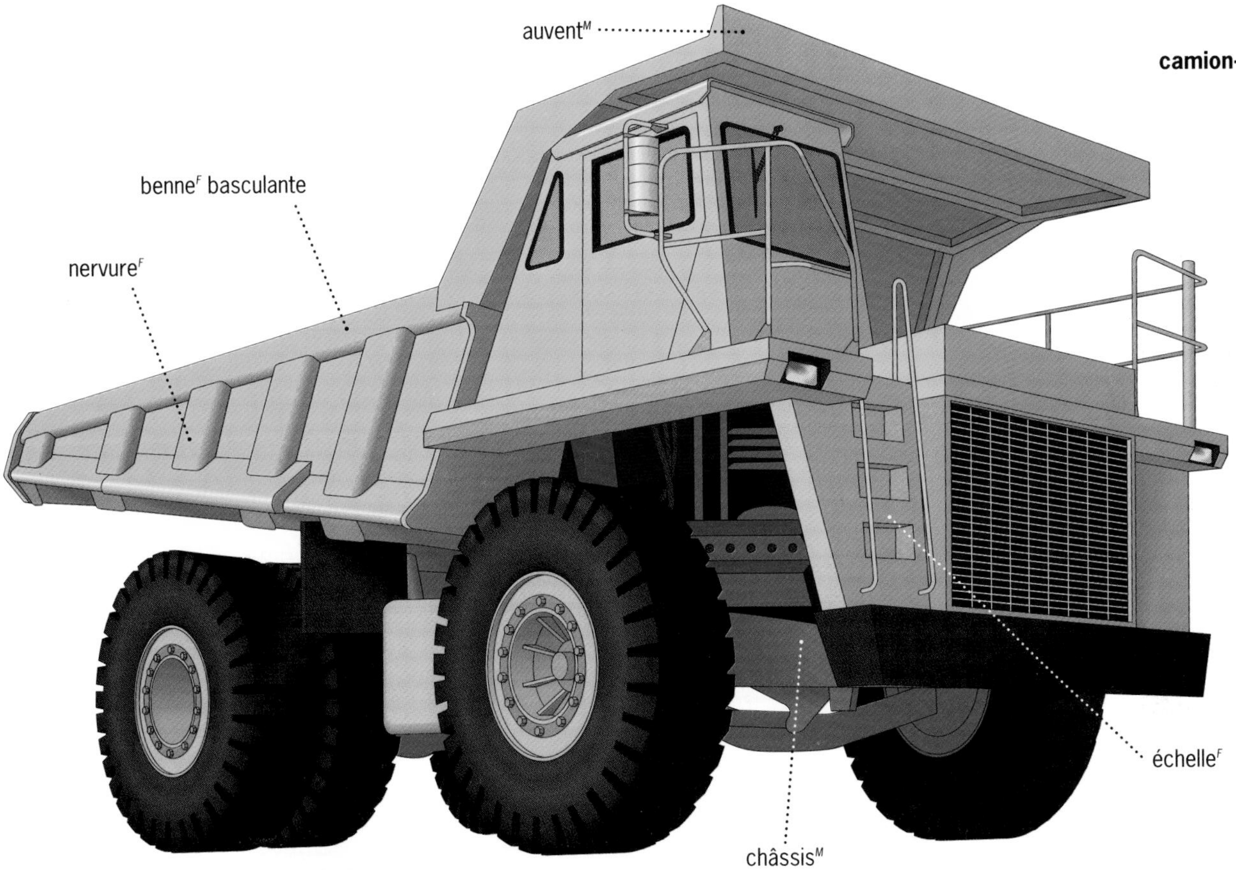

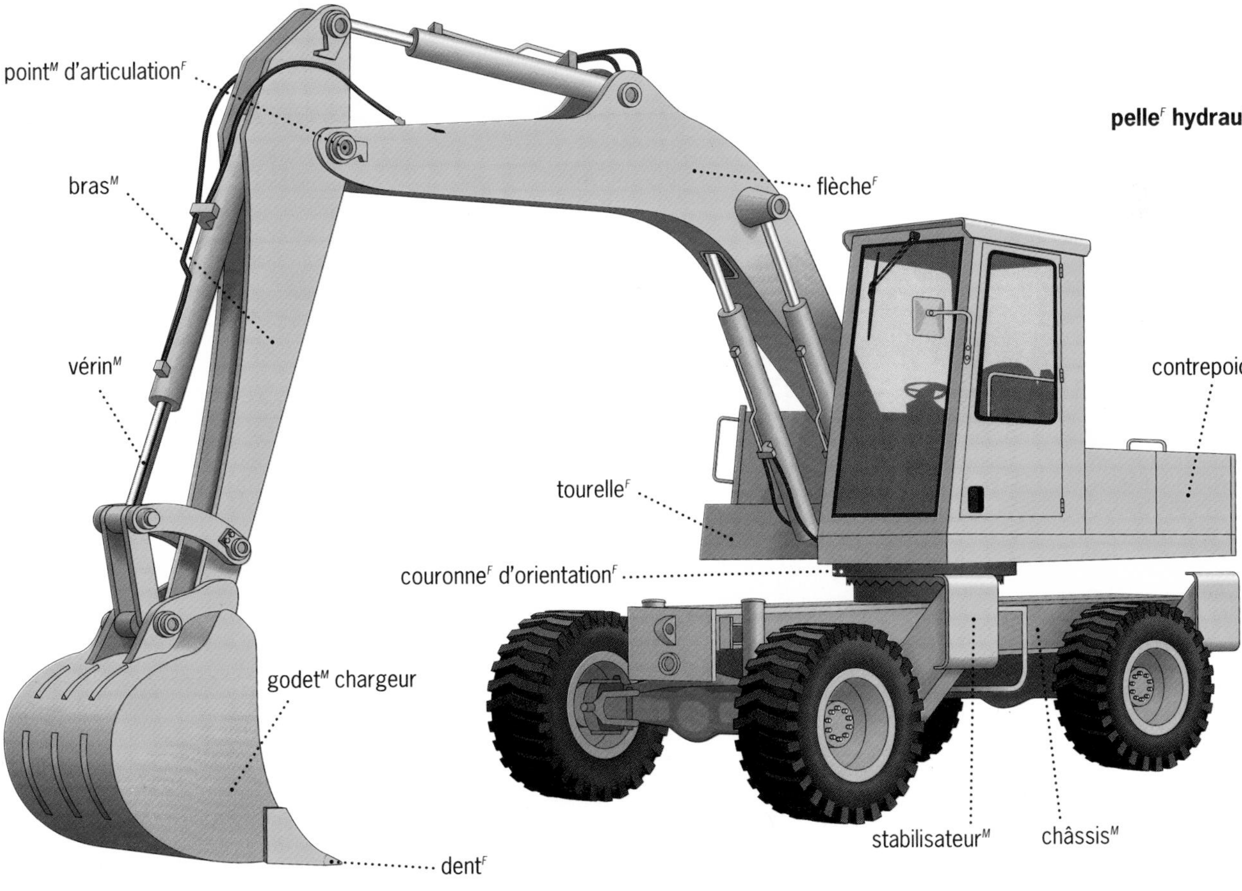

LA MACHINERIE^F LOURDE

grue^F à tour^F

flèche^F

chariot^M

chemin^M de roulement^M

poulie^F de chariot^M

cabine^F de commande^F

câble^M de levage^M

crochet^M

treuil^M de levage^M

balayeuse^F

réceptacle^M à déchets^M

brosse^M centrale

canalisation^F d'arrosage^F

brosse^F latérale

tour^F

souffleuse^F à neige^F

canal^M de projection^F

vis^F sans fin^F

lest^M

DANGER

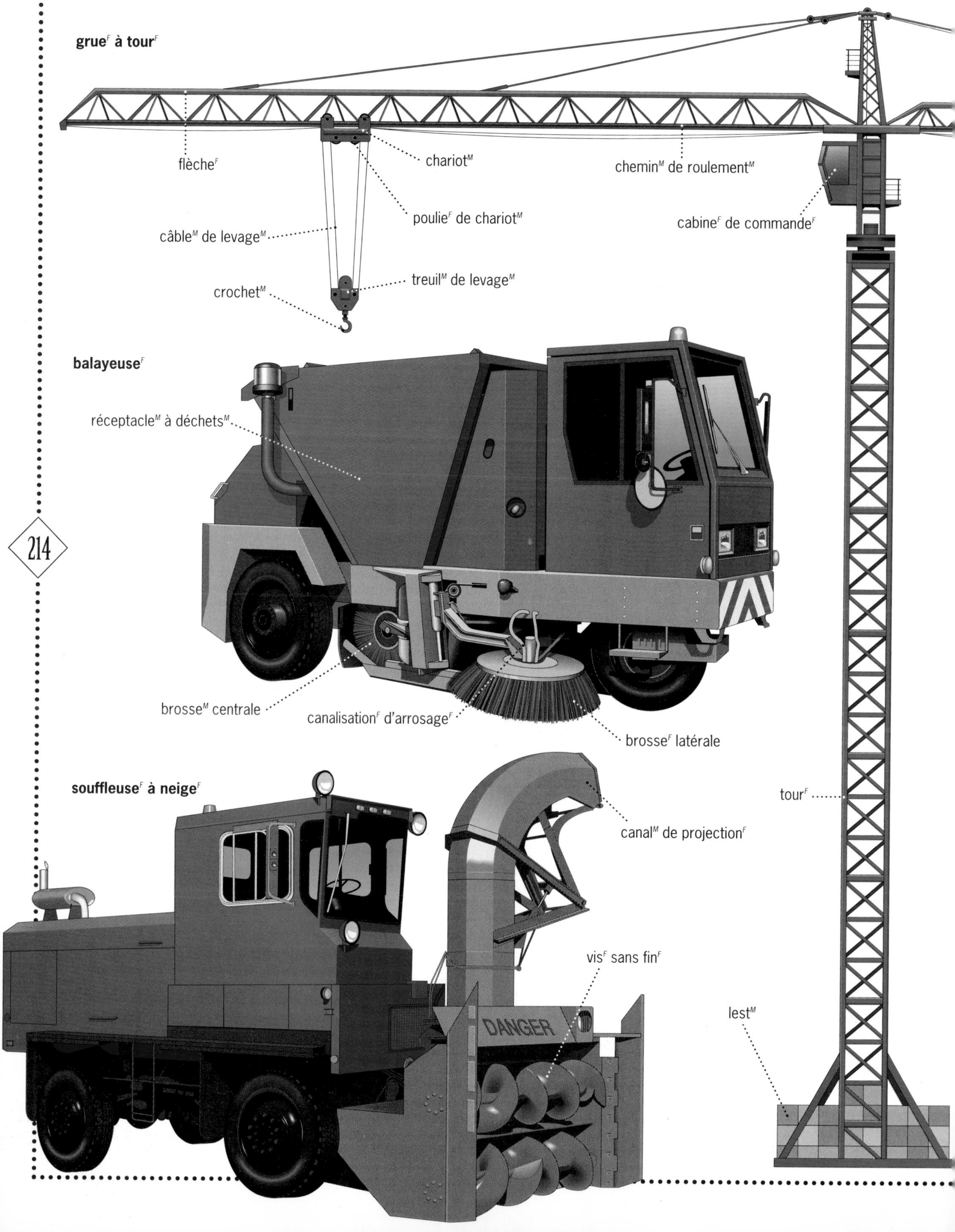

tirant^M

contrepoids^M

contre-flèche^F

benne^F tasseuse

camion^M à ordures^F

trémie^F de chargement^M

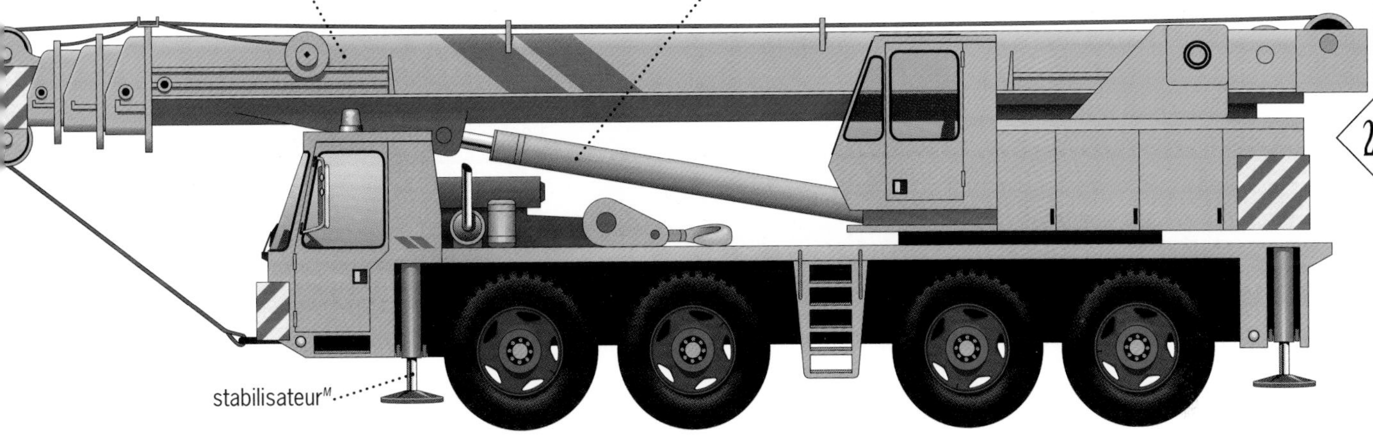

grue^F sur porteur^M

flèche^F télescopique

vérin^M de dressage^M

215

stabilisateur^M

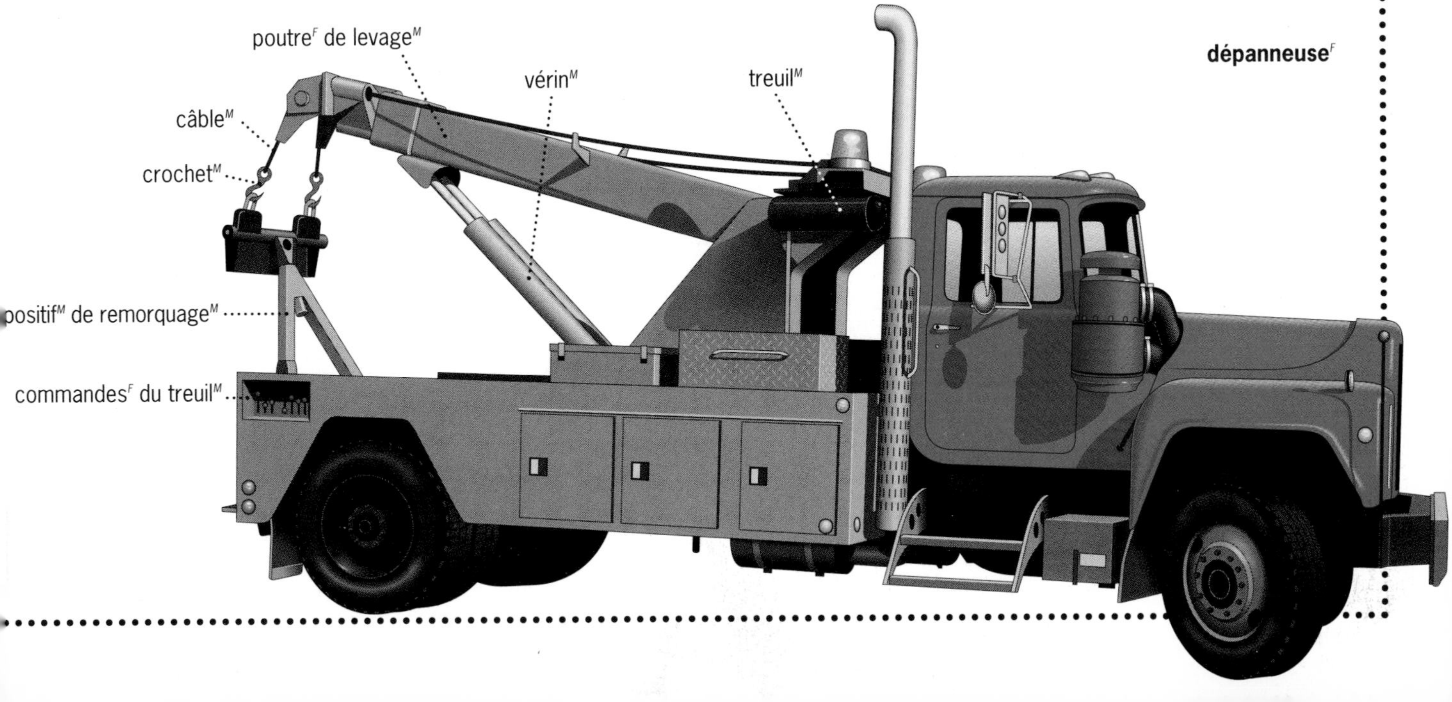

dépanneuse^F

poutre^F de levage^M

vérin^M

treuil^M

câble^M

crochet^M

positif^M de remorquage^M

commandes^F du treuil^M

LES SYMBOLES^M D'USAGE^M COURANT

toilettes^F pour dames^F

toilettes^F pour hommes^M

accès^M pour
handicapés^M physiques

hôpital^M

téléphone^M

défense^F de fumer

camping^M

camping^M interdit

arrêt^M à l'intersection^F

LES SYMBOLES^M DE SÉCURITÉ^F

matières^F corrosives

danger^M électrique

LES SYMBOLES^M DE PROTECTION^F

protection^F obligatoire
de la vue^F

protection^F obligatoire
de l'ouïe^F

matières^F explosives

matières^F inflammables

protection^F obligatoire
de la tête^F

protection^F obligatoire
des mains^F

matières^F radioactives

matières^F toxiques

protection^F obligatoire
des pieds^M

protection^F obligatoire
des voies^F respiratoires

216

Les termes en **caractères gras** renvoient à une illustration, ceux en CAPITALES indiquent un titre.

s termes en **caractères gras** renvoient à une illustration, ceux en CAPITALES indiquent un titre.

Les termes en **caractères gras** renvoient à une illustration, ceux en CAPITALES indiquent un titre

Les termes en **caractères gras** renvoient à une illustration, ceux en CAPITALES indiquent un titre.

INDEX

Les termes en **caractères gras** renvoient à une illustration, ceux en CAPITALES indiquent un titre.

223

0395 IT : 2.2.? : F.?.?